ISBN 978-0-428-70810-8
PIBN 11304496

This book is a reproduction of an important historical work. Forgotten Books uses
state-of-the-art technology to digitally reconstruct the work, preserving the original format
whilst repairing imperfections present in the aged copy. In rare cases, an imperfection in
the original, such as a blemish or missing page, may be replicated in our edition. We do,
however, repair the vast majority of imperfections successfully; any imperfections that
remain are intentionally left to preserve the state of such historical works.

Lucian's

Werke,

übersetzt

von

August Pauly,

Profeſſor, Lehrer an der lateiniſchen und Real=Anſtalt
zu Biberach.

———

Erſtes Bändchen.

———

Stuttgart,

Verlag der J. B. Metzler'ſchen Buchhandlung.
Für Oeſtreich in Commiſſion von Mörſchner und Jaſper
in Wien.
1827.

Einleitung.

Bei dem auffallenden Stillschweigen gleichzeitiger und späterer Schriftsteller über Lucian beschränkt sich das Wenige, was wir von seinen Lebensumständen wissen, auf einige in seinen eigenen Werken zerstreute Nachrichten, und auf die Folgerungen, die mit Sicherheit aus denselben gezogen werden können.

Sein Geburtsort war Samosata, eine unfern des Euphrat's an den äußersten Gränzen Griechischer Kultur gelegene Syrische Stadt, an deren Stelle heut zu Tage ein gänzlich unbedeutender Ort, Semisat, befindlich seyn soll. Das Jahr seiner Geburt läßt sich nicht mit Bestimmtheit angeben; doch vermuthet Wieland nicht unwahrscheinlich, daß er um das Jahr 117 nach Chr. (Trajan's Todesjahr) geboren wurde. Wie wenig das Glück ihn durch die Vorzüge ansehnlicher Herkunft und glänzender Vermögensumstände

begünstigt hatte, erzählt er uns selbst in dem Aufsatze
der Traum, der mit Recht an der Spitze seiner
Werke steht, und womit er die Vorlesung derselben
in seiner Vaterstadt eröffnete. Der Bestimmung zum
Handwerker, welche ihm seine Eltern, als er unge=
fähr vierzehn Jahre alt war, geben wollten, wider=
strebte sein Genius, und er wählte die Laufbahn ei=
nes gerichtlichen Redners, welche damals ausgezeich=
nete Talente auf einen ehrenvollen Schauplatz führte,
so wie sie dem Sohne unbemittelter Eltern ein reich=
liches Auskommen versprach. Wirklich hatte er meh=
rere Jahre, wie es scheint, zuerst in der Hauptstadt
Syriens, Antiochien, sodann in Griechenland, mit
Ausübung der gerichtlichen Beredtsamkeit zugebracht,
als die Unannehmlichkeiten dieses Berufs ihn bestimm=
ten, sich auf den friedlicheren eines theoretischen Red=
ners, oder Lehrers der Redekunst (Sophisten) zu be=
schränken, und sich dabei mit philosophischen und
schönwissenschaftlichen Studien zu beschäftigen. In
dieser Eigenschaft hielt er sich eine Reihe von Jahren
in Gallien auf, wo er die Rhetorik als öffentlich an=
gestellter Lehrer vortrug, und in der hohen Achtung,
in welcher er dort stand, so wie in einem sehr reich=
lichen Einkommen die Früchte seines ausgebildeten
Talentes ärntete. Er möchte fünf und dreißig bis

vierzig Jahre zählen, als er Gallien und zugleich das
rhetorische Lehrgeschäft verließ, um nach Griechenland zurückzukehren, und, wie es scheint, die Jahre
des mittleren Mannesalters, seine fruchtbarste Periode an literarischen Erzeugnissen, in Athen zu verleben. Daß er seine Vaterstadt zu einer Zeit wieder
besuchte, wo er durch seine Schriften bereits zu einem hohen Grad von Berühmtheit gelangt war, ist
nach dem oben angeführten Aufsatze eben so wenig
zu bezweifeln, als es wahrscheinlich ist, daß er sich
lange in jener halbbarbarischen Provinzialstadt werde
aufgehalten haben. Wenigstens ließe sich dieß nicht
wohl mit der Vorliebe zusammenreimen, welche er
an mehreren Stellen seiner Werke für Athen an den
Tag legte, welches auch in jenen späten Zeiten noch
der Hauptsitz ächter Urbanität und feiner Bildung
war. In seinem höhern Alter nahm er eine mit
Ansehen und bedeutendem Gehalte verbundene Beam-
tenstelle bei der Präfektur von Egypten an, wobei
ihm die Aussicht auf eine der höchsten Stellen im
kaiserlichen Dienste, etwa das Gouvernement einer
Provinz, eröffnet war. Ob diese Hoffnung in Erfüllung gegangen, wissen wir nicht: denn von jetzt an
verlieren sich in seinen Schriften alle Spuren seiner
weitern Lebensgeschichte. Daß er verehlicht gewesen,

und einen Sohn gehabt habe, schließt man aus ei=
ner Aeußerung in dem Dialog der Eunuch *).

Das Zeitalter, welches Lucian in seinen besten
Jahren durchlebte, war also jenes glänzende unter
Hadrian und den beiden Antoninen, wo unter der
milden und friedlichen Regierung dieser weisen und

---

*) Ueber die Art seines Todes findet sich eine Angabe bei
dem Lerikographen Suidas (um's Jahr 1000), die ein
Beispiel abgeben mag, wie unser Satyriker von einer
gewissen Classe von Menschen beurtheilt wurde. Er
sagt: „Lucian, mit dem Beinamen der Lästerer.....
wurde, wie erzählt wird, von Hunden zerrissen, weil
er in seinem Wahnsinn nicht einmal die Wahrheit
verschont hatte. Denn in seinem Leben des Pere-
grin hatte der Verfluchte auch das Christenthum und
die Person Christi selbst mit seinen Schmähungen
angegriffen. Darum hat er schon in diesem Leben
die gerechte Strafe für seine frevelhafte Raserei er=
litten, in dem künftigen aber wird er in Gemein=
schaft mit Satanas des ewigen höllischen Feuers Erbe
seyn." — Der unparteiische Leser unseres Schrift=
stellers überzeugt sich bald, wie dieser das Christen=
thum nur durch den Auswurf seiner Anhänger kennen
gelernt, oder vielmehr eben dadurch so wenig kennen
gelernt hatte, daß er sogar den gewöhnlichen Irrthum
seiner Zeit, als ob Christenthum und Judenthum Eins
wären, getheilt zu haben scheint.

humanen Fürsten der Wohlstand der Provinzen blüh=
te, und der lebhafte Verkehr der Städte und Völker=
schaften einen äußerlich glücklichen Zustand herbei=
führte, wie ihn die Geschichte des Alterthums sonst
nirgends, wenigstens nicht von dieser Dauer, auf=
weist. Besonders war es Athen, welches sich von
jenen Umständen, so wie von der Vorliebe begün=
stigt, die Hadrian für diese Wiege des Wahren und
Schönen hegte, schnell wieder zu einer bedeutenden
Höhe des Ansehens emporhob. Mehr als je war
hier der Sammelplatz von Gelehrten und Künstlern
aller Art, und nur der Grad der Geistesbildung be=
stimmte in dieser Musenstadt den Werth und die Ach=
tung des Einzelnen, während bloser Rang und Reich=
thum nicht einmal vor jenem beißenden Spotte schütz=
ten, in welchem die Athener von jeher Meister wa=
ren. Der Aufenthalt in dieser Stadt, und daselbst
der vertraute Umgang mit seinem väterlichen Freunde
Demonax, dem veredelten Cyniker, dem er in ei=
nem seiner Aufsätze ein so schönes Denkmal setzt,
war die wesentlichste Epoche in Lucian's Bildungs=
geschichte, und höchst einflußreich auf Zweck, Geist
und Charakter, so wie auf die Form seiner schriftstel=
lerischen Produktionen.

So glücklich und blühend aber jenes Zeitalter in mancher Beziehung war, so litt es gleichwohl an eigenthümlichen und sehr wichtigen Gebrechen. Eben jene Gunst, welche gebildete Regenten, wie Hadrian und Mark=Aurel, den Wissenschaften und insbesondere der Philosophie schenkten, machte, daß sich viele Unwürdige herzudrängten, welche unter der Philosophenmaske die niedrigsten Absichten verbergend, die Wissenschaft zum blosen Erwerbsmittel herabwürdigten, und so ihren Verfall und ihre Verachtung herbeiführten. Es wimmelte ferner in jener Zeit von dem windichten Geschlechte der Sophisten oder Schönredner, welche mittelst dialektisch=rhetorischer Kunstgriffe in schimmernden Declamationen mit der Wahrheit ihr leichtfertiges Spiel trieben. Dazu kam, daß der religiöse Volksglaube gerade damals, als sich die alten Institute zum Untergange neigten, je ferner er jener Periode künstlerisch schaffender Phantasie stand, welche ihm das Daseyn gegeben, und je mehr durch die Vereinigung der verschiedensten Nationen in Einen Staatskörper, ein Gemengsel der mannigfaltigsten Vorstellungen, Sagen und Gebräuche entstanden war, desto mehr seine Inconsequenz und innere Unhaltbarkeit an den Tag legte. Zwar hieng die Masse des Volks noch an den älten Sagen und äußern göt=

terdienſtlichen Einrichtungen; allein das Unbefriedi=
gende derſelben, das immer fühlbarer ward, ſcheint
jenen Hang zum Wunderbaren und zur Schwärme=
rei herbeigeführt zu haben, welcher Lucian's Zeitalter
ganz beſonders charakteriſirt: der Orient mit ſeinen
Myſterien, magiſchen Künſten und geheimen Wiſſen=
ſchaften beſchäftigte die Einbildungskraft einer Gene=
ration, welche die ſicherſten Verwahrungsmittel ge=
gen ſolche Verirrungen, nämlich friſche Thatkraft
und reges politiſches Leben, längſt verloren hatte;
und ſo hatte denn eine Menge religiöſer Gaukler in
dem trüben Zwielicht jener Zeiten ein leichtes Spiel.
Daß der äußerſte Sittenverfall ſich zu jenen krank=
haften Erſcheinungen geſellte, iſt nichts weniger als
befremdend: und in dieſer Beziehung erſcheint uns
beſonders die damalige Welthauptſtadt, wo alle Schätze
und Herrlichkeiten des kultivirten Theiles der Erde
zuſammenfloſſen, als der Schauplatz einer Verdorben=
heit, die in den Annalen der Menſchheit ohne Bei=
ſpiel iſt. Geldſucht und Sclavenſinn paarten ſich
hier mit brutalem Machtſtolz und mit der üppigſten
Verſchwendung.

Lucian, ein heller Kopf und entſchiedener Freund
der Wahrheit, beſchloß den Kampf gegen dieſes Zeit=
alter des Trugs, Aberglaubens und Dünkels; und

wäre er weniger kaltblütiger Verstandesmensch
gewesen, er hätte ihn nicht mit so glücklichen Waf=
fen geführt. Wie er selbst in jener schönen Allego=
rie vom Ausstreuen der Samenkörner andeutet (S.
Traum, 15), so hatte er sich zur Aufgabe seines
Lebens gemacht, Wahrheit und ächte Lebensweisheit
unter seinen Zeitgenossen zu verbreiten. Deklamatio=
nen, Strafpredigten und Ermahnungen hätten hier
nichts verfangen: die ernste Absicht mußte unter dem
Scheine des heitern, oft muthwilligen Scherzes ver=
borgen, Thorheit und Laster mit der Geissel der Sa=
tyre gezüchtigt, dem Leser die bittere Arznei mit un=
terhaltender Ironie und Laune beigebracht werden.
Dazu war unser Lucian durch seine Anlagen vor Al=
len berufen. Er besaß von Natur in hohem Grade
die Gabe des Witzes. und das Talent, von jeder
Sache die lächerliche Seite aufzufinden und in's Licht
zu stellen, ein Talent, das sich durch den Umgang
mit den besten Köpfen Athen's nur um so glücklicher
entwickelte und verfeinerte. Gesundes Urtheil, Ge=
schmack, Reichthum an Ideen und Kenntnissen, eine
seltene Leichtigkeit in Erfindung. der mannichfaltigsten
und jedesmal passendsten Formen, und, was das Ge=
nie charakterisirt, das glücklichste Gleichgewicht aller
Geisteskräfte und die sicherste Harmonie in ihrer Zu=

sammenwirkung — diese Vorzüge waren es, die ihn
Werke von bleibendem, ja in gewissen Zeiten sich
wieder verstärkendem Interesse schaffen ließen, und
ihm die Bewunderung jedes Gebildeten sichern.

Original ist Lucian schon dadurch, daß er sich das
geschickteste Organ für seine Satyre in der neuen
Art von Dialog schuf, worin er die sokratische Ge=
sprächsform der Philosophen mit der dramatischen der
alten Komödie glücklich paarte, und somit, indem er
seine Charaktere gleichsam in Handlung setzte, um
so lebhafter die Lichter seines Witzes wirken lassen
konnte. Unstreitig sind seine satyrischen Schriften
der vorzüglichste Theil seines Nachlasses, und in ih=
nen hat sich seine Eigenthümlichkeit am treusten aus=
geprägt. Sie gelten zum Theil den gleisnerischen
Afterphilosophen seiner Zeit (die vorzüglichsten hieher
gehörigen sind Nigrinus, die Versteigerung,
der Fischer, Hermotimus, die Entlaufe=
nen, die neuen Lapithen, Icaromenipp);
in andern ließ er den religiösen Volksglauben seine
Geissel fühlen, indem er die Lächerlichkeit und In=
consequenz der Göttersagen in ihrer ganzen Blöße
darstellte *) (z. B. Prometheus, Götter= und

_____

*) Dieses Streben war indessen rein negativ. Wenigstens
läßt sich wohl nirgends die Absicht nachweisen, einem

Meergötter=Gespräche, Jupiter Tragödus, der überwiesene Jupiter, die Götterver=sammlung, Icaromenipp, die Opfer); und da Pfafferei aller Art und in jeglicher Gestalt an ihm ei=nen unerbittlichen Gegner fand, so empfanden beson=ders jene Gaukler, die unter religiöser Maske den Aberglauben des Volks sich zu Nutze machten, seine schärfsten Züchtigungen (z. B. der Lügenfreund, der falsche Prophet, Peregrinus). Endlich ergießt sich eine reiche Ader seiner Satyre über die Thorheiten der Menschen überhaupt, und insbeson=dere über ihr Trachten nach vergänglichen äußern Gütern, ihre Eitelkeit, ihren Hang zur Ueppigkeit und dergl. (z. B. Timon, Nigrin zum Theil, Todtengespräche, Charon, die Ueberfahrt, die saturnalischen Aufsätze u. a. m.). Noch ist außer den genannten Classen eine reiche Anzahl ver=mischter Dialogen und Aufsätze von verschiedenem,

---

geläuterten religiösen Vernunftglauben den Weg zu bahnen, und eben so wenig, dem Christenthum in die Hände zu arbeiten, wie Kestner annimmt (S. dessen Agape S. 500 ff). Dazu aber half er, ohne es zu wollen, mitwirken, daß die Anhänger des alten Glau=bens durch mystische Deutungen das Ansehen desselben zu retten suchten.

zum Theil vorzüglichem, Werth und Interesse auf
uns gekommen, von denen jedoch einige Lucian's Namen fälschlich tragen. Wir nennen von den ausge-
zeichnetern unter diesen Produkten: die gedungenen Gelehrten, die Abhandlung, wie man Geschichte schreiben soll, den Toxaris, den Anacharsis, den Demonax, die Panthea.

Wenn man auch zuweilen über eine gewisse Kälte
klagen möchte, die dem edleren Gefühle wehe thut,
so ist unserem Schriftsteller gleichwohl Achtung für
alles wahrhaft Große und Liebe zum sittlich Schönen *) nicht abzusprechen. Als Philosoph machte er
die praktische Weltweisheit zum Hauptgegenstande
seines Studiums, und bewegte sich zwischen den verschiedenen Systemen mit der Freiheit eines Eklekti-
kers. Am meisten jedoch scheint er dem wahren Geiste
des Cynismus und Epicuräismus zugethan gewesen
zu seyn.

---

*) Was das letztere betrifft, so denke ich nicht, daß man
dagegen gewisse Derbheiten und Natürlichkeiten anführen werde, die sich in einigen Schriften Lucian's
häufig genug finden. Nirgends wird man darthun
können, daß er das Obscöne als solches aufgesucht,
oder absichtlich festgehalten hätte. Und überdieß, wie
ganz anders, als wir, dachten und empfanden über
diesen Punkt die Griechen?

Was seine Werke fast durchaus bezeichnet, ist eine gewisse Glätte, Leichtigkeit und muntere Laune. Die Schreibart ist den attischen Mustern mit vielem Glücke nachgebildet, und erinnert nur selten an den Geschmack jenes späten Zeitalters. Dem letztern dürfte es zuzuschreiben seyn, wenn der Styl besonders in jenen Schriften, deren Abfassung in die rhetorisch-sophistische Periode unseres Autors oder wenigstens in die Nähe derselben fällt, bisweilen mit Blumen überladen, mit falschem Witze spielend erscheint, wenn Metaphern zu sehr gehäuft, Allegorien zu lange fortgesetzt werden u. dgl. Auch kann nicht geläugnet werden, daß der ihm besonders eigenthümliche Wortreichthum, der nicht selten vollkommene Tautologien erzeugt, nicht eben zu seinen Vorzügen gehört.

Eine Uebersetzung des Lucian, der sich durch eine so gefällige Leichtigkeit und Laune auszeichnet, muß sich, um eben diesen eigensten Reiz des Autors dem deutschen Leser zu bewahren, mit einiger Freiheit bewegen dürfen; und so konnte meine Aufgabe, gegenüber von einem Vorgänger wie Wieland, der gerade von dieser Seite ein Meisterwerk geliefert hat, nur diese seyn, zu versuchen, wie sich jene Freiheit der Bewegung mit der Treue gegen die Urschrift noch näher möchte vereinigen laſſen. Uebrigens fühle ich nur zu ſehr, wie dieſe Arbeit nachſichtiger Beurtheilung bedarf, und wünſchte mit größerer Zuverſicht, als ich es kann, an die Worte Wieland's zu erinnern: „die Gelehrten, die Lucian mit Geſchmack in ſeiner eigenen Schrift leſen, können allein von den Schwierigkeiten einer Arbeit urtheilen, die oft da am ſchwerſten iſt, wo ſie am leichteſten ſcheint; und ſie ſind es, von denen ich mir die meiſte Billigkeit und Nachſicht verſpreche." — Noch bin ich das Geſtändniß ſchuldig, daß ich mich einigemal (z. B. im Timon) nicht enthalten konnte, unnachahmlich gelungene Stellen der Wieland'ſchen Uebertragung, beſonders im leichten und lebendigen Fluſſe des Dialogs, zu borgen. Warum hätte ich in ſolchen Fällen dem Leſer etwas entſchieden Mangelhafteres bieten ſollen? Nur unterließ ich anfangs (was ſpäter nicht mehr geſchehen ſoll) die ausdrückliche Nennung Wieland's in der Note.

In der Ordnung der einzelnen Stücke folge ich den Ausgaben. — Daß ich die vorzüglichſten Bearbeitungen des ganzen Schriftſtellers ſowohl als einzelner Theile deſſelben benutze, brauche ich nicht zu verſichern. Der Text, dem ich folge, iſt der Lehmann'ſche; einzelne Abweichungen werden in den

Noten angezeigt. Nur im Traum, Anacharfis, Vaterlandslob, überſetzte ich nach dem Texte meiner Ausgabe (Tübingen 1825.).

Unter den Schriften Lucian's finden ſich drei: das Gericht der Vocale, Lexiphanes und der Soldeiſt, welche, da ſie grammatiſch = rhetoriſche Spiele des Witzes zum Gegenſtande haben, nur dem gelehrten griechiſchen Leſer verſtändlich und von Intereſſe ſeyn können. Ich wollte dieſe anfänglich ganz weglaſſen: weil ſie jedoch von der Redaktion gewünſcht werden, ſo ſollen ſie am Schluſſe des letzten Bändchens nachträglich folgen. Nur von einer Ueberſetzung der beiden Eroten, die Lucian's Namen entehren würden, wenn er ihnen mit Recht vorgeſetzt werden könnte, des fünften der Hetärengeſpräche, und des gleichfalls unächten, abgeſchmackten Fragments Ocypus, bitte ich den geneigten Leſer um Diſpenſation. Der Kundige wird ſie mir nicht verſagen.

Der Traum.

1. Eben hatte ich aufgehört, die Knabenschule zu besuchen, und stand an der Gränze des Jünglings=Alters, als mein Vater mit den Verwandten zu Rathe ging, was er mich sollte lernen lassen. Die Meisten waren der Meinung, eine wissenschaftliche Laufbahn erfordere große Mühe, lange Zeit und nicht geringen Aufwand: es gehören glänzende Glücksumstände dazu, die unsrigen aber wären gering, und bedürften einer baldigen Unterstützung. Wenn ich ein Handwerk erlernte, so würde ich gar bald mit meiner Kunst meine Bedürfnisse bestreiten können, und nicht nöthig haben, in diesem Alter mich noch im väterlichen Hause füttern zu lassen: ja es würde nicht lange währen, so würde ich meinem Vater eine große Freude machen können, wenn ich ihnen jedesmal meinen Verdienst heimbrächte.

2. Nun ward aber die zweite Frage aufgeworfen, welches unter den Handwerken das beste, leichteste, mit den wenigsten Kosten zu erlernende, und einem Bürgerssohn anständigste sey, und doch dabei seinen Mann ernähre? Der eine lobte dieses, der andere jenes, jeder nach seiner Neigung und Einsicht. Endlich wandte sich mein Vater an meinen ebenfalls anwesenden Mutterbruder, der für den ersten Bildhauer von Samosata und einen sehr berühmten Steinmetzen galt, und sprach: „Es wäre doch nicht recht, in deiner Gegenwart ei=

2 *

ner andern Kunst den Vorzug zu geben; nimm also den
Jungen da zu dir, und mach' einen geschickten Steinmetzen
und Bildhauer aus ihm: er wird es wohl werden; denn an
Anlagen fehlt es ihm auch dazu nicht, wie du selbst weißt."
Und nun erinnerte mein Vater zum Beweise an Wachsbild=
chen, die ich zum Zeitvertreibe gemacht hatte. Denn so oft
ich von meinen Lehrern loskommen konnte, kratzte ich allent=
halben Wachs zusammen, und formte Ochsen, Pferde, und,
Gott verzeihe mir's, sogar Menschen daraus, und recht ar=
tig, wie mein Vater meinte. Was mir also von meinen
Lehrern manche Schläge eingetragen, das galt jetzt für einen
löblichen Beweis meiner guten Anlage. Und so gründeten
Alle auf jene Bildnerei die besten Hoffnungen, daß ich in
kurzem die ganze Kunst inne haben würde.

3. Sobald man also einen angemessenen Tag ausge=
macht zu haben glaubte, mich den Anfang machen zu lassen,
ward ich meinem Oheim übergeben, und, aufrichtig gestanden,
ich war damit nicht eben unzufrieden. Denn ich stellte es
mir als etwas sehr lustiges, womit ich mich gegen meine
Kameraden breit machen könnte, vor, wenn sie sehen wür=
den, wie ich Götter mache und allerhand kleine Bildchen
für mich und für diejenigen unter ihnen, welchen ich wohl=
wollte. Inzwischen gab mir mein Oheim, wie es bei Anfän=
gern gebräuchlich ist, einen Meißel mit dem Befehle in die
Hand, eine vor mir liegende Steinplatte ganz vorsichtig da=
mit zu reiben, indem er noch das alte Sprüchwort hinzu=
fügte: „Frisch gewagt ist halb gethan." Allein unerfahren,
wie ich war, drückte ich zu stark drauf los, und die Platte
zerbrach. Der Oheim griff im Zorne nach einer in der

Nähe liegenden Peitsche, und gab mir damit einen so un=
sanften Willkomm, daß ich bittere Thränen an der Schwelle
der Kunst vergoß.

4. Ich lief nach Hause, unaufhörlich schluchzend, die
Augen voller Thränen, erzählte, wie mir die Peitsche mit=
gespielt, zeigte meine Striemen, schalt auf diese barbarische
Behandlung, und behauptete, aus bloßem Neide wäre er so
mit mir umgegangen, weil er besorgte, ich möchte es ihm
einst in der Kunst zuvorthun. Meine Mutter ward sehr
aufgebracht über ihren Bruder und machte ihm bittere Vor=
würfe. Unterdessen rückte die Nacht heran: thränend legte
ich mich nieder, und brachte den größten Theil derselben in
tiefem Nachdenken zu.

5. So weit, meine Freunde, habt ihr nun freilich
Nichts als ein kindisches Geschichtchen vernommen: aber
was nun folgt, ist wohl von größerer Bedeutung, und ver=
dient eure geneigte Aufmerksamkeit.

— — Mir erschien ein göttlicher Traum in dem Schlummer
   durch die ambrosische Nacht — —

um mit Homer *) zu sprechen: ein so lebhafter Traum, daß
ihm wahrlich wenig zur Wirklichkeit fehlte. Jetzt noch, nach
so langer Zeit, schweben mir jene Erscheinungen klar vor
den Augen, noch tönen jene Worte, die ich hörte, in meinen
Ohren: so deutlich war Alles.

6. Zwei Frauen faßten mich zu gleicher Zeit bei den
Händen, und suchten mich mit solcher Gewalt jede auf ihre
Seite zu ziehen, daß sie mich in ihrem Wetteifer beinahe zer=

*) Iliade II, 56. ff. nach Voß.

riffen hätten. Bald wurde die eine Meister, und hatte mich
faft ganz; bald hielt mich wieder die andere umfaßt. Beide
schrieen gewaltig: „Er gehört mir," rief die eine, „ich will
„ihn haben!" — „Mit nichten," schrie die andere, „du willst
„mir mein Eigenthum nicht nehmen." Die eine hatte ein
derbes, mannhaftes Ansehen, schmutziges Haar, Hände voller
Schwielen, ein aufgeschürztes Gewand, und war mit Mar=
morftaub bedeckt, gerade wie der Oheim, wenn er Steine
polirte. Die andere aber hatte eine edle Gesichtsbildung,
einen schönen Anstand, und ein reines, gefälliges Gewand.
Endlich überließen sie es mir selbst, zu entscheiden, bei wel=
cher von beiden ich bleiben wollte; und jene rauhe und mann=
hafte sprach zuerst:

7. „Ich bin die Bildhauerkunst, mein lieber Sohn,
der du dich gestern zu widmen angefangen, und mit welcher
du schon von Haus aus befreundet bist. Denn dein Groß=
vater (sie nannte den Vater meiner Mutter) war ein Stein=
metz, und deine beiden Oheime danken mir einen großen Ruf.
Willst du dich nun an das alberne Geschwätz dieser Närrin
da nicht kehren und dich zu mir halten, so verspreche ich dir
reichliche Nahrung und starke Glieder: aller Neid wird dir
ferne bleiben, nie wirst du in die Fremde zu wandern, und
Vaterland und Freunde zu verlaffen nöthig haben; und das
allgemeine Lob, in welchem du stehen wirst, wird sich nicht
auf bloße Reden gründen."

8. „Stoße dich nicht an meinem unscheinbaren Aeußern
und an meiner schmutzigen Kleidung. Jener große Phidias,
der den Jupiter so wahr und lebendig darstellte, Polycletus,
der die Juno bildete, der gepriesene Myron, der bewunderte

Praxiteles — fie find auch aus folcher Niedrigkeit hervorge=
gangen, und nun werden fie zugleich mit ihren Göttern an=
gebetet. Wenn du alfo ihresgleichen würdeft, wie folltest du
nicht auch bei allen Menfchen hochberühmt werden, und dei=
nen Vater beneidenswürdig, deine Vaterstadt weit und breit
angefehen machen?"

Diefes und noch mehr brachte die Kunst in holperiger
Rede und barbarifcher Mundart *) vor. Denn gar emfig
fchwaßte fie, um mich zu überreden, alles mögliche daher,
was ich längst wieder vergeffen habe. Endlich hörte fie auf,
und die andere begann:

9. „Mein Kind, ich bin die Wiffenfchaft. Du
kennst mich wohl fchon etwas, wenn du gleich noch lange
nicht mein Vertrauter bist. Wie groß die Vortheile find,
die du als ein Steinmetz gewinnen würdest, hat dir diefe
bereits felbst gefagt; du wirst nichts feyn, als ein Handar=
beiter, ein Menfch, der die ganze Hoffnung feines Lebens
auf feinen Arm baut, unberühmt, elend bezahlt, niedrig in
der Denkart, gemein im Aeußern, deinen Freunden fo we=
nig theuer als deinen Feinden furchtbar, oder deinen Mit=
bürgern ein Gegenstand der Nacheiferung, kurz nichts als
ein bloßer Handwerksmann, einer vom großen Haufen, der
fich vor jedem Höhern duckt, vor jedem Sprecher Refpect hat,
das Leben eines Hafen führt, und immer die Beute des
Mächtigern ist. Und würdest du auch ein Phidias und Po=

---

*) D. h. in der Mundart der Bewohner von Samofata, ei=
ner vom Mittelpunkte feiner Griechifcher Bildung weit ent=
legenen Stadt.

lycletus, und fertigteſt viele bewundernswürdige Bildwerke, ſo würde man zwar allgemein deine Kunſtfertigkeit preiſen, allein kein Verſtändiger würde deines Gleichen zu ſeyn wün= ſchen. Denn ſo geſchickt du auch als Künſtler wäreſt, im= mer würdeſt du doch für einen armſeligen Werkmann gelten, der ſein Brod mit den Händen verdienen muß *)."

10. „Folgeſt du hingegen mir, ſo werde ich dir zuerſt die Begebenheiten der Vorzeit darſtellen, dich mit allem, was die Alten Bewundernswürdiges gethan und geſprochen haben, bekannt machen, überhaupt in die Kenntniß alles Wiſ= ſenswürdigen dich einführen. Und dein Gemüth, den edelſten Theil deiner ſelbſt, will ich mit den ſchönſten Tugenden zieren, mit Selbſtbeherrſchung, Gerechtigkeit, Frömmigkeit, Sanft= muth, Billigkeit, Klugheit, Muth, Liebe zum Schönen und Streben nach den erhabenſten Gütern; denn dieß alles iſt ja der reinſte und wahrſte Seelenſchmuck. Nicht nur die Ver= gangenheit, und was jetzt geſchieht und geſchehen muß, wird dir klar ſeyn: du wirſt durch mich ſogar das Künftige vor= herſehen. Mit einem Worte, in Alles, was da iſt, in gött= liche und menſchliche Dinge wirſt du durch meinen Unterricht nach kurzer Zeit Einſicht gewinnen."

11. „Und du, der arme Sohn eines Mannes aus der Menge, der du noch etwas in Zweifel biſt, ob du dich nicht einer ſo unedlen Kunſt ergeben ſolleſt, wirſt in Kurzem von Allen beneidet ſeyn: man wird dir nacheifern, dich verehren,

---

*) Dieſe Stelle iſt aus Lucian's Zeit zu erklären, wo mit der Kunſt die Achtung vor den Künſtlern und ihren Leiſtun= gen geſunken war.

dich wegen deiner vortrefflichen Eigenschaften rühmen und preisen. Auch die, welche durch Geburt und Reichthum über die Andern hervorragen, werden dich mit Hochachtung behandeln. Ein Gewand wirst du tragen, wie dieses (sie war sehr glänzend bekleidet), Ehrenstellen und hohen Rang erhalten, und auch im Auslande, wenn du reisest, gekannt und geehrt seyn. Denn ich will dich mit solchen Kennzeichen versehen, daß jeder, wenn er dich bemerkt, seinen Nachbar anstoßen, und mit dem Finger auf dich weisen und sagen wird: Der ist's.''

12. ,,Und wenn irgend etwas Wichtiges deine Freunde oder die ganze Stadt betrifft, so werden alle Augen nur auf dich gerichtet seyn: begierig wird man deinen Worten horchen, dich anstaunen ob der Kraft deiner Rede, und den Vater eines solchen Sohnes glücklich preisen. Die Sage, daß Einigen unter den Menschen die Unsterblichkeit beschieden sey, will ich an dir verwirklichen, und wenn du auch einst aus dem Leben gehen wirst, sollst du doch nicht aufhören, unter den Gebildeten zu wohnen, und mit den Edelsten zu verkehren. Du weißt, wessen Sohn Demosthenes war *), und welch großen Mann ich aus ihm gemacht habe. Du weißt, daß Aeschines eine Schellentrommel-Schlägerin zur Mutter hatte, und gleichwohl brachte ich ihn so weit, daß Philippus, der Macedonier König, ihm gefällig zu werden suchte. Und Sokrates, der ja auch bei dieser Bildhauerei aufgewachsen war **),

---

*) Der Sohn eines Schwerdtfegers.

**) Sophroniskus, sein Vater, war ein Bildhauer, und Sokrates widmete sich anfänglich der Kunst des Vaters.

verließ sie, sobald er das Bessere erkannt, ging zu mir über, und nun hörst du, wie er von allen Seiten gefeiert wird."

13. „Und nun verzichte auf das Vorbild so großer und trefflicher Männer, verzichte auf die Aussicht, mit schönen Thaten, erhabenen Reden, und edlem Anstande zu glänzen, verzichte auf Ruhm und Ehre, auf Lobsprüche, Rang, Ein=fluß, Ehrenstellen, auf die allgemeine Achtung und Bewun=derung, die du dir durch deine Beredtsamkeit und Einsicht erwerben würdest, und krieche in ein schmutziges Kleid, nimm ein knechtisches Aussehen an, führe Hebel, Meissel, Stemm=eisen, Schlägel in den Händen, niedergebückt auf die Arbeit, an den Boden geheftet mit Leib und Seele, in jeder Hinsicht niederträchtig: nie wirst du dann dein Haupt frei tragen und zu einem männlichen Sinne dich erheben, sondern, nur auf die Arbeit denkend, wie sie ebenmäßig und wohlgestaltet wer=de, wirst du dich um das Ebenmaß und die Schönheit dei=nes eigenen Wesens nicht das Geringste bekümmern, und dir selbst weniger Achtung als deinen Steinen erwerben."

14. Noch sprach sie so, als ich, das Ende ihrer Rede nicht erwartend, aufsprang, jener unansehnlichen Handwerke=rin den Rücken kehrte, und voller Freuden der Wissen=schaft mich ergab; zumal da mir die Peitsche und die Mißhandlung wieder einfiel, womit ich von jener gleich im Beginne der Lehre begrüßt worden war. Die Verschmähte gerieth anfänglich in Zorn, ballte die Faust und knirschte mit den Zähnen: endlich aber erstarrte sie, wie die Niobe, und ward in einen Stein verwandelt. So seltsam Euch dieß vorkommen mag, so verweigert darum doch meiner Erzäh=

tung euren Glauben nicht, denn die Träume find ja Wun=
derthäter.

15. Hierauf wandte sich die Andere mit den Worten
zu mir: „Nun sollst du deinen Lohn für die gerechte Ent=
scheidung unserer Sache haben. Komm und besteige diesen
Wagen (zugleich wies sie auf einen Wagen mit Flügelrossen,
die dem Pegasus glichen), um das Herrliche und Große zu
sehen, was dir, wenn du mir nicht gefolgt hättest, ewig ver=
borgen geblieben wäre.“ Wir stiegen ein, sie trieb das Ge=
spann an, und führte die Zügel. Hoch in die Lufte gehoben
erblickte ich auf der ganzen Fahrt von Morgen gegen Abend
Städte und Völker und Reiche unter mir, und wie ein zwei=
ter Triptolemus *) streute ich etwas auf die Erde aus. Was
es war, erinnere ich mich nicht mehr; nur so viel weiß ich,
daß die Leute lobpreisend zu mir aufschauten, und mich al=
lenthalben, wohin ich in meinem Fluge gelangte, mit Se=
genswünschen begleiteten.

16. Nachdem sie mir nun dieses Alles gezeigt, und mich
den Leuten, die mich lobten, bekannt gemacht hatte, führte
sie mich wieder herab, und nun sah ich mich nicht mehr mit
demselben Gewande, in welchem ich aufgeflogen, angethan,
sondern kam mir vor, wie ein vornehmer Mann. Meinem
Vater, der unten gestanden und mich erwartet hatte, stellte

---

*) Triptolemus aus Eleusis fuör, nach der Vorstellung der
Dichter und Künstler, auf einem von der Ceres erhalte=
nen Drachenwagen über der Erde hin, streute den Getrai=
besamen, das Geschenk dieser Göttin, auf die Fluren, und
ward so der Lehrer des Ackerbaues. Vergl. übrigens zu
dieser Stelle Einteit.

sie mich in meiner neuen Gestalt vor, und gab ihm eine kleine
Erinnerung darüber, daß er mich beinahe so übel berathen
hätte. — So viel erinnere ich mich noch von jenem Traum=
gesichte, das mir damals vermuthlich in Folge des aufgereg=
ten Zustandes erschien, in welchen mich die Furcht vor den
Schlägen versetzt hatte.

17. „Himmel!" — hör' ich mich unterbrechen — „was
für ein langer und umständlicher Traum!" „Vielleicht,"
meint ein anderer, „ein Wintertraum, wo die Nächte am
längsten sind. Oder wohl gar ein dreinächtiger, wie Herku=
les *). Allein was kommt ihn an, daß er uns so albernes
Zeug vorschwatzt, und die Geschichte einer Nacht aus seinen
Knabenjahren und eines längst veralteten Traumes aufwärmt?
Eine fade Unterhaltung, fürwahr! Oder hält er uns etwa
gar für Leute, die sich mit Traumdeuten abgeben?" — O
nein, mein Bester! Als Xenophon jenen Traum erzählte,
wo er zu sehen glaubte, wie ein Blitzstrahl sein väterliches
Haus traf (ihr kennt die Stelle **)), that er es nicht deßwegen,
weil er seine Zuhörer für Traumdeuter hielt, noch weniger
in der Absicht, ihnen eine müßige Unterhaltung in dem Au=
genblicke zu gewähren, wo ihnen der Feind auf dem Nacken
und ihre Lage verzweifelt war, sondern seine Erzählung
hatte ihren nützlichen Zweck.

18. Und so habe auch ich euch diesen Traum in der Ab=
sicht erzählt, Jünglinge aufzumuntern, nach dem Bessern und
Höheren zu streben, und der Wissenschaft sich zu widmen,

---

*) S. Göttergespräche, X.
**) Rückzug der Zehentausend III, 1, 9.

zumal wenn einer derselben durch Armuth verleitet werden könnte, dem Gemeinen sich hinzugeben, und, das Schlechte ergreifend, eine edle Anlage verderben zu lassen. Ich bin gewiß, ein solcher wird sich, wenn er meine Erzählung hört, gestärkt fühlen, mein Beispiel sich vorhalten, und bedenken, in wie ungünstigen Umständen ich mich der Wissenschaft widmete, und, ohne mich von meiner damaligen Dürftigkeit entmuthigen zu lassen, nach dem schönsten Ziele strebte, und wie ich nun mit einem Namen zu euch zurückgekommen bin, der wenigstens dem des berühmtesten Steinmetzen nichts nachgiebt.

Prometheus.

An Jemand *), der mich einen Prometheus im Schriftstellen genannt hatte.

1. Einen Prometheus **) nennst du mich also, mein Bester? Wenn du damit sagen willst, daß meine Werke gleichfalls

---

*) Dieser Jemand war, wie sich aus dem folgenden ergiebt, ein öffentlicher Redner und Sachwalter zu Athen.

**) Man erinnre sich an den Mythus, daß Prometheus (der kluge und vorsichtige; Epimetheus, der hinten nach überlegende) aus Thon Menschen bildete, einen Stab an dem Feuer des Sonnenwagens anzündete, mit dieser brennenden Fackel die Brust des Menschen entzündete, und mit Hülfe der Minerva den belebenden Hauch ihm einflößte. Einst täuschte er den Jupiter, indem er ihm Knochen, statt Fleisch, mit Fett umwickelt, vorlegte, wogegen Jupiter den Menschen des Prometheus das Feuer entzog. Pro=

nur thönern seyen, so erkenne ich mich in dem Bilde, und
gebe meine Aehnlichkeit mit Prometheus zu. Ich weigere
mich nicht, ein Thonbildner zu heißen, wiewohl mein Lehm
weit schlechter als der seinige, und wohl nicht viel besser als
Straßenkoth ist. Solltest du aber, indem du den Urheber
dieser Aufsätze mit dem Namen des Weisesten der Titanen
beehrst, die schmeichelhafte Absicht haben, dieselben als kunst-
voll zu bezeichnen, so siehe zu, daß nicht jene Ironie und
jener boshafte Spott, der euch Athenern eigen ist, unter dem
Lobe sich zu verstecken scheine. Denn wie sollten meine Schriften zu jenem Vorzuge kommen? Worin sollte die große
Weisheit und prometheïsche Kunst derselben bestehen? Ich
bin mehr 'als zufrieden, wenn du sie nur nicht gar zu platt
und des Kaukasus würdig findest. Mit weit größerem Rechte
könnte man euch berühmte Sachwälter mit Prometheus vergleichen, da eure Reden es mit der Wirklichkeit zu thun haben. Eure Werke sind wahrhaftig lebend und beseelt, und
ihre innere Wärme stammt, bei Gott, von jenem himmlischen
Feuer, so daß man sie dem Prometheus zuschreiben könnte,
wenn nicht der große Unterschied statt fände, daß dieser nur
in Thon arbeitete, eure Gebilde aber größtentheils aus pu-
rem Golde bestehen.

2. Unser einer hingegen, der sich bloß zu Aufsätzen, die
für die Unterhaltung des Publikums bestimmt sind, anhei-
schig macht, bringt nur todte Bilder zu Tage. Und, wie

---

metheus stahl dasselbe wieder, und ward zur Strafe an
den Kaukasus geschmiedet, wo ein Adler oder Geyer ihm
die Leber unaufhörlich abfraß.

gesagt, diese meine ganze Bildnerei hat blos mit gemeinem
Thon zu thun, wie er zu Spielzeug verarbeitet wird: im
übrigen sind sie ohne Bewegung, ohne alles Leben, eitel
kubische Dingerchen zu augenblicklicher Ergötzung. Und so
muß ich wohl glauben, daß du mich nicht minder ironisch einen Prometheus nennest, als der Komiker den Kleon, wenn
er in der bekannten Stelle sagt:

Kleon ist ein Prometheus, wenn gehandelt ist; —
und als ihr Athener überhaupt jeden Töpfer, Ofenbauer und
Lehmarbeiter zum Scherze einen Prometheus nennt, weil sie
es, wie dieser, mit Thon und Feuer zu thun haben. Und,
wahrlich, wenn du mit deinem Prometheus darauf gezielt
hast, so hast du recht gut gezielt, und deinen Pfeil in die
scharfe Lauge Attischen Spottes getaucht. Denn ich gestehe
es, meine Geschöpfe sind eben so wenig dauerhaft, als jene
irdenen Gefäße, die ein kleiner Stein, den man unter sie
wirft, in Stücken schlägt.

3. Jedoch — vielleicht tröstet man mich; und sagt sehr
verbindlich, die Vergleichung gelte nur der Neuheit meiner Compositionen; die keinem fremden Muster nachgebildet
wären, wie denn auch Prometheus, bevor Menschen waren,
die Idee, solche zu schaffen, zuerst gefaßt hätte, und der
kunstvolle Bildner dieser leicht beweglichen, wohlgefällig gestalte-
ten Geschöpfe gewesen sey: wiewohl ihm auch Minerva dabei
behülflich war, und die thönernen Gebilde mit ihrem belebenden Hauche beseelte. So könnte man wenigstens sagen, um
jener Aeußerung eine möglichst vortheilhafte Deutung zu geben: und vielleicht war dieß auch wirklich der Sinn deiner
Vergleichung. Allein ich bin noch nicht zufrieden, blos für

den Erfinder einer neuen Form zu gelten, von welcher mir
Niemand ein älteres Vorbild nachweisen kann.   Im Gegen=
theile, wofern dieselbe nicht auch zugleich geschmackvoll wäre,
so würde ich mich ihrer schämen, und sie mit einem Fußtritte
zerstören, denn die bloße Neuheit soll bei mir wenigstens das
Häßliche nicht vor der Vernichtung sichern.   Dächte ich nicht
so, so verdiente ich, dünkt mich, von sechzehen Geiern aus=
geweidet zu werden, als ein Mensch, der zu beschränkt ist,
um einzusehen, daß das Häßliche, wenn es neu ist, nur um
so häßlicher erscheint.

4. Ptolemäus, des Lagus Sohn, hatte einst zwei zuvor
nie gesehene Dinge nach Aegypten gebracht, ein ganz schwar=
zes bactrianisches Cameel und einen zweifarbigen Menschen,
dessen eine Seite pechschwarz, die andere glänzend weiß war.
Nach vielen Schaustücken, die er seinen Aegyptern im Thea=
ter zum Besten gegeben hatte, ließ er endlich auch das Ca=
meel und den halbweißen Menschen vorführen, Wunder glau=
bend, welches angenehme Erstaunen diese Erscheinung erregen
würde. Allein so reich das Cameel mit Gold geschmückt war,
so schön es mit Purpurdecken und einem mit Edelsteinen be=
setzten Zaume prangte, der vielleicht das Kleinod eines Da=
rius, Cambyses oder gar Cyrus gewesen war, so wirkte es
doch bei den Zuschauern einen so heftigen Schrecken, daß
nicht viel fehlte, so wären alle aufgesprungen und davon ge=
laufen. Beim Anblicke jenes Menschen aber brachen die mei=
sten in ein Gelächter aus, die übrigen entsetzten sich davor
wie vor einem gräulichen Zeichen: so daß Ptolemäus, wie er
sah, daß er mit dergleichen Seltenheiten keine Ehre bei den
Aegyptern einlegte, welche Schönheit und Ebenmaß der Neu=

heit vorzögen, beide sogleich hinwegbringen ließ, und'nun
selbst keinen so hohen Werth mehr, wie zuvor, auf sie legte.
Das Cameel wurde vernachläßigt und ging drauf; den Dop=
pelmenschen aber schenkte er einem Flötenspieler, Namens
Thespis, als er einst bei einem seiner Trinkgelage besonders
schön gespielt hatte.

5. Und so besorge ich, daß auch meine neue Erfindung
das Schicksal des Cameels in Aegypten haben könnte, wovon
die Leute allenfalls nur den prächtigen Zaum und die Pur=
purdecke bewunderten. Denn daß ich meine Produkte aus
zwei an und für sich sehr schönen Bestandtheilen, dem Dia=
log und der Komödie zusammensetzte, giebt ihnen selbst
noch keinen Reiz, wofern nicht aus dieser Mischung ein har=
monisches, mit sich selbst in schönen Verhältnissen stehendes
Ganze entsteht. Aus zwei für sich schönen Gestalten läßt
sich ja die abenteuerlichste Composition bilden, wie das be=
kannte Zerrbild des Centauren beweist. Gewiß wird Nie=
mand dieses Wesen liebenswürdig, sondern im Gegentheil den
Ausdruck der höchsten Wildheit darin finden; wie denn auch
die Maler, wenn wir ihren Mythen glauben wollen, von
den Centauren nur Scenen der Trunkenheit und Mordlust dar=
stellen. Sollte aber darum aus zwei schönen Dingen nicht
auch die Zusammensetzung eines dritten Schönen möglich seyn,
so wie zum Beispiel aus Honig und Wein die lieblichste Mi=
schung entsteht? Ich dächte doch: wiewohl ich durchaus kei=
nen Grund habe, zu behaupten, daß meine Produkte von
dieser Art seyen, sondern im Gegentheile sehr besorge, das
eigenthümliche Schöne des einen wie des andern Theils möchte
in der Mischung zerstört worden seyn.

Lucian. 1s Bdchen. 3

6. Denn es ist nicht zu läugnen, daß der philosophische Dialog und das Lustspiel *) von Anfang an nichts weniger als verwandt und befreundet waren. Jener hatte seine Unterhaltungen immer nur mit Wenigen zu Hause, oder auf einsamen Spaziergängen. Dieses aber hatte sich ganz dem Dienste des Bacchus gewidmet, trieb sich auf der Schaubühne um, spielte, scherzte, machte lachen, und tanzte im Rhythmus nach den Tönen der Flöte. Bisweilen schritt es auf den Stelzen des Anapästs einher, und machte sich weidlich lustig über die Freunde des Dialog, die es überstudirte Grübler und Grillenfänger nannte. Damals war es ihm die einzige Aufgabe, dieselbe lächerlich zu machen, und mit der ganzen Fülle von Spott, welchen ihm die bacchische Freiheit erlaubte, zu begießen, indem es dieselben bald in der Luft gehen und mit den Wolken verkehren, bald Flohsprünge ausmessen ließ, um sie als Menschen zu bezeichnen, die sich in die spitzfindigsten und unfruchtbarsten Untersuchungen überirdischer Dinge vertieften. Der Dialog aber gefiel sich nur in der ernsthaftesten Gesellschaft, und philosophirte blos über die Natur der Dinge und über die Tugend. So weit nun auch diese Gegensätze aus einander lagen, so versuchte ich doch die widerspenstigen zu vereinigen, und, wiewohl sie anfänglich ihre Paarung nur mit Widerwillen ertrugen, allmählig in Harmonie zu bringen.

---

*) Man denke hiebei an des Sokrates dialogische Art zu unterrichten, und andererseits an die Gestalt, welche die alte Griechische Komödie, wie wir sie noch aus Aristophanes kennen, hatte, besonders aber an die Wolken des letztern, auf welche im Folgenden angespielt wird.

7. Und so muß ich abermals besorgen, deinem Prometheus auch dadurch ähnlich geworden zu seyn, daß ich das Weibliche mit dem Männlichen paarte, was mir gleiche Verantwortung, wie jenem zuziehen könnte. Oder man sagt wohl gar, ich hätte meine Leser betrogen, und ihnen Knochen mit Fett überzogen, das heißt, komischen Scherz in philosophischen Ernst gehüllt, vorgesetzt. Mag man doch! Nur den Vorwurf des Diebstahls (denn Prometheus hat ja auch diesen auf sich) müßte ich mir verbitten. Einen solchen allein wirst du mir in meinen Produkten allen nicht aufweisen können. Denn wen sollte ich bestohlen haben? Wenn auch schon ein Anderer vor mir dergleichen Wunderthiere zusammengesetzt haben sollte, so ist mir wenigstens dieß unbekannt geblieben.— Am Ende — was ist zu thun? das Beste wird seyn, ich bleibe bei meiner einmal gewählten Art. Denn sie mich gereuen zu lassen, würde einen Epimetheus und keinen Prometheus verrathen.

Nigrinus.

Vorwort.
Lucian an Nigrinus.

Eine Eule nach Athen, sagt das Sprichwort, weil es lächerlich wäre, wenn einer Eulen an einen Ort tragen wollte, wo deren schon so viele sind. Eben so würde auch ich dem Lächerlichen nicht entgehen, wenn ich, um eine Probe meines Schriftstellertalents zu geben, dem Nigrinus ein Büch-

3 *

lein von mir zuschicken wollte: das hieße wohl gewiß Eulen nach Athen zu Markte tragen. Da ich aber keine andere Absicht habe, als dir meine gegenwärtige Gesinnung und den gewiß nicht vorübergehenden Eindruck zu beweisen, welchen dein Vortrag auf mich gemacht hat, so hoffe ich, daß mich jenes Sprichwort so wenig, als der Ausspruch des Thucydides *) treffen wird: Unkunde macht verwegen, Ueberlegung zaghaft. Denn du wirst es wohl nicht verkennen, daß nicht Unkunde allein, sondern hauptsächlich die Liebe, welche ich nun zu Vorträgen der Weisheit trage, diesen Versuch mich wagen ließ. Lebe wohl.

Lucian. Sein Freund.

1. Der Freund. Wie feierlich, wie so hoch einher wandelnd bist du zurückgekommen? Du magst mich ja nicht einmal ansehen, entziehest mir deinen Umgang, und wechselst nicht mehr, wie sonst, trauliche Worte mit mir. Woher denn, ich bitte dich, diese plötzliche Verwandlung, dieses seltsame Wesen?

Lucian. Woher anders, mein Freund, als von meiner Glückseligkeit?

Freund. Wie so?

Lucian. Ganz unverhofft bin ich dir glücklich geworden, selig, ja dreimal selig, wie die Dramatiker sagen.

Freund. Herkules! und das so schnell?

Lucian. Allerdings.

*) Gesch. d. pelop. Kriegs II, 40.

Freund. Und worin besteht denn das große Glück, worüber du triumphirest? Ich möchte mich nicht nur so im Allgemeinen mit dir freuen, sondern das Ganze mit allen seinen Umständen vernehmen.

Lucian. Muß es dir nicht, bei Gott, wie ein Wunder vorkommen, wenn ich dir sage, daß ich aus einem Sclaven ein freier Mann, aus einem Armen ein wahrhaft Reicher, aus einem unverständigen und eingebildeten Menschen ein Weiser geworden bin?

2. Freund. Das wäre? Doch verstehe ich noch nicht recht, was du willst.

Lucian. Ich hatte mich nach Rom begeben, um mich nach einem Augenarzt umzusehen, weil mein Augenleiden immer schlimmer geworden war.

Freund. Das wußte ich; und mein Wunsch war, du möchtest einen geschickten Mann gefunden haben.

Lucian. Da ich mir vorgenommen hatte, den platonischen Philosophen Nigrinus nach langer Zeit einmal wieder zu besuchen, so begab ich mich eines Morgens früh nach seiner Wohnung, klopfe an, lasse mich melden, und werde vorgelassen. Bei meinem Eintreten finde ich ihn mit einem Buche in der Hand, von vielen Büsten alter Weisen rings umgeben: vor ihm lag eine Tafel mit geometrischen Figuren, und eine Kugel aus Rohrstäben, die, wie ich glaube, das Weltall vorstellen sollte.

3. Nachdem er mich gar freundlich begrüßt hatte, fragte er mich, wie es mir gehe. Ich mußte ihm über alles Auskunft geben, und da ich ihn gleichfalls nach seinem Befinden gefragt hatte, und ob er nicht einmal wieder eine Reise nach

Griechenland zu machen gedenke, so kam er denn recht ins
Sprechen hinein, öffnete mir sein ganzes Herz, und, o Freund!
er bezauberte mich so mit dem süßen Nectar seiner Rede, daß
der Sirenen (wenn es je welche gab), der Nachtigallen, und
des Homerischen Lotus *) Zauberkraft mit jenen göttlich tö-
nenden Worten nicht in Vergleichung kam.

4. Denn er ward auf das Lob der Philosophie geführt,
wie sie die wahre Freiheit gewähre, und zeigte mir das
Verächtliche der Dinge, welche die Menge für Güter hält,
einer glänzenden äußern Lage, des Ranges, der Herrschergewalt, der Ehrenstellen, des Goldes und Purpurs, und
aller der Dinge, die in den Augen der gewöhnlichen Menschen, und bisher auch in den Meinigen, so wichtig sind.
Allem diesem öffnete ich mein Gemüth und faßte es mit ge-
spannter Aufmerksamkeit auf; aber ich kann dir nicht be-
schreiben, wie mir ward, und wie wunderbare Empfindungen in meinem Innern wechselten. Bald betrübte es mich,
zu hören, wie das, was mein Liebstes gewesen, Pracht,
Geld, Ruhm, in seiner Nichtigkeit dargestellt ward, und ich
hätte weinen mögen, wie ich es so zu Boden getreten sah:
bald kamen mir dieselben Dinge wieder geringfügig und verächtlich vor, und ich war so froh, als ob ich mein bisheriges

---

*) Odyss. IX, 94. ff.:
Wer des Lotos Gewächs nun kostete, süßer denn Honig,
Solcher dachte nicht mehr der Verkündigung oder der
Heimkehr,
Sondern sie trachteten dort in der Lotophagen Gesellschaft
Lotos pflückend zu bleiben, und abzusagen der Heimath.
             Voß.

Leben in trüber Dämmerung zugebracht hätte, und nun in
eine Welt voll heitern Lichtes hinausschaute. Das Seltsamste
war, daß ich mein krankes Auge gänzlich darüber vergaß,
indem mein Geist, der, ohne daß ich es wußte, blind gewesen, immer hellsehender wurde.

5. Allmählig ist die Veränderung mit mir vorgegangen,
worüber du dich so eben beklagtest. Jene Rede hat mich so
gehoben, daß ich fast über der Erde wandle, und den Sinn
auf nichts Kleinlichtes mehr richte. Ich glaube eine Wirkung von der Philosophie erfahren zu haben, ähnlich derjenigen, welche der Wein auf die Indier, als sie ihn zuerst kennen lernten *), geäußert haben soll. Diese, ein von Natur
warmes Volk, hatten kaum von diesem starken Getränke zu
sich genommen, als sie auf der Stelle betrunken wurden,
und noch einmal so toll, als Andere, schwärmten. So
wandle auch ich umher, wie trunken von der begeisternden
Kraft jener Worte.

6. Freund. Nun, dieß heißt doch wohl nicht betrunken, sonden recht nüchtern und weise seyn. Ich selbst wollte
gerne auch, wenn es möglich wäre, diese Rede vernehmen.
Und ich glaube, es wäre nicht recht, wenn du diesen Wunsch
des Freundes, der mit dir gleiches Streben hat, nicht be-
rücksichtigtest.

Lucian. Besorge dieß nicht, mein Bester! Ich möchte
mit dem Atriden fragen:

— — — warum, da ich selber ja strebe,
Mahnest du mich? **)

---

*) Durch Dionysos, als er nach Indien zog.
**) Iliade VIII, 293. Voß.

Wenn du mir nicht zuvorgekommen wäreſt, hätte ich dich
wohl ſelbſt gebeten, mir zuzuhören. Denn ich möchte dich
als Zeugen gegen die.Leute aufſtellen, daß ich kein raſender
Schwärmer bin. Zudem iſt es mir hoher Genuß, mich recht
oft an das Gehörte zu erinnern, deswegen habe ich daſſelbe
ſchon mehrmals eingeübt, und, ſogar wenn mir Niemand zu=
hörte, zwei und dreimal des Tages jene Worte wiederholt.

7. Es geht mir wie den Verliebten, die in Abweſen=
heit ihrer Geliebten alle Handlungen und Worte derſelben
im Gedächtniſſe an ſich vorbeigehen laſſen, um ſich durch
dieſe Beſchäftigung über die Schmerzen der Trennung zu
täuſchen. Verſetzen ſich doch wirklich Einige in Gedanken in
ein ordentliches Zwiegeſpräch, und freuen ſich über Dinge,
die ſie ehemals von ihnen gehört haben, nicht minder, als
ob ſie ihnen in dieſem Augenblicke erſt geſagt worden wären:
ihre ganze Seele iſt ſo vertieft in die Erinnerung an das
Vergangene, daß ſie keine Zeit haben, ſich um das Gegen=
wärtige zu bekümmern. So finde auch ich, da mir die Phi=
loſophie ſelbſt ferne iſt, keinen geringen Troſt darin, daß ich
alle die Worte, welche ich von ihr vernommen, ſammle und
bei mir ſelbſt der Reihe nach wiederhole. Und gleich einem,
der in finſtrer Nacht auf dem Meere treibt, habe ich die
Augen ſtets auf jene Leuchte geheftet: bei Allem, was ich
vornehme, glaube ich–jenen Mann zum Zeugen zu haben;
immer iſt es mir, als ob er mir jetzt noch daſſelbe, wie
damals, ſagte. Ja bisweilen, beſonders wenn ich den Ge=
danken an ihn mit aller Anſtrengung feſt halte, erſcheinen
ſeine Geſichtszüge meinen Augen, und der Laut ſeiner Stimme

tönt in meinen Ohren nach. Denn wirklich gilt mit Recht
von ihm, was der Komiker *) von Perikles sagt: ,

— — —einen Stachel
ließ er in seiner Hörer Brust zurück.

8. Freund. Halt ein, mein wunderlicher Freund!
Gehe doch wieder ein wenig zurück, und erzähle mir von An=
fang an jenen ganzen Vortrag: denn du marterst mich wahr=
lich mit deinen Umschweifen.

Lucian. Du hast Recht: ich will beginnen. Nur das
noch — du hast doch wohl schon schlechte tragische, oder gar
auch komische Schauspieler gesehen, die, weil sie die Stücke
verderbten, ausgepfiffen und am Ende von der Bühne gejagt
wurden, während öfters die Stücke selbst gut waren, und
den Preis davon trugen!

Freund. Ich kenne viele dergleichen Leute; aber war=
um diese Frage?

Lucian. Weil ich besorge, dir lächerlich zu werden,
wenn auch ich meine Rolle schlecht spiele und bald ohne ge=
hörigen Zusammenhang sprechen, bald vielleicht aus Unver=
stand den Sinn der Rede selbst verderben werde. Dieß
könnte dich nach und nach verleiten, über das Stück selbst
den Stab zu brechen; worüber ich freilich, so weit es mei=
nen Vortrag betrifft, mich nicht beklagen könnte, was ich
jedoch in Beziehung auf den Inhalt des Originals, wenn es,
durch meine Schuld entstellt, mit mir durchfiele, sehr bedau=
ern müßte.

*) Eupolis bei Diodor v. Sic. XII, 40. Vergl. Cicero
vom Redner III, 34.

9. Vergiß also, so lange ich spreche, keinen Augenblick, daß der Dichter für mögliche Verstöße nicht verantwortlich ist, und weit von der Bühne entfernt, sich nichts um das bekümmert, was auf dem Schauplatze vorgeht. Ich aber lege blos eine Gedächtnißprobe vor dir ab, und bin nichts weiter als der Schauspieler, der die Rolle eines Boten herzusagen hat. Wenn du daher Mängel in dem, was ich sage, wahr= nimmst, so denke doch sogleich, daß es eigentlich besser war, und daß es der Dichter selbst wohl ganz anders gesagt hatte. Mich selbst magst du auspfeifen: ich werde mich darüber we= nig kränken.

10. Freund. Nun, beim Hermes, das heiß' ich denn ganz fein und nach allen Regeln der Rhetoren seine Rede bevorworten. Ohne Zweifel wirst du noch hinzusetzen, du wärest nur ganz kurz bei Nigrinus gewesen, kämest nicht eben vorbereitet zum Vortrag, und es würde für mich besser seyn, jenen selbst zu hören: denn nur Weniges sey dir mög= lich gewesen, in deinem Gedächtnisse aufzubewahren, und dergleichen. Nicht wahr? Aber aller dergleichen Ausreden bedarfst du bei mir nicht: bilde dir nur ein, sie bereits vor= angeschickt zu haben. Denn 'ich bin nur bereit, dir Beifall zuzurufen und zu klatschen. Wenn du mich aber noch länger warten lässest, werde ich es dir gedenken, wenn du mitten im Feuer bist, und so scharf pfeifen, als ich kann.

11. Lucian. Nicht nur alles das, was du da anführ= test, wollte ich gesagt haben, sondern auch das noch, daß mir nicht mehr möglich wäre, des Nigrinus Rede in dersel= ben Ordnung und in Einem Zuge zu wiederholen. Eben so wenig werde ich ihm selbst die Worte in den Mund legen,

um mich nicht auch hierin den Schauspielern gleichzustellen, die in der Maske eines Agamemnon, Kreon oder Herkules steckend, mit goldgestickten Gewändern angethan, mit grimmigem Blicke, aus weitaufgerissenem Maule *), doch nur ein schwaches, dünnes und weibermäßiges Stimmchen hören lassen, das auch für eine Hekuba und Polyxena noch viel zu schmächtig wäre. Um mir also nicht den Vorwurf zuzuziehen, daß ich eine für meinen Kopf bei weitem zu große Maske vorhabe, und meinem Costüme schlechte Ehre mache, und um nicht zugleich mit mir auch den Helden fallen zu machen, den ich vorstelle, will ich in meiner eigenen Person sprechen.

12. Freund. Dieser Mensch wird heute nicht mehr aufhören, mir von Schauspiel und Schauspielern vorzuschwatzen.

Lucian. Siehst du, ich bin bereits fertig damit, und schreite zur Sache. — Nigrinus begann also mit dem Lobe Griechenlands und hauptsächlich der Athener, daß sie im beständigen Verein mit der Weisheit und der Armuth leben, und weit entfernt, es gerne zu sehen, wenn ein Einheimischer oder ein Fremder den Luxus bei ihnen einzuführen sucht, Jedem, der mit solchen Gesinnungen zu ihnen kommt, seine frühern Sitten allmählig abgewöhnen, ihn gänzlich umstimmen, und für die Frugalität ihrer eigenen Lebensweise gewinnen.

13. So erwähnte er eines gewissen steinreichen Mannes, der einst mit großem Gepränge nach Athen kam, mit

*) Vergl. Anacharsis, 23.

einem Schwarme von Bedienten die Straßen beengte, und
meinte, wegen seines Goldes und seiner gestickten Kleider
werden ihn die Athener als einen beneidenswerthen und
glückseligen Sterblichen betrachten. Allein diese hatten Mit=
leid mit dem Herrlein, und beschloßen, es in ihre Schule
zu nehmen. Sie waren nicht so grob, daß sie ihm verwehrt
hätten, in einer freien Stadt nach seinem Gefallen zu leben:
allein wenn er in den Gymnasien und Bädern mit seiner
Anwesenheit zur Last fiel, und mit seiner Dienerschaft den
Raum so versperrte, daß die Ab= und Zugehenden kaum
durchkommen konnten, so sagte einer halblaut, als ob es
jenen eben nichts anginge: „Er fürchtete im Bade umge=
bracht zu werden, und doch ist tiefer Friede hier im Bade=
hause. Wozu denn also eine ganze Armee?“ Jener aber
hörte, verstund, und ließ sich belehren. Das buntgestickte
Kleid aber und die Purpurstoffe haben sie ihm gleichfalls
ganz artig ausgezogen, indem sie über die mannigfaltigen
Blumenmalereien auf denselben ihre Späße machten. Der
eine rief: „Seht, der Frühling ist schon da!“ Ein ande=
rer: „Woher dieser Pfau?“ Ein dritter: „Die Kleider
gehören vielleicht seiner Mutter.“ Und ähnliches dergleichen.
Und so machten sie sich über alles Uebrige dieser Art an ihm
lustig, über die vielen Ringe an seinen Fingern, über das
Geckenhafte seines Haarputzes, den ausschweifenden Aufwand
seiner Tafel. Und wirklich wurde der Mann allmählig ver=
nünftig, und hatte dieser öffentlichen Erziehung zu danken,
daß er um vieles besser wieder abreiste, als er gekommen
war.

14. Zum Beweise aber, daß man sich in Athen nicht schämt, seine Armuth zu gestehen, erwähnte er gegen mich eines Wortes, das er an den Panathenäischen Kampfspielen aus dem Munde der gesammten Bürgerschaft vernommen zu haben versicherte. Es war nämlich ein Bürger festgenommen, und vor den Kampfrichter geführt worden, weil er den Spielen in einem bunten Kleide zugesehen *) hatte. Alle Anwesenden legten aus Mitleid eine Fürbitte für ihn ein; und als der Herold ausrief, dieser Mann habe sich gegen das Gesetz vergangen, da er in einem solchen Anzuge den Spielen angewohnt, schrieen sie Alle, wie verabredet, einstimmig: „Verzeiht diesem Menschen seinen Anzug, er hat keinen andern!" — Dieß lobte er also an den Athenern, so wie auch die freie, unbefangene Weise, wie man dort lebe, und die stille Ruhe und Muße, die man bei ihnen in Fülle genieße. Auch zeigte er, wie der dortige Aufenthalt so gut zum Studium der Philosophie stimme, wie sehr er geeignet sey, den Charakter rein zu erhalten, und wie trefflich die dortige Lebensweise für einen rechtschaffenen Mann passe, der den Reichthum verachten gelernt, und das von Natur Gute zur Regel seines Lebens gemacht habe.

15. Wer aber nur den Reichthum liebt, fuhr er fort, vom Golde bezaubert ist, und die Glückseligkeit nur nach Purpur, Macht und Einfluß bemißt, wer nie die wahre Freiheit gekostet, unbefangenen Freimuth nie kennen gelernt, die Wahrheit nie geschaut hat, sondern unter Schmeichlern und

---

*) Während, wie aus dieser Stelle geschlossen werden muß, dem Feste der jungfräulichen Athene nur in einem reinen weißen Gewande anzuwohnen erlaubt war.

Sklaven aufgewachsen ist, ferner wer sein ganzes Wesen dem Dienste der Wollust hingegeben, ein Freund ausschweifender Tafelgenüsse, des Weines und der Liebe ist, und seine Freude an eiteln Gauckeleien und trugvollem Lügenwerke hat: wen endlich nur allerhand Geklimper und Triller und heillose Lieder ergötzen — für solche Leute ist diese Stadt *) der rechte Aufenthalt.

16. Denn hier sind von ihren Lieblingsgegenständen alle Straßen, alle Märkte voll. Alle Zugänge werden hier der Wollust geöffnet, Augen, Ohren, Nase, Gaumen; einem nie versiegenden, trüben Flusse gleich strömt sie in das Innere, und erweitert den Zugang für alle Verdorbenheit; und so ziehen denn Leidenschaften aller Art, Geldsucht, Meineid und Ehebruch ein, und umfluthen von allen Seiten das Herz; Schaam, Tugendsinn und Rechtlichkeit aber werden hinausgeschwemmt. Am Ende bleibt ein wüster Schlammboden, wo in Menge die Pflanzen wilder Begierden wuchern. — Diese Vorstellung machte er mir von der Stadt und von den Herrlichkeiten, die man in ihr lernen könne.

17. Als ich daher, sprach er weiter, aus Griechenland zurück kam, und bereits wieder in der Nähe dieser Stadt war, hielt ich an, und forderte mit jenen Homerischen Worten **) mir selbst über meine Hieherkunft Rechenschaft ab:

Warum doch, o Armer, das Licht der Sonne, verlassend (Griechenland nämlich, mit jenem glücklichen Leben bey Freiheit) Kamst du hieher, um zu schauen

*) Rom. S. oben 2.
**) Odyss. XI, 93 f.

dieses Getümmel, diese Schwärme von geheimen Angebern, hoffärtigen Höflingen, von Leckermäulern, Schmeichlern, Banditen, Erbschleichern und falschen Freunden? Was willst du nun anfangen, da du diesen Ort so wenig verlaßen, als die herrschende Weise annehmen kannst?

18. Wie ich so mit mir zu Rathe gehe, faße ich endlich den Entschluß, wie dort Jupiter den Hektor

Aus dem Gewürge der Schlacht, aus strömendem Blut und Getümmel *),

so mich selbst aus jenen Geschoßen zu ziehen, mich in mein Haus zu verschließen, und eine Lebensweise, so scheu und unmännlich sie auch gewöhnlichen Menschen vorkommen mag, zu erwählen, wobei ich nur mit der Philosophie, mit meinem Plato und mit der Wahrheit verkehre. Dabei ist es mir, wie einem, der auf dem höchsten Sitze eines von Tausenden angefüllten Theaters sitzt; ich beschaue von meiner Höhe Alles, was unter mir vorgeht, Dinge, die bisweilen ergötzlich und lächerlich genug sind, bisweilen aber auch die Tugend des festesten Mannes auf die Probe stellen.

19. Denn um auch von der schlimmen Sache das zu sagen, was an ihr zu loben ist, so glaube nicht, daß es irgendwo eine größere Kampfschule für die Tugend, einen richtigern Probierstein unseres Charakters geben könne, als diese Stadt und ihre Lebensart. Denn es ist gewiß nichts Kleines, so vielen lockenden Begierden, so verführerischen Reizen für Aug' und Ohr zu widerstehen, welche von allen Seiten uns in Anspruch nehmen. Man muß nun einmal, wie

---

*) Iliade XI, 163.

einst Ulysses, an diesen Sirenen vorüber segeln, und sich
nicht aus Mangel an Selbstvertrauen die Hände an den Mast
festbinden lassen, und die Ohren mit Wachs verstopfen, son=
dern frei und mit recht keckem Stolze ihnen zuhören.

20. Hier lernt man die Weisheit hochachten, wo man sie
im Gegensatze mit [solcher Thorheit findet, hier die Glücks=
güter gering schätzen, wo man, wie auf der Bühne in einem
aus den mannigfaltigsten Personen zusammengesetzten Drama,
bald den gewesenen Sklaven als Herrn, bald den Reichen
als Bettler, wiederum den Bettler als Satrapen oder König
herauskommen, und aus Freunden Feinde, aus Günstlingen
Flüchtlinge werden sieht. Denn das ist das Thörichteste,
daß, während die Glücksgöttin des Spieles mit allen mensch=
lichen Dingen überwiesen und geständig ist, daß deren keines
von Dauer sey, dennoch Leute, welche tägliche Zeugen dieses
Spieles sind, nach Geld und Herrschaft dürsten, und sich
mit einer Menge vergeblicher Hoffnungen tragen.

21. Ich sagte vorhin, die Dinge, welche hier vorgehen,
geben bisweilen reichlichen Stoff zum Lachen und zu ergötzli=
cher Unterhaltung. Ich will dir Beispiele geben. Wie lä=
cherlich werden nicht eben jene reichen Gecken, wenn sie ihren
Purpur zur Schau tragen, ihre Ringe in die Augen spielen
lassen, und eine Menge ähnlicher Abgeschmacktheiten begehen?
So haben zum Beispiel Einige die ungereimte Sitte, die Be=
gegnenden auf der Straße blos durch einen Bedienten grüßen
zu lassen, indem sie sich einbilden, die Leute müßten hoch zu=
frieden seyn, wenn sie auch nur mit einem Blicke angesehen
werden. Andere, die noch vornehmer thun, erwarten Knie=
beugungen, und zwar nicht nur aus einiger Entfernung, wie

es bei den Persern gebräuchlich ist, sondern man muß vor sie
hintreten, sich niederlassen, und, indem man die Demuth
und Erniedrigung der Seele in Mienen und Geberden aus=
drückt, ihnen die Brust oder die Hand küssen, eine Gnade,
die mit neidischen Augen von denen angesehen wird, die dazu
nicht einmal gelangen können. Indessen steht der Mann da,
und läßt eine gute Weile Aefferei mit sich treiben. Uebrigens
lobe ich doch insofern diesen übermenschlichen Hochmuth, als
wir dadurch von unreinen Lippen ferne gehalten werden.

22. Doch noch viel lächerlicher machen sich uns diejeni=
gen, welche jenen nachlaufen, und ihnen den Hof machen.
Diese Menschen stehen mitten in der Nacht auf *), rennen
in der ganzen Stadt herum, und lassen sich's gefallen, wenn
die Bedienten ihnen die Thüre vor der Nase zuschließen, und
Schmarozer! Hund! und dergleichen ihnen nachrufen. Und
der Preis, den sie mit diesem mühseligen Herumlaufen erja=
gen, ist die lästige, an so vielen Uebeln fruchtbare Ehre, zu
Gaste zu seyn. Was müssen sie nun da nicht Alles verschlin=
gen, wie Vieles wider ihren Willen austrinken, wie vieles
Ungehörige schwazen! Endlich gehen sie murrend und ver=
drüßlich von dännen, und schimpfen bald auf das Essen, bald
beklagen sie sich über die Grobheit und Kargheit des Haus=
herrn. Die Nebengäßchen sind dann voll von Leuten, die sich
des Zuvielgenossenen entledigen, oder sich um eine gemeine
Meze balgen. Des folgenden Tages liegen die Meisten krank,
und geben den Aerzten reichliche Gelegenheit, hin = und her=

---

*) Gewöhnlich empfiengen die Römischen Großen bereits vor
Tagesanbruch die Aufwartungen ihrer Klienten.

zulaufen: Einige jedoch nehmen sich, seltsam genug, nicht einmal Zeit, krank zu seyn.

23. Ich halte wirklich diese Schmarotzer für weit verworfener, als die, vor denen sie kriechen, und bin überzeugt, daß sie selbst an der übermüthigen Grobheit der letzteren schuld sind. Denn, wenn sie die Reichthümer derselben bewundern, ihre Goldhaufen preisen, vom frühesten Morgen an ihre Vorzimmer füllen, sich ihnen wie ihren Beherrschern nähern, was müssen diese am Ende nicht von sich selber denken? Gesetzt, jene verabredeten sich, dieser freiwilligen Knechtschaft auch nur auf eine Weile sich zu begeben, glaubst du nicht, die Reichen würden nun im Gegentheile selbst vor die Thüren der Armen kommen und bitten, daß sie ihr Glück nicht ohne Zuschauer und Zeugen, und ihre prächtigen Tafeln und großen Palläste nicht ungebraucht und unbesucht lassen möchten? Denn sie sind nicht sosehr in das Reichseyn selbst, als in das Vergnügen verliebt, deswegen für glücklich zu gelten. Und so ist es wirklich: die schönste Wohnung, der größte Reichthum an Gold und Elfenbein hat keinen Werth für den Besitzer, wenn Niemand da ist, der dieses alles bewundert. So sollte man also diese Menschen von ihrer stolzen Höhe herabziehen, und ihren Werth heruntersetzen, indem man ihrem Reichthum die Verachtung als einen Damm entgegenstellt; anstatt daß man sie jetzt mit sklavischen Schmeicheleien zu Narren macht.

24. Wenn übrigens Menschen ohne Bildung, die ihren Mangel an Erziehung gar keinen Hehl haben, sich so betragen, so mag man dieß natürlich finden: daß hingegen zuweilen Leute, welche die Maske des Philosophen tragen, sich

noch weit lächerlicher aufführen, das ist doch wohl das Aergste. Wie meinst du, daß mir zu Muthe ist, wenn ich einen von diesen, zumal einen von den ältern, mitten unter einem Schwarme von Schmarotzern den Trabanten irgend eines Großen machen, und mit den Bedienten, die ihn zur Tafel laden, vertraulich sprechen sehe, während er seiner auffallenden Tracht *) wegen um so mehr in die Augen fällt? Was mich dabei am meisten verdrießt, ist, daß sie nicht auch das Kostüme vertauschen, da sie ja doch in allem Uebrigen einerlei Rolle mit den Andern spielen.

25. Und wie sie sich nun bei Tische benehmen, läßt sich mit nichts Ehrbarem vergleichen. Sind sie es nicht, die sich am unanständigsten mit Speisen beladen, die sich am schamlosesten betrinken, die zuletzt von der Tafel aufstehen und mehr als alle Uebrigen einsacken? Die Geschliffenern unter ihnen haben sich mehr als einmal sogar zum Singen bewegen lassen. Alles dieses fand nun Nigrinus sehr lächerlich. Besonders aber erwähnte er noch derjenigen Gattung von Philosophen, die sich um Lohn verdingen, und die Tugend als Marktwaare feil bieten, und deren Lehrsäle er deswegen Krambuden und Schenkstuben nannte. Er verlangte, daß derjenige, welcher die Verachtung des Reichthums lehren will, zuvor selbst sich über alle Gewinnsucht erhaben zeige.

26. Und wirklich beobachtete er dies selbst zu jeder Zeit. Er gewährte seinen lehrreichen Umgang nicht nur unentgeldlich Jedem, der ihn wünschte, sondern unterstützte sogar auch diejenigen, die es bedurften, und war ein Verächter alles

*) Des Philosophenmantels nämlich.

4 *

Ueberflüſſigen. Weit entfernt alſo, nach fremdem Gute zu trachten, machte er ſich wenig Sorgen, wenn er auch an seinem eigenen zu Schaden kam. So beſaß er unfern der Stadt ein Landgütchen, das er in vielen Jahren nicht nur nicht zu beſuchen verlangte, ſondern nicht einmal für ſein wirkliches Eigenthum erklärte; indem er dabei ohne Zweifel an die Wahrheit dachte, daß wir von Natur über keines dieſer Dinge Herren ſind, ſondern blos durch das Geſetz und durch Erbfolge oder Uebergabe den Gebrauch derſelben auf unbeſtimmte Zeit erhalten haben, und eine Weile für die Beſitzer gelten, bis der Termin eintritt, wo ein Anderer die- ſelben übernimmt und den Namen des Beſitzers führt. Auch in anderer Beziehung iſt er für diejenigen, welche ihn nach- ahmen wollen, ein ſchönes Vorbild, ich meine ſeine mäßige und einfache Lebensart, die zweckmäßige Weiſe, wie er ſeine Körperkräfte übt, die Würde in ſeinen Mienen, das Ein- fache ſeines Anzugs, und, was mehr als dieſes alles iſt, die ruhige Harmonie ſeines ganzen innern Weſens, und die Sanft- muth ſeines Charakters.

27. Seinen Zuhörern rieth er, das Beſſerwerden nicht auf gewiſſe Termine zu verſchieben, wie ſo Viele thun, die ſich vornehmen, mit dieſem Feſttage das Lügen aufzugeben, mit jenem in Erfüllung ihrer Pflichten den Anfang zu ma- chen, und dergleichen. Denn das Streben nach dem Guten leidet keinen Aufſchub, behauptete er. Auch zeigte er ſich als einen Gegner jener Philoſophen, welche es für ein Uebungs- mittel der Tugend halten, junge Leute Zwang und Mühſe- ligkeiten verſchiedener Art ertragen zu laſſen; wie es denn welche giebt, die ihren Schülern Feſſeln anlegen, Andere, die

sie geißeln; wieder Andere, und zwar die Artigern unter ih=
nen, die ihnen mit einem Schabeisen eine glatte Haut geben
lassen *).

28. Nigrinus war der Meinung, in den Seelen müsse
vielmehr jene Festigkeit und jener stoische Gleichmuth hervor=
gebracht werden; und wer Menschen auf's Beste erziehen wol=
le, müsse theils auf ihre natürliche Leibes = und Gemüths=
beschaffenheit, theils auf ihr Alter und ihre frühere Erzie=
hung Rücksicht nehmen, um sich nicht dem Vorwurf auszuse=
tzen, an den Zögling Anforderungen über seine Kräfte ge=
macht zu haben. Denn man habe nicht wenige Beispiele,
sagte er, von solchen, die in Folge von dergleichen unvernünfti=
gen Anstrengungen gestorben seyen. Ich selbst habe einen Jüng=
ling gesehen, welcher jene üble Behandlung gekostet hatte,
aber sobald er richtigere Grundsätze vernommen, sich als=
bald in die Schule des Nigrinus flüchtete, wo er sich augen=
scheinlich besser befand.

29. Von diesen Gegenständen kam er auf die Stadt zu
sprechen, auf das Gewühl und Gedränge in derselben, auf
die Theater; den großen Circus, die Wagenrennen **), die
verschiedenen Namen der Rennpferde, das ewige Schwatzen
über dieselben auf allen Gassen u. s. w. Denn mit der Pferde=
wuth ist es dort in der That weit gekommen, da sie bereits
auch viele Männer, die für sehr vernünftig galten, angefal=
len hat.

---

*) Ohne Zweifel satyrische Anspielung auf gewisse Weichlinge
   unter den Philosophen damaliger Zeit, welche diese Sitte
   an sich beobachteten.

**) ἀγῶνας, nach des Palmerius Vermuthung.

30. Hierauf ging er auf einen andern Theil seines Ge=
mähldes über, auf die weitläuftigen Geschäfte, die sie sich
mit ihren Leichenbegängnissen und Testamenten machen, wo=
bei er die Bemerkung machte, nur Einmal in ihrem Leben
redeten die Römer die Wahrheit, und zwar erst im Testa=
mente, um keinen Verdruß von ihrer Aufrichtigkeit zu ha=
ben *). Auch konnte ich mich des Lachens nicht enthalten,
als er sagte, daß sie ein Verlangen tragen, ihre Albernhei=
ten auch im Grabe bei sich zu haben, und ihre gemeine Denk=
art in Inschriften an den Tag legen. So ließen Viele ihre
Kleider, oder andere vielgeliebte Kleinodien mit sich verbren=
nen, Etliche ihrer Sklaven neben ihren Gräbern wohnen, um
ihre Grabmäler stets mit Blumen zu bekränzen — kurz sie
blieben auch im Sterben noch alberne Gecken.

31. Aus dergleichen Verordnungen, wie es nach ihrem
Tode gehalten werden soll, könne man schließen, was solcher
Leute ganzes Thun bei ihren Lebzeiten gewesen. Das seyen
eben die, welche so kostbare Gerichte kauften, und die Weine
bei ihren Gelagen mit Krokus und anderen duftenden Ge=
würzen mischten; dieselben, welche im Winter in einer Fülle
von Rosen schwelgten, die sie nur, wenn sie selten und außer
der Zeit sind, schätzten, in der rechten Zeit hingegen, und
wenn sie die Natur hervorbringt, als etwas gemeines verach=
teten; das seyen endlich eben jene, die mit ihren Salben auch
die Getränke versetzten. Denn was er am schärfsten an ihnen
durchzog, war, daß sie nicht einmal ihrer Begierden zu ge=

---

*) Im Testamente erlaubte man sich Ausfälle gegen gehaßte
Personen, besonders gegen die Großen.

nissen verständen, sondern hierin gegen die Gesetze der Natur sündigten, die Gränzen verwirrten, von ihrer Sinnlichkeit den Geist niedertreten ließen, der Wollust — wie jene Dichter sagen — neben der Thüre mit Gewalt einen Eingang machen wollten, und was dergleichen grobe Verstöße gegen die rechte Art zu genießen, wie er es nannte, mehr sind.

32. Aus demselben Grunde (gerade wie einst Momus den Neptun tadelte, daß er dem Stier die Hörner nicht vor die Augen gesetzt habe) fand er die Thorheit derer, welche Kränze auf dem Kopfe tragen, lächerlich, weil sie den rechten Ort dafür nicht wüßten. Denn, sagte er, wenn es ihnen um den Duft der Veilchen und Rosen zu thun ist, so sollten sie ihre Kränze unter der Nase anbringen, um möglichst viel von dieser Wollust einziehen zu können.

33. Ferner ergoß sich sein Spott über den erstaunlichen Eifer, womit diese Leute für die Besetzung ihrer Tafeln sorgen, über die Mannigfaltigkeit, die sie dem Geschmack ihrer Speisen, die künstliche Zubereitung, die sie ihren Leckerbissen geben. Wie viele Mühseligkeiten, sagte er, lassen sie sich nicht gefallen, aus Liebe zu einem augenblicklich vorübergehenden Gemüthe? Um der vier Daumen breit willen, als welches das Maaß des längsten menschlichen Gaumens ist, giebt es kein Opfer, zu welchem sie sich nicht entschließen. Und doch haben sie, ehe sie ihre theuer gekauften Bissen in den Mund stecken, eben so wenig einen Genuß von denselben, als das Gefühl der Sättigung von verschlungenen Köstlichkeiten angenehmer, denn von den wohlfeilsten Speisen ist. Also bleibt nur der Augenblick des Wanderns durch den Mund für den Genuß der Dinge übrig, die so theuer bezahlt wor-

den find. Doch — es ist nicht mehr denn billig, daß es denen
so geht, die in ihrer Thorheit die ächtern Genüsse, welche
die Weisheit den Thätigen verleiht, nicht kennen gelernt
haben.

34. Nächst diesem machte er mir eine ausführliche Schil=
derung von dem Treiben in den öffentlichen Bädern, von den
zahlreichen und groben Dienerschaften der Großen, und wie
sich diese vornehmen Herrn, gelehnt auf die Schultern ihrer
Sklaven, einherbewegen, oder gar, todten Körpern gleich,
sich auf ihren Armen hinaustragen lassen. Eines schien ihm
ganz besonders zuwider zu seyn, was in dieser Stadt sehr
häufig, und besonders in den Bädern ganz einheimisch ist,
daß nämlich etliche Sklaven ihrem Herrn vorangehen, und
bei jedem Stein und jeder Rinne, worüber man zu schreiten
hat, rufen: vorgesehen! und also, seltsam genug bei jedem
Schritte den Herrn erinnern müssen, daß er gehe. Er fand
es abscheulich, daß Leute, die doch sonst ihre eigenen Organe
gut zu brauchen wissen, wie Hände und Mäuler bei ihren
Mahlzeiten, ihre Ohren, wenn es etwas zu hören giebt u. s. w.,
bei ganz gesunden Augen fremde nöthig haben, um vor sich
hinzusehen, und Worte, die man gegen unglückliche Blinde
gebraucht, sich in die Ohren schreien lassen. Und gleichwohl
sind es oft Männer, denen die Obhut ganzer Städte anver=
traut ist, und die auf öffentlichen Plätzen und am hellen
Mittage dieser Unsitte huldigen.

35. Nachdem Nigrin noch manches Andere dieser Art
erwähnt hatte, schloß er seine Rede. Ich hatte ihm bisher
in stiller Bewunderung zugehört, ängstlich den Augenblick
ferne wünschend, wo er aufhören würde. Als er aber wirk=

lich schloß, erging es mir, wie den Phääken *): ich sah ihn eine Weile in einer Art von Entzückung schweigend an: dar= auf befiel mich Verwirrung und Schwindel: der Schweiß brach mir aus: ich wollte reden, aber ich stockte und brachte kein Wort heraus, denn die Stimme verließ mich, und die Zunge versagte ihre Dienste: kurz ich wußte gar nicht, wie mir ward, und vergoß endlich helle Thränen. Denn nicht nur so zufällig und an der Oberfläche hatte mich diese Rede berührt: die Wunde war tief und entscheidend: denn er hatte mit seinen Worten recht scharf mir auf das Gemüth gezielt, und es, wenn ich so sagen darf, in der Mitte getroffen. Denn wenn es mir jetzt schon erlaubt ist, mich mit meinem Urtheile an die Reden der Philosophen zu wagen, so ist meine Meinung von denselben diese.

36. Das Gemüth eines gut gearteten Menschen gleicht einer weichen Masse. Auf diese zielen der Schützen viele im Leben: die Pfeile, von denen ihre Köcher strotzen, sind Re= den von gar mancherlei Art, aber nicht alle treffen gleich gut nach dem Ziele. Einige spannen die Sehne zu straff, und so wird der Pfeil zu heftig abgeschnellt: zwar verfehlt er die Richtung nicht, allein er haftet nicht im Ziele, sondern von der Gewalt des Schusses hindurchgetrieben, läßt er in dem Gemüthe eine klaffende Wunde. Andere hinwieder thun das Gegentheil. Aus Mangel an Spannung und Schnellkraft der Sehne gelangen ihre Geschosse gar nicht an das Ziel,

---

*) Jener sprach's: doch alle verstummten umher, und schwiegen: Horchend noch mit Entzückung im schattigen Saal des Palastes.
Odyss. XI, 333 f. Voß.

sondern fallen oft schon in der Mitte des Weges matt zur
Erde, oder wenn sie auch das Ziel erreichen, so ritzen sie
nur leicht dessen Oberfläche, ohne eine tiefe Wunde zu ver=
ursachen.

37. Wer aber ein tüchtiger Schütze ist, und meinem Mi=
grinus gleich, der wird zuvor genau sein Ziel untersuchen,
ob es sehr weich, oder aber hart, und härter als der Pfeil
selbst ist. Denn es giebt sogar solche, denen gar keine Wunde
beigebracht wird. Wenn er nun hierüber Gewißheit hat, so
taucht er sein Geschoß — nicht in Gift, wie die Scythen,
noch in den Milchsaft des Feigenbaums, wie die Creter
thun — sondern in einen sanftbeissenden und zugleich wohl=
thuenden Balsam, und sendet es dann mit sicherer Hand ab.
Dieser Pfeil, mit gehöriger Kraft abgeschossen, trifft und
dringt ein, um zu haften, und seinen Balsam reichlich zu er=
gießen. Während nun derselbe sanft zerrinnt und seine Kraft
durch das ganze Herz verbreitet, entquellen jene Thränen
der Wehmuth und Wonne, die auch ich vergossen, den Augen
des Zuhörers. — Es drang mich, die Worte des Dichters
ihm zuzurufen:

O triff immer so fort, denn jeder Pfeil ist ein Lichtstrahl! *)
Wie aber nicht Alle, welche die Phrygische Flöte vernehmen,
begeistert werden, sondern nur in denen, die je einmal von
der Göttin **) ergriffen worden, die alte Begeisterung wieder

---

*) Homers Iliade VIII, 282. von Wieland nachgebildet.
**) Der Phrygischen Göttin Cybele oder Rhea, deren Priester,
   die Corybanten, beim Schalle lärmender Instrumente,
   von heiliger Wuth ergriffen, ihre Gottheit mit wilden
   Tänzen feierten.

aufwacht, so gehen auch von den Zuhörern der Weisen nicht Alle begeistert und tief getroffen von dannen, sondern nur die, in deren Wesen zuvor schon etwas der Philosophie Verwandtes lag.

38. Freund. Wie Großes, Wundervolles und Göttliches hast du mir da mitgetheilt, mein Freund! Wie warst du doch mit einer solchen Fülle von Ambrosia und Lotus, *) ohne daß ich's wußte, gesättigt! Als du sprach'st, wie regte sich's da in meinem Innern, und daß du schon aufhörest, betrübt mich: denn ich fühle mich, um mit dir zu sprechen, wirklich verwundet. Du darfst dich das nicht wundern lassen. Denn du weißt, daß Diejenigen, welche von tollen Hunden gebissen werden, nicht nur selbst wüthend werden, sondern daß sich diese Art von Wuth auch durch den Biß der Gebissenen fortpflanzt, und so einer Menge Anderer mitgetheilt werden kann.

Lucian. Nun also, gestehst du, gleichfalls von jenem Liebesschmerze **) ergriffen zu seyn?

Freund. O gar sehr; darum bitte ich dich, auf ein Heilmittel für uns beide zu denken.

Lucian. Wir werden wohl das des Telephus ***) ergreifen müssen.

*) S. oben 3.
**) S. oben 7.
***) Telephus, König in Mysien, war von Achilles verwundet worden, und erhielt von dem Orakel, das er über die Heilung der sehr gefährlichen Wunde befragte, den Rath, bei dem Hülfe zu suchen, der ihn verwundet hatte. Er eilte also zu Achilles und wurde von diesem geheilt, indem Achilles der Deutung gemäß, welche Ulysses dem

Freund. Wie meinst du das?

Lucian. Ich meine, wir sollten den bitten, uns zu heil
der uns verwundet hat.

T i m o n.

Timon. Jupiter. Merkur. Plutus. Peni
Gnathonides. Piliades. Demeas.
Thrasykles.

1. **Timon.** O Jupiter, du Freundschaftsstifter, du T
schirmer des Gastrechts, du Verbrüderer, du Familienschu
du Blitzeschleuderer, du Meineidsrächer, du Wolkenversamml
du Donnerer, und wie die Namen alle heißen, welche dir j
angedonnerten, hirnwüthigen Poeten beilegen, zumal we
sie um das Sylbenmaß verlegen sind (denn alsdann mü
deine vielen Beiworte aushelfen, den Einsturz ihrer baufäl
gen Gedichte zu verhüten, oder eine Lücke im Verse ausz
füllen): wo bleibt nun dein niederschmetternder Blitzstra
dein weithinkrachender Donner, dein glühendes, zuckende
gräßliches Wetterlicht? Alles das ist klare, baare Fabel
und hinter dem Gebrause der Worte steckt eitel poetisch
Dampf. Dein vielbesungenes, fernhintreffendes, allzeit fer
ges Flammengeschoß, wie ist es doch so gänzlich erloschen u
erkaltet, und hat auch nicht das kleinste Zornfünkchen me
übrig, um auf die Köpfe der Frevler zu fahren!

Orakelspruch gab, ein wenig von dem Spieße, der
Wunde gemacht hatte, abschabte und auf die Wunde leg

2. Leute, die einen Meineid zu schwören im Begriffe sind, würden sich eher vor einem gestern ausgelöschten Lampendocht fürchten, als vor deines allgewaltigen Blitzstrahles Flamme: es ist ihnen gerade, als ob du eine Kienfackel schwängest, deren Feuer und Rauch sie nicht zu fürchten haben, und von welcher getroffen, sie höchstens mit Kohlenstaub überdeckt werden: Daher konnte sich's ein Salmóneus wohl herausnehmen, dir entgegen zu donnern; und er machte wirklich seine Sache täuschend genug; der stolze und hitzige Mann — gegenüber einem so phlegmatischen Jupiter. Und wie sollte er nicht? Ist es doch, als hättest du Alraun im Leibe, so schläfrig liegst du da, und so wenig kümmerst du dich um alle Meineidigen und Bösewichte. Oder hat das Alter deine Augen verschwimmend und blöde, und deine Ohren dickhäutig gemacht?

3. Denn so lange du noch jung, heftig und jähzornig warest, machtest du dir viel mit den Ungerechten und Gewaltthätigen zu schaffen, und gönntest ihnen keinen Waffenstillstand, sondern stets war dein Donnerkeil in Thätigkeit; die Aegide immer in Bewegung: dein Donner rollte, deine Blitze schossen in einem fort, wie die Pfeile in einem Scharmützel, vor dir her: die Erde erbebte wie ein gerütteltes Sieb, der Schnee fiel massenweise, es hagelte Felsstücke, und — um einmal recht derb mit dir zu sprechen — in Wuth und Allgewalt ergoß sich der Regen, und jeder Tropfen war ein Strom, so daß unter Deucalion's Regierung alle Schiffe in Einem Augenblicke untergiengen und verschlungen wurden, und nur mit Noth ein einziger kleiner Kasten auf dem Lycorischen Berge sitzen blieb, in welchem sich ein Absenker des Men-

schengeschlechts erhielt, um einer noch schlechtern Nachkom=
menschaft das Daseyn zu geben.

4. Nun aber hast du auch den verdienten Lohn für deine
Gleichgültigkeit. Denn wer opfert dier wohl heut zu Tage
noch, oder bringt dir Kränze dar, aujfer hie und da einer
bei Gelegenheit der olympischen Spiele? Und auch dann ge=
schieht es nicht, weil man es für nothwendig hält, sondern
nur, um einem alten Brauch sein Recht zu geben. Ueber
kurz oder lang werden die Leute einen zweiten Saturn aus
dir machen, o Edelster der Götter, und dich von deinem Throne
stoßen. Ich sage nichts davon, wie oft sie schon deine Tempel
bestohlen haben: haben sie ja doch in Olympia Hand an dich
selbst gelegt, und du, der Hochdonnernde, hattest nicht einmal
das Herz, die Hunde zu wecken, oder die Nachbarn herbeizu=
rufen, damit sie herbeieilten, und die Diebe faßten, so lange
diese noch ihren Raub zusammenpackten. Nein, der großmäch=
tige Gigantenwürger und Titanenbändiger sitzt da, mit sei=
nem zehn Ellen langen Blitz in der Hand, und läßt sich die
goldenen Locken abschneiden! Wann wirst du doch, du sau=
berer Held, einmal aufhören, solche Frevel zu übersehen?
wann einmal solche Ruchlose bestrafen? Wie viele phaëthonti=
sche Erdbrände, wie viele Deukalionische Fluthen wären nö=
thig, um die bodenlose Verruchtheit der Welt zu züchtigen!

5. Doch ich will vom Allgemeinen schweigen, und nur
von mir sprechen, der ich so viele Athener aus dem Staube
gezogen, und aus armen Schluckern zu reichen Männern ge=
macht, alle Bedürftige unterstützt, ja, ich darf sagen, meinen
ganz großen Reichthum verschwendet habe, um meinen Freun=
den wohlzuthun. Und jetzt, da ich auf diese Weise arm ge=

worden bin, kennt mich Keiner mehr, und sieht mich Keiner
mehr von allen denen an, die sich sonst vor mir so tief ge-
beugt, und an meinem Winke gehangen hatten. Begegne ich
einem derselben auf der Straße, so geht er an mir vorüber,
wie man an dem durch die Länge der Zeit zusammengefalle-
nen Grabmal eines längst verstorbenen Menschen vorübergeht,
dessen Inschrift Niemand liest. Andere, die mich von Ferne
erblicken, beugen in eine andere Straße ein, als ob sie sich
die Begegnung und den Anblick eines Mannes als Unheil
bringend vorstellten, der noch kurz zuvor ihr Retter und
Wohlthäter gewesen war.

6. So hat mich denn die Noth auf dieß Feld hinaus-
getrieben, wo ich mit diesem Felle auf dem Leibe, um einen
Tagelohn von vier Obolen den Acker baue, und so nebenher
mit meinem Spaten und diesen öden Fluren philosophire.
Was ich dabei gewinne, ist doch wenigstens das, daß ich die
Menge Menschen nicht mehr sehen muß, die es gut haben,
während sie das Gegentheil verdienten. Das ist's immer,
was mich am meisten ärgert. Drum auf, o Sohn des Sa-
turnus und der Rhea, entschüttle dich einmal deinem tiefen
und langen Schlafe; denn bereits hast du ja länger als Epi-
menides *) geschlummert; fache wieder deinen Blitzstrahl an,
oder entzünde ihn am Aetna, und zeige uns in einem gewaltigen Zornfeuer wieder den mannhaften, kraftvollen und un-
veralterten Jupiter — wo nicht, so wird für wahr gelten,
was die Cretenser von dir und deinem dortigen Grabe fabeln.

_____

*) Der nach einer cretensischen Sage in einer Höhle vierzig,
   nach Andern sieben und fünfzig Jahre an einem fort schlief.

7. **Jupiter.** Wer ist denn der Schreier da unten, Merkur, in Attika, am Fuße des Hymettus? Ich meine den schmutzigen Kerl in dem Ziegenfelle, der dort tief gebückt den Boden behackt. Der freche Mensch schwatzt in Einem fort; er muß wohl ein Philosoph seyn, sonst ließe er nicht so gottlose Reden gegen uns laufen.

Merkur. Wie, Vater, kennst du den Timon nicht mehr, des Echekratides Sohn, aus Colyttus *)? Das ist ja derselbe, der kürzlich noch so reich gewesen, uns so oft mit herrlichen Opfern und ganzen Hekatomben bewirthete; derselbe, bei dem wir die Diasien **) so köstlich zu begehen pflegten.

Jupiter. Welche Veränderung! Das wäre jener reiche Ehrenmann, der immer von so vielen Freunden umgeben war? Was ist ihm denn begegnet, daß er nun so schmutzig und armselig, und, aus der schweren Hacke zu schließen, womit er die Erde baut, gar ein Taglöhner ist?

8. **Merkur.** Ich könnte sagen, seine Gutherzigkeit, seine Menschenliebe, sein Mitleid mit allen Dürftigen hat ihn aufgerieben. Um aber die Wahrheit zu sagen, so war es sein Unverstand, seine gutmüthige Einfalt, sein Mangel an Beurtheilung in der Wahl seiner Freunde; diese machten, daß er es nicht merkte, wie er seine Gefälligkeiten Raben und Wölfen erwies. Der arme Tropf glaubte, daß die Geyer, die ihm die Leber benagten, lauter traute Freunde aus ächtem Wohlwollen wären, während es ihnen doch blos um

---

*) Einem Canton oder Demos von Attika.
**) Das Fest des Jupiter Milichius (des Freundlichen), eines der größten athenischen Feste.

den Fraß zu thun war. Wie sie ihm endlich auch die Knochen säuberlich abgenagt, und den letzten Rest Mark vollends
ausgesogen hatten, flogen sie auf und davon, und ließen ihn
als ein dürres Gerippe liegen *), ohne ihn mehr zu kennen
noch anzusehen (wie sollten sie auch?), geschweige ihn zu
unterstützen oder ihm seine Geschenke zu erwiedern. Aus
Schaam hierüber hat er nun die Stadt verlassen, ein Ziegenfell umgethan, und die Hacke ergriffen, um, wie du siehst, als
Tagelöhner das Feld zu bauen. Dabei ist er voll schwarzer
Galle über die Schurken, die durch ihn reich wurden, und
nun ganz vornehm an ihm vorüber gehen, ohne sich auch nur
zu erinnern, daß er Timon heißt.

9. Jupiter. Wir dürfen diesen Mann wirklich nicht
übersehen und vernachläßigen. Er hatte nicht Unrecht, über
sein Unglück zu klagen, da wir nahe daran sind, es nicht besser
zu machen, als jene heillosen Schmarozer, indem wir eines Mannes vergaßen, der uns so viele fette Hinterviertel von Rindern und Ziegen auf unsern Altären verbrannt hatte. Ich
habe wahrhaftig den Fettdampf davon noch in der Nase. Allein die vielen Geschäfte und die Unruhe, welche mir die
Menge von Meineiden, Brutalitäten und Straßenräubereien
verursacht, zudem die Furcht vor den vielen Tempeldieben,
vor denen ich mich kaum zu sichern weiß, so daß ich es mir
nicht erlauben darf, auch nur ein bischen einzunicken — alles
dieß machte, daß ich seit langer Zeit nicht auf Attika herab-
gesehen habe, zumal seitdem die Philosophie und das Dispu-

---

*) Im Orginal: Dürr und bis an die Wurzel abgehauen —
   ein Bild, das zum vorigen nicht paßt. Wieland.

Lucian. 1s Bдchn.   5

tiren dort aufgekommen ist. Denn das ist ein Streiten und
Schreien, daß man nicht einmal die Worte der Betenden da=
vor hören kann. Entweder muß ich mit verstopften Ohren
dasitzen, oder zu Grunde gehen über dem ewigen Geplärr von
dem Ding, das sie Tugend nennen, von unkörperlichen We=
sen und von andern Lappalien dieser Art. Und so begegnete
es uns, daß wir Diesen da ganz außer Acht ließen,. wiewohl
er durchaus kein unrechter Mann ist.

10. Um so mehr beeile dich, Merkur, zugleich mit Plu=
tus *) dich zu ihm zu verfügen. Plutus soll den Thesau=
rus **) mitnehmen, und beide sollen bei Timon bleiben, und ihn
nicht so leicht wieder verlassen, auch wenn er sie aus lauter
Gutherzigkeit auf's neue zum Hause hinausjagen wollte.
Was aber jene Schmarotzer und ihre an ihm bewiesene Un=
dankbarkeit betrifft, so werde ich sie schon finden: sie sollen es
zu büßen bekommen, so bald mein Blitz ausgebessert seyn
wird. Denn gerade die zwei besten Zacken daran sind stumpf
geworden und abgebrochen, als ich ihn neulich ein wenig zu
hitzig gegen den Sophisten Anaxagoras schleuderte, der seine
Zuhörer bereden wollte, es wäre durchaus nichts an dem Da=
seyn von uns Göttern. Leider traf ich ihn nicht, weil Peri=
kles die Hand über ihn hielt***), und der Blitz fuhr daneben

---

*) Dem Gott des Reichthums.
**) Den Gott der Schätze.
***) Anspielung auf den Umstand, daß Anaxagoras, als er
    einst seiner irreligiösen Lehren und Meinungen wegen
    peinlich angeklagt worden war, durch seines mächtigen
    Freundes Perikles Beredsamkeit vom Tode und aus dem
    Gefängniß gerettet wurde.

in das Anacéum *), wo er zündete. Allein es fehlte wenig,
so wäre er an dem Burgfelsen zerschellt und zu Grunde gegangen. Doch wird es vor der Hand eine zureichende Strafe
für jene Schurken seyn, wenn sie den Timon wieder so stein-
reich sehen werden.

11. Merkur [für sich, indem er den Plutus holt].
Wie gut war es doch für den Mann, daß er recht laut ge-
schrien hat, und so grob und unverschämt gewesen ist. Dieß
hilft nicht allein in einem Proceß, sondern auch, wenn man
von den Göttern etwas zu bitten hat. Siehe da, jetzt wird
der blutarme Timon auf einmal wieder ein reicher Mann,
bloß weil er durch sein Geschrei und seine Freimüthigkeit,
mit welcher er betete, die Aufmerksamkeit Jupiter's auf sich
gezogen hat. Hätte er, über seine Hacke gebückt, stille geschwiegen, er dürfte wahrlich noch forthacken, ohne daß sich
eine Seele um ihn bekümmert hätte.

Plutus. Ich mag mich nicht zu ihm begeben, Jupiter.

Jupiter. Warum denn nicht, mein Bester? Du weißt
ja, daß ich es haben will.

12. Plutus. Ei, beim Jupiter! hat er mich nicht ge-
mißhandelt, ausgeleert, in Stücken zerrissen, ungeachtet ich
schon vom Vater her sein Freund gewesen war? Hat er mich
nicht am Ende fast mit der Mistgabel aus dem Hause gestoßen, oder wie einen brennenden Funken von der Hand eilends
weggeschleudert? Soll ich erst auf's neue zu den Schmarotzern und Speichelleckern wandern, und mich an Hetären ver-
schenken lassen! Zu rechten Leuten schicke mich, Jupiter, die

---

*) Den Tempel der Dioskuren, oder Söhne des Jupiter
Kastor und Pollux, dicht am Fuße des Burgfelsen.

dein Geschenk zu würdigen wissen; die meiner pflegen, denen
ich werth und theuer bin. Solche dumme Gimpel aber sollen
bei ihrer Penia *), die sie uns ja doch vorziehen, bleiben,
und sich ein Ziegenfell und eine Hacke von ihr geben lassen.
Mögen diese Tröpfe, welche Geschenke von zehen Talenten
in der Sorglosigkeit verschleudert haben, nun mit einem Verdienst von vier Oboten vorlieb nehmen!

13. Jupiter. Sey gewiß, Timon wird nicht mehr so,
wie damals, mit dir umgehen. Die Hacke wird ihn schon
gelehrt haben, dir den Vorzug vor der Penia zu geben, es
müßte denn keine Empfindung in seinen Lenden haben. Du
kommst mir übrigens vor, wie ein Mensch, dem man es nicht
recht machen kann. Jetzt beschwerst du dich über den Timon,
daß er dir die Thür öffnete, und dich frei herumgehen ließ,
ohne dich eifersüchtig zu bewachen. Ein andermal schimpfst
du auf die Reichen, sagst, sie sperren dich hinter Riegel,
Schlösser und Siegel, so daß du auch keinen Augenblick en's
Tageslicht hervorkriechen könntest. Hast du nicht öfters bei
mir geklagt, du müßtest ersticken in der dumpfen Finsterniß?
Du sahest so blaß und sorgenvoll aus, hattest vom unaufhörlichen Geldzählen krumme Finger, und drohetest, bei der ersten besten Gelegenheit davon zu laufen. Kurz, es war dir
eine unerträgliche Lage, in einem eisernen oder ehernen Ge-
mache, unberührt wie die Danaë, eingeschlossen zu seyn, und
von zwei scharfen und schlimmen Pädagogen, dem Wucher
und dem Einmaleins, in Zucht gehalten zu werden.

14. Du erklärtest ja alle Diejenigen für Narren, die
rasend in dich verliebt wären, und sich doch nicht getrauten,

*) Göttin der Armuth.

sich deinem Genusse ohne Scheu zu überlassen (obwohl sie's könnten, und deiner vollkommen Herr wären), sondern lieber mit steif und fest auf Schloß und Riegel gehefteten Blicken dich bewachten, indem sie sich mit dem Genusse begnügten, nicht blos zu wissen, daß sie genießen könnten, wenn sie wollten, sondern hauptsächlich, daß sie deinen Genuß Jedem verwehren könnten, ganz wie der Hund in der Fabel, der in der Krippe auf dem Haber lag, um den hungrigen Pferden das Futter vorzuenthalten, das er doch selbst nicht fraß. Auch lachtest du über die wachsamen Knauser, die, während sie, merkwürdig genug, neidisch gegen sich selbst wären, es doch nicht gewahr würden, wie ein Schurke von Sclave, ein Hausmeister, oder ein Kinderwärter sich heimlich in die Vorrathskammer schleicht, und sich's dort auf Kosten des armen Teufels von Hausherrn wohl seyn läßt, der inzwischen bei einer düstern enghalsigen Lampe mit magerem Dochte aufbleibt, und seine Zinsen berechnet. Dieses Alles legtest du sonst den Reichen zur Last: ist es nun nicht ungerecht, dem Timon das Gegentheil zum Vorwurf zu machen?

15. **Plutus.** Und doch wirst du bei genauer Prüfung finden, daß ich zu beidem meine guten Gründe habe. Mit Recht nehme ich an, daß Timon mich deßwegen so leichtsinnig vergeudete, weil er gleichgültig gegen mich und ohne alle Anzeigung war. Diejenigen aber, die mich in ein finsteres Gemach verschließen und bewachen, damit ich dicker, fetter und schwerer werden möchte, und mich weder anrühren, noch jemals an das Tageslicht kommen lassen, damit ich von keinem Menschen gesehen werde; halte ich für Thoren und klage sie der Mißhandlung an; weil sie mich unschuldiger Weise

unter so schweren Fesseln verfaulen lassen, ohne zu bedenken, daß sie in Kurzem von dannen müssen, um mich einem andeꞋren gesegneten Sterblichen zu überlassen.

16. Ich lobe mir also eben so wenig diese letztern, als jene, die gar zu schnell mit mir fertig werden, sondern die, was ja überall das Beste ist, auch hierin Maaß halten, und mich weder wegwerfen, noch mich unberührt lassen. Beim Jupiter! bedenke selbst, Jupiter, wenn einer ein junges und schönes Mädchen förmlich zur Frau nähme, und wäre dann, statt sie zu Hause zu behalten, so wenig eifersüchtig, daß er sie Tag und Nacht herumschwärmen, und mit jedem Beliebigen sich abgeben ließe, oder sie wohl gar selbst andern Buhlern zuführte, fremde Thüren ihr öffnete, oder den Kuppler im eigenen Hause machte, wurde wohl dieser Mann für ihren Liebhaber gelten können? Dieß würdest wenigstens du gewiß nicht zugeben, Jupiter, da du ja die Liebe aus so vielfältiger eigener Erfahrung kennst.

17. Wiederum, denke dir einen Mann, der eine freigeborene, blühende und schöne Jungfrau, Behufs der Zeugung rechtmäßiger Nachkommenschaft, als Gattin in sein Haus einführte, dieselbe aber eben so wenig selbst berührte, als Andern auch nur ihren Anblick gestattete, sondern sie zu ewiger unfruchtbarer Jungfrauschaft verurtheilte und einsperrte, während er sich doch für ihren Liebhaber erklärte, und das Gepräge desselben in seiner blassen Hautfarbe, seiner Magerkeit und seinen hohlen und eingefallenen Augen trüge, — würdest du ihn nicht für verrückt halten, da er, statt Kinder zu zeugen und die Freuden der Ehe zu genießen, das wohlgebildete liebliche Mädchen wie eine Priesterin der Ceres

lebenslänglich zu Hause hält und verwelken läßt? Dasselbe
ist's, was mich auf die Menschen so böse macht, die mich
entweder mit Füßen treten und zu Grunde richten, oder mich
wie einen Sklaven behandeln, dem man mit Fußeisen und
Brandmahlen das Durchgehen entleidet.

18. **Jupiter.** Ereifere dich doch nicht so sehr! Du
siehst ja, wie schon beide Theile dafür gestraft sind. Die Einen schnappen mit dürrer Zunge und unerquickt, wie Tantalus, nur nach dem Golde; während gierige Harpyien den Andern, wie einst dem Phineus, die Nahrung aus dem Maule
stehlen. Doch — gehe endlich einmal, und sey gewiß, nunmehr einen weit vernünftigeren Mann an Timon zu finden.

Plutus. Wie? Der sollte jemals aufhören, mich absichtlich mit einem durchlöcherten Korbe zu schöpfen, aus
Furcht überschwemmt zu werden, wenn ich in aller Fülle ihm
zuströmte? Gewiß es wird nicht anders seyn, als ob ich
Wasser in das Faß der Danaiden gießen wollte. Ich werde
vergeblich zugießen; denn weil das Loch zu groß ist, wird Alles
geschwinder wieder ausgelaufen seyn, als ich nachgießen kann.

19. **Jupiter.** Je nun, wenn er dieß Loch nicht zumachen will, und dich abermals auslaufen läßt, so wird er
wenigstens seinen Schaafpelz und seine Hacke im Bodensatze
wieder finden. Aber macht nun, daß ihr fort kommt! Und
du, Merkur, vergiß mir nicht im Rückwege die Cyclopen vom
Aetna mitzubringen, daß sie mir meinen Donnerkeil wieder
ausbessern und spitzen. Denn er muß scharf seyn, wenn ich
ihn nächstens brauchen werde.

20. **Merkur.** So wollen wir denn gehen, Plutus.

Aber was ist das, du hinkst ja? Seit wann bist du denn zu deiner Blindheit auch lahm geworden?

Plutus. Ich bin es nicht immer, Merkur, sondern nur, wenn mich Jupiter irgend wo hinschickt, da bin ich, ohne zu wissen, wie's kommt, so langsam und an beiden Füßen so lahm, daß ich oft kaum das Ziel erreiche, wenn der, welcher auf mich wartet, bereits ein lebenssatter Greis ist. Wenn ich mich aber entfernen soll, da solltest du sehen, wie ich fliegen kann: kein Traumbild kann schneller verschwinden. Wäre ich dann ein Wettrenner, kaum könnte das Schrankenseil zu Boden fallen, so hätte ich, ohne daß mich die Zuschauer mit ihren Blicken verfolgen könnten, schon die Bahn durchflogen, und würde als Sieger ausgerufen.

Merkur. Du sagst mir da nicht die Wahrheit. Denn ich könnte dir Viele nennen, die gestern noch keinen Obolus, um sich einen Strick zu kaufen, im Vermögen hatten, und heute plötzlich reich sind, groß thun, und mit weißen Pferden fahren, während sie sonst keinen Esel im Stalle hatten. Und wenn sie so in Purpur und mit Händen voll goldner Ringe herumspatzieren, haben sie selbst Mühe, sich zu überzeugen, daß sie nicht bloß im Traume reich sind.

21. Plutus. Das ist etwas ganz anderes, Merkur. Zu diesen bin ich nicht auf den Füßen gekommen: auch hat mich nicht Zeus, sondern Pluto zu ihnen geschickt, der ja auch ein großer Reichthumgeber ist, wie schon sein Name *)

---

*) Pluto (namensverwandt mit Plutus), der Gott der Unterwelt, wird hier gedacht als der Geber der Reichthümer, die durch Erbschaft zufallen.

anzeigt. Wenn ich nämlich von dem Einen auf einen Anderen
übergehen soll, so legt man mich in eine Schreibtafel, versie=
gelt mich sorgfältig, und trägt mich feierlich zum Hause hin=
aus.*). Und während der Todte in einem finstern Winkel
des Hauses liegt, über den Knieen mit einem alten Leintuch
zugedeckt, und den Katzen, die sich um ihn balgen, preisgege=
ben, — warten die, welche sich Hoffnung machen, im Ge=
richtshofe mit aufgesperrten Mäulern auf mich, wie die zwit=
schernden Jungen der Schwalbe auf die Heimkunft ihrer
Mutter.

22. Endlich wird das Siegel abgenommen, der Bindfa=
den zerschnitten, das Testament geöffnet, und der Name meines
neuen Herrn ausgerufen. Bald ist dieser ein Anverwandter
des Vorigen, bald aber ein Schmeichler oder ein Sklave, der
eine so große Belohnung mit Preisgebung seiner selbst ver=
dient hatte. Nun steckt mich der Erbe, wer er auch sey,
sammt dem Testamente zu sich, läuft davon, und heißt nun
statt Pyrrhius, Dromo oder Tibius **) hinfort Megakles,
Megabyzus, oder Protarchus: während die Andern, die ihre
Mäuler vergebens aufgesperrt hatten, einander ansehen und
recht aufrichtig trauern, daß ihnen der kostbare Seefisch, der
ihnen so vielen Lockfraß verschlungen, aus dem Untersten des
Netzes wieder entwischt ist.

---

*) Die auf Wachstafeln geschriebenen Testamente wurden
außer dem Hause, in Tempeln, bei Priestern, oder auch
bei vertrauten Freunden niedergelegt.
**) Sclavennamen, während Namen, wie Megakles u. dgl.
nur Leuten von guter Herkunft gegeben werden konnten.

23. Der neue Beſitzer aber, dem ich ſo plötzlich in die Hände gefallen bin, ein roher, plumper Kerl, dem bei dem Gedanken an das Fußeiſen die Haut noch ſchaudert, und der, wenn einer im Vorübergehen mit der Peitſche knallt, die Ohren ſpitzt, und vor dem Mühlgewölbe *) wie vor einem Tempel Reſpekt hat — der iſt der unerträglichſte Menſch für Alle, die mit ihm zuſammentreffen. Gegen Bürger iſt er grob, und ſeine ehemaligen Mitſclaven peitſcht er durch, nur um zu probiren, ob ihm dergleichen nun auch erlaubt ſey. Dieß dauert aber nur ſo lange, bis er an ein lüderliches Dirnchen geräth, oder von der Pferdeſucht befallen wird, oder ſich Schmeichlern preisgiebt, die ihm ſchwören, er ſey wahrhaftig ſchöner als Nireus **), edlern Blutes als Cecrops und Codrus, geſcheidter als Ulyſſes, reicher als ſechzehen Cröſuſſe — alsdann läßt der elende Tropf in ganz kurzer Zeit ein Vermögen zerrinnen, wozu es einſt einer Menge von falſchen Eidſchwüren, Betrügereien und Schurkenſtreichen bedurft hatte, um es allmählig zuſammenzubringen.

24. Merkur. Es iſt wahrhaftig beinahe ſo, wie du ſagſt. Wenn du aber auf deinen eigenen Fußen gehſt, wie da? Kannſt du denn bei deiner Blindheit den Weg finden? Und woran kennſt du diejenigen, zu welchen dich Jupiter ſchickt, weil er ſie für würdig hält, reich zu werden?

---

*) Wo die Handmühle ſtand, die von Sclaven und Sclavinnen, beſonders ſolchen, die etwas verbrochen hatten, getrieben wurde.

**) Hom. Il. II, 673. f.:
    Nireus, ſchöner, wie ſonſt kein Mann vor Ilion herzog,
    Rings im Danaër Volk, nach dem tadelloſen Achilleus.
                                      Voß.

Plutus. Glaubst du denn wirklich, ich könne sie herausfinden?

Merkur. Ich glaube es freilich nicht. Sonst würdest du nicht einen Aristides übergangen, und dich zu einem Hipponikus und Callias *) und vielen andern Athenern gesellt haben, die keinen Obolus werth sind. Allein wie machst du es denn, wenn du ausgeschickt wirst?

Plutus. Je nun, ich tappe hin und her, auf und ab, bis ich von ungefähr auf den ersten besten stoße, der mich mit sich nach Hause nimmt, und dir, Merkur, für den unverhofften Gewinn seinen Dank opfert **).

25. **Merk.** Also ist Jupiter geprellt, wenn er meint, daß du nach seinem Willen alle diejenigen reich machst, die er dessen für würdig hält?

Plutus. Und mit Recht, mein Bester: denn er weiß ja, daß ich blind bin, und schickt mich doch aus, um eine schwer zu findende Sache zu suchen, die längst aus der Welt fast verschwunden ist, und die ich auch mit Lynceus ***) Augen

*) Hipponikus und Callias, Vater und Sohn, aus Athen, hatten sich schnell einen Reichthum erworben, der für den größten jener Zeit (um 450 vor Chr.) in Griechenland galt: zugleich aber waren sie, besonders der letztere, wegen ihrer Schlechtigkeit berüchtigt.

**) Jedes gefundene, oder schnell gewonnene Gut ward für eine Gunstbezeugung des Merkur gehalten.

***) Die scharfen Augen des Lynceus, eines Helden der Argonautenfahrt, waren sprüchwörtlich geworden. Er sah, erzählten die Dichter, durch die Erde in die Unterwelt und dgl.

nicht leicht ausfindig machen könnte, so unscheinbar und klein
ist sie geworden. Denn da der Guten so Wenige sind, und
die Menge der Schlimmen aller Orten den Meister spielt,
wie leicht falle ich da bei meinem Herumirren in die Netze
der Letztern?

Merkur. Wenn du sie aber verläßest, da fliehest du
so leicht davon, ohne doch den Weg zu sehen: wie kommt
das?

Plutus. Alsdann werde ich scharfsichtig und leicht=
füßig, aber nur für den Augenblick meiner Flucht.

26. Merkur. Sage mir nun auch, wie es möglich ist,
daß bei deiner Blindheit, bei deinem — ich kann es nicht ber=
gen — blassen Aussehen, deinem schwerfälligen Gange so viele
Leute in dich verliebt, und aller Augen auf dich gerichtet
sind? Wenn sie dich bekommen, dünken sie sich überglücklich;
wenn du ihnen entgehest, ist ihnen das Leben unerträglich.
Ja ich kannte nicht Wenige deiner unglücklichen Liebhaber, die
sich, wie jener Dichter sagt *), von hohen Felsen in des Mee=
res unergründliche Tiefe stürzten, blos weil sie glaubten, du
hättest verächtlich über sie weggesehen, da du sie doch gar
nicht gesehen hattest. Ich zweifle nicht, du wirst, wenn du
dich anders selbst kennst, mit mir der Meinung seyn, daß es
Raserei ist, nach einem solchen Geliebten zu schmachten.

27. Plutus. Du glaubst also, daß sie mich sehen,
wie ich wirklich bin, so blind und lahm und mit allen mei=
nen übrigen Gebrechen?

*) Theognis v. 175.

Merkur. Wie sollten sie nicht? Sie müßten denn alle gleichfalls blind seyn.

Plutus. Das nicht, mein Bester, sondern Thorheit und Täuschung, die sich heut zu Tage der ganzen Welt bemächtigt haben, umnebeln sie: zudem habe ich selbst, um nicht so sehr häßlich zu seyn, eine gar reizende, von Gold und Edelsteinen schimmernde Maske vorgenommen, zeige mich ihnen nur in einem glänzenden Anzuge. In der Meinung also, die Schönheit meines natürlichen Gesichtes zu sehen, verlieben sie sich in mich, und verzweifeln, wenn sie meiner nicht habhaft werden können. Würde man aber mich ihnen entkleidet zeigen, gewiß, sie würden ihre Verblendung und thörichte Liebe zu einem so häßlichen und unliebenswürdigen Gegenstande selbst sehr strafbar finden.

28. **Merkur.** Aber wie lassen sie sich denn auch dann noch betrügen, wann sie wirklich reich geworden sind, und sich jene Maske nun selbst umgethan haben? Und wenn man sie ihnen abziehen will, wie kommt's, daß sie lieber den Kopf als die Larve hergäben? Man kann doch nicht annehmen, daß sie, wiewohl sie nun alles Inwendige sahen, auch jetzt noch nicht wissen sollten, wie die ganze Schönheit eine aufgepinselte ist.

Plutus. Auch hiebei kommt mir Manches zu Statten, mein lieber Merkur.

Merkur. Und das wäre?

Plutus. Wann einer, dem ich begegnete, die Thüre öffnet, um mich bei sich aufzunehmen, so treten die Aufgeblasenheit, der Unverstand, die Hoffahrt, die Weichlichkeit, der Uebermuth, die Täuschung und tausend Wesen dieser Art, ungesehen

zugleich mit mir ein. Kaum haben diese seinen Kopf einge=
nommen, so bewundert er, was nicht zu bewundern, und
begehrt, was zu fliehen ist. Mich aber verehrt er als den
Vater aller dieser Unholde, die wie meine Leibwache mit
mir eingezogen sind, und würde lieber alles Andere, als die
Trennung von mir ertragen.

29. **Merkur.** Allein es ist so schwer, dich fest zu hal=
ten, Plutus. Man kann dich nirgends fassen: du bist so
glatt und schlüpfrig, daß du einem wie ein Aal durch die
Finger gleitest. Die Penia hingegen ist zäh wie Vogelleim,
und hängt sich leicht an: denn es sind ihr Tausende von An=
gelhäkchen am ganzen Leibe herausgewachsen, womit sie dieje=
nigen, die ihr zu nahe kommen, sogleich festhält, und nicht
so leicht wieder los läßt. Aber — über unserem Schwatzen
haben wir etwas sehr Wichtiges vergessen.

Plutus. Was denn?

Merkur. Wir haben den Thesaurus nicht mitgenom=
men, den wir doch am nöthigsten brauchen.

30. **Plutus.** Sey deßhalb ganz auffer Sorgen: ich
lasse ihn jedesmal unter der Erde, wenn ich zu euch herauf=
komme, und gebe ihm den gemessenen Befehl, die Thür ver=
schlossen zu halten, und Niemanden aufzumachen, wenn er
mich nicht selbst rufen hört.

Merkur. Ah, nun haben wir Attika erreicht. Fasse
mich nun am Mantel und folge mir, bis wir auf Timon's
Einöde kommen.

Plutus. Schön, Merkur, daß du mich führst: denn
wie leicht könnte ich im Herumtappen einem Hyperbolus oder

Cleon *) in die Hände gerathen! Aber was ist das für ein Schall, als ob Eisen auf Stein geschlagen würde?

31. Merkur. Je nun, wir sind bei Timon, der eben ein hartes und steinigtes Fleckchen Land behackt. Ha, da ist ja die Penia bei ihm, die Arbeit, die Geduld, die Weisheit, die Entschlossenheit, und alle die Genien, die unter dem Commando des Hungers stehen, und wahrlich viel ehrenwerther sind als deine Trabanten.

Plutus. Wär' es wohl nicht das Beste, Merkur, wir machten uns sogleich wieder davon? Denn was werden wir wohl bei einem Manne ausrichten, der von einer solchen Armee umgeben ist?

Merkur. Das wäre gegen Jupiters Willen. Wir wollen uns nicht abschrecken lassen.

32. Penia (die Armuth). Wohin führst du den Blinden, mein Herr Argosmörder [Merkur]?

Merkur. Jupiter schickt uns hieher zu Timon.

Penia. Wie? Jetzt wird Plutus dem Timon abermals zugeschickt, den ich von dem Wohlleben so übel zugerichtet erhalten, und, nachdem ich ihn der Weisheit und der Arbeit übergeben, zu einem tüchtigen und achtungswerthen Manne gemacht habe? So wenig glaubt ihr also die Penia achten, so ungerecht sie behandeln zu dürfen, daß ihr das einzige Kleinod, das sie besitzt, einen Mann, den sie für die Tugend gewonnen, ihr entreißen wollt, damit ihn Plutus

---

*) Zwei berüchtigte Demagogen von rohen Sitten und niederträchtiger Denkungsart aus den Zeiten des peloponnesischen Kriegs.

wieder dem Uebermuth und der Aufgeblasenheit überliefern, und nachdem er, wie früher, einen Weichling von gemeiner Denkungsart und beschränktem Verstande aus ihm gemacht hätte, ihn mir am Ende als einen Lumpen anheimgebe?

Merkur. So gefällt es dem Jupiter, meine Penia.

33. Penia. So gehe ich denn: und ihr, du Arbeit, und du Weisheit und ihr übrigen, folget mir. Der da wird bald genug inne werden, was für eine nützliche Gehülfin und Lehrmeisterin alles Guten er an mir verloren hat. So lange er bei mir war, war er gesund an Seele und Leib, lebte wie ein Mann, und lernte sich selbst achten, die Menge überflüssiger Dinge aber für das, was sie sind, für unerträglich mit Tugend und Weisheit zu halten.

Merkur. Sie ziehen ab: nun wollen wir auf ihn zugehen.

34. Timon. Wer seyd ihr? Was wollt ihr, verwünschte Kerls? Warum kommt ihr, einen fleißigen Tagelöhner in seiner Arbeit zu stören? Wart, es soll euch nicht gut bekommen, Halunken, die ihr seyd! Packt euch, oder ich werde euch mit Erdschollen und Steinen zerschmeißen, daß —

Merkur. Um des Himmels willen, Timon, wirf doch nicht! Wir sind ja keine Menschen. Ich bin Merkur, und dieser da ist Plutus. Jupiter hat dein Gebet erhört, und uns hieher geschickt. Nimm also in Gutem deinen Segen in Empfang, und höre auf, dich mit dieser Arbeit zu plagen.

Timon. Geht zum Henker, und wenn ihr auch Götter seyd, wie ihr sagt. Ich hasse nun einmal Alles zusammen, Götter wie Menschen. Und diesem blinden Kerl da, sey er wer er wolle, habe ich Lust, mit meiner Hacke den Schädel einzuschlagen.

Plutus. Laß uns doch um Gotteswillen gehen, Merkur! Du siehst, der Mensch ist ja ganz rasend. Ich bekomme sonst gewiß noch einen Treff.

35. Merkur. Stelle dich nicht so ungebärdig, Timon, und laß das wilde rohe Benehmen. Greif mit beiden Händen nach deinem guten Glücke, und laß dich wieder zum reichsten und ersten Athener machen, um, für dich allein glücklich, alle jene Undankbaren über die Achsel ansehen zu können.

Timon. Ich will nichts von euch. Laßt mich in Ruhe! Meine Hacke macht mich reich genug. Im Uebrigen bin ich überglücklich, wenn mir keine Seele zu nahe kommt.

Merkur. Warum denn so unleutselig, mein Freund?
Bring ich dem Zeus die Rede, so ungestüm und so trotzig?
Jedoch, daß du ein Feind der Menschen bist, die dir so arg mitgespielt, finde ich natürlich. Wie du aber die Götter hassen kannst, die so gütig für dich sorgen, begreife ich nicht.

Timon. Je nun — dir, Merkur, und dem Jupiter bin ich für diese Fürsorge sehr dankbar. Aber diesen Plutus da werde ich nimmermehr zu mir nehmen.

Merkur. Warum nicht?

36. Timon. Weil er mir früher unzähliges Böse zugefügt, den Schmarotzern mich preisgegeben, feindselige Ränke, Haß und Neid mir zugezogen, und mit Wohlleben mich zu Grunde gerichtet hat. Und am Ende hat der treu-

---

*) Hom. Il. XV, 202. Voß.

lose Verräther mich eilends verlaffen. Die edle Penia aber
hat mich mit männlicher Arbeit gestärkt, hat mich wahr und
aufrichtig behandelt, und bei der Arbeit meine Bedürfniffe
mich finden laffen. Und da fie mein ganzes Lebensglück von
mir felbst abhängig machte, hat fie mich alles Ueberflüffige
verachten laffen, und mir gezeigt, was der rechte Reichthum
fey, den mir kein schleichender Schmeichler, kein drohender
Sykophant *), nicht die aufgebrachte Volkswuth, nicht die ver-
urtheilende Stimme irgend eines Demagogen, oder die Nachstellungen eines Tyrannen entreiffen können.

37. Gestärkt von der Arbeit, und emfig diefes Feld
bauend, werde ich nichts gewahr von allen den Uebeln, die in
der Stadt haufen, und danke diefer Hacke mein hinreichendes
Brod. Gehe alfo hin, wo du hergekommen, Merkur, und
bringe den Plutus wieder dem Jupiter. Ich wollte zufrieden feyn, wenn ich Alles, was Menfch heißt, groß und klein,
an den Galgen fchicken könnte.

Merkur. Nicht doch, mein Befter, dieß möchten wohl
nicht Alle verdient haben. Laß nun einmal diefen Groll, der
fich nur für einen hitzigen Jüngling fchickt, und nimm den
Plutus zu dir; denn

Unverwerflich ja find der Unsterblichen ehrende Gaben **)

Plutus. Wirst du mir erlauben, Timon, daß ich mi
gegen dich rechtfertige? Oder ist es dir auch zuwider, mi
reden zu hören?

*) Falscher Angeber.
**) Hom Il. III, 65. Voß.

Timon. Rede, aber mach's kurz, und bringe mir keinen langen Eingang, wie die Schäfte von Volksrednern. Denn nur dem Merkur hier zu Gefallen will ich dich einen Augenblick anhören.

38. Plutus. Eigentlich sollte ich mich recht ausführlich vertheidigen dürfen, da du mir so Vieles zur Last gelegt hast. Indessen wirst du schon selbst einsehen, daß ich dir kein Leid gethan habe, wenn du bedenkst, daß ich es war, der dir alles Angenehme verschaffte, Würde, Rang, Ehrenzeichen, und was zu einem genußreichen Leben gehört. Durch mich bist du der angesehene, gefeierte Mann geworden, um dessen Umgang sich Alle bewarben. Haben aber deine Schmeichler dir übel mitgespielt, so bin ich ohne Schuld. Mir ist im Gegentheile von dir Unrecht geschehen, daß du mich so verächtlich den schlechtesten Menschen preisgegeben hast, bei denen es, indem sie dich mit schönen Worten berückten, nur auf meinen Untergang abgesehen war. Am Ende hätte ich dich verrathen, sagst du. Und doch ist es dieß gerade, was ich dir vorzuwerfen habe, daß du mich auf alle Weise von dir triebest, und mich endlich Kopf über zum Hause hinaus warfest. Dafür hat dir auch die hochverehrte Penia deinen feinwolligten Mantel ausgezogen, und diesen Ziegenpelz dafür angelegt. Merkur aber ist Zeuge, wie sehr ich den Jupiter bat, mich nicht wieder zu einem Menschen zu schicken, der mir so feindselig begegnete.

39. Merkur. Aber nun siehst du ja, Plutus, wie sehr er sich geändert hat: mache dich also nur herzhaft an ihn. Du, Timon, grabe nur so fort; du aber, Plutus, mache, daß

6 *

sich Thesaurus ihm unter die Hacke legt: er wird dir schon gehorchen, wenn du ihm rufst.

Timon. So muß ich dir also nachgeben, Merkur, und wieder reich werden. Denn was kann man machen, wenn man von den Göttern genöthigt wird? Bedenke indessen, in was für eine Lage du einen armen Mann wirfst, der sich eben noch so glücklich fühlte, und der nun, ohne etwas verbrochen zu haben, eine Masse Goldes annehmen soll, um einer Unzahl von Sorgen bei sich Raum zu geben?

40. Merkur. Ertrage es, lieber Timon, wenigstens mir zu lieb, so verdrießlich und unerträglich es dir auch seyn mag, nur damit deine ehemaligen Schmarotzer vor Neid und Verdruß bersten möchten. Ich fliege jetzt über den Aetna in den Himmel zurück.

Plutus. Der ist also fort: ich höre wenigstens seinen Flügelschlag. Bleibe du einstweilen hier, Timon: ich will gehen, und dir den Thesaurus herschicken. Oder grabe ihn vielmehr selbst heraus. — Auf! goldner Thesaurus, höre den Timon hier, füge dich ihm in die Hände, und laß dich heraufziehen! — Wohlan, Timon, schlage ein in den Boden, so tief du kannst. Ich verlasse euch nun.

41. Timon. Nun denn, liebe Hacke, nimm dich zusammen, und hole mir unverdrossen den Thesaurus aus der Tiefe an's Tageslicht. — Hilf wunderthätiger Jupiter! ihr guten Erdgeister, und du, gewinngebender Merkur! woher diese Menge Goldes? Wache, oder träume ich? O, wenn ich erwachte, und nur Kohlen fände! Doch nein, es ist Gold, geprägtes, glänzendes, gewichtiges Gold; welch' ein köstlicher Anblick!

O Gold, du schönste Augenlust der Sterblichen *)!
Flammendem Feuer gleich
Leuchtest du in der Nacht
und bei Tage **).

So komm' heraus, lieblichstes, reizendstes aller Dinge! Jetzt glaube ich gerne, daß auch Jupiter einst zu Golde geworden ist. Welches Mädchen wollte nicht gerne einem so reizenden Regen, wenn er durch das Dach herabriesest, ihren Schoos öffnen?

42. O Midas, o Krösus, und all' ihr Weihgeschenke zu Delphi, wie seyd ihr doch so gar nichts gegen den Timon und seinen Reichthum? Der Perserkönig selbst kann sich nicht mit ihm messen. Dich aber, liebes Ziegenpelzchen und dich meine Hacke, werde ich, wie billig, zum Andenken an diesem Pan'sbild ***) aufhängen. Dieses ganze Landgütchen will ich nun selbst kaufen, und mir über den Thesaurus ein Thürmchen bauen, das gerade groß genug seyn soll, um mich allein zu beherbergen. Und wenn ich einmal gestorben bin, so soll es, denke ich, auch meine Grabstätte seyn. Für mein ganzes übriges Leben aber gelte folgendes als unverbrüchliches Gesetz: „Jeden Menschen zu meiden, keinen zu kennen, alle zu verachten, die Worte: Freundschaft, Gastrecht, Cameradschaft, Mitleid, für leeres Geschwätz, das Erbarmen über einen Weinenden, und die Hülfleistung bei fremder Noth für

---

*) Fragment aus dem Bellerophon des Euripides. Die Uebersetzung dieses Verses ist von Wieland.
**) Pindar's erster olympischer Siegesgesang v. 2. f.
***) Auf den Feldern standen hin und wieder Standbilder des Fluren- und Hirten-Gottes Pan.

ein Verbrechen und für den Umsturz der guten Sitte zu halten. Einsam sey meine Lebensweise, wie die der Wölfe, und Keiner sey mein Freund, als Timon.

43. Jeder Andere sey mir ein gefährlicher Feind, und mich ihm zu nähern, ein Gräuel, der Tag aber, wo ich einen Menschen auch nur sah, ein Unglückstag. Es soll uns nicht erlaubt seyn, eine Botschaft von ihnen anzunehmen, noch uns in irgend einen Vertrag mit ihnen einzulassen. Kurz, die Menschen sollen für uns nichts anderes seyn, als steinerne oder metallene Bildsäulen. Diese Wildniß aber sey die Gränze zwischen ihnen und uns. Stammes-, Zunft- und Gemeinde-Genossen, Vaterland, seyen uns hinfort nichtsbedeutende, leere Namen, die nur bei Schwachköpfen in Ehren stehen. Nur Timon allein soll reich seyn, und mit Verachtung aller Uebrigen sich's allein wohl seyn lassen, fern von allen Schmeichlern und gemeinen Lobrednern. Den Göttern opfere er allein und verschmause allein das Opfermahl: als sein eigener Nachbar und Angränzer entschlage er sich aller Berührung mit Anderen. Und wenn es zum Sterben kommt, so nehme er allein von sich Abschied, und setze sich selbst die Todtenkrone auf.

44. Sein liebster Name sey ihm: der Menschenfeind; und die Merkmale seines Charakters seyen: Härte, Grobheit, Groll, finsteres und ungeselliges Wesen. Sieht Timon einen Menschen in Gefahr, im Feuer umzukommen, und hört ihn flehen, die Flamme zu löschen, so hat er mit Pech und Oel zu löschen. Und wenn Einer von einem angeschwollenen Strom fortgerissen die Arme ausstreckt, und um des Himmels willen bittet, ihn zu fassen, so soll er ihm den Kopf hinabstoßen und das Auftauchen unmöglich machen. So könnte ihnen etwa

Gleiches mit Gleichem vergolten werden. Vorstehendes Gesetz
hat in Antrag gebracht Timon, des Echekratides Sohn, aus
Kolyttos, und derselbe Timon hat es durch Abstimmung seiner Volksversammlung bestätigen lassen.“ — Vortrefflich!
Dieß gelte nun fortan für meine feste Norm, worüber ich
männlich halten werde.

45. Aber ich gäbe doch viel darum, wenn sie es Alle
wüßten, daß ich so reich geworden bin. Sie würden sich aufhängen vor Aerger. Doch — was ist das? Was rennt dort
heran? Wahrlich, sie haben, wer weiß wie, Wind bekommen
von meinem Golde, und laufen nun mit Staube bedeckt und
keuchend herbei. Was mache ich nun? Besteige ich diese
Anhöhe, um sie mit Steinen zu vertreiben? Freilich kann
ich von oben herab um so sicherer auf sie zielen. Doch wird
es besser seyn, hier stehen zu bleiben und sie zu empfangen.
Diesen ersten und letzten Bruch wollen wir in unser Gesetz
machen, und uns mit ihnen einlassen, um sie mit einer recht
verächtlichen Behandlung desto empfindlicher zu kränken. Siehe
da, wer ist denn der, der da Allen voranläuft? Ach Gnathonides, der schmeichelnde Mitesser, der mir ohnelängst, als
ich ihn um eine Beisteuer ansprach, einen Strick bot, wiewohl er sonst ganze Fässer bei mir — gespieen hat. Schön,
daß er kommt; dem will ich's nun zu allererst eintränken.

46. Gnathonides. Sagt' ich's nicht, die Götter
werden des braven Timon nicht vergessen? Guten Tag,
schönster, liebster Timon. Wie steht's altes Zechbrüderchen?

Timon. Auch guten Tag, Gnathonides, du — aller
Geier gefräßigster, und aller Menschen heillosester!

Gnathonides. Du haft doch immer zu scherzen beliebt. Allein — wo wird denn gespeist? Ich habe ein nagelneues Lied, ganz frisch gedichtete Dithyramben mitgebracht.

Timon. Komm, du sollst mir eine rührende Elegie unter meiner Hacke singen [schlägt ihn].

Gnathonides. Was ist das? Du schlägst mich, Timon? Ich rufe Zeugen. Herkules! Au weh! weh! Du haft mich blutig geschlagen, ich verklage dich beim Areopagus.

Timon. Warte ein Bischen, dann kannst du doch sagen, ich hätte dich zu tobt geschlagen.

Gnathonides. Halt, meine Wunde wirst du bald geheilt haben, wenn du nur ein bischen Gold darauf legen willst. Gold ist gar wirksam, das Blut zu stillen.

Timon. Bist du noch da?

Gnathonides. Ich gehe ja, ich gehe. — Aber wart, du sollst es mir bereuen, daß du aus einem so tractabeln Kerl dieser Grobian geworden bist.

47. Timon. Was kommt aber dort für ein Glaßkopf? Ha, Philiades, der abgefeimteste von allen Schmarotzern. Dieser Bursche hat ein ganzes Landgut und zwei Talente zur Ausstattung seiner Tochter von mir bekommen, als er einmal, da ich gesungen hatte, und alle Andern stille schwiegen, mein Singen ganz allein lobte und sich verschwor, ich sänge melodischer als ein sterbender Schwan. Und neulich, als ich krank und elend zu ihm kam, und ihn um eine Unterstützung ansprach, hat er mir noch obendrein Streiche aufgemessen.

48. **Philiades.** O des unverschämten Volks! Jetzt kennt ihr den Timon wieder! Jetzt ist Gnathonides wieder der gute Freund und Zechbruder! Er hat sein Recht bekommen, der undankbare Schuft. Ich aber, Timon's alter Camerad und Jugendgenosse, zögere gleichwohl, und möchte mich ihm um Alles nicht so unbescheiden aufdringen. — Sey gegrüßt, mein Herr und Gebieter: hüte dich vor diesem verfluchten Rabengesindel von Speicheleckern, denen es um nichts, als um deinen Tisch zu thun ist. Man darf heut zu Tage keinem Menschen trauen: es ist Einer wie der Andere ein undankbarer Schurke. Ich war eben im Begriff, dir ein Talent zu bringen, damit du die dringendsten Bedürfnisse befriedigen könntest, als ich auf dem Wege hieher hörte, du wärest wieder zu unermeßlichem Reichthum gelangt. So wollte ich dir also wenigstens mit meinem guten Rathe dienen, wiewohl ein gescheidter Mann wie du; der auch einem Nestor zu sagen wüßte, was er zu thun und zu lassen hat, meines Rathes kaum bedarf.

Timon. Laß das gut seyn, Philiades. Tritt aber doch ein Bischen näher, damit ich dir mit meiner Hacke auch eine kleine Gefälligkeit erweisen kann [Er schlägt ihn].

Philiades. Zu Hülfe, Leute, zu Hülfe! Er hat mir den Schädel eingeschlagen, der Undankbare, weil ich ihm zu seinem Vortheil gerathen hatte.

49. **Timon.** Siehe, da kommt ein Dritter, der Volksredner Demeas, der sich für meinen Verwandten ausgiebt. Er trägt den Entwurf eines Volksbeschlusses in den Händen. Sechzehn Talente an Einem Tage hat er einmal von mir bekommen, und an die Stadt gezahlt. Er war nämlich zu die-

ser Summe verurtheilt; und weil er nicht bezahlen konnte,
verhaftet worden; da erbarmte ich mich seiner und löste ihn
aus. Neulich aber traf ihn das Loos, an den Erechtheidi-
schen Stamm das Festgeld *) auszutheilen; ich kam und bat
mir meinen Antheil aus: da war die Antwort, er wisse nichts
davon, daß ich ein Bürger sey!

50. Demeas. Heil dir, Timon, Krone unseres Stam-
mes, Stütze der Athener, Vormauer von ganz Griechenland!
Bereits erwarten dich das versammelte Volk, der Rath des
Areopagus und der Rath der Fünfhundert. Zuvor aber vernehme den Decret=Entwurf, den ich zu deinen Gunsten aufgesetzt habe:

„In Anbetracht, daß Timon, des Echekratides Sohn,
„aus Kolyttus, ein rechtschaffener und dabei kluger
„Mann, wie Keiner in Griechenland, sich jederzeit um
„das gemeine Wesen wohlverdient gemacht, die Sieges-
„preise davon getragen im Faust= und Ringkampf, im
„Wettlauf, im Wagenrennen mit dem Viergespann und
„mit dem Zweigespann der Fohlen, Alles an einem
„Tage zu Olympia;“

---

*) Das sogenannte Theorikon. Man versteht darunter die
Gelder, welche zur Feier der Feste und Spiele dem Volke
nach den einzelnen Stämmen ausgetheilt wurden, theils
um ihnen das Eintrittsgeld in's Schauspiel zu erstatten,
theils zur Bestreitung einer bessern Mahlzeit. S. Böckh
athen. Staatshaushaltung 1. Th. S. 196. und 235. ff.
Der Erechtheidische Stamm war einer von den zehen Stämmen (Phylen), in welche die athenische Bürgerschaft getheilt war.

Timon. Aber ich bin ja nicht einmal als Zuschauer je in Olympia gewesen.

Demeas. Thut nichts. Du wirst wohl später einmal dort zusehen. Je mehr dergleichen da drin steht, desto besser.

„Ferner im vergangenen Jahre gegen die Akarnanen „sich für die Stadt sehr tapfer gewehrt, und zwei Ba„taillons Peloponnesier niedergehauen —

51. Timon. Wie? Ich bin ja, weil ich keine Waffen hatte, nicht einmal auf die Kriegsliste gekommen!

Demeas. Du sprichst gar zu gering von dir: wir hingegen wären undankbar, wenn wir deiner Thaten nicht gedächten.

„Ingleichen durch Gesetzesvorschläge, Gutachten, und „seine Amtsführung als Kriegsrath der Republik un„gemeine Dienste geleistet hat: in Erwägung alles „Dessen beschließt Rath und Volk *), dem Timon eine „goldene Bildsäule neben der Minerva auf der Burg „setzen zu lassen, mit sieben Strahlen um's Haupt, „und einen Donnerkeil in der Rechten haltend, fer„ner ihn mit goldenen Kronen zu beschenken, und diese „Ehrenbezeugung heute an den Dionysien, welche dem „Timon zu Ehren eben heute gefeiert werden sollen, „im Theater bei Aufführung neuer Tragödien öffent„lich ausrufen zu lassen. Vorstehendes Dekret hat in „Antrag gebracht Demeas, der Volksredner, Timon's

---

*) Die Urschrift enthält eine nähere Angabe über die Form der Abstimmung, die an und für sich dunkel (s. Tittmann Staatsverfassung ꝛc. S. 192.) dem deutschen Leser es noch mehr seyn würde.

„nächster Verwandter und Schüler: denn auch ein
„trefflicher Redner ist Timon, und überhaupt Alles,
was er nur will.“

52. Das wäre also mein Vorschlag. Auch wollte ich
dir meinen Sohn vorstellen, den ich nach deinem Namen Ti=
mon genannt habe.

Timon. Wie das, Demeas? Du bist ja meines Wis=
sens gar nicht verheirathet.

Demeas. Ich werde aber, so Gott will, über's Jahr
heirathen, und weil das erste Kind, das ich zeugen werde,
unfehlbar ein Knabe seyn wird, so nenne ich ihn schon jetzt
Timon.

Timon. Ob aus der Hochzeit etwas werden wird, wenn
du einen — solchen Streich aufsitzen hast —?

Demeas. Auh weh! Was soll das? Timon stürzt die
Republik um! Timon schlägt freie Bürger, und ist doch selbst
weder Bürger noch frei geboren! Alsbald wirst du's zu büs=
sen kriegen. Du sollst mir nicht ungestraft Feuer in der Burg
angelegt haben!

53. Timon. Hat denn die Burg gebrannt, schurkischer
Sykophant?

Demeas. Aber in die Schatzkammer bist du eingebro=
chen: daher dein Reichthum.

Timon. Sie ist ja nie erbrochen worden. Also auch
dieß wird kein Mensch dir glauben.

Demeas. Sie wird aber erbrochen werden. Genug —
du hast sie jetzt schon ausgeleert.

Timon. Da hast du noch einen.

Demeas. Au weh, mein Rücken!

Timon. Schrey mir nicht, oder du kriegst noch einen dritten. Das müßte sonderbar zugehen, wenn ich unbewaffnet zwei Bataillons Spartaner sollte niedergehauen haben, und könnte so ein einziges hundsfött'sches Männlein nicht zusammenwalken. Wofür hätte ich denn in Olympia gesiegt im Faust= und Ringkampf? —

54. Aber, was sehe ich? Kommt hier nicht Thrasykles, der Philosoph *)? Wahrhaftig, er ist's. Wie der Mensch mit vorgestrecktem Barte, mit aufgezogenen Augbraunen, in stolzer Selbstgefälligkeit mit sich selbst spricht, wie er so finster um sich blickt, wie seine Haare auf der Stirne zu Berge stehen — ein leibhafter Boreas oder Triton, dergleichen Zeuxis mahlte. Dieser Mann mit dem einfachen Aeußern, mit dem gravitätischen Gang und bescheidnen Anzug deklamirt des Morgens Wunder wie viel von Tugend, schimpft auf die, welche ihre Freude am Wohlleben haben, und zeigt, wie schön es sey, sich mit Wenigem zu begnügen. Derselbe aber, wenn er nach dem Bade zu einem Gastmahl kommt, fordert alsbald einen großen Becher, und trinkt darauf los; je stärker der Wein, desto lieber; bald ist es, als ob er aus dem Strome der Lethe getrunken hätte; so ganz widerstreitet seine Aufführung jenen des Morgens gehaltenen Vorträgen. Wie ein Habicht fällt er über die Gerichte her, stößt den Nachbar mit dem Ellenbogen weg, hat den Bart mit Brühe besudelt, und schlingt hinunter wie ein hungriger Hund, über den Teller gebückt, als ob er dort „das höchste Gut" zu finden verhoffte. Endlich schmiert er noch das Letzte recht sorgfältig mit dem Zei=

---

*) Der Deutsche substituire: Pfaffe.

gefinger zusammen, um von der pikanten Brühe auch keinen
Tropfen zurück zu lassen.

55. Zwischen hinein klagt er beständig, daß er zu kurz
gekommen sey, damit ihm allein ein ganzer Kuchen, oder ein
Ferkel mit nach Hause gegeben werden möchte. Hierauf
trinkt er, nicht etwa soweit, um zu Gesang und Tanz
begeistert zu werden, sondern (was immer die Frucht solcher
Unersättlichkeit ist) bis er grob schimpft und Händel anfängt.
Mit dem Becher in der Hand schwatzt er unaufhörlich, und
obendrein von Selbstbeherrschung und Sittsamkeit, während
ihm übel ist vom Uebermaaß und seine lallende Zunge allge=
meines Gelächter erregt. Eine Magenerleichterung macht
diesen Auftritten ein Ende; und nun heben ihn Etliche auf,
und tragen ihn aus der Gesellschaft, während er immer die
Flötenspielerin nicht fahren lassen will, die er mit beiden
Händen gefaßt hält. Allein auch, wenn er nüchtern ist, gibt
er den lügenhaftesten, frechsten und geldgierigsten Menschen
nichts nach. Von den Schmeichlern ist er einer der Ersten,
zum falsch Schwören jederzeit bereit, Heuchelei und Betrug
gehen vor ihm her, Unverschämtheit ist seine Begleiterin.
Kurz, es ist ein rares, nach allen Theilen unverbesserliches,
vollendetes Stück von einem Weisen. Aber er soll mir sei=
nen Lohn kriegen, der Ehrenmann. — Ha, da kömmt er.
Nun, du hast lange auf dich warten lassen, Thrasykles!

56. Thrasykles. Ich komme, mein Timon, aber
nicht in der eigennützigen Absicht dieser gemeinen Menschen
da, die aus Bewunderung deines großen Reichthums und in
der Hoffnung, Gold und Silber und kostbare Gerichte vor
dir zu erhaschen, zusammenströmen, und zu diesem Behufe

gegen einen so geraden und freigebigen Mann den unge-
ziemendsten Schmeichlerkünsten ausbieten. Du weißt, ein
Stück Gerstenbrod nebst einer Zwiebel oder etwas Kresse ist
meine ganze und liebste Mahlzeit, und wenn ich recht üppig
leben will, streue ich ein Paar Körnchen Salz darauf. Mein
Trank quillt aus der Calirrhoë *), dieser abgetragene grobe
Wollenmantel ist mir lieber als das schönste Purpurkleid,
und Gold und Kieselsteine sind in meinen Augen von gleichem
Werth. Ich komme blos um deinetwillen, um dich vor dem
vielfältigen und unheilbaren Schaden zu bewahren, in welchen schon so viele durch das schlimmste und gefährlichste aller
Dinge, durch den Reichthum, gerathen sind. Wenn du also
mir folgen willst, so wirfst du deinen ganzen Schatz in's
Meer. Einem so edeln Manne, der die Schätze der Weisheit zu finden weiß, kann er ja zu gar nichts helfen. Jedoch
hast du nicht nöthig, mein Freund, dich tief in die Fluthen
zu wagen: steige nur bis etwa an die Hüften, nicht weit
von der Brandung, in's Wasser, und wirf ihn sodann in
keines andern Menschen, als in meiner Gegenwart, in die
Wellen.

57. Wofern dir aber dieß nicht gefällt, so giebt es noch
einen andern und bessern Weg, dein Gold in aller Geschwin-
digkeit aus dem Hause zu schaffen, ohne daß du nöthig hast,
einen Obolus behalten zu müssen. Theile es unter die Bedürftigen aus: dem Einen giebst du fünf Drachmen **), dem

*) Calirrhoë oder Enneakrunos (die neun Röhren) war ei-
ner der Stadtbrunnen zu Athen.
**) Der Obolus betrug 4,34 Kr., die Drachme 26,06 Kr., die
Mine 43 fl. 26 Kr. Das Talent 2605 fl. 50 Kr.

Andern eine Mine; dem Dritten ein halbes Talent. Ein Phi=
losoph verdient, das Doppelte und Dreifache zu bekommen.
Ich aber (wohlgemerkt, ich bitte nicht für mich, sondern um
es, unter die Nothleidenden meiner Freunde zu vertheilen)
bin zufrieden, wenn du mir hier meinen Schnappsack voll=
machst. Zwar faßt er nicht mehr als zwei Aeginetische
Scheffel *): allein der Philosoph muß sich mit Wenigem be=
gnügen, und über seinen Ranzen hinaus keine Wünsche hegen.

Timon. Ich lobe dich darum, Thrasykles. Bevor ich
aber deinen Schnappsack fülle, will ich dir mit meiner Hacke
eine kleine Zugabe von Löchern und Beulen auf den Schädel
geben [Er schlägt ihn].

Thrasykles. O Demokratie! O Gesetze! In einer
freien Stadt darf ein solcher Schurke uns mit Schlägen miß=
handeln?

Timon. Warum so böse, guter Thrasykles. Habe ich
vielleicht nicht voll genug gemessen? Nun so will ich dir noch
vier Metzen oben drein geben [Er schlägt wieder zu. Thra=
sykles läuft davon].

58. Aber was soll das? Dort läuft ja ein ganzer
Schwarm heran. Der berüchtigte Blepsias, Laches, Gniphon
— kurz lauter Bursche, die ihre Bescherung holen wollen.
Das Beste wird seyn, auf diesen Felsenhügel zu steigen, und,
damit meine Hacke, die so viel zu thun gehabt, ein wenig zur
Ruhe komme, einen Haufen Steine zusammen zu tragen,
und schon von ferne auf sie herunter zu hageln.

*) Komische Uebertreibung: wiewohl der Betrag des aegine=
tischen Medimnus nicht genau bekannt ist.

Blepsias. So wirf doch nicht, Timon. Wir gehen ja schon.

Timon. Ihr sollt mir wenigstens blutige Köpfe nach Hause bringen! [wirft ihnen nach.]

Der Eisvogel
oder
die Verwandlung.*)

Chärephon. Sokrates.
(Beide am Ufer des Seehafens Phalérum stehend.)

1. Chärephon. Was für eine Stimme ist das, Sokrates, die von jenem Ufer und dem Vorgebirge dort zu uns herüber tönt? Wie süß lautet sie dem Ohre! Wie heißt doch das Geschöpf, das mitten unter den stummen Bewohnern des Meeres so schön singt?

Sokrates. Ein Seevogel ist's, mein Chärephon, Halcyon (der Eisvogel) genannt, der klagen= und thränenreiche. Eine alte Volkssage erzählt von ihm: Halcyone, eine Tochter des Aeolus und Enkelin des Hellen, hatte ihren jugendlichen Gemahl Cëyr aus Trachin, den reizenden Sohn des schönen Morgensternes Heosphorus, in der Ferne durch den Tod ver=

---

*) Wahrscheinlich hat dieser Aufsatz nicht unfern Lucian, sondern irgend-einen Sokratiter, oder, nach Diogenes Laërtius und Athenäus, den Akademiter Leo zum Verfasser.

loren, und, von Trauer und Sehnsucht getrieben, die ganze
Erde durchirrt, ohne ihn finden zu können, bis der Götter
Wille sie in einen Vogel verwandelte, in welcher Gestalt sie
nun über alle Meere fliegt, um ihn zu suchen.

2. Chärephon. Das wäre also der berühmte Halcyon?
Seine Stimme hatte ich noch nie gehört; sie ist meinen Oh=
ren ganz neu; aber in der That haben die Töne etwas weh=
müthig süßes. Wie groß ist denn das Thierchen, Sokrates?

Sokrates. Es ist nicht groß: wohl aber ist die Ehre
groß, die ihm die Götter zur Belohnung seiner Gattenliebe
angethan haben. Denn so lange es brütet, feiert die Natur
die sogenannten Halcyonischen Tage, die sich mitten im Win=
ter durch das heiterste Wetter auszeichnen, und von welchen
der heutige einer der schönsten ist. Siehest du, wie rein und
blau die Luft, wie ruhig, wellenlos und spiegelhell das
Meer ist?

Chärephon. Du hast Recht: der heutige ist ein wah=
rer halcyonischer Tag, und der gestrige war es nicht minder. —
Aber sage mir doch, um der Götter willen, Sokrates, hat
man denn solche Sagen, dergleichen du vorhin eine erzähltest,
für wahr zu halten, daß jemals aus Vögeln Weiber, und
aus Weibern Vögel geworden seyen? Ich sollte meinen, dieß
wäre das Unmöglichste.

3. Sokrates. Mein lieber Chärephon, wir Menschen
können wohl nur kurzsichtige Beurtheiler des Möglichen und
Unmöglichen seyn. Wir urtheilen ja blos nach menschlichem
Vermögen, welches nur zu oft weder sehen, noch begreifen,
noch glauben kann. Und so erscheint uns gar oft das Leichte
schwer, das Erreichbare unerreichbar. Häufig rührt dieß von

unserer Unerfahrenheit, häufig aber auch von der Unmündig-
keit unseres Verstandes her.   Denn in der That ist jeder
Mensch, auch der hochbetagte Greis, ein Kind, und unsere
Lebenszeit nur der ganze Zeitraum der ersten Kindheit im
Vergleich mit der ewigen Dauer des Weltalls.   Wie sollten
also wir, mein Lieber, bei unserer Unkunde göttlicher Kräfte,
über die Möglichkeit und Unmöglichkeit jener Erscheinungen
entscheiden können?   Du hast gesehen, welchen Orkan wir
vorgestern hatten; noch heute erfüllt der Gedanke an jene
Blitze und Donnerschläge und jenes fürchterliche Sturmesto-
ben mit Grausen; war es doch nicht, als ob gar die ganze
Welt in Trümmern gehen sollte!

4.   Und nun — welche schnelle Verwandlung! Der Him-
mel ward wunderschön und blieb es bis auf diesen Augenblick.
Was hältst du nun für größer und schwieriger, aus jenem
Aufruhr und jenem alles überwältigenden Wirbelwinde diesen
heitern Himmel hervorgehen, und stille Ruhe in die ganze
Natur zurückkehren zu lassen, oder — ein Weib in einen
Vogel §umzugestalten? Wissen doch auch unsere Knaben,
wenn sie nur ein wenig des Formirens kundig sind, ein
Stückchen Thon oder Wachs in hundert verschiedene Figuren
umzubilden.   Also wird es der Gottheit, die so große, und
mit den unsrigen gar nicht vergleichbare Kräfte hat, doch
wohl ein leichtes seyn, diese und ähnliche Wirkungen hervor-
zubringen? Siehe den ganzen Himmel — um wie viel glaubst
du wohl, daß er größer sey, als du selbst?

5.   Chärephon. Wie, Sokrates? Welcher Sterbliche
sollte so etwas nur mit dem Gedanken erfassen, oder gar mit
Worten auszusprechen vermögen?

7 *

Sokrates. Wenn wir die Menschen unter sich vergleichen, begegnen uns da nicht die größten Verschiedenheiten des Vermögens und Unvermögens? Halten wir einen erwachsenen Mann und ein neugebornes oder wenige Tage altes Kind gegen einander, welch erstaunlicher Unterschied der Stärke auf der einen, und der Schwäche auf der andern Seite, in Ansehung aller Verrichtungen des Lebens und jeder Thätigkeit dieser unserer kunstreichen Hände, kurz unserer gesammten körperlichen und geistigen Kräfte? Sehen wir nicht auf jener Seite Wirkungen, die dem Kinde noch gar nicht zu Sinne kommen können?

6. Und wie die Kraft des erwachsenen Mannes der des Säuglings unendlich überlegen ist, so daß Ein Mann die vereinte Kraft von Tausenden der letztern leicht überböte, so sind andererseits Schwäche und Unbehülflichkeit die natürlichen Gefährtinnen des ersten Lebensalters. Da nun der Unterschied zwischen Menschen und Menschen schon so groß erscheint, wie wird sich, glaubst du wohl, die Macht des Universums zu unsern Kräften in den Augen derer verhalten, die zu einer solchen Betrachtung sich zu erheben vermögen? Keinem derselben wird es zweifelhaft seyn, daß das Weltall, wie es an Umfang die Person eines Sokrates oder Chärephon übertrifft, in demselben Verhältniß auch unsern Kräften, unserer Weisheit und Einsicht überlegen seyn müsse.

7. Dir und mir und tausend Andern unsers Gleichen sind eine Menge Dinge unmöglich, die Andern ganz leicht sind. So ist zum Beispiel Flötenspielen denen, die es noch nicht gelernt haben, Schreiben und Lesen denen, die keine Buchstaben kennen, doch wohl eben so unmöglich, als Frauen in

Vögel, und umgekehrt, zu verwandeln. — In die Zelle ei=
nes Bienenstockes läßt die Natur ein Würmchen ohne Füße
und ohne Flügel gelegt werden; sie setzt ihm Füße und Flü=
gel an, schmückt es mit den schönsten und reichsten Farben
aus, und so bildet sie die Biene, des göttlichen Honigs kunst=
volle Bereiterin. Aus laut= und leblosen Eiern läßt sie un=
endlich mannigfaltige Arten von Vögeln, und Land= und
Wasserthiere entstehen, unterstützt, wie Einige sagen, von ge=
heimnißvollen Künsten des großen ätherischen Wesens.

8. Da nun die Kräfte der Unsterblichen so groß sind,
wir kleine Sterbliche dagegen das Große so wenig zu erfas=
sen, als das Kleine zu durchschauen vermögen, ja sogar das Meiste
von dem, was um uns her vorgeht, nicht zu erklären wissen,
so können wir über die Verwandlung einer Halcyone eben so
wenig ein bestimmtes Urtheil als über die der Aëdo *) fällen.
Die Sage aber von dir und deinen Liedern, melodische Sän=
gerin der Trauer, will ich so, wie ich sie von den Vätern
vernommen, meinen Kindern wieder erzählen. Deiner from=
men und zärtlichen Gattenliebe will ich oft gegen meine bei=
den Gattinnen, Xanthippe und Myrto **), preisend gedenken,

---

*) Hom. Odyss. XIX, 518. ff.:
Wie wenn Pandareus Tochter, die Nachtigall, falbes Gefieders,
Holden Gesang anhebt in des Frühlings junger Erneuung;
Unter dem dichten Gesproß umlaubender Bäume sich setzend
Wendet sie oft und ergießt tonreich die melodische Stimme,
Klagend ihr trautes Kind, den Itylos, welchen aus Thorheit
Einst mit dem Erz sie erschlug, den Sohn des Königes Zethos.
                                                        Voß

**) Myrto war, nach einer jedoch sehr unwahrscheinlichen
Sage, eine zweite Gattin des Sokrates. Plutarch nennt
sie eine Enkelin des Aristides (Leben dess. 27).

und ihnen sagen, welcher Ehre dich die Götter dafür gewürdigt haben. Wirst du nicht auch ein Gleiches thun, Chärephon?

Chärephon. Wie billig, Sokrates. In der That
liegt in dieser Sage eine Ermunterung für Beide, für den
Mann und das Weib, in Beziehung auf ihr gegenseitiges
Verhältniß.

Sokrates. Und nun — lebe wohl, Halcyone! Wir,
mein Chärephon, haben Zeit, Phaleron zu verlassen und in
die Stadt zurückzukehren.

Chärephon. Wie du willst, Sokrates.

Prometheus
oder
der Caucasus.

Merkur. Vulkan. Prometheus.

1. Merkur. Dieß hier ist der Caucasus, Vulcan, an
welchen dieser unglückliche Titan festgenagelt werden soll.
Wir wollen uns nach einem passenden, von Schnee freien
Felsen umsehen, wo die Bande fest eingeschmiedet werden
können, und von welchem herab der Angefesselte allenthalben
sichtbar sey.

Vulcan. Das wollen wir, Merkur. Denn wir dürfen ihn nicht zu tief am Boden kreuzigen, damit ihm seine
eigenen Machwerke, die Menschen*), nicht zu Hülfe kommen;

---

*) S. dieses Bdchn. S. 29. Anm. 2.

aber auch nicht zu hoch, weil er sonst von unten nicht gesehen
werden könnte. Ich denke, wir kreuzigen ihn hier, ungefähr
in der Mitte, über dieser Schlucht, den einen Arm auf diese
Seite, den andern auf die andere gespannt.

Merkur. Du hast Recht: die Felsen sind hier schroff,
unersteiglich, und von allen Seiten abschüssig, daß man schwerlich einen Punkt finden wird, wo man auch nur auf den Zehen stehen kann. In der That, dieser Platz ist für die Kreuzigung vortrefflich gelegen. Wohlan also, Prometheus, nicht
gezaudert: steige herauf und laß dich an den Berg annageln!

2. Prometheus. O Vulcan, o Merkur! Erbarmt
euch doch: ihr wißt ja selbst, wie ich ohne Verschulden so
unglücklich bin.

Merkur. Du meinst also, wir sollen unsern Auftrag
nicht ausrichten, und uns dafür an deiner Statt selbst kreuzigen lassen? Wahrlich der Caucasus wäre groß genug, daß
noch ein Paar Andere angenagelt werden könnten. — Kurz
und gut, die rechte Hand her! Du Vulkan, zugeschlossen,
angenagelt, tapfer draufgehämmert! — Nun die andere!
Auch diese nur recht fest verwahrt! — Gut! — Nun wird
sogleich auch der Adler herbeifliegen, der dir die Leber ab-
fressen soll, damit du das volle Maaß der Strafe für deine
schöne und künstliche Menschen-Drechslerei erhaltest!

3. Prometheus. O Saturn und Japetus, und du,
o Mutter Erde, was muß ich Unglückseliger leiden, und habe
doch Nichts verbrochen!

Merkur. Was? Nichts verbrochen? Warst du nicht
für's Erste, als du die Fleischaustheilung zu besorgen hattest,

unbillig und betrügerisch genug, die besten Stücke für dich
zu behalten, den Jupiter aber mit Knochen zu hintergehen,

    — — in weißliches Fett sie verhüllend? *)

Denn so spricht Hesiodus von der Sache, wie ich mich noch
recht gut erinnere. Sodann hast du ja die Menschen, die
schlimmste und verwegenste Art von Thieren, und was noch är=
ger ist, die Weiber geschaffen. Endlich hast du den Göttern
sogar das kostbarste ihrer Güter, das Feuer entwendet und
den Menschen geschenkt. Und nach solchen argen Streichen
behauptest du unschuldig gefesselt zu seyn?

    4. **Prometheus.** Ich sehe, Merkur, daß auch du,
um mit Homer zu sprechen,

    — — Unschuldige gerne beschuldigst **).

Du wirfst mir Dinge vor, um deren willen ich meinen Platz
an der Tafel der Prytanen verdiente, wenn es gerecht zu=
gienge. Wolltest du dir Zeit nehmen, mich anzuhören, so
wollte ich mich gerne über diese Beschuldigungen gegen dich
verantworten, und dir zeigen, wie ungerecht Jupiter über
mich gerichtet hat. Du hingegen bist ja ein so beredter Ad=
vocat: du könntest also seine Vertheidigung übernehmen, und
die Rechtmäßigkeit des Urtheilspruches darthun, daß ich hier
am Caspischen Engpasse, zum jämmerlichen Schauspiel für
alle Scythen, solle gekreuzigt werden.

    Merkur. Du kommst zu spät mit deiner Appellation,
Prometheus: es wird dich nichts helfen. Jedoch laß hören.
Ich muß ohnehin warten, bis der Adler herabkommt, der

---

*) Theogonie v. 541.
o*) Iliade XIII, 775.

deine Leber zu versorgen hat. Diese Zwischenzeit kann ich mir also gefallen lassen, mit der Anhörung einer Defension zu verbringen, wie sie ein so durchtriebener Sophist, wie du, uns liefern wird.

5. **Prometheus.** Rede vielmehr du zuerst Merkur. Klage mich immer auf's schwerste an, und vergiß mir ja keinen von den Rechtsgründen, die für deinen Vater sprechen. Dich aber, Vulcan, mache ich zum Schiedsrichter.

Vulcan. Nein, beim Jupiter! Einen Ankläger, und keinen Schiedsrichter sollst du an mir haben: Hast du mir nicht das Feuer gestohlen, und mich bei der kalten Esse sitzen lassen?

Prometheus. Je nun, so theilt euch in die Anklage: sprich du zuerst, Vulcan, über meinen Diebstahl; Merkur soll mir sodann die Vergehen der Menschenmacherei und der Fleischaustheilung vorhalten. Ihr beide seyd ja große Künstler, und scheint mir auch stark im Wortemachen zu seyn.

Vulcan. Merkur soll auch an meiner Statt sprechen. Ich schicke mich schlecht zu Rechtshändeln, und habe es bloß mit meinem Amboß zu thun. Der da ist ein Redner vom Handwerk, und nicht wenig in solchen Dingen geübt.

Prometheus. Ich war bloß der Meinung, Merkur würde nicht gerne vom Diebstahl reden, um mir nicht ein Verbrechen daraus machen zu müssen, daß ich — sein Kunstverwandter bin. Doch, wenn du auch das auf dich nehmen willst, o Sohn der Maja, so ist es jetzt Zeit, die Klagepuncte nach einander vorzutragen.

6. **Merkur.** Als ob es einer langen Rede und weitläuftiger Zurüstung bedürfte, dir deine Unthaten vorzuhalten!

Nein es genügt, die hauptsächlichste derselben nur zu nennen. Als dir die Vertheilung des Fleisches oblag, hast du die schönsten Stücke für dich behalten, und Jupitern, den König, hintergangen. Zweitens hast du unnöthiger Weise die Menschen verfertigt: und drittens uns das Feuer gestohlen, um es diesen zu bringen. Und du willst, mein Bester, wie es scheint, dieß nicht einmal einsehen, wie sich Jupiter's Milde und Nachsicht, deiner so großen Verbrechen ungeachtet, gleichwohl an dir erweist? Wolltest du nun der letztern nicht geständig seyn, so müßte ich mich freilich in eine weitläufige Beweisführung einlassen, um die Wahrheit so klar als möglich an's Licht zu stellen. Giebst du aber jene Art der Vertheilung des Opferfleisches, die Neuerung, daß du die Menschen verfertigtest, und den Diebstahl des Feuers zu, so bin ich mit meiner Anklage zu Ende, und brauche kein Wort hinzuzusetzen. Denn alles Weitere wäre leeres Geschwätz.

7. **Prometheus.** Ob dieß nicht schon von Demjenigen gilt, was du so eben vorgebracht, werden wir wohl bald sehen. Du sagst also, das Angeführte genüge zu meiner Verurtheilung. Wohlan, ich versuche, dasselbe in seiner Nichtigkeit darzustellen. Was vorerst die Fleischgeschichte betrifft, so schäme ich mich, beim Uranus, für euren Jupiter, wenn ich sagen muß, daß er so erbärmlich futterneidisch seyn konnte, um eines kleinen Knochens willen, den er in seinem Antheile fand, einen so alten Gott, wie mich, an den Galgen zu schicken, und, ohne an meine ihm ehemals geleisteten Dienste, und die Geringfügigkeit des Gegenstandes zu denken, wie ein Kind zu zürnen, das böse wird, wenn es nicht das größte Stück erhält.

8. Ich sollte meinen, dergleichen Neckereien, die man sich bei einem Gastmahle erlaubt, hätte man einem nicht zu gedenken, sondern, wenn auch einer der fröhlichen Gäste zu weit gegangen wäre, es für Scherz aufzunehmen, und seinen Unwillen nicht mit nach Hause zu tragen. Aber auf den folgenden Tag noch seinen Groll bewahren, einen gestrigen Spaß einem heute mit Rachgier nachtragen — pfui! das schickt sich für keinen König, geschweige für einen Gott. Wollte man aus dem Gastmahle dergleichen Scherze und Neckereien, und das Recht verbannen, einander aufzuziehen, auszulachen, und ein Bischen zum Besten zu haben, was würde übrig bleiben, als stillschweigend da zu sitzen, saure Gesichter zu schneiden, sich mit Essen und Trinken bis zum Ueberdruß anzufüllen — lauter Dinge, die einem Gelage schlecht anständen. Ich glaubte also gar nicht anders, als Jupiter würde des andern Tages des Spaßes sich gar nicht mehr erinnern, geschweige so furchtbar darüber aufgebracht seyn, und sich höchst beleidigt fühlen, wenn einer bei Austheilung des Fleisches sich den Spaß erlaubte, zu versuchen, ob der Andere das beste Stück herauszufinden wüßte.

9. Setze nun auch den ärgern Fall, Merkur, ich hätte dem Jupiter nicht bloß das schlechtere Theil vorgelegt, sondern das Ganze weggeschnappt: wäre es auch dann der Mühe werth gewesen, Himmel und Hölle zu bewegen, auf Ketten, Kreuzigung, und leberaushackende Adler zu sinnen, und den ganzen Caucasus zu seiner Rache zu brauchen? Frage dich selbst: verräth nicht dieß Alles die kleine Seele, die niedrige Denkungsart, das leidenschaftliche Temperament des zürnenden Gottes? Was würde er nicht erst angefangen haben,

wenn ich ihn um den ganzen Ochsen gebracht hätte, da er
schon um ein Stück Fleisch so wild geworden ist?

10. Wie viel vernünftiger sind doch hierin die Menschen,
von denen man ja erwarten sollte, daß sie zum Zorne schnel=
ler, als die Götter, wären? Wo hat je einer derselben sei=
nen Koch kreuzigen lassen, wenn er den Finger in eine Schüs=
sel gesteckt und die Brühe gekostet, oder ein Stückchen vom
Braten abgerissen und verschluckt hat? Man läßt ihm Ver=
zeihung angedeihen, oder höchstens, wenn der Herr recht böse
wird, setzt es ein paar Streiche aufs Maul oder hinter die
Ohren. Aber gekreuzigt ist wegen solcher Erbärmlichkeiten
noch keiner bei ihnen geworden. Soviel über den ersten Punkt.
Es war eine Schande für mich, auf eine solche Anklage antwor=
ten zu müssen; aber eine weit größere war es gewiß, sie vor=
zubringen.

11. Ich komme nun auf den zweiten Klagepunkt, betref=
fend die Verfertigung der Menschen. Da hierin ein zweifa=
cher Vorwurf liegen kann, so weiß ich nicht, Merkur, in wel=
cher der beiden Beziehungen ihr mich schuldig findet. Sollten
die Menschen gar nicht entstehen, sondern roher, todter Lehm
bleiben; oder sollten sie zwar geschaffen, aber nach einem ganz
andern Modell geformt werden? Ich werde mich über Beides
erklären, und zwar für's Erste zu zeigen suchen, wie dadurch,
daß ich die Menschen in's Leben einführte, den Göttern durch=
aus kein Schaden zugieng, sondern es für dieselben im Ge=
gentheil viel vortheilhafter ist, als wenn die Erde leer und
unbevölkert geblieben wäre.

12. Vor diesem waren — und so wird sich's am leich=
testen ergeben, ob ich Unrecht gethan, diese neue Art von

Wesen zu schaffen — die Götter und himmlischen Wesen allein vorhanden: die Erde war ein wildes, häßliches Ding, voll rauher, finsterer Waldungen. Wie konnte es da Altäre der Götter, Bilder derselben aus Marmor und Elfenbein, Tempel und alle jene Herrlichkeiten geben, die man jetzt allenthalben antrifft, und so sorgfältig in Ehren hält? Ich also, der ich stets für das allgemeine Beste besorgt bin, und darauf sinne, wie der Vortheil der Götter gefördert werden, und das Allgemeine an Wohlordnung und Schönheit gewinnen möchte, dachte bei mir selbst, wie es wohl das Beste seyn würde, ein wenig Lehm zu nehmen und eine Gattung von Thieren zu verfertigen, deren Gestalt der unsrigen gliche. Denn ich glaubte immer, es mangle der göttlichen Natur etwas, so lange es nicht einen Gegensatz gebe, gegen welchen gehalten jene um so verherrlichter erschiene. Sterblich sollte zwar das neue Geschlecht, übrigens aber mit Kunstfertigkeit, Verstand und Gefühl des Guten und Schönen im reichsten Maße ausgestattet seyn.

13. Ich benetzte und erweichte also (wie der Dichter *) sagt) mit Wasser ein Stück Thon, und formte die Menschen, wobei mir Minerva auf meine Bitte behülflich war. Dieß ist es nun, womit ich mich an den Göttern so groß versündigt haben soll. Das ganze gewaltige Unheil ist, daß ich aus Lehm lebende Wesen gemacht, und was bisher bewegungslos war, in Bewegung gesetzt habe. Man sollte wirklich meinen, die Götter wären nun weniger Götter als zuvor, seitdem auf der Erde etliche sterbliche Thiere mehr existiren. Denn Jupiter

*) Hesiodus Werke und Tage. v. 61.

ist ja so bitterböse, als ob die Götter durch die Entstehung
der Menschen Wunder wie viel verloren hätten. Es müßte
nur seyn, daß er sich fürchtete, die Menschen möchten gleich=
falls, wie die Giganten, einen Aufstand gegen ihn erregen,
und mit einem Kriege den Göttern über den Hals kommen.
Allein — es ist ja augenscheinlich, Merkur, daß weder von
mir, noch von meinen Geschöpfen euch irgend ein Schaden zu=
gefügt worden: und kannst du mir auch nur den geringsten
aufweisen, so will ich schweigen, und jede Strafe von euch
verdient haben.

14. Daß aber im Gegentheile diese Geschöpfe den · Göt=
tern zum Nutzen sind, davon kannst du dich selbst überzeugen,
wenn du die Erde betrachtest, wie sie nun nicht mehr verwil=
dert und häßlich aussieht, sondern mit Städten, angebauten
Feldern und zahmen Gewächsen prangt, wie ihre Gewässer
von Schiffen belebt, ihre Inseln bewohnt, und allenthalben
Altäre und Tempel errichtet sind, allenthalben Opfer und
festliche Spiele gefeiert werden. Voll sind ja alle Straßen
von Jupiter's Verehrung,
　　　　und voll die Märkte der Menschen *).
Hätte ich mir dieses Geschlecht zu meinem alleinigen Besitze
geschaffen, so könnte dieß strafbarer Eigennutz heißen: so aber
habe ich es euch Göttern als ein gemeinschaftliches Gut über=
lassen. Und, was der stärkste Beweis ist, Tempel, die dem
Jupiter, dem Apollo, und dir, Merkur, geweiht sind, sieht
man ja aller Orten, einen des Prometheus nirgends. Daran

_____
*) Aratus Phänomena v. 3.

kannst du sehen, wie ich nur mein eigenes Interesse suche,
das gemeinsame hingegen verrathe und verderbe?

15. Bedenke ferner, Merkur, ob wohl irgend ein Werk
oder Besitzthum, das von Niemand gesehen und bewundert
wird, dem Besitzer eben so angenehm und erfreulich ist, als
wenn er es auch Andern zeigen kann? Was ich damit meine?
Siehst du, wenn es keine Menschen gäbe, so würde die Schönheit des Weltalls ohne Zeugen seyn: wir besäßen einen Reichthum, der von Niemand bewundert, und von uns selbst weniger geschätzt würde, weil wir ihn mit keinem geringeren vergleichen könnten. Eben so wenig würden wir die ganze Größe unserer Glückseligkeit inne werden, wenn wir keine Wesen vor Augen hätten, denen das Schicksal unsere Vorzüge
versagt hat. Denn das Große erscheint nur dann groß, wann
das Kleine daran gemessen wird. Und ihr, anstatt mich für
diese weise Voranstaltung, wie ich's verdiente, zu ehren, habt
mir meine wohlgemeinte Fürsorge mit dem Kreuze vergolten!

16. Aber Viele unter den Menschen, wendest du mir ein,
sind Uebelthäter, brechen die Ehe, gehen mit Waffen auf einander los, heirathen ihre leiblichen Schwestern, und trachten
ihren Vätern nach dem Leben? Als ob nicht auch bei uns
diese Verbrechen in reichem Maaße zu finden wären: und
dennoch klagt deßhalb Niemand den Himmel und die Erde
an, daß sie uns gezeugt haben. Vielleicht wirst du auch noch
geltend machen wollen, daß die Sorge für die Menschen uns
so viele Geschäfte auferlege. Allein eben so müßte sich auch
ein Schäfer beklagen, daß er eine Heerde habe, weil er sie
besorgen muß: dieß Geschäft mag mühsam seyn; aber eben
diese Fürsorge wird zu einer Unterhaltung, die ihren beson-

dern Genuß gewährt. Was wollten denn wir Götter anfangen, wenn wir für Niemand zu sorgen hätten? Wir lägen müßig, und wüßten nichts zu thun, als Nektar zu trinken, und uns mit Ambrosia anzufüllen.

17. Was mich aber am meisten ärgert, ist dieß, daß ihr es mir zum Verbrechen macht, die Menschen, und besonders die Weiber, gebildet zu haben, während ihr doch in die letztern verliebt genug seyd, um unaufhörlich zu ihnen herabzusteigen, in Stiere, Satyrn, Schwäne euch zu verwandeln, und — Götter von ihnen erhalten zu wollen. Jedoch — du sagst vielleicht, die Menschen hätten immerhin geschaffen werden mögen, nur nach einem ganz andern Modell, als nach dem unsrigen. Allein, konnte ich ein besseres Muster vor Augen haben, als dasjenige, welches ich für das schönste erkannte? Oder hätte ich vernunftlose und viehisch wilde Bestien daraus machen sollen? Wären sie nicht so, wie sie sind, geworden, wie würden sie euch Göttern opfern, und alle die vielen Ehren, die ihr von ihnen genießt, euch erweisen können? Und dennoch, wenn sie euch Hecatomben darbringen, ist euch der Weg auch zum äußersten Ocean nicht zu weit,

　— — zum Mahl der untstäflichen Aethiopen *).
Und mich, dem ihr diese Ehrenbezeugungen und Opfer alle verdankt, mich habt ihr gekreuzigt! — Doch genug hievon!

18. Ich gehe nun, wenn es dir gefällt, auf den mir so schwer angerechneten Feuerdiebstahl über. Und nun sage mir, um der Götter willen, doch gleich: fehlt uns etwas an diesem Feuer, seitdem auch die Menschen etwas davon bekommen

---

*) Homers Iliade I, 423.

haben? Du weißt mir nichts zu antworten. Das ist ja eben,
dünkt mich, die Natur dieses Gutes, daß es durch Mitthei-
lung nicht geringer wird: es erlischt nicht, wenn einer sein
Licht daran anzündet. Es ist also der offenbare Neid, wenn
ihr den Bedürftigen die Theilnahme an einem Gute verwehren wollt, das euch dadurch nicht beschädigt wird. Vielmehr
solltet ihr ja, als Götter,

— — die himmlischen Geber des Guten, *)

gütig gegen die Menschen, und von allem Neide ferne seyn.
Und hätte ich auch all euer Feuer auf die Erde gebracht, und
euch kein Fünkchen übrig gelassen, so hätte ich euch doch keinen großen Schaden zugefügt. Ihr könnt es ja entbehren;
ihr friert nicht, ihr braucht eure Ambrosia nicht zu kochen,
und bedürft keines künstlichen Lichtes.

19. Den Menschen hingegen ist das Feuer zu unendlich
Vielem, besonders aber zu den Opfern unentbehrlich, um die
Straßen mit Opferdampf zu füllen, Weihrauch anzuzünden,
und fette Hinterviertel auf euern Altären zu verbrennen.
Und ist es nicht eben dieser Dampf, der euch so große Freude
macht? Ist es nicht der süßeste Schmaus für euch,

Wenn hoch wallet der Duft in wirbelndem Rauche gen
Himmel? **)

So steht also eure Anklage mit dieser eurer Liebhaberei im
größten Widerspruche. Ich wundere mich nur, daß ihr nicht
auch dem Sonnengotte verboten habt, meinen Menschen zu
leuchten, da sein Feuer noch viel göttlicher und ächter ist,

*) Odyss. VIII, 325.
**) Iliade I, 317.

als das gemeine; oder warum ihr ihm nicht ebenfalls anschuldigt, euer Eigenthum zu verschleudern. Doch — ich bin zu Ende. Ihr aber, Merkur und Vulcan, wenn euch meine Rede irgend worin mißfällt, so berichtigt oder widerlegt sie; ich werde mich sodann ferner zu verantworten wissen.

20. **Merkur.** Es ist nicht leicht, Prometheus, mit einem so tüchtigen Sophisten sich einzulassen, wie du bist. Uebrigens darfst du dir Glück wünschen, daß nicht auch Jupiter dich mit angehört hat: ich bin gewiß, er würde sechszehn Geyer deine Eingeweide zerhacken lassen, so arg hast du ihn angegriffen, unter dem Vorwande dich zu vertheidigen. Nur das Einzige kann ich nicht recht begreifen, wie du als Prophet diese deine Strafe nicht solltest vorhergesehen haben?

Prometheus. Ich wußte es wohl, Merkur, und weiß auch, daß ich erlöst werden, und daß in nicht gar langer Zeit ein Freund von dir aus Theben *) kommen, und den Adler schießen wird, der, wie du sagst, auf mich herabstoßen soll.

Merkur. Möchte es in Erfüllung gehen, und ich dich wieder frei und froh an unserer Göttertafel erblicken, doch — nur nicht als Fleisch-Austheiler!

21. **Prometheus.** Sey unbesorgt; ich werde wieder mit euch schmausen. Jupiter selbst wird mich gegen einen wichtigen Dienst in Freiheit setzen.

Merkur. Und dieser Dienst wäre? Laß doch hören!

Prometheus. Du kennst ja die Thetis? — Doch nein — ich darf's nicht sagen. Es ist besser, ich bewahre das Geheimniß als Preis für meine Loskaufung. **)

*) Herkules.
**) S. das nächstfolgende Göttergespräch.

Merkur. Behalt' es immer bei dir, Titan, wenn es
besser für dich ist. Wir wollen nun gehen, Vulcan: denn
hier ist der Adler, ja schon. — Halte standhaft aus! Wiewohl ich wollte, der Thebanische Schütze, von dem du sagtest, ließe sich jetzt schon sehen und befreite dich von der Qual,
von diesem Vogel zerfleischt zu werden.

Lucian's

Werke,

übersetzt

von

August Pauly,

Professor, Lehrer an der lateinischen und Real-Anstalt
zu Biberach.

———

Zweites Bändchen.

———————

Stuttgart,

Verlag der J. B. Metzler'schen Buchhandlung.
Für Oestreich in Commission von Mörschner und Jasper
in Wien.

1 8 2 7.

Göttergespräche.

I. Des Prometheus Befreiung.

Prometheus. Jupiter.

1. **Prometheus.** Erlöse mich doch, o Jupiter! Ich habe schon fürchterlich gelitten.

Jupiter. Dich erlösen, der noch viel schwerere Fesseln verdient hätte, dem der ganze Caucasus auf dem Nacken liegen, und ein Schwarm von sechzehn Geyern nicht bloß die Leber, sondern auch die Augen aushacken sollte, dafür, daß du uns das unselige Thiergeschlecht der Menschen in die Welt gesetzt, das Feuer gestohlen, und die Weiber verfertigt hast? Dessen gar nicht zu gedenken, wie du mich bei der Austheilung des Fleisches betrogest, da du mir Knochen in Fett gewickelt vorlegtest, und das beste Stück für dich behieltest.

Prometheus. Habe ich denn noch nicht schwer genug dafür gebüßt, da ich nun schon so lange Zeit am Caucasus angeschmiedet den verwünschten Unheilsvogel mit meiner Leber füttern muß?

Jupiter. Noch nicht der tausendste Theil dessen ist's, was du zu leiden verdientest.

Prometheus. Du darfst mich nicht umsonst erlösen, Jupiter: ich will dir dafür eine Sache von der größten Wichtigkeit entdecken.

2. Jupiter. Ha, du willst mich überlisten, Prometheus!

Prometheus. Was könnte mir dieß helfen? Du hättest gewiß nicht vergessen, wo der Caucasus liegt, und an Ketten würde dir's auch nicht fehlen, wenn ich über einer Finte ertappt würde.

Jupiter. So sage vorerst, welche Sache von Wichtigkeit der Preis deiner Loslassung werden soll?

Prometheus. Wenn ich nun errathe, wohin du jetzt gehest, und was du vorhast, wirst du mir dann glauben, was ich dir ferner weissagen will?

Jupiter. Warum nicht?

Prometheus. Nun — du gehest zur Thetis, ihr beizuwohnen.

Jupiter. Errathen! — Aber was nun weiter? Ich glaube nun schon, daß ich die Wahrheit hören werde.

Prometheus. Habe nichts mit dieser Nereïde zu schaffen, Jupiter! Denn wird sie von dir schwanger, so wird dir von ihrem Kinde dasselbe widerfahren, was du deinem Vater Saturn gethan hast.

Jupiter. Du willst sagen, ich werde vom Throne gestoßen werden?

Prometheus. Ferne sey's zwar: aber etwas der Art ist es, womit dich dieser Besuch bedroht.

Jupiter. Nun so fahre wohl, Thetis! — Dich soll Vulcan zum Danke für deine Warnung in Freiheit setzen.

II. Jupiter's Liebesnoth.

Amor. Jupiter.

1. **Amor.** Und wenn ich auch gefehlt habe, Jupiter, vergieb mir! Ich bin ja noch ein kleiner, unverständiger Knabe.

Jupiter. Wie? du ein kleiner Knabe, und bist doch viel älter als Japetus? Meinst du, weil du noch keinen Bart und keine grauen Haare hast, werde man dich für ein Kind passiren lassen, du alter Schelm?

Amor. Nun — wie du willst; was habe denn ich alter Mann dir großes zu Leide thun können, daß du mich fesseln willst?

Jupiter. Sind das Kleinigkeiten, du heilloser Bube, daß du deinen Muthwillen mit mir treibst, und aus mir machst, was du willst, einen Satyr, einen Stier, einen Schwan, einen Adler, einen Goldregen? In mich selbst hast du noch keine Einzige verliebt gemacht: noch nie habe ich gemerkt, daß ich durch deine Einwirkung den Weibern gefiele. Wenn ich ihnen beikommen will, muß ich mich unkenntlich machen, und allerhand Zaubermittel gebrauchen: und so verlieben sie sich denn in den Stier, oder in den Schwan, und sterben vor Angst, wenn sie mich selbst zu Gesichte bekommen.

2. **Amor.** Das macht, weil die Sterblichen Jupiter's Anblick nicht aushalten können.

Jupiter. Wie kommt es denn, daß Branchus und Hyacinth sich in Apoll verliebten?

Amor. Daphne hingegen floh ihn, so schönlockig und blühend er ist. — Willst du recht liebenswürdig seyn, so schüttle deine Aegide nicht, und laß deinen Blitz zu Hause; mache dich so angenehm wie möglich, laß deine Locken zu beiden Seiten herabfallen, und umwinde sie oben mit einer Haarbinde, trage ein Purpurgewand und vergoldete Schuhe, schwebe unter Flötentönen und nach dem Takte des Tympanum einher, und sey gewiß, ein Gefolge von Schönen um dich zu sehen, das zahlreicher seyn wird, als des Bacchus Mänadenschwarm.

Jupiter. Verschone mich: ich bedanke mich dafür, in diesem Aufzug liebenswürdig zu seyn.

Amor. Je nun, so verzichte auf die Liebe. Dieß wäre doch wohl leicht.

Jupiter. Nein, der Liebe entsage ich nicht: aber bequemer zum Ziele zu kommen, wünsche ich. Dazu verhilf mir, und unter dieser Bedingung sollst du frei seyn.

III. Jo.

Jupiter. Merkur.

Jupiter. Du kennst doch wohl die schöne Tochter des Inachus, Merkur?

Merkur. O ja: du meinst die Jo?

Jupiter. Die ist nun kein Mädchen mehr, sondern eine Kuh.

Merkur. Das wäre! Und woher diese Verwandlung?

Jupiter. Die Juno hat sie aus Eifersucht so umge=
staltet, und eine ganz neue, weitere Plage für die Unglück=
liche ersonnen, indem sie ihr einen vieläugigten Kuhhirten,
mit Namen Argus, der nie schläft, zum Wächter gab.

Merkur. Was ist da zu thun?

Jupiter. Fliege nach Nemea hinab (in dieser Gegend
muß Argus weiden), tödte mir diesen, und die Jo führe
über's Meer nach Aegypten und mache sie zur Isis. Dort
soll sie künftig als Göttin verehrt werden, den Nil austre=
ten lassen, die Winde schicken, und die Seefahrer beschirmen.

IV. Ganymed.

Jupiter. Ganymed.

1. **Jupiter.** Nun, lieber Ganymed, wir sind zur
Stelle. Küsse mich jetzt, und überzeuge dich, daß ich keinen
krummen Schnabel, keine scharfen Klauen und keine Flügel
mehr habe, wie da du mich für einen Vogel hieltest.

Ganymed. Wie, Mensch? Warst du nicht noch so eben
der Adler, der herabgeflogen kam, und mich mitten aus mei=
ner Heerde davon führte? Wie ist dir denn dein Gefieder
ausgefallen, und wie bist so auf einmal zu einem ganz Andern
geworden?

Jupiter. Du siehest eben so wenig einen Menschen,
als einen Adler vor dir, liebes Kind! Ich bin der König
der Götter, der die Adlersgestalt nur annahm, weil sie ihm
zu seiner Absicht bequem war.

Ganymed. Wie? du wärest unser Pan? Aber wo ist denn deine Hirtenflöte, und warum hast du denn keine Hörner und keine Bocksfüße?

Jupiter. Meinst du denn, es gebe sonst keinen Gott, als Pan?

Ganymed. Gewiß keinen: wir opfern ihm ja ein Böcklein vor der Höhle, wo sein Bild steht. Du aber bist, glaube ich, einer von denen, die Menschen rauben und als Sclaven verkaufen!

2. Jupiter. Sage mir einmal, hast du den Jupiter nie nennen hören, und auf dem Gargarus *) noch nie den Altar des Gottes gesehen, der regnet und donnert und blitzt?

Ganymed. Du bist also der saubere Gott, der neulich die Menge Hagel auf uns herabschüttelte, der, wie sie sagen, oben wohnt, und das Krachen in den Wolken macht, und dem der Vater den Widder opferte? Aber sage mir, Götterkönig, was habe ich denn Unrechtes gethan, daß du mich raubtest? Nun werden wohl die Wölfe über meine verlassenen Schafe hergefallen seyn, und sie zerrissen haben.

Jupiter. Du bist nun unsterblich und wirst im Himmel bei uns wohnen: kümmere dich nicht um die Schafe.

Ganymed. Was sagst du? Wirst du mich denn heute nicht mehr auf den Ida zurückbringen?

Jupiter. Keineswegs: ich will nicht umsonst ein Adler aus einem Gotte geworden seyn.

Ganymed. Aber da wird mich mein Vater suchen, und recht böse werden, wenn er mich nicht findet, und her-

---

*) Gargarus, der höchste Punkt des trojanischen Ida-Gebirges.

nach werde ich Schläge dafür kriegen, daß ich die Heerde ver=
laffen habe.

Jupiter. Er soll dich nicht wieder zu Geſichte be=
kommen.

Ganymed. Nein, nein: ich will wieder zu meinem
Vater. Siehſt du, wenn du mich wieder zurückbringſt, ſo
ſoll er dir noch einen Widder opfern: wir haben ja noch den
großen, dreijährigen, der immer der Leithammel iſt, wenn es
auf die Weide geht.

3. Jupiter. Wie offen und kindlich unſchuldig der
liebe Junge iſt! — Gieb nun dieſen Dingen den Abſchied,
Ganymed, und vergiß deine Heerde und den Ida. Du kannſt
ja von hier aus (denn nun biſt du bereits ein Himmelsbe=
wohner) deinem Vater und Vaterlande viel Gutes thun.
Statt Käſe und Milch ſollſt du hinfort Ambroſia eſſen, und
Nektar trinken: den Letztern haſt du auch uns Andern ein=
zuſchenken und darzureichen. Und, was das wichtigſte iſt, du
biſt kein Menſch mehr, ſondern ein Unſterblicher; einen präch=
tigen Stern deines Namens will ich am Himmel glänzen laf=
ſen; mit einem Worte — du ſollſt glückſelig ſeyn.

Ganymed. Wenn ich aber ſpielen will, wer wird mit mir
ſpielen? denn auf dem Ida hatte ich gar viele Cameraden.

Jupiter. Du ſollſt den Amor dort zum Geſpielen und
Würfel in Menge haben. Sey nur gutes Muths, mach' ein
fröhlich Geſicht, und laß dich nichts anfechten von den Din=
gen da unten.

4. Ganymed. Aber was ſoll ich denn euch helfen?
Oder muß ich hier auch die Schafe hüten?

Jupiter. Nein, du sollst Mundschenk seyn, den Nektar besorgen, und bei Tafel aufwarten.

Ganymed. Nun das ist nicht schwer. Ich weiß schon recht gut, wie man die Milch einschenken, und den Ephenbecher darreichen muß.

Jupiter. Kommst du mir schon wieder mit deiner Milch, und meinst, du hättest Menschen aufzuwarten? Hier sind wir ja im Himmel, und trinken, wie gesagt, nichts als Nektar.

Ganymed. Schmeckt denn der besser als Milch?

Jupiter. Du wirst es bald erfahren: koste ihn, und du wirst keine Milch mehr verlangen.

Ganymed. Und wo werde ich denn des Nachts schlafen? Nicht wahr, bei meinem Gespielen Amor?

Jupiter. O nein! deßwegen habe ich dich ja heraufgeholt, daß du bei mir schlafen sollst.

Ganymed. Kannst du denn nicht allein schlafen, oder ist es dir angenehmer bei mir zu liegen?

Jupiter. Allerdings, bei einem so hübschen Jungen, wie du, Ganymed.

5. **Ganymed.** Was kann denn die Schönheit zum Schlafen helfen?

Jupiter. Sie hat etwas angenehm Bezauberndes, das macht, daß man sanfter schläft.

Ganymed. Und doch war mein Vater immer so böse, wenn ich bei ihm lag, und mußte des Morgens viel zu sagen, wie ich mich immer hin und hergewälzt, ihn gestoßen und im Schlafe geschrieen hätte, so daß er kein Auge hätte zuthun können, deßwegen schickte er mich meistens zur Mutter schlafen. Hast du mich also, wie du sagst, nur deßwegen entführt, so bringe

mich doch sogleich wieder zur Erde, wenn du nicht deine liebe
Noth mit mir haben willst. Denn ich werde dir bald genug
zur Last werden, wenn ich mich so oft umkehre.

Jupiter. Angenehmer wird mir ja gar nichts seyn,
als wenn ich bei dir wachen, und dich recht viel und lange
küssen und herzen kann.

Ganymed. Meinetwegen magst du küssen, so viel du
willst: ich werde schlafen.

Jupiter. Wir wollen schon sehen. — Nimm ihn nur
mit dir, Merkur, und gieb ihm den Trank der Unsterblichkeit
zu trinken: dann zeige ihm, wie er den Becher reichen muß,
und bring ihn als unsern Mundschenk zurück.

V. Aus Jupiters Ehestand.

Juno. Jupiter.

1. Juno. Seitdem du diesen Phrygischen Jungen da
vom Ida entführt und heraufgebracht hast, machst du dir sehr
wenig aus mir, Jupiter.

Jupiter. Also auch dieses unschuldige, harmlose Kind
macht deine Eifersucht rege? Dachte ich doch, nur den Weibern und Mädchen, die in meine Nähe kommen, wärest du
so gram.

2. Juno. Es ist zwar sehr unfein und unschicklich von
dir, dem Herrn aller Götter, daß du mich, deine rechtmäßige
Gemahlin, verlässest, und in Gestalt eines Goldregens, eines
Satyr oder Schwans auf die Erde kommst, um Ehebruch zu

treiben. Indeſſen bleiben jene Dirnen doch unten. Dieſen idäiſchen Hirtenjungen aber haſt du gar in unſere Geſellſchaft heraufgeholt, du vornehmſter aller Adler, und mir vor die Naſe hingeſetzt, unter dem Vorwande, einen Mundſchenk haben zu müſſen. Hatteſt du denn ſonſt Niemanden für dieſes Amt? Seit wann ſind denn Hebe und Vulcan zum Aufwarten unbrauchbar geworden? — Kein einzigesmal nimmſt du ja den Becher von ihm, ohne ihn vorher vor unſer aller Augen zu küſſen; und dieſer Kuß muß dir ſüßer ſchmecken, als Nektar; daher verlangſt du ſo oft zu trinken, wenn du auch keinen Durſt haſt. Bisweilen nippeſt du bloß ein wenig an dem Becher, und reichſt ihn dann ihm dar: wenn er nun getrunken hat, trinkſt du den Reſt aus, und zwar genau an der nämlichen Stelle, die er mit ſeinen Lippen berührt hat, um zugleich trinken und küſſen zu können. Und neulich hat der König und Vater Aller die Aegide und den Donnerkeil bei Seite gelegt, und ſich nicht in ſeinen langen Bart hinein geſchämt, zu dem Jungen auf den Boden zu ſitzen und mit ihm Würfel zu ſpielen. — O ich ſehe Alles: bilde dir ja nicht ein, ſo etwas im Verborgenen zu treiben.

3. Jupiter. Und was iſt denn Arges daran, Juno, wenn ich dieſen artigen Knaben mitten unter'm Trinken ein wenig herze, und an beidem zugleich meine Freude habe, am Kuſſe und am Nektar? Wenn ich ihm erlaubte, dir ein einziges Küßchen zu geben, du würdeſt mir gewiß keine Vorwürfe mehr darüber machen, daß mir ſein Mäulchen lieber als aller Nektar iſt.

Juno. So ſchwatzt nur ein Knabenverderber. Ich werde doch keine Närrin ſeyn, und meinen Lippen einen ſo weibischen Weichling, wie diesen phrygischen Buben da, zu nahe kommen lassen?

Jupiter. Nur mir meinen Liebling nicht geschimpft, du Allervortrefflichste! dieser weibische Bube, dieser phrygische Weichling ist wahrlich reizender und liebenswürdiger, als —— Doch ich will lieber nichts sagen, um dich nicht noch giftiger zu machen.

4. Juno. O meinetwegen magst du ihn auch noch heirathen. — Aber bedenken solltest du doch, was du mir mit deinem Mundschenk für einen Schimpf anthust.

Jupiter. Ach, dein lahmer Sohn Vulcan soll uns also wieder beim Weine bedienen, wenn er mit Kohlenstaub bedeckt von der Esse kommt, und eben die Feuerzange weggelegt hat! Aus solchen Fingern sollen wir den Becher empfangen, und wohl auch mitunter den ganzen Mundschenk an unsern Busen ziehen, um ein von Ruß geschwärztes Gesicht zu küssen, das du selbst, seine Mutter, wohl schwerlich würdest liebkosen wollen? Das wäre ein Genuß! Nicht wahr? Das wäre einmal ein Mundschenk, der die Göttertafel zieren würde! Den Ganymed muß ich nun schon nach dem Ida zurückschicken: denn der ist reinlich, hat Fingerchen wie Rosen, und reicht recht sittig den Becher, und, was dich am meisten ärgert, küßt lieblicher als Nektar.

5. Juno. So? Nun ist Vulcan auf einmal lahm, rußig, und unwürdig geworden, mit seinen Fingern deinen Becher zu berühren, und nun ekelt dir auf einmal vor seinem Anblick, seitdem uns der Ida dieses schöne Lockenköpfchen geliefert hat? Vordem sahest du von dem Allem nichts, und

weder Kohlenstaub noch Ruß hielten dich ab, von seinen Händen dir's wohl schmecken zu lassen.

Jupiter. Du kränkst dich darüber vergeblich, Juno, und fachest durch deine Eifersucht meine Liebe nur noch mehr an. Wenn es dir Verdruß macht, den Becher aus der Hand eines blühenden Knaben zu empfangen, wohlan so laß ihn dir von deinem Sohne kredenzen, und du, Ganymed, reichst ihn mir künftig allein! Und bei jedem Becher küssest du mich zweimal, wenn du mir ihn reichst, und wenn du ihn wieder zurückempfängst. Wie, Ganymed, du weinst? Fürchte nichts! Der soll es schwer bezahlen, der dir etwas zu Leide thun wollte!

VI. Ixion.

Juno. Jupiter.

1. Juno. Was hältst du von diesem Ixion, Jupiter?

Jupiter. Ich halte ihn für einen ganz braven Mann und angenehmen Gesellschafter, liebe Juno. Er würde nicht an unsern Mahlzeiten Theil nehmen dürfen, wenn er dessen unwürdig wäre.

Juno. Und doch ist er es, der impertinente Mensch: er darf nicht länger um uns seyn.

Jupiter. Was hat er denn impertinentes gethan? Ich sollte es, meine ich, doch auch wissen.

Juno. Was er gethan hat? — — Ach, ich schäme mich, es zu sagen, so frech war er.

Jupiter. Um so weniger darfst du mir es verschweigen, je ärger er gefrevelt hat. Hat er vielleicht eine Göttin

verführen wollen? Ich vermuthe so etwas, weil du mir es
nicht sagen willst.

Juno. Mich, mich selbst und keine Andere hat er verführen wollen, Jupiter, und das schon eine geraume Zeit her.
Anfangs verstand ich gar nicht, warum er mich so unverwandt ansah, und seufzte, und Thränen in den Augen hatte.
Wenn ich dem Ganymed den Becher, aus dem ich getrunken
hatte, zurückgab, so verlangte er aus eben demselben zu
trinken, und wenn er ihn bekam, küßte er ihn, hielt ihn an
die Augen, und blickte dabei immer nach mir herüber. Nun
fing ich an zu merken, daß der Mensch verliebt ist. Lange
schämte ich mich, es dir zu sagen, und glaubte immer, er
würde von selbst von seiner Narrheit zurückkommen. Wie er
sich aber erfrechte, sich gegen mich erklären zu wollen, und sich
weinend mir zu Füßen warf, hielt ich mir die Ohren zu,
um sein unverschämtes Flehen nicht hören zu müssen, ließ
ihn liegen, und lief her, um es dir anzuzeigen. Siehe nun
selbst, wie du diesen Menschen gebührend züchtigen willst.

3. Jupiter. Der Verruchte! Das mir? Nach Juno's Umarmung zu trachten? Bis zu diesem Wahnsinn konnte
ihn der Nektar berauschen? — Aber so ist's: wir sind selbst
Schuld: warum halten wir kein Maß in unserer Menschenliebe, und lassen sie sogar an unserer Tafel sitzen? Ist es ihnen zu verdenken, wenn sie bei einem Wein wie der unsrige,
und beim Anblick himmlischer Schönheiten, dergleichen sie
auf ihrer Erde nie zu Gesichte kriegen, von Liebe und Begierde überwältigt werden? Die Liebe aber — ist sie doch
stark genug, nicht nur Sterbliche, sondern bisweilen uns selbst
zu überwältigen.

Juno. Nun freilich, über dich spielt sie gewaltig den Tyrannen. Sie zieht dich bei der Nase ohne den geringsten Widerstand, wohin sie will, und willig lässest du dich von ihr in jede beliebige Gestalt verwandeln: kurz du bist ganz und gar ihr Eigenthum und Spielzeug. Und nun weiß ich recht gut, warum man dem Irion verzeihen muß: ist doch Pirithous *) ein Zeuge davon, wie du einst mit seiner Gattin standest.

4. Jupiter. Weißt du denn alle die kleinen Zeitvertreibe noch, die ich mir ehemals da unten auf der Erde machte? — Aber höre, wie ich glaube, daß mit Irion zu verfahren ist. Strafen dürfen wir ihn nicht, und eben so wenig von unserer Tafel wegjagen, das wäre ein Bischen zu plump. Aber da er nun doch verliebt ist, wie du sagst, und weint, und verzweifeln will —

Juno. Was soll nun kommen, Jupiter? Muß ich fürchten, auch von dir eine Unverschämtheit zu hören?

Jupiter. Gewiß nicht. Höre mich nur: wir wollen aus einer Wolke ein dir ganz ähnliches Trugbild gestalten, und wenn die Tafel aufgehoben ist, so wollen wir, während Irion, wie es dem Verliebten gebührt, nicht schlafen kann, dasselbe an seine Seite legen. So wird er glauben, das Ziel seiner Wünsche erreicht zu haben, und von seinen Liebesschmerzen genesen.

Juno. Nein, nein, sterben soll er, der Vermessene!

---

*) Pirithous, Sohn des Jupiter und der Dia, der Gemahlin Irion's.

Jupiter. Gedulde dich doch, liebe Juno. Was hast du denn Unangenehmes davon, wenn Jrion bei einem Nebelgebilde liegt?

5. **Juno.** Er wird die Wolke, die mir so ähnlich sehen soll, für mich halten, und so wird die Schmach mir gelten.

Jupiter. Possen! Eine Wolke ist keine Juno und Juno keine Wolke. Jrion wird getäuscht, und das ist Alles.

Juno. Aber gemein, wie nun einmal die Menschen alle sind, wird er sich auf der Erde dessen rühmen, und allen Leuten erzählen, wie er bei der Juno geschlafen und Jupiter's Bette getheilt hätte. Und am Ende ist er gar im Stande und sagt, ich wäre in ihn verliebt; und die Menschen glauben es ihm; denn sie können nicht wissen, daß er bei einer Wolke gelegen.

Jupiter. Je nun, wenn er so etwas sagt, so soll er in den Tartarus gestürzt, auf ein Rad geflochten, immer und ewig auf demselben herumgetrillt werden, und dieser Qual soll kein Ende seyn; und dieß zur gerechten Strafe, nicht für seine Liebe (denn dieses Verbrechen wäre wohl so groß nicht), sondern für seine unverschämte Prahlerei.

VII. Merkur.

Vulcan. Apollo.
(In Vulcan's Werkstätte.)

1. **Vulcan.** Hast du das neugeborne schöne Kind der Maja schon gesehen, Apoll, wie es alle Leute anlächelt, und

wie man es ihm an den Augen ansieht, daß etwas recht Gutes aus ihm werden müsse?

Apoll. Wie? Kann man den ein Kind nennen, und Gutes von ihm erwarten, der, wenigstens nach seiner Schelmerei zu urtheilen, älter als Japetus seyn muß?

Vulcan. Wem sollte denn ein Kind, das kaum auf die Welt gekommen ist, etwas zu Leide thun können?

Apoll. Frage den Neptun, dem er seinen Dreizack gestohlen, oder den Mars, dem er das Schwerdt heimlich aus der Scheide gezogen, meiner selbst nicht zu gedenken, dem er die ganze Armatur, den Bogen sammt den Pfeilen entführt hat.

2. **Vulcan.** Das hat ein Säugling gethan, der sich in seinen Windeln noch kaum rühren kann?

Apoll. Du wirst dich selbst überzeugen, wenn er nur erst zu dir gekommen ist.

Vulcan. Er ist aber bereits bei mir gewesen.

Apoll. Und vermissest du keines von deinen Werkzeugen?

Vulcan. Kein einziges.

Apoll. Siehe nur noch einmal genau nach.

Vulcan. Weiß der Himmel, ich finde meine Zange nicht.

Apoll. In den Windeln des Kindes wirst du sie ohne Zweifel entdecken.

Vulcan. Der hat ja so flinke Finger, als ob er schon in Mutterleibe auf dieses Metier studirt hätte.

3. **Apoll.** Und hast du ihn nicht auch plaudern gehört? Wie das so fertig vom Munde geht. Er hat sich angeboten, unsere Bedienung zu übernehmen. Gestern forderte er den Amor heraus, packte ihn, ich weiß nicht wie,

bei den Felsen, und war im Augenblick mit ihm fertig. Und
da wir ihn Alle lobten, stahl er der Venus, während sie ihn
eines Sieges wegen liebkoste, ihren Gürtel, dem Jupiter,
während er lachte, seinen Scepter, und wäre ihm der Donnerkeil nicht zu schwer und zu heiß gewesen, er hätte ihn
wahrlich auch noch davon getragen. —

    Vulcan. Ein Blitzjunge, der!

    Apoll. Und obendrein ist er auch schon ein Tonkünstler.

    Vulcan. Woraus schließest du das?

    4. Apoll. Neulich fand er eine todte Schildkröte und
machte ein Instrument aus ihrer Schaale, befestigte einen
Hals mit einer Handhabe daran, versah sie mit Wirbeln und
einem Stege, spannte sieben Saiten darüber, und spielt dir
nun so lieblich und harmonisch darauf, daß ich selbst ihn darum beneide, wiewohl Saitenspiel schon längst meine Sache
ist. Auch sagte mir Maja, er bleibe nicht einmal des Nachts
im Himmel, sondern steige aus Vorwitz bis in den Tartarus
hinunter, vermuthlich um auch dort zu sehen, ob es etwas
zu stehlen gebe. Er ist mit Flügeln versehen, und trägt eine
Ruthe von ganz wunderbarer Kraft, womit er die Seelen
citirt, und die Todten in die Unterwelt hinab geleitet.

    Vulcan. Ich selbst gab ihm diese Ruthe zum Spiel-
zeug.

    Apoll. Und zum Danke hat er dir deine Feuerzange
gemaust.

    Vulcan. Du erinnerst mich eben recht. Ich muß doch
gehen und sie holen: vielleicht findet sie sich wirklich in seinen Windeln, wie du sagtest.

VIII. Der Minerva Geburt.
Vulcan. Jupiter.

1. Vulcan. Hier bin ich, Jupiter. Was befiehlst du? Hier ist auch das Beil, das ich mitbringen sollte: es ist mein schärfstes; ich könnte Steine damit auf Einen Hieb durchhauen.

Jupiter. Gut, Vulcan: so haue mir nur gleich den Kopf entzwei.

Vulcan. Willst du mich auf die Probe stellen, oder bist du nicht bei Troste? Sage mir doch im Ernst, was ich thun soll.

Jupiter. Wie gesagt, mir den Schädel zerspalten. Und wenn du nicht auf der Stelle gehorchst — es wäre nicht das Erstemal, daß du meinen Zorn empfändest. Darum nicht länger gezaudert, recht herzhaft zugehauen! Ich vergehe vor den Wehen, die mir das Gehirn umwühlen.

Vulcan. Siehe zu, Jupiter, daß wir keinen Schaden anrichten. Mein Beil ist scharf: es wird nicht ohne Blut abgehen, wenn dich diese unsanfte Lucina entbinden soll.

Jupiter. Haue keck drauf los, Vulcan. Ich muß wissen, was mir hilft.

2. Vulcan. So haue ich denn zu, ungern zwar, aber was will man machen, wenn du befiehlst? — Ha! was ist das? ein Mädchen in vollständiger Rüstung! Du hast wahrlich ein großes Uebel im Kopfe gehabt, Jupiter. Kein Wunder, daß du so grimmig warst: eine so große Tochter, und von Fuß auf gewaffnet, unter der Hirnhaut auszubrüten! Wußten wir doch nicht, daß du statt des Kopfes ein Kriegs=

zelt auf dem Rumpfe sitzen hättest! Wie? sie tanzt schon den Waffentanz? Wie gewandt sie die Lanze schwingt, und den Schild schüttelt, und ganz ergriffen ist von kriegerischer Begeisterung! Das größte Wunder aber ist, daß sie in wenigen Augenblicken eine stattliche und mannbare Jungfrau geworden ist. Zwar hat sie blaugraue Eulenaugen, aber auch das nimmt sich unter dem Helme recht gut aus. Jupiter, gieb sie mir als Hebammenlohn zum Weibe!

Jupiter. Du verlangst etwas Unmögliches, Vulcan. Sie ist entschlossen, ewig Jungfrau zu bleiben. Ich für meinen Theil hätte nichts dagegen.

Vulcan. Mehr will ich nicht. Für das Uebrige laß mich sorgen. Ich werde sie mir mit Gewalt nehmen.

Jupiter. Versuch's, wenn du es für so leicht hältst. Ich weiß jedoch nur zu gut, daß es unmöglich ist.

IX. Des Bacchus Geburt.

Neptun. Merkur.

1. Neptun. Ist Jupiter jetzt zu sprechen, Merkur?

Merkur. O nein, Neptun.

Neptun. So melde ihm wenigstens, daß ich hier bin.

Merkur. Dringe nicht in mich: ich sage dir nur, daß es ihm im Augenblicke sehr ungelegen wäre, dich zu sehen.

Neptun. Ist er etwa mit der Juno zusammen?

Merkur. Nein: es ist etwas ganz anderes.

Neptun. Ach, ich merke, Ganymed ist drinnen.

Merkur. Auch das nicht. Jupiter ist — unpäßlich.

Neptun. Wie so? Du erschreckst mich, Merkur: was ist es denn?

Merkur. Es ist so, daß ich mich schäme, es zu sagen.

Neptun. Sag' es immer: ich bin ja dein Oheim.

Merkur. Nun denn, Jupiter hat so eben ein Kind gehabt.

Neptun. Bist du toll? Ein Kind? und von wem? Ist er denn, ohne daß wir's ahneten, ein Zwitter gewesen? Hat doch wenigstens sein Bauch nie eine Schwangerschaft verrathen!

Merkur. Da hast du Recht: das Kind lag aber auch nicht dort.

Neptun. Ich verstehe; er hat es wieder aus dem Kopf geboren, wie die Minerva: denn er muß einen förmlichen Eierstock im Hirne haben.

Merkur. O nein: dießmal ging er im Oberschenk mit einem Kinde der Semele schwanger.

Neptun. Seht da, der Gute ist ja am ganzen Leibe trächtig. Aber wer ist denn diese Semele?

2. **Merkur.** Eine Thebanerin, der Töchter des Cadmus eine, die von ihm schwanger wurde.

Neptun. Und nun hat er anstatt ihrer geboren?

Merkur. So ist es, wie wunderbar es dir auch vorkommen mag. Juno — du weißt, wie eifersüchtig sie ist — hat sich an die Semele gemacht, und sie beschwatzt, von Jupitern zu verlangen, daß er mit Blitz und Donner zu ihr kommen solle. Dieß geschah; Jupiter kam mit seinem Flammenstrahl; das Dach gerieth in Brand, und Semele erstickte in der Flamme. Da erhielt ich den Befehl, den Leib derselben aufzuschneiden, und ihm das noch unausgetragene, sieben Monat alte Kind zu überbringen. Wie er es hatte, machte er sich eine Oeffnung in den Schenkel, steckte es hinein, um es vollends reifen zu lassen, und jetzt im dritten Monat hat er es zur Welt gebracht, befindet sich aber in Folge der Geburtsschmerzen etwas unpäßlich.

Neptun. Wo ist denn jetzt das Kind?

Merkur. Ich mußte es nach Nyssa tragen, und unter dem Namen Dionysus den Nymphen aufzuziehen geben.

Neptun. So ist also Jupiter dieses Dionysus Vater und Mutter zugleich?

Merkur. Nicht anders. Doch — ich muß gehen, und ihm Wasser für seine Wunde holen und alles Uebrige besorgen, was man gewöhnlich bei Wöchnerinnen braucht.

X. Jupiter und Alkmene.
Merkur. Helios *).

1. Merkur. Helios! Jupiter befiehlt, du sollst heute, morgen und übermorgen zu Hause bleiben und nicht ausfahren. Dieser ganze Zwischenraum soll Eine lange Nacht seyn. Die Horen können also deine Pferde nur wieder ausspannen: du darfst deine Fackeln löschen, und nach langer Zeit auch einmal wieder ausruhen.

Helios. Ein ganz neuer und sonderbarer Befehl, Merkur. Ich habe doch keinen Fehler in meiner Bahn gemacht und die Pferde aus dem Geleise treten lassen, daß er mir

---

*) Der Sonnengott.

vielleicht darüber zürnt, und nun die Nacht dreimal so lang
als den Tag machen will?

Merkur. Nichts dergleichen. Es soll nicht für immer
so seyn: nur für dießmal hat er eine etwas lange Nacht von=
nöthen.

Helios. Wo ist er denn gegenwärtig? Woher schickt
er denn dich mit diesem Befehl an mich?

Merkur. Aus Böotien, wo er dermalen mit des Am=
phitryo=Frau, die er liebt, zusammen ist.

Helios. Und dazu ist Eine Nacht nicht lang genug?

Merkur. Nein. Es soll ein großer und kampfrüsti=
ger Gott die Frucht dieses Besuches seyn, und der kann un=
möglich in Einer Nacht fertig werden.

2. Helios. Viel Glück zu diesem großen Stück Ar=
beit! Aber — unter uns gesagt, Merkur — so etwas ge=
schah doch zu Saturn's Zeiten niemals. Dieser schied sich
nie von Rhea's Bette, und verließ nie den Himmel, um in
Theben zu schlafen. Tag war Tag, und die Nacht jedesmal
so lang, als es die Jaherszeit mit sich brachte. Außerordent=
liches und regelwidriges geschah nichts. Nie hat Saturn mit
einer Sterblichen zu schaffen gehabt. Nun soll um eines
heillosen Weibsbildes willen die ganze Ordnung umgekehrt,
meine Pferde sollen durch die zu lange Ruhe steif, und der
Weg schlechter werden, weil er drei Tage unbefahren bleibt.
Das hat man von Jupiter's Liebschaften! Die armen Men=
schen müssen nun im Finstern sitzen und warten, bis der große
Athlete, den du uns ankündigest, endlich fertig ist.

Merkur. Stille doch, Helios! Deine Reden könnten
dir Verdruß bringen. — Ich gehe von hier zur Luna und

zum Schlafgott, und bringe ihnen gleichfalls Befehle von
Jupiter: jene soll recht sacte vorwärts rücken, und dieser
sich ja nicht von den Menschen entfernen, damit Niemand
merke, daß die Nacht so lange gewesen ist.

XI. Endymion.
Venus. Luna.

1. **Venus.** Was man nicht hören muß, liebe Luna!
Sagen doch die Leute, wenn du auf deiner Bahn nach Carien kommest, haltest du mit deinem Wagen still, um auf
den im Freien schlafenden Jäger Endymion herabzuschauen;
sogar habest du dich schon mitten auf dem Wege zu ihm her-
abgelassen.

Luna. Frage deinen Sohn Amor darüber, der ist allein
Schuld daran.

Venus. Der? Nun freilich, das ist ein gottloser
Junge. Wie geht er nur mit mir, seiner leiblichen Mutter,
um? Neulich ließ er mir keine Ruhe, bis ich mich auf den
Ida, um des Anchises von Ilium willen, herabließ; und
noch ganz kürzlich brachte er mich auf den Libanon zu dem
bekannten Assyrischen Jüngling *), in den er übrigens auch
die Proserpina verliebt machte, so daß er mir nun zur Hälfte
meinen Liebling wieder genommen hat. Wie oft drohte ich
ihm schon, wenn er seinen Muthwillen nicht lassen werde,
ihm Bogen und Pfeile zu zerbrechen, und die Flügel zu be-

---

*) Adonis.

schneiden. Auch Schläge hat er schon von mir mit dem Pan=
toffel auf den Hintern bekommen. Für den Augenblick ist er
dann freilich ganz demuthig und bittet um Verzeihung; aber
ehe man sich's versieht, ist Alles wieder vergessen. —

2. Aber sage mir, ist Endymion schön? Die Schönheit
des Gegenstandes tröstet ja leicht über das Unglück des Ver=
liebtseyns.

Luna. In meinen Augen ist er vollkommen schön, zu=
mal wenn er auf seinem über den Felsen gebreiteten Mantel
schläft: die linke Hand hält nachläßig einige Pfeile, die ihr
allmählig entgleiten; der rechte Arm ist über den Kopf ge=
bogen, so daß die Hand mit lieblicher Grazie auf sein Ge=
sicht zu liegen kommt. So liegt er in Schlummer aufgelöst,
und sein Athem duftet süß wie Ambrosia. Da lasse ich mich
denn ganz leise herab, nähere mich ihm auf den äußersten
Fußspitzen, um ihn ja nicht zu wecken, und — — sollte ich
einer Venus das Weitere erst sagen müssen? Genug —
diese Liebe verzehrt mich.

XII. Rhea und Attis.
Venus. Amor.

1. Venus. Siehe, mein Kind, was du anrichtest.
Ich sage nichts davon, was du Alles die Menschen auf der
Erde gegen sich und gegen Andere zu begehen verleitest. Aber
wie du es im Himmel treibst? Verwandelst du nicht den
Jupiter in alle Gestalten, wie es dir jedesmal einfällt, zie=
hest die Luna vom Himmel herunter, und verleitest den He=

klos, sich bei Clymene zu verspäten und seines Laufes zu vergessen? Mit mir, deiner Mutter, treibst du ohnehin allen
Muthwillen ungescheut. Nun hast du es vollends, du ver-
messener Bube, bei der alten grauen Göttermutter Rhea dahin gebracht, daß sie sich noch in einen Knaben, den Phrygier Attis, verlieben muß! Die ist nun ganz rasend, hat
ihre Löwen einspannen lassen, und ihre Corybanten, die sie
gleichfalls toll gemacht hat, mit sich genommen, und schwärmt
nun mit ihnen den ganzen Ida auf und ab. Sie heult um
ihren Attis: von ihren Corybanten zersetzt sich einer die Arme mit dem Schwerdte, ein anderer rast mit fliegenden Haaren über Berg und Thal; wieder andere blasen auf Hörnern
und pauken auf Trommeln und Kesseln los: kurz es ist ein
so wilder Spektakel auf dem ganzen Gebirge, daß mir bange
ist, die Rhea möchte in einem solchen Anfall von Raserei,
oder vielmehr, wenn sie wieder bei sich ist, den Corybanten
befehlen, dich, du unheilvolles Kind, zu greifen und zu zerreißen, oder ihren Löwen vorzuwerfen. Wahrhaftig, ich sehe
dich mit Schrecken in dieser Gefahr.

2. Amor. Beruhige dich, liebe Mutter. Ich habe
mich auch schon mit ihren Löwen befreundet, steige ihnen
auf den Rücken, fasse sie an der Mähne, und leite sie, wohin ich will: sie schmeicheln mir und lecken mir die Hand,
die ich ihnen ohne Schaden in den Rachen stecke. Die Rhea
aber, wo sollte diese Zeit herbekommen, mich zu verfolgen,
da sie so ganz in ihrem Attis lebt? — Am Ende, thue ich
denn etwas Unrechtes, wenn ich Euch das Schöne vor Augen
bringe, so wie es ist? Ihr dürfet ja nur keine Begierde
darnach aufkommen lassen. Thut ihr es, so beschuldiget nicht

mich. Oder möchtest du, liebe Mutter, daß es überhaupt
mit der Liebe ein Ende hätte, also auch mit der des Mars
zu dir, so wie mit der Deinigen zu ihm?

Venus. Durchtriebener Junge, mit dir ist nicht fer=
tig zu werden. Aber warte, du wirst noch Gelegenheit be=
kommen, an meine Worte zu denken!

XIII. Der Rangstreit.
Jupiter. Hercules. Aesculap.

1. Jupiter. So hört einmal auf, Hercules und
Aesculap, euch wie Menschen zu zanken. Pfui! Das schickt
sich schlecht für die Göttertafel.

Hercules. Kannst du wollen, Jupiter, daß dieser Ar=
neikoch da den Vorsitz vor mir habe?

Aesculap. Er gebührt mir, ich bin besser als du.

Hercules. Wie so, du verwetterter Kerl? Etw
weil dich Jupiter mit dem Blitz erschlug wegen deiner Sche
menstreiche, *) worauf er dich aus purer Barmherzigkeit un
ter die Unsterblichen aufgenommen hat.

Aesculap. Ha, du darfst mir meinen Feuertod vo
rücken! Hast du denn vergessen, daß du auf dem Oeta ve
branntest?

---

*) Weil er mit Hülfe seiner Mittel Todte auferweckt, u
somit dem Reiche des Pluto, des Bruders von Jupit
entführt hatte.

Hercules. Nun so war wenigstens im Leben ein gro=
ßer Unterschied unter uns. Ich, Jupiter's Sohn, hatte das
große Geschäft, die Welt von ihren Uebeln zu reinigen, Un=
geheuer zu bezwingen, und gewaltthätige Menschen zu be=
strafen. Und du — bist ein bloßer Wurzelkrämer und Quack=
salber, allenfalls geschickt, den Leuten Pflaster auf ihre Schä=
den zu legen: Großes und Mannhaftes hast du auch gar
nichts aufzuweisen.

2. Aesculap. Recht, ich habe dir ja die Brandflecken
ausheilen müssen, als du neulich vom Gift an deinem Ge=
wande und vom Feuer halbgebraten zu uns heraufkamst.
Und was das Mannhafte betrifft, so habe ich freilich noch
nie Knechtdienste gethan, habe nie in Lydien Wolle gekämmt,
mich nie in einen purpurnen Weiberrock gesteckt, habe nie
von dem goldenen Pantoffel der Omphale Schläge bekom=
men; auch war ich nie so rasend, Weib und Kinder um's
Leben zu bringen.

Hercules. Wenn du nicht gleich aufhörst zu schim=
pfen, so sollst du im Augenblick sehen, daß dir deine Unsterb=
lichkeit wenig helfen wird. Ich nehme dich, und schmeiße
dich kopfüber zum Himmel hinaus, und kein Päan *) soll im
Stande seyn, deinen zertrümmerten Schädel zu kuriren.

Jupiter. Ruhig, sage ich! verderbt uns nicht die Ge=
sellschaft, oder ich schicke euch Beide von der Tafel fort.
Uebrigens ist es billig, Hercules, daß Aesculap über dir sitzt:
er ist ja auch vor dir gestorben.

---

*) Ein Beiname des Apoll, als des Gottes der Heilkunde.

XIV. Hyacinth.

Merkur. Apoll.

1. **Merkur.** Warum so finster, Apoll?

Apoll. Ach, Merkur, ich bin so unglücklich in der Liebe.

Merkur. Das ist freilich betrübt. Wie bist du aber auf's neue unglücklich geworden: oder ist es noch die alte Geschichte mit der Daphne, die dich verstimmt?

Apoll. O nein, ich betraure meinen lakonischen Liebling, des Oebalus Sohn.

Merkur. Wie? Den Hyacinth? Ist er denn todt?

Apoll. Leider!

Merkur. Ist's möglich, Apoll? Wer konnte so fühllos für das Schöne seyn, den liebenswürdigen Jüngling zu tödten?

Apoll. Ach! es ist mein eigen Werk.

Merkur. Bist du rasend, Apoll?

Apoll. Das nicht: es war ein unseliges Geschick.

Merkur. Wie so? erzähle mir doch die Sache.

2. **Apoll.** Er lernte den Diskus *) werfen, und ich warf mit ihm. Zephyr, der verfluchteste aller Winde, war gleichfalls seit lange schon in den Knaben verliebt gewesen, und fand, da ihm Hyacinth kein Gehör schenkte, diese Verachtung unerträglich. Wie ich nun den Diskus auf die gewöhnliche Art in die Höhe werfe, fährt Zephyr vom Taygetus **) herab, und wirft den Diskus mit solcher Gewalt dem

---

*) S. Anacharsis 27.
**) Ein Berg in Lakonien.

Knaben auf den Kopf, daß das Blut sogleich stromweise aus der Wunde floß, und Hyacinth auf der Stelle den Geist aufgab. Eilends verfolgte ich den Zephyr bis auf das Gebirge und zahlte ihn mit meinen Pfeilen: dem Knaben aber errichtete ich, zu Amyclä an der Stelle, wo ihn der Diskus niederschlug, einen Grabhügel, und aus seinem Blute ließ ich die lieblichste und schönste aller Blumen sprossen, auf welcher ich mit Buchstaben die Klagetöne um den Verstorbenen bezeichnete *). Habe ich nun nicht Grund genug zu meiner Traurigkeit?

Merkur. Ich finde es nicht. Du wußtest ja, daß du einen Sterblichen zu deinem Liebling erkohren hast: wie kannst du es übel nehmen, daß er gestorben ist?

XV. Vulkan's Frauen.

Merkur. Apoll.

1. Merkur. Aber daß so ein lendenlahmer gemeiner Schmied, wie Vulcan ist, die zwei schönsten Weiber, die Venus und die Grazie, bekommen hat — was sagst du dazu, Apoll?

Apoll. Je nun, er hat Glück gehabt. Aber mehr noch wundert mich, wie sie Gefallen an seinem Umgange finden können, wenn er von Schweiß triefend und das Gesicht mit Ruß bedeckt sich über seinen Amboß bückt. Nichts destoweniger umarmen sie ihn, küssen ihn und schenken ihm alle Gunstbezeugungen.

*) Nämlich AI AI, die Laute der Wehklage.

Merkur. Eben das ist's, was auch mich verdrießt, und warum ich den Vulcan beneide. Prange du noch so sehr mit deinen üppigen Locken, Apoll, mit deinem Cither= spiel und deiner Schönheit, wie ich mit meinem schlanken und gewandten Körper und meiner Lyra — was hilft's, wenn es Schlafengehens Zeit ist, dürfen wir doch nur allein zu Bette.

2. Apoll. Ich bin überhaupt nicht glücklich in der Liebe. Von den beiden, die ich über Alles liebte, der Daphne und dem Hyacinth, war ich der Einen so zuwider, daß sie davon lief und lieber zu Holz werden, als mir sich hingeben wollte. Den Hyacinth aber brachte ich mit einem Diskuswurf um's Leben: und statt beider habe ich nun Lorbeer= und Blumen= Kränze.

Merkur. Ich hatte wohl einmal die Venus — doch ich will mich nicht rühmen.

Apoll. Ich weiß, sie soll dir den Hermaphroditus ge= boren haben. — Aber sage mir doch, wenn du kannst, wie es kommt, daß Venus und die Grazie nicht eifersüchtig über einander sind?

3. Merkur. Weil die letztere auf Lemnus mit ihm lebte, die Venus aber im Himmel. Uebrigens kümmert sich diese wenig um den Schmidt, sondern ist viel zu sehr mit ih= rem geliebten Mars beschäftigt.

Apoll. Glaubst du wohl, Vulkan wisse darum?

Merkur. Allerdings: allein was will er machen gegen einen so rüstigen jungen Soldaten? Er verhält sich ganz ruhig, droht aber ein künstliches Netz zu verfertigen, mit wel= chem er sie einmal, wenn sie beisammen sind, fangen wird.

Apoll. Ich weiß nichts davon, möchte übrigens selbst derjenige seyn, dem das Netz gilt.

XVI. Juno's Neid.

Juno. Latona.

1. **Juno.** Nun, das muß wahr seyn, du hast dem Jupiter recht schöne Kinder geboren, Latona.

Latona. Wir können freilich nicht alle solche gebären, wie dein Vulcan ist.

Juno. Der ist doch, so lahm er ist, zu etwas nütze; er ist ein großer Künstler, und hat uns den Himmel auf's geschmackvollste eingerichtet: ja er hat sogar die Venus zum Weibe bekommen, und wird von ihr werth gehalten. Aber was sind denn deine Kinder? Die Diana führt sich auf wie ein wilder Junge, und schwärmt auf allen Bergen herum, und wenn sie nach Scythien kommt, wo sie die Fremdlinge schlachten läßt, so weiß man schon, was sie schmaust: denn sie thut es in Allem den menschenfressenden Scythen nach. Apollo aber will sich das Ansehen geben, als ob er Alles wisse und könne, macht den Bogenschützen, den Citherspieler, den Dichter, den Arzt, und hat in Delphi, in Clarus und in Didymi Fabriken von Orakelsprüchen angelegt, womit er die Fragenden betrügt, indem er ihnen verschrobenes Zeug zur Antwort giebt, das sich deuten läßt, wie man will. Auf diese Art spielt er seinen Betrug ganz gefahrlos, wird reich dabei, und viele sind einfältig genug, sich für Narren halten zu lassen. Wiewohl, die Gescheidteren merken recht gut, daß es bloße Windbeutelei ist. Hat doch der große Prophet selbst nicht gewußt, daß er seinen Geliebten mit dem Diskus tödten, und nicht geahnt, daß Daphne vor ihm, dem schönen, lockigten Jüngling davon laufen werde. Ich sehe also gar nicht ein, warum du mit Kindern für gesegneter, als Niobe, gelten sollst.

2. **Latona.** O ich weiß nur zu gut, wie sehr dich's verdrießt, diese Menschenfresserin und diesen Lügenpropheten unter den Göttern sehen zu müssen, zumal wenn die Schönheit der Diana und Apollo's Citherspiel bei der Tafel das Lob und die Bewunderung aller Uebrigen einerndtet.

Juno. Ich muß lachen, Latona. Apoll ein Meister? Glaube mir, wenn damals die Musen gerecht hätten richten wollen, Marsyas hätte ihn weit überwunden, und ihm die Haut abgezogen, anstatt daß nun der arme Tropf, in Folge eines ungerechten Urtheilspruchs, die seinige hergeben mußte. Deine schöne Jungfrau aber muß wohl recht schön seyn, da sie, als sie von Actäon im Bade gesehen worden war, durch ihre Hunde ihn zerreißen ließ, aus Furcht, der Jüngling möchte ihre Häßlichkeit ausplaudern. Davon will ich gar nichts sagen, daß sie sich schwerlich zu Hebammendiensten hergeben würde, wenn sie selbst noch Jungfrau wäre.

Latona. Du hast einen gewaltigen Hochmuth, weil du Jupiter's Gemahlin und Mitregentin bist, und glaubst, dir deßwegen alle Beleidigungen erlauben zu dürfen. Aber ich werde dich bald genug wieder in Thränen sehen, wenn er dich einmal wieder sitzen läßt, um auf der Erde zum Stier oder Schwan zu werden.

XVII. Das Netz des Vulcan.

Apoll. Merkur.

1. **Apoll.** Warum lachst du, Merkur?

Merkur. Ich habe etwas gesehen, Apoll, das zum Todlachen ist.

Apoll. Nun was denn? Ich möchte gerne mitlachen.

Merkur. Mars liegt bei der Venus und kann nicht los, weil Vulcan beide künstlich gefangen hält.

Apoll. Wie macht er das? Das muß eine lustige Geschichte seyn.

Merkur. Seit geraumer Zeit hatte Vulcan, wie mir scheint, etwas gemerkt und daher getrachtet, sie zu ertappen. Er legte also ein unsichtbares Netz um das Bettgestelle, ging hierauf in seine Werkstätte und arbeitete. Gleich darauf kommt Mars recht heimlich, wie er meinte, herangeschlichen; Helios aber bemerkt ihn und giebt sogleich dem Vulcan davon Nachricht. Inzwischen besteigen jene beiden das Bette und gerathen in das Netz, dessen Fäden sich sogleich über ihnen zusammenziehen. In diesem Augenblicke tritt Vulcan herein. Venus wußte gar nicht, wie sie sich verhüllen sollte, und vergieng fast vor Schaam: Mars suchte anfänglich zu entkommen, und glaubte, die Fäden zerreißen zu können; da er sich aber bald überzeugte, daß nichts zu machen wäre, legte er sich auf's Bitten.

2. **Apoll.** Und nun? Vulcan ließ sie los?

Merkur. Weit gefehlt! Alle Götter ruft er zusammen und zeigt ihnen den Scandal. Da liegen nun die beiden Gefangenen, von Schamröthe übergoffen, im Stande der lieben Natur, und wagen nicht, die Augen aufzuschlagen — das ergötzlichste Schauspiel, das nur gedacht werden kann!

Apoll. Und der Grobschmidt schämte sich nicht, seine eigene Hahnreyschaft zur Schau zu stellen?

Merkur. Bewahre, der steht dabei, und lacht sich die Haut voll. Ich aber, um die Wahrheit zu gestehen, beneide den Mars auch sogar um seine Gefangenschaft.

Apoll. Du möchtest dich wohl selbst um diesen Preis fesseln lassen?

Merkur. Und du nicht auch, Apoll? So komm nur und siehe selbst: du sollst mir ein großer Weiser seyn, wenn du dir nicht ein gleiches Schicksal wünschest.

XVIII. Bacchus.

Juno. Jupiter.

1. Juno. Ich würde mich schämen, Jupiter, wenn ich einen so weibischen, von Trunkenheit entnervten Sohn hätte, wie dein Bacchus ist. Die Haare mit einer weibermäßigen Kopfbinde umwunden, treibt er sich unter rasenden Dirnen, üppiger als sie selbst, herum, tanzt unter dem Schalle der Trommeln, Pfeiffen und Cymbeln, und ist in allen Stücken jedem Andern ähnlicher als dir, seinem Vater.

Jupiter. Und doch, Juno, ist es derselbe üppige Weichling, mit seinem weibischen Kopfschmuck, der nicht nur Lydien erobert, die Anwohner des Tmolus bezwungen, und

die Thracier in seine Gewalt gebracht hat, sondern mit diesem Weiberheere bis Indien vordrang, wo er die Elephanten
bändigte, das ganze Land einnahm, und den König, der einen kleinen Versuch des Widerstandes wagte, gefangen davon führte, und das Alles tanzend und springend, trunken,
wie du sagst, und schwärmend, und den epheuumkränzten
Thyrsusstab in der Hand. Und wo sich einer unterstand, ihn
zu lästern und seine Weihen zu schmähen, den ließ er zur
Strafe mit Weinranken fesseln, oder, wie den Pentheus,
von seiner eigenen Mutter für ein Hirschkalb angesehen und
zerrissen werden. Sind das nicht mannhafte Thaten, mit
welchen er seinem Vater keine Schande macht? Mag auch
Scherz und üppiger Muthwillen mit unterlaufen: verdenke
ihm das nicht, und schließe aus diesen Thaten des Trunke-
nen, was er nüchtern seyn müßte.   .

    2. Juno. Ich glaube gar, du willst noch seine Er-
findung der Rebe und des Weins ihm zum Verdienste machen, ungeachtet du siehst, welche Thorheiten die Betrunkenen in ihrem Taumel begehen, und wie dieser Trank sie zu
Freveln aller Art, ja zur Raserei hinreißt. Haben nicht
den Icarius, den Ersten, der von ihm eine Weinrebe geschenkt
erhalten hatte, seine eigenen Trinkgenossen mit Karsten todt
geschlagen?

    Jupiter. Das will gar nichts sagen: daran ist weder
Bacchus noch der Wein Schuld, sondern das, daß die Leute
ihn unvermischt und in ungebührlicher Menge in sich hinein
gießen. Wer ihn mit Maß trinkt, wird nur desto liebens=
würdiger und aufgeweckter, und es wird ihm nicht einfallen,
sich an einem seiner Mittrinker so wie jene an Icarius zu

vergreifen. — Aber ich sehe schon, Juno, der Gedanke an Semele läßt deiner Eifersucht keine Ruhe: darum suchst du auch
das rühmlichste Verdienst des Bacchus gehässig zu machen.

XIX. Warum Amor einige Göttinnen verschont.

Venus. Amor.

1. **Venus.** Wie kommt es doch, Amor, daß du über
alle übrigen Götter, über Jupitern, Neptun, Apoll, die
Rhea, und mich selbst, deine leibliche Mutter, Meister geworden bist, und nur der Minerva nichts anhaben willst, und
daß nur für die se deine Fackel keine Zündkraft, dein Köcher keine Pfeile hat?

Amor. Ich fürchte mich vor ihr, liebe Mutter; sie hat
einen schrecklich rollenden Blick und ein so strenges mannhaftes Aussehen. Wenn ich auch mit gespanntem Bogen mich
ihr nähere, so schüttelt sie ihren Helmbusch und bringt mich
so außer Fassung, daß ich zittere, und die Pfeile mir aus
den Händen gleiten.

Venus. Ist denn Mars nicht noch furchtbarer? und
dennoch hast du ihn entwaffnet und überwunden.

Amor. O, der läßt mich recht gerne herankommen,
und ruft mich wohl selbst. Minerva aber sieht mich immer
so mißtrauisch an, und als ich einmal von ungefähr an ihr
vorbeiflog, und ihr mit der Fackel etwas zu nahe kam, so
fuhr sie auf und sagte: bleibe mir vom Leibe, oder, bei mei-

nem Vater, ich spieße dich mit dieser Lanze durch und durch,
oder fasse dich bei einem Beine und schleudre dich in den
Tartarus, oder reiße dich mit eigenen Händen in Stücken.
Solche Drohungen stieß sie noch viele aus. Auch macht sie
ein grimmiges Gesicht, und trägt auf der Brust eine gräuliche Fratze mit Schlangenhaaren, welche mir immer den größten Schreck einjagt, so daß ich mich flüchten muß, sobald ich
sie nur ansichtig werde.

2. Venus. Die Minerva und ihren Medusenkopf fürchtest du also, wiewohl dir selbst der Donnerkeil Jupiters nicht
bange machte. Warum bleiben aber die Musen von dir un-
verletzt und ausser dem Bereich deiner Geschoße? Die haben
doch wohl keine Helmbüsche zu schütteln und keine Gorgonen
zu zeigen?

Amor. Vor diesen habe ich zu viele Achtung, Mutter: sie haben ein so ehrwürdiges Aussehen, und sind immer
in Nachsinnen vertieft, oder mit Liedern beschäftigt. Oft
bleibe ich bei ihnen stehen, ganz bezaubert von ihrem Gesange.

Venus. So laß sie immerhin in Ruhe, weil sie doch
so ehrwürdig sind. Aber auch die Diana triffst du nicht; warum das?

Amor. Weil ihr überhaupt gar nicht beizukommen ist,
da sie jedesmal in ihre Berge entflieht. Und dann hat sie
ja schon ihre eigene Liebhaberei.

Venus. Und diese wäre?

Amor. Die Jagd, ihre Hirsche und Rehe, denen sie
beständig nachläuft, um sie zu fangen oder zu erlegen: in
solchen Dingen lebt sie ganz und gar. Ihren Bruder übri-

gens, der doch auch ein Bogenschütze, und zumal ein recht ferntreffender ist, habe ich —

Venus. Ich weiß, ich weiß, mein Söhnchen, den hast du wohl oft genug getroffen.

XX. Das Urtheil des Paris.

Jupiter. Merkur. Juno. Minerva. Venus. Paris (auch Alexander genannt).

1. Jupiter. Merkur! Nimm diesen Apfel da, und begieb dich damit nach Phrygien zu Paris, dem Sohne des Priamus, der gegenwärtig auf dem Idagebirge, und zwar auf dem Gargarus, die Rinder weidet, und sage ihm: da er selbst schön wäre und in Liebesangelegenheiten wohl Bescheid wisse, so lasse ihm Jupiter den Befehl zugehen, zu entscheiden, welche von diesen drei Göttinnen die schönste sey: der Siegerin in diesem Streite hätte er sodann als Preis diesen Apfel zu ertheilen. — Nun habt ihr drei euch gleichfalls zu diesem Schiedsrichter zu verfügen. Denn ich begebe mich in dieser Sache meines Urtheils, da ihr mir gleich lieb seyd, und ich, wenn es möglich wäre, am liebsten euch alle drei siegen sähe: zumal da es unvermeidlich wäre, wenn ich einer Einzigen den Preis der Schönheit ertheilte, daß ich mich nicht bei den Andern für immer verfeindete. Aus diesen Gründen tauge ich für euch nicht zum Schiedsrichter. Der junge Phrygier hingegen, zu welchem ihr zu gehen im Begriffe seyd, ist königlichen Geblütes und ein naher Verwand=

ter unseres Ganymedes, im Uebrigen ein schlichter Bergsohn, den wohl Niemand einer solchen Schau für unwürdig halten wird.

2. **Venus.** Was mich betrifft, Jupiter, so darfst du auch den Momus zum Richter zwischen uns bestellen: ich würde mich keck seiner Prüfung unterwerfen. Denn was wollte er an mir auszusetzen finden? Diese beiden aber müssen sich jenen Menschen auch gefallen lassen.

Juno. Auch wir fürchten uns keineswegs, meine Venus, und sollte selbst dein Mars mit der Entscheidung beauftragt werden. Wer also dieser Paris seyn mag, wir nehmen ihn gerne an.

Jupiter [zu Minerva]. Und du, meine Tochter, bist du's auch zufrieden? Sagst du nichts? Ha, du wirst roth und wendest dich weg. Das ist nun schon so bei euch Jungfrauen, daß ihr über dergleichen Dinge roth werdet: doch verräth dein Nicken, daß du zustimmst. So geht denn; aber daß ihr mir ja nicht über euren Richter erbost werdet, und dem armen Jungen was zu Leide thut! Es können ja doch nicht alle drei gleich schön seyn.

3. **Merkur.** Wir gehen nun gerades Weges nach Phrygien: ich gehe voran und ihr folgt mir raschen Schrittes. Habt guten Muth: ich kenne den Paris, er ist ein schöner liebeskundiger Jüngling, der sich für Entscheidungen dieser Art vortrefflich eignet. Er wird gewiß keinen ungeschickten Ausspruch thun.

Venus. Das ist ja vortrefflich: denn wenn er gerecht ist, so kann es nur zu meinem Vortheil seyn. Aber sage mir, hat er bereits eine Gattin, oder ist er unvermählt?

Merkur. Nicht so ganz, Venus.

Venus. Wie so?

Merkur. Eine Idäerin lebt, glaube ich, mit ihm, eine nicht eben häßliche, aber plumpe und derbe Dirne aus dem Gebirge. Er scheint ihr übrigens wenige Aufmerksamkeit zu schenken. — Warum fragst du mich aber das?

Venus. Je nun, ich habe nur so gefragt.

4. Minerva. Du handelst gegen deine Instruktion, Merkur, wenn du dich mit der da in ein besonderes Gespräch einlässest.

Merkur. Es ist nichts von Bedeutung, Minerva. Wir sprachen gar nicht über euch. Sie fragte mich blos, ob Paris noch unvermählt wäre.

Minerva. Warum will sie das wissen, die Vorwitzige?

Merkur. Was weiß ich? Sie spricht, es wäre ihr nur so zufällig eingefallen, darnach zu fragen.

Minerva. Und was sagtest du? Ist er es wirklich noch?

Merkur. Ich glaube nicht.

Minerva. Aber hat er Neigung zu kriegerischen Dingen? Liebt er den Ruhm? Oder ist er nichts als ein bloser Kuhhirt?

Merkur. Ich kann in der That nichts Bestimmtes hierüber angeben: doch läßt sich vermuthen, er werde, da er noch jung ist, auch nicht ohne Neigung für diese Dinge seyn, und in Schlachten allerdings sich auszuzeichnen wünschen.

Venus. Siehst du nun, Merkur? Ich mache dir keinen Vorwurf darüber, daß du mit dieser hier ein Nebengespräch führest: so mißtrauisch und tadelsüchtig ist Venus nicht.

5. **Merkur.** - Sie fragte mich beinahe das Nämliche: nimm es also nicht übel, und glaube nicht, im Nachtheile zu seyn, wenn ich auch ihr ganz einfach sagte, was ich wußte. — Aber indem wir so reden, sind wir bereits weit vorangekommen, und haben die Sterne schon hoch über uns. Was hier vor uns liegt, ist Phrygien: schon sehe ich ja den Ida und den Gargarus ganz deutlich, und wirklich, wenn mich nicht Alles trügt, auch sogar euren Schiedsrichter Paris auf demselben.

Juno. Wo denn? ich sehe noch nichts.

Merkur. Hier, Juno, links, nicht dort auf der Spitze des Berges, sondern an dem Abhange, wo du die Höhle und die Heerde siehest.

Juno. Ich sehe aber keine Heerde.

Merkur. Wie? siehest du denn die winzigen Kühe nicht hierunten, kaum halb Fingerslang, die dort aus den Felsen hervorkommen, und dort Einen mit einem Stecken in der Hand, der von der Felshöhe herabläuft, und sie zurücktreibt, damit die Heerde sich nicht verlaufe?

Juno. Jetzt sehe ich ihn: der ist's also?

Merkur. Er ist's. — Weil wir nun der Erde ganz nahe sind, so wollen wir uns, wenn es euch gefällt, hier niederlassen, und uns ihm zu Fuße nähern; es würde ihn zu sehr bestürzen, wenn wir so plötzlich auf ihn herabgeflogen kämen.

Juno. Du hast Recht: machen wir es so. — Da wir nun zur Erde sind, so ist es an dir, Venus, voranzugehen und uns den Weg zu weisen. Du mußt ja wohl dieser Gegend ganz kundig seyn, da du, wie verlautet, gar oft, den Anchises zu besuchen, hier gewesen bist.

Venus. Mit solchen Neckereien bringst du mich nicht auf, Juno!

6. **Merkur.** Ich werde euch den Weg schon zeigen: ich war ja auch oft und viel auf dem Ida, als Jupiter in den phrygischen Knaben *) verliebt war: damals schickte er mich einmal um das andere hieher, um nach dem Jungen zu sehen. Und als er sich in den Adler verwandelte, flog ich neben ihm her, und half ihm seinen Liebling tragen. Und wenn ich mich recht erinnere, so war es gerade dieser Fels, von welchem er ihn entführte. Der Knabe saß eben bei seiner Heerde, und blies auf der Hirtenflote, als Jupiter hinter ihm herabgeflogen kam, so sanft als möglich die Krallen um ihn schlug, die Kopfbedeckung desselben mit dem Schnabel faßte, und so den bestürzten Knaben in die Lüfte führte, der mit zurückgebogenem Nacken angstvoll zu ihm emporblickte. Ich hob inzwischen die Flöte auf, die er vor Schrecken hatte fallen lassen. — — Aber jetzt sind wir unserem Schiedsrichter so nahe, daß wir ihn anreden wollen. Guten Tag, Kuhhirt!

7. **Paris.** Dir auch so viel, junger Mann. Was bringt dich zu mir hieher? Und was hast du da für Weiber bei dir? Sie sehen keinen Gebirgsbewohnerinnen gleich, dazu sind sie zu schön.

Merkur. Es sind keine Weiber, mein guter Paris. Die Juno, die Minerva, die Venus siehst du hier vor dir, und mich den Merkur, den Jupiter gesandt hat, dir zu sa=

---

*) Ganymed.

gen — aber was ist dir? Du zitterst ja und wirst bleich. Fürchte dich nicht: es ist nichts Schlimmes. Jupiter trägt dir auf, zu entscheiden, welche von diesen dreien die schönste sey. Da du selbst schön wärest, und in Liebesangelegenheiten Bescheid wüßtest, so wolle er deiner Einsicht diesen Ausspruch überlassen. Was der Preis dieses Kampfes ist, wirst du auf diesem Apfel lesen.

Paris. Laß doch sehen; hier steht: die Schönste soll ihn haben. — Wie sollte aber ich, erhabener Merkur, ein Sterblicher und noch dazu ein bloser Landmann, über Schönheiten richten können, deren wundervoller Anblick für einen armen Kuhhirten viel zu erhaben ist! Dergleichen zu beurtheilen möchte noch eher ein feiner Städter vermögen. Fragte sich's von Ziegen oder Kühen, welche die schönste sey, so wußte ich das ganz kunstmäßig zu entscheiden. Aber diese drei sind alle gleich schön, und ich weiß nicht, wie es Einer machen soll, um die Augen von der Einen auf die Andere zu wenden: man bringt sie gar nicht von der Stelle, und auf was sie sich gleich anfänglich hefteten, daran bleiben sie hängen, und das dunkt ihnen das Schönste. Fällt aber der Blick auf einen andern Punkt, so vertieft er sich in Betrachtung des neuen Schönen, bis ihn wieder der Reiz des nächsten eben so mächtig ergreift. Mit Einem Worte, ich fühle mich von dem Zauber dieser Schönheit so ganz und gar umflossen und umfangen, daß ich es beklage, nicht, wie Argus, nur Ein Auge zu seyn. Ich denke am besten zu richten, wenn ich den Apfel allen dreien gebe. Zudem trifft es sich ja, daß die Eine Jupiter's Schwester und Gemahlin, und jede der

4 *

beiden Andern seine Tochter ist. Wie sollte nicht schon des=
wegen die Wahl höchst schwierig seyn?

Merkur. Dem sey wie ihm wolle: es geht nun ein=
mal nicht an, daß du dich einem Befehle Jupiter's entziehest.

8. Paris. So bitte ich dich nur um das Einzige,
Merkur: rede ihnen zu, daß die Beiden, die verlieren werden,
mir deswegen nicht zürnen, sondern die Schuld der Blödig=
keit meines Blickes zuschreiben möchten.

Merkur. Das versprechen sie dir. So beginne nun
deine Prüfung.

Paris. Was kann ich machen? Ich will's versuchen.
Vorerst aber möchte ich wissen, ob es genügt, sie zu betrach=
ten, wie sie da sind, oder ob es Behufs genauerer Untersu=
chung nöthig seyn wird, daß sie sich entkleiden?

Merkur. Das kommt blos auf dich, den Richter, an:
du hast zu erklären, wie du es haben willst.

Paris. Wie ich es haben will? Nun ich will haben,
sie sollen nackt erscheinen.

Merkur. So entkleidet euch denn! Und du magst
zusehen, ich aber entferne mich.

9. Venus. Schön von dir, Paris! Ich will mich
nun gleich zuerst entkleiden, daß du sehen sollst, wie nicht
blos ein Paar weiße Arme oder große Augen *) mein
ganzer Stolz sind, sondern daß ich überall gleich schön bin.

Minerva. Sie soll sich nicht eher entkleiden, Paris,
bevor sie ihren Gürtel abgelegt hat, womit dich die Zauberin

*) Anspielung auf die Beiwörter der Juno bei Homer: weiß=
armig und farrenäugig.

beheren könnte. Ueberhaupt sollte man ihr gar nicht erlauben, mit angenommenen Reizen und aufgelegter Hautfarbe, wie eine ächte Buhlerin, zu erscheinen, statt ihre Schönheit einfach und natürlich zu geben, wie sie ist.

Paris. Sie haben Recht, was den Gürtel betrifft: lege ihn ab.

Venus. Und warum nimmst denn du nicht auch deinen Helm ab, Minerva, und zeigst dich in bloßem Kopfe? Willst du etwa mit dem Schütteln deines Busches den Richter einschüchtern? *) Oder fürchtest du, die Häßlichkeit deiner Eulenaugen möchte an den Tag kommen, wenn das Furchtbare, welches ihnen der Helm giebt, fehlt? **)

Minerva. Hier liegt mein Helm.

Venus. Hier auch mein Gürtel.

Juno. Entkleiden wir uns! — —

10. Paris. O wunderthätiger Jupiter! Welch ein herrlicher köstlicher Anblick! Was das eine Jungfrau ist? — Und diese da, welche königliche Erscheinung, welcher Glanz der Majestät strahlt von ihr aus, wie so ganz des Jupiter's würdig! — Und die dritte, ach! wie die so süß blickt! wie reizend, wie hinreißend sie lächelt! — Doch — zu viel der Wonne auf einmal. Ich will, wenn es euch gefällt, jede abgesondert von den übrigen betrachten; denn wie ihr jetzt vor mir steht, komme ich zu keinem Urtheil: ich weiß gar nicht, wo ich zuerst hinsehen soll, so sehr werden meine Blicke von allen Seiten angezogen.

*) S. oben XIX. 1.
**) S. oben VIII, 2.

Venus. Wie du willst.

Paris. So entfernt euch, ihr beiden: und du, Juno, bleibe hier.

Juno. Ich bleibe; und wenn du mich genau betrachtet hast, so überlege dann auch, ob dir das Geschenk gefällt, das du erhalten sollst, wenn du dich für mich entscheidest. Denn höre, lieber Paris: erklärst du, daß ich die schönste sey, so sollst du Herr von ganz Asien seyn.

11. Paris. Von Geschenken ist mein Entschluß nicht abhängig. Trete nun ab: es wird geschehen, was ich für recht halten werde. — Komm nun du herbei, Minerva.

Minerva. Hier bin ich. Sage, ich sey die schönste, guter Paris, und du sollst siegreich aus jedem Kampf gehen: zu einem unüberwindlichen Kriegshelden will ich dich machen.

Paris. O ich brauche Krieg und Kampf gar nicht, Minerva. Siehst du, es ruht ja tiefer Friede auf Phrygien und Lydien, und meines Vaters Herrschaft ist von keinem Kriege bedroht. Sorge nicht; du wirst nicht übervortheilt werden, auch wenn ich nicht nach Geschenken entscheide. — Ziehe dich nur immer wieder an, und setze deinen Helm auf: ich habe dich hinlänglich betrachtet. Nun soll Venus erscheinen.

12. Venus. Die ist schon da. Betrachte mich nun von oben bis unten recht genau, übergehe nichts, sondern verweile auf jedem einzelnen Theile besonders. Wenn du aber willst, schöner Jüngling, so höre, was ich dir sagen will. Längst schon bemerkte ich dich: du bist jung und schön, so schön, wie keiner in ganz Phrygien, und ich preise dich glücklich deswegen; aber das kann ich nicht loben, daß du

diese öden Felsen nicht verläſſeſt, um in der Stadt zu leben,
sondern die Blüthen deiner Schönheit dieser Wildniß opfern
willſt. Welche Freuden haſt du denn auf den Bergen hier?
Was haben diese Rinder von deinen Reizen? Du ſollteſt
längſt vermählt ſeyn, aber freilich nicht mit einer plumpen
Dorfdirne, wie eure Mädchen auf dem Ida ſind, ſondern mit
einer Griechin aus Argos, Corinth oder Sparta, zum Bei=
ſpiel mit einer Helena; diese iſt jung, ſchön, in Allem, wie
ich ſelbſt, und, was die Hauptſache iſt, ſehr verliebt. Ich
bin gewiß, sie wird ſich, wenn sie dich nur ſieht, in deine
Arme werfen und Alles im Stiche laſſen, um dir zu folgen
und mit dir zu leben. Gewiß haſt du schon von ihr gehört.

Paris. Noch nichts, Venus. Aber es machte mir
Vergnügen, Alles zu hören, was du von ihr weißt.

13. Venus. Sie iſt die Tochter der berühmten ſchö=
nen Leda, die Jupiter einſt in der Geſtalt eines Schwans
besuchte.

Paris. Und ihr Ausſehen?

Venus. Sie iſt so weiß, wie nur die Tochter eines
Schwans, und so zart, wie nur ein Mädchen ſeyn kann, das
einem Ey entſchlüpfte, eine gewandte, gymnaſtiſche Sparta=
nerin, um die man ſich so gewaltig riß, daß, da sie von The=
ſeus beinahe noch als Kind entführt worden war, ein bluti=
ger Krieg um ihretwillen entſtand. Kaum aber hatte sie
die jungfräuliche Blüthe erreicht, als alle die edelſten Für=
ſten der Achäer, um sie zu freien, ſich einfanden. Der Pelo=
pide Menelaus erhielt den Vorzug; wenn du aber willſt, so
will ich machen, daß sie dein Weib wird.

Paris. Wie? Sie, die bereits das Weib eines Andern ist?

Venus. Guter Junge, du bist auf dem Lande aufgewachsen: ich weiß am besten, wie das zu machen ist.

Paris. Nun das möchte ich denn doch wohl wissen.

14. **Venus.** Du hast vor der Hand nichts zu thun, als eine Reise nach Griechenland zu machen; du kommst, unter dem Vorwande, dieses Land zu sehen, auch nach Lacedämon, und dort bekommt dich Helena zu Gesichte; nun laß es meine Sache seyn, dafür zu sorgen, daß sie sich in dich verliebe und mit dir ziehe.

Paris. Das ist es eben, was ich noch nicht recht glauben kann, daß sie Lust bekommen sollte, ihren Mann zu verlassen, und mit einem wildfremden Menschen sich einzuschiffen.

Venus. Laß dich das nicht anfechten. Ich habe zwei gar hübsche Söhnchen, Himeros und Amor; die werde ich dir zu Begleitern auf deiner Reise mitgeben. Amor soll ganz in sie übergehen, und sie zum Lieben zwingen. Himeros, der Liebreiz, aber wird sich um dich ergießen, und dich, was er selbst ist, reizend und liebenswürdig machen. Ich werde selbst um euch seyn, und auch die Gratien bitten, uns zu begleiten: und so werden wir vereint doch wohl die Helena gewinnen.

Paris. Wie dieß ablaufen wird, ist wohl so entschieden noch nicht: dennoch bin ich in diese Helena schon ganz verliebt, und es ist mir, als ob ich sie bereits vor mir sähe. Ich segle in Gedanken stracks nach Griechenland, komme nach Sparta, kehre zurück mit dem schönsten Weibe, und das einzige, was mich verdrießt, ist — daß ich das Alles nicht schon wirklich thue.

15. **Venus.** Geduld, Paris, liebe sie nicht eher, bis du mir, der Freiwerberin, welche dir deine Braut zuführen soll, mit deinem günstigen Ausspruche gelohnt hast. Wie schön, wenn ich meines Sieges froh mit euch zöge, und wir dann gemeinschaftlich dein Hochzeit = und mein Siegesfest feierten! Es steht nun in deiner Wahl, Liebesglück, Schönheit und Hochzeitfreude mit diesem Apfel zu erkaufen.

Paris. Ich fürchte nur, wenn ich mein Urtheil gefällt habe, wirst du nachher meiner nicht mehr gedenken.

Venus. Soll ich schwören?

Paris. Das nicht: aber versprich es mir noch einmal.

Venus. So verspreche ich dir denn, daß ich dir die Helena zur Frau geben will, und daß sie dir folgen und mit dir zu den Deinigen nach Ilium kommen soll: ich will selbst gegenwärtig und dir zu Allem behülflich seyn.

Paris. Auch den Amor, den Himeros und die Gratien wirst du mitbringen?

Venus. Verlasse dich drauf, und den Pathos *) und Hymenäus obendrein.

Paris. Nun also, auf diese Bedingungen — hier ist der Apfel.

---

*) Das sinnliche Verlangen.

XXI. Eine Prahlerei Jupiter's.

Mars. Merkur.

1. **Mars.** Haſt du gehört, Merkur, was uns Jupiter
gedroht hat? Wahrlich, es war eben ſo übermuthig, als ungereimt. Wenn es mir einfällt, ſagte er, laſſe ich eine Kette vom
Himmel hinab, und ihr ſollt euch Alle daran hängen, und
mich mit aller Gewalt hinabzuziehen ſuchen: dennoch werdet
ihr euch vergeblich abarbeiten, ihr bringt mich nicht hinunter.
Ich hingegen, wenn ich aufwärts ziehen will, ziehe nicht nur
euch, ſondern die Erde und das Meer ſammt und ſonders
hoch in die Lüfte — und was dergleichen mehr war, wie du
ſelbſt gehört haben wirſt. Ich will nun nicht in Abrede ziehen, daß Jupiter ſtärker und mächtiger iſt, als jeder Einzelne
von uns. Aber daß wir Alle insgeſammt ihm ſo ſehr nach=
ſtehen ſollten, daß wir ihn mit unſerem Gewicht nicht nie-
derziehen könnten, auch wenn wir noch Erde und Meer dazu
nähmen, das ſoll er mir nicht weiß machen wollen.

2. **Merkur.** So ſey doch um's Himmels willen ſtill,
Mars. Wie unbeſonnen, ſolche Reden zu führen! Dein
Geſchwätz könnte uns theuer zu ſtehen kommen.

Mars. Glaubſt du denn, ich werde ſo etwas zu Allen
ſagen, und nicht blos zu dir allein, von dem ich wohl weiß,
daß er reinen Mund halten wird? Was mir aber am lächer=
lichſten vorkam, als ich ihn ſo prahlen hörte, kann ich dir
unmöglich verſchweigen. Es fiel mir ein, wie noch ganz neu=
lich Neptun, Juno und Minerva ſich wider ihn erhoben, und
einen Anſchlag machten, ihn zu ergreifen und zu binden, wie

er sich da verfärbte vor Angst, wiewohl nur ihrer drei gegen ihn waren. Und hätte damals die Thetis nicht aus Mitleid den hunderthändigen Briareus zu Hülfe gerufen, er wäre wirklich sammt seinem Blitz und Donner gebunden worden. Indem ich nun an jenen Auftritt dachte, kam mir das Lachen an, wie er jetzt den Mund so voll nahm.

Merkur. Schweig doch. Es ist für mich eben so gefährlich, solche Dinge anzuhören, als für dich, sie zu sagen.

XXII. Die Vaterschaft.

Pan. Merkur.

1. Pan. Guten Tag, Vater Merkur.

Merkur. Guten Tag: aber wie komme ich dazu, dein Vater zu heißen?

Pan. Bist du denn nicht Merkur von Cyllene? *)

Merkur. Das allerdings: aber wie kommt's, daß du mein Sohn bist?

Pan. So ein Nebensprößling bin ich, ein Kind der Liebe.

Merkur. Doch nicht von mir? Zum Jupiter: ein Bock und eine Ziege mögen deine Eltern seyn. Du hast ja Hörner, eine krumme Nase, einen Zottelbart, gespaltene Bocks= füße und einen Schwanz unter dem Rücken.

Pan. Je mehr du dich über deinen Sohn lustig machst, desto weniger Ehre machst du dir selbst, dem Erzeuger solcher Schönheiten. Ich bin unschuldig an meiner Gestalt.

---

*) Einem Berge Arcadiens, wo Merkur geboren war.

Merkur. Und wen giebst du denn für deine Mutter
aus? Ich habe doch wohl nicht, ohne es zu wissen, einmal
mit einer Ziege zu thun gehabt.

Pan. Das nicht, aber besinne dich doch: hast du nicht
einmal in Arcadien einem Mädchen von guter Herkunft Gewalt angethan? Was nagst du so am Finger, als ob du dich
nicht zu erinnern wüßtest? Ich meine die Tochter des Ica=
rius, die Penelope.

Merkur. Was kam sie denn aber an, einen Sohn zu
gebären, der anstatt mir, einem Ziegenbocke gleich sieht?

2. Pan. Ich will dir sagen, was ich von ihr selbst
weiß. Als sie mich nach Arcadien schickte, sprach sie zu mir:
Mein Sohn, ich, deine Mutter, bin die Spartanerin Pene=
lope; wisse aber, daß du einen Gott zum Vater hast, den
Merkur, Jupiter's und der Maja Sohn. Daß du gehörnt
und bocksfüßig bist, darüber betrübe dich nicht. Dein Vater
besuchte mich in Bocksgestalt, um nicht entdeckt zu werden:
daher deine Aehnlichkeit mit derselben.

Merkur. In der That, ich erinnere mich wieder, so
etwas einmal gethan zu haben. Aber nun soll ich, der ich
mir immer auf meine Wohlgestalt etwas zu Gute gethan,
und noch immer ein glattes Kinn habe, nun soll ich mich dei=
nen Vater heißen und von aller Welt meiner schönen Zucht
wegen auslachen lassen?

3. Pan. Dennoch mache ich dir keine Schande, Vater.
Ich bin ein Tonkünstler, und blase auf der Hirtenflöte gar
lieblich. Bacchus, der ohne mich nichts vornehmen kann, hat
mich zu seinem steten Gefährten und Anführer seines schwär=
menden Gefolges gemacht. Und wenn du meine Heerden se=

hen wolltest, die ich bei Tegea und um den Parthenius habe,
du würdest gewiß eine große Freude haben. Ich bin Herr
von ganz Arcadien, und erst neulich zog ich den Athenern zu
Hülfe, und hielt mich bei Marathon so brav, daß man mir
zum Preis meiner Tapferkeit die Höhle unter der Burg als
Eigenthum zusprach. Wenn du einmal nach Athen kommst,
so wirst du bald hören, wie viel dort der Name Pan gilt.

4. Merkur. Nun also, Pan — wenn dieß, wie ich
glaube, dein Name ist — bist du auch schon verheurathet?

Pan. O nein, mein Vater! Ich bin viel zu verliebt,
als daß ich mich mit Einer begnügen könnte.

Merkur. Ha, ich merke, die Ziegen sind deine Gesell=
schafterinnen.

Pan. Du spaßest: nein, ich habe es mit der Echo, der
Pitys, und sämmtlichen Mänaden des Bacchus zu thun, und
in der That, sie sind mir sehr eifrig zugethan.

Merkur. Weißt du nun, mein Sohn, was meine erste
Bitte an dich ist, mit deren Erfüllung du mir einen großen
Gefallen thun kannst?

Pan. Befiehl immerhin, mein Vater: wir wollen se=
hen, was möglich ist.

Merkur. Komm' her und umarme mich. Aber um
das bitte ich: vermeide es, mich Vater zu nennen, wenn es
Jemand hören könnte.

XXXIII. Die Söhne der Venus.

Apoll. Bacchus.

1. **Apoll.** Wer sollte glauben, Bacchus, daß Amor, Hermaphrodit und Priap Söhne einer und derselben Mutter wären, da sie doch nach Ansehen und Neigungen so himmelweit von einander unterschieden sind? Der erste ist vollendet schön, ein trefflicher Bogenschütz, und mit einer Macht bekleidet, mit welcher er Herrscher über Alles ist. Hermaphrodit ist ein weibischer Halbmann von so unentschiedenen Formen und Zügen, daß man wirklich seiner Sache nicht gewiß ist, ob man einen Jüngling oder ein Mädchen vor sich hat. Priap's Mannheit hingegen streift noch über die Gränzen des Anständigen.

Bacchus. Laß dich das nicht wundern, Apoll. Venus hat hieran keine Schuld, sondern die Väter waren zu sehr verschieden. Ist es ja doch nicht eben selten, daß eben dieselbe Mutter von Einem Vater mit zwei Kindern verschiedenen Geschlechtes zugleich niederkommt, wie es bei dir und Dianen der Fall war.

Apoll. Sehr wahr: allein wir beide sehen uns doch gleich, und haben gleiche Neigungen: wir sind beide Bogenschützen.

Bacchus. Darin trefft ihr allerdings zusammen, Apoll. Aber das ist doch wohl eine Verschiedenheit, daß Diana bei den Scythen die Fremdlinge schlachtet, du hingegen Kranke heilest und Orakel ertheilest.

Apoll. Glaubst du denn, daß meine Schwester eine so große Freude an den Scythen habe? Im Gegentheil, jenes

Metzeln ist ihr ein solcher Gräuel, daß sie entschlossen ist, mit dem ersten Griechen, der nach Taurien kommen wird, sich einzuschiffen.

2. Bacchus. Daran wird sie wohl thun. Um aber wieder auf Priap zu kommen — von dem muß ich dir doch etwas Lustiges erzählen. Kurzlich kam ich nach Lampsacus, und wollte bereits die Stadt vorübergehen, als Priap mich einlud, bei ihm zu übernachten. Ich nahm es an, und nachdem wir uns nach Tische tuchtig beträufelt hatten, begaben wir uns zur Ruhe. Mitten in der Nacht stand mein Ehrenmann auf, und — — ich schäme mich wahrhaftig, es zu sagen.

Apoll. Wollte dir zu Leibe, nicht wahr?

Bacchus. Es ist so was.

Apoll. Und was thatest du?

Bacchus. Was anders, als ihn auslachen?

Apoll. Schön von dir, daß du die Sache nicht hoch aufnahmst und darüber nicht hitzig wurdest. Es läßt sich ihm doch wohl zu Gute halten, wenn ihn ein so reizender Jüngling, wie du, nicht kalt ließ.

Bacchus. O, wenn es darauf ankommt, Apoll, so hätte er noch vielmehr Ursache, seine Versuche dir gelten zu lassen; deine Schönheit und deine Locken könnten machen, daß dir ein Priap auch nüchtern über den Hals käme.

Apoll. Das wird er wohl bleiben lassen, lieber Bacchus. Ich bin nicht allein mit Locken, sondern auch mit Bogen und Pfeilen versehen.

XXIV. Merkur's Klagen.
Merkur. Maja.

1. **Merkur.** Giebt es wohl, liebe Mutter, im ganzen Himmel einen geplagtern Gott, als mich?

Maja. Sage doch nicht so etwas, mein Sohn!

Merkur. Warum soll ich es nicht sagen? Ich, der ich eine Menge von Geschäften zu besorgen habe, immer allein arbeiten und mich zu so vielen Knechtsdiensten herumzerren lassen muß? Morgens mit dem Frühsten muß ich aufstehen, und den Speisesaal auskehren, die Polster im Rathszimmer zurechte legen, und wenn Alles an Ort und Stelle ist, bei Jupitern aufwarten, und den ganzen Tag mit seinen Botschaften auf und ab den Courier machen. Kaum zurückgekommen und mit Staube noch bedeckt, muß ich die Ambrosia auftragen, und ehe der neugekaufte Mundschenk da war, hatte ich auch den Nektar einzuschenken. Und, was noch das Aergste ist, ich bin der Einzige, dem man auch des Nachts keine Ruhe läßt: denn da muß ich dem Pluto die Seelen der Verstorbenen zuführen, und beim Todtengerichte Aufwärtersdienste thun. Denn es ist nicht genug an den Arbeiten des Tages, daß ich den Ringübungen anzuwohnen, den Herold in den Volksversammlungen zu machen, den Volksrednern beim Einstudiren ihrer Vorträge zu helfen habe; nein, ich muß, in so viele Geschäfte zerstückelt, auch noch das gesammte Todtenwesen mitbesorgen.

2. Die Söhne der Leda sind doch nur einen Tag um den andern, der eine im Himmel, der andere in der Unterwelt: ich hingegen habe tagtäglich an beiden Orten zu thun.

Die Söhne der Alcmene und Semele, die doch nur armselige sterbliche Weiber waren, schmausen ganz sorgenfrei, und ich, der Atlantide Maja Sohn, darf sie bedienen. So eben komme ich von Sidon, wo ich mich nach dem Befinden der Tochter des Cadmus *) erkundigen mußte, und ohne mich zu Athem kommen zu lassen, schickt mich Jupiter nach Argos, um die Danaë zu besuchen, und auf dem Rückwege sagte er, wenn du durch Böotien kommst, sieh' im Vorbeigehen auch ein wenig nach der Antiope. — Kurz und gut, nun halt' ich's nicht mehr aus. Wenn es doch nur möglich wäre: ich wollte mich ja gerne verkaufen lassen, wie's die Sclaven auf der Erde machen, wenn sie eine schlimme Herrschaft haben.

Maja. Beruhige dich, mein Kind. Du bist noch jung, und mußt dich also in allen Stücken deinem Vater fügen. Und jetzt, da er dich abgeschickt hat, tummle dich nach Argos und von da nach Böotien, daß du nicht noch obendrein Schläge kriegst, wenn du zu lange ausbleibst; denn die Verliebten sind gar ungeduldig.

XXV. Phaëthon.
Jupiter. Helios.

1. Jupiter. Was hast du angerichtet, du heillosester aller Titanen? Alles auf der Erde ist zu Schanden gegangen, weil du einem dummen Jungen deinen Wagen anvertraut hast, mit welchem er der Erde zu nahe kam, und sie

---

*) Der Europa, eigentlich Schwester des Cadmus.

zur Hälfte verbrannte, während die andere, weil ihr alle
Wärme entzogen war, vor Kälte zu Grunde gieng. In der
äußersten Verwirrung gieng alles drunter und drüber, und
hätte ich nicht noch zu rechter Zeit gemerkt, was vorgieng, und
ihn mit meinem Donnerkeil zu Boden geworfen, so würde
auch kein Restchen mehr vom ganzen Menschengeschlechte übrig
seyn: so einen saubern Rossebändiger und Wagenlenker hast
du uns geschickt.

Helios. Ich habe gefehlt, Jupiter. Doch zürne nicht,
daß ich den vielen Bitten meines Sohnes endlich nachgab.
Wie hätte ich mir auch vorstellen können, daß ein solches Un=
heil daraus entstehen würde?

Jupiter. Wie? Du wußtest nicht, wie achtsam dieses
Geschäft behandelt seyn will, und wie, wenn man nur ein
wenig aus der Bahn kommt, sogleich alles verloren ist? Du
kanntest den raschen Muth deiner Rosse nicht, und wie nö=
thig es ist, sie scharf im Zügel zu halten, und wie sie im
Augenblick meisterlos sind, sobald man nur ein wenig nach=
läßt? Im Nu hatten sie ja deinen Jungen aus dem Geleise,
rissen ihn bald rechts, bald links, auf und ab, am Ende gar
nach der entgegengesetzten Richtung: kurz sie thaten, was sie
wollten, und er war nicht mehr im Stande, sie zu regieren.

2. Helios. Das wußte ich Alles wohl, und deßwe=
gen weigerte ich mich so lange, ihm das Gespann anzuver=
trauen. Wie er denn aber so gar flehentlich und mit Thrä=
nen bat, und seine Mutter Clymene mit ihm, so ließ ich ihn
endlich den Wagen besteigen, und sagte ihm Alles, wie er
sich fest hinzustellen habe, wie weit er mit verhängtem Zügel
aufwärts fahren, und wie er dann wieder abwärts lenken,

wie er immer Meister von den Zügeln bleiben und dem wil=
den Muth der Rosse nicht nachgeben müsse. Auch stellte ich
ihm die Größe der Gefahr vor, die es hätte, wenn er nicht
stets geradeaus führe. Allein kaum sah er sich von dem vie=
len Feuer umgeben, und die unermeßliche Tiefe unter sich,
so verlor er, wie es bei einem so jungen Menschen wohl
nicht anders seyn konnte, alle Fassung; die Pferde, sobald
sie merkten, daß nicht ich es wäre, den sie hinter sich hät=
ten, kehrten sich an den Knaben nicht, sondern rannten aus
der Bahn und richteten so das ganze Unheil an. Der Junge
ließ nun die Zügel fahren, vermuthlich aus Furcht, herabzu=
fallen, und hielt sich am Wagen fest. Allein er hat ja be=
reits seine Strafe, Jupiter, und ich büße es hart genug
mit der Trauer um ihn.

3. Jupiter. Hart genug, sagst du, für einen solchen
Frevel? Dennoch will ich dir für dießmal vergeben haben.
Wenn du aber in Zukunft etwas Aehnliches dir zu Schul=
ten kommen lassen, oder wieder einen solchen Stellvertreter
schicken wirst, so sollst du auf der Stelle erfahren, um wie
viel mein Blitzstrahl heißer als dein Feuer brennt. Den
Phaëthon sollen nun seine Schwestern am Eridanus begraben,
wo er aus dem Wagen fiel, Bernstein auf ihn weinen, und
aus Jammer zu Pappeln werden. Du aber hast deinen Wa=
gen wieder auszubessern, denn die Deichsel ist in Stücken,
auch eines der Räder zerbrochen: dann spanne deine Pferde
wieder vor, und fahre zu. Aber vergiß nicht, was ich dir
gesagt habe!

5 *

XXVI. Die Dioskuren.
Apoll. Merkur.

1. **Apoll.** Kannst du mir nicht sagen, Merkur, welcher von diesen beiden Kastor, und welcher Pollux ist? Ich weiß sie nicht von einander zu unterscheiden.

Merkur. Der gestern bei uns gewesen, war Kastor, und dieser da ist Pollux.

Apoll. Wie kennst du sie denn aus einander? Sie sind sich ja ganz gleich.

Merkur. Dieser da hat Narben von den Wunden im Gesichte, welche er von seinen Gegnern im Faustkampfe erhalten hat: besonders scharf ist er auf der Fahrt mit Jason von dem Bebrycier Amykus gezeichnet worden. Der Andere aber hat kein solches Merkmal: sein Gesicht ist ganz glatt, und hat nichts gelitten.

Apoll. Du hast mir wirklich einen Gefallen gethan, daß du mich auf diese Kennzeichen aufmerksam machtest: denn alles Uebrige ist bei Einem wie bei dem Andern, das halbe Ey mit dem Stern auf dem Kopfe, der Wurfspieß in der Hand, das weiße Pferd, das jeder hat — so daß ich schon öfters den Kastor als Pollux, und diesen als jenen anredete. Aber sage mir auch das noch: wie kommt es, daß nie beide zugleich bei uns sind, sondern daß abwechslungweise der Eine um den Andern heute ein Gott und morgen wieder ein Todter ist.

2. **Merkur.** Aus Bruderliebe geschieht das. Anstatt daß der Eine von Leda's Söhnen todt, der Andere unsterblich seyn sollte, theilten sie die Unsterblichkeit unter sich.

Apoll. Sie thaten nicht klug, Merkur: denn auf diese
Art werden sie sich nicht einmal zu Gesichte bekommen, was
sie doch wohl, wie es scheint, am meisten wünschten. Wie
wäre das auch möglich, da der Eine bei den Göttern lebt,
während der Andere unter den Verstorbenen ist? — Uebri=
gens treiben ja Alle von uns irgend eine den Göttern oder
den Menschen nützliche Kunst; ich weißage, Aesculap heilt, du
lehrest ringen und bist der beste Meister dieser Kunst, Diana
entbindet: was werden denn nun diese fur ein Geschäft be=
kommen? Oder werden die starken Bursche nichts bei uns
zu thun haben, als mußig zu liegen und zu schmausen?

Merkur. Keineswegs: es ist ihnen aufgegeben, dem
Neptun zu Diensten zu seyn, das Meer zu bereuten, und wo
sie irgendwo einen Schiffer in Gefahr sehen, sich auf das
Fahrzeug zu setzen und die Schiffenden zu retten.

Apoll. Wahrlich, Merkur, ein schones und heilsames
Geschäft!

Meergöttergespräche.

I. Polyphem.

Doris. Galatea.

1. Doris. Dein schön'r Liebhaber, Galatea, der sici=
lische Schäfer, soll ja, wie die Leute sagen, ganz rasend in
dich verliebt seyn.

Galatea. Spotte nicht, Doris: er ist einmal ein Sohn
des Neptun, mag er nun aussehen, wie er will.

Doris. Je nun, und wenn er selbst Jupiter's Sohn
wäre, so wild und struppicht, wie er aussieht, und was das
Allerhäßlichste ist, einäugig — meinst du denn, seine Abkunft
würde ihm zur Schönheit helfen?

Galatea. Eben dieß Struppichte und Wilde, wie du
es nennst, ist nichts weniger als häßlich; es giebt ihm ein
männliches Ansehen. Und das einzige Auge auf der St'rne
nimmt sich ja recht gut aus: auch sieht er nicht schwächer,
als ob er ihrer zwei hätte.

Doris. Du lobst ja deinen Polyphem so gewaltig, Galatea, daß es ist, als ob er dein Geliebter, und nicht dein
Liebhaber wäre.

2. **Galatea.** Mein Geliebter eben nicht: aber ich
kann das hämische, tadelsüchtige Wesen an euch nicht leiden.
Ihr thut es offenbar nur aus Neid. Denn neulich, als er
seine Heerde hütete, und von der Höhe herab uns zusah, wie
wir am Fuße des Aetna auf dem Gestade spielten, wo es
sich zwischen dem Berge und dem Meere hinzieht, damals
würdigte er Keine von euch eines Blicks: ich aber kam ihm
als die Schönste von Allen vor, und auf mir allein ließ er
daher sein Auge ruhen. Das ist's, was euch ärgert: es war
ein Beweis, daß ich schöner und liebenswürdiger bin, als ihr;
euch besieht man nicht.

Doris. Du wirst doch nicht meinen, uns ein Gegenstand des Neides geworden zu seyn, weil du einem halbblin-
den Schafhirten gefallen hast? Was wird er denn Anderes
an dir zu loben gehabt haben, als deine weiße Haut? Und

die gefällt ihm bloß, weil er immer mit Milch und Käse um=
geht, und alles schön findet, was aussieht, wie Milch und
Käse.

3. Wenn du aber wissen willst, wie du aussiehst, so
bücke dich, wenn das Meer recht ruhig ist, von irgend einer
Uferspitze auf's Wasser, und sieh selbst, wie eine schneeweiße
Farbe deine ganze Schönheit ist. Und diese gilt nicht viel,
wenn sie nicht durch eine Mischung von Roth gehoben wird.

Galatea. Habe ich doch bei all meiner Weiße einen
Liebhaber gefunden, und wenn es auch nur ein Polyphem ist.
Von euch aber hat ja keine einzige einen Hirten, Schiffer
oder Fährmann, der ihr Lob sänge. Zu dem ist mein Poly=
phem auch ein geschickter Tonkünstler.

4. Doris. O still davon, Galatea, wir haben ihn sin=
gen gehört, als er dir neulich ein Ständchen brachte. O du
liebe Venus! war es doch nicht anders, als ob man das Ya
eines Esels hörte! Und nun vollends seine Leyer! ein abge=
schälter Hirschschädel, woran das Geweih die beiden Seiten=
hölzer vorstellte: beide Enden hatte er mit einem Stege ver=
bunden und an diesen die Saiten geknüpft, ohne jedoch einen
Wirbel anzubringen. Und auf diesem Instrumente spielte er
und sang dazu so barbarisch, so gräßlich unharmonisch! Denn
was er plärrte, war etwas ganz anderes, als was die Leyer
schnarrte, so daß wir nicht umhin konnten, über seinen ver=
liebten Gesang in ein lautes Gelächter auszubrechen. Nicht
einmal die Echo konnte es über's Herz bringen, sein Gebrüll
zu erwiedern, so geschwätzig sie sonst ist: denn sie hätte sich
geschämt, so rauhe und lächerliche Töne nachzumachen. Da=
bei hatte der Liebenswürdige statt eines Schooshündchens ei=

nen jungen Bären im Arm, sein natürliches zottiges Eben=
bild. Wer sollte dich um einen solchen Liebhaber nicht be=
neiden, Galatea?

5. **Galatea.** So zeige mir doch den Deinigen, Do=
ris. Der wird nun freilich viel schöner seyn, und melodischer
zu singen und zu spielen wissen.

Doris. Liebhaber habe ich keinen, und setze auch kei=
nen Stolz darein, liebenswürdig zu seyn. Einen solchen
aber, wie dieser Cyklope ist, der von weitem wie ein Bock
duftet, von rohem Fleische lebt, und die Fremden frißt,*) die
bei ihm einkehren, nun ja den gönne ich dir: liebe ihn so
zärtlich wieder, als du von ihm geliebt wirst.

II. Ulysses.
Polyphem.   Neptun.

1. **Polyphem.** Vater, sieh doch, was mir der ver=
fluchte Fremde gethan hat. Er machte mich trunken, überfiel
mich sodann im Schlafe, und stieß mir das Auge aus.

Neptun. Wer hat sich das unterstanden, Polyphem?

Polyphem. Erst nannte er sich Utis (Niemand): als
er aber davon gelaufen, und außer Schußweite war, rief er,
er hieße Ulysses.

Neptun. Ha, ich kenne ihn, es ist der Ithacenser: er
kehrt von Troja heim. Aber wie kam er dazu, diese That
zu wagen? er ist ja sonst nichts weniger als beherzt.

---

*) Die Gefährten des Ulysses. S. das nächste Gespräch.
Vergl. Odyss. X, 166. ff.

2. **Polyphem.** Ich traf ihn, als ich von der Weide heimkehrte, in meiner Höhle, und mit ihm noch viele Andere, bei denen es, allem Anscheine nach, auf meine Schafe abgesehen war. Denn wie ich vor den Eingang das große Felsstück, das mir zur Thüre dient, vorgeschoben, und mit einem vom Berge mitgebrachten Baume das Feuer angemacht hatte, merkte ich wohl, wie sie sich zu verstecken suchten. Da packte ich ein Paar von ihnen und fraß sie auf, wie billig, da sie Räuber waren. Hierauf schenkte mir der vermaledeite Schurke, der Utis oder Ulysses, wie er hieß, ein gar süßes und duftendes, aber ein verhextes, tückisches und sinneverwirrendes Getränk ein. Denn kaum hatte ich getrunken, so gieng Alles mit mir im Kreise herum, die Höhle stand umgekehrt, kurz ich war gar nicht mehr bei mir selbst. Endlich verfiel ich in einen tiefen Schlaf, und Jener spitzte inzwischen einen Pfahl, machte ihn glühend, und stieß ihn mir in's Auge. Und seit diesem Augenblicke bin ich blind, Neptun.

3. **Neptun.** Aber wie tief mußtest du geschlafen haben, mein Sohn, daß du nicht aufsprangst, ehe du gänzlich geblendet warst? Und Ulysses — wie konnte denn d e r entkommen? Denn daß er das Felsstück vor dem Eingange nicht wegschieben konnte, weiß ich zu gut.

Polyphem. Ich selbst habe es weggenommen, um ihn desto sicherer beim Hinausgehen zu erwischen. Ich setzte mich neben den Eingang, tappte mit ausgestreckten Händen herum, und ließ niemand hinaus, als meine Schafe, die auf die Weide gingen: dem Widder aber gab ich Befehle, was er anstatt meiner zu thun hätte.

4. **Neptun.** Ha, ich merke, die Bursche sind unter den Bäuchen der Schafe hinausgeschlupft. Aber du hättest doch wenigstens die übrigen Cyklopen zu Hülfe rufen sollen.

Polyphem. Ich that es, mein Vater, und sie kamen auch. Allein als sie mich nach dem Namen des Spitzbuben fragten, und ich ihnen sagte, daß es Utis wäre, so hielten sie mich für verrückt, und eilten davon. So prellte mich der verfluchte Kerl mit seinem Namen, und was mich am meisten verdroß, war, daß er meines Unglücks noch spottete und sagte: versuch's, ob dich dein Vater Neptun kuriren wird.

Neptun. Beruhige dich, mein Sohn: ich werde es ihm heimgeben. Er soll lernen, daß ich, wenn gleich zerstörte Augen wieder herzustellen mir unmöglich ist, wenigstens das Schicksal der Schiffenden ganz und gar in meiner Gewalt habe. Und er ist ja noch auf den Gewässern.

III. Arethusa.

Neptun. Alpheus.

1. **Neptun.** Wie kommt doch das, Alpheus, du bist der einzige Fluß, der sich beim Einströmen in's Meer nicht, wie es alle übrigen thun, mit der salzigen Fluth vermischt und ein Strom zu seyn aufhört, sondern sein süßes Wasser behält, und unvermischt und rein als eine für sich bestehende Masse mitten durch die See eilt? Ich weiß nicht, wie es zugeht, daß du dich in die Tiefe tauchst, wie die Möven und Reiher, um irgendwo, wie es scheint, wieder aufzutauchen und zum Vorschein zu kommen.

Alpheus. Es liegt eine Liebesangelegenheit zu Grunde, Neptun, dringe nicht weiter in mich: du hast ja dergleichen selbst schon viele gehabt.

Neptun. Sage mir wenigstens nur: ist deine Geliebte eine Sterbliche oder eine Nymphe, oder gar eine der Nereïden?

Alpheus. Keine von allen dreien, es ist eine Quelle, Neptun.

Neptun. Eine Quelle? Und wo zu Lande strömt sie denn?

Alpheus. Auf der Insel Sicilien: Arethusa wird sie genannt.

2. **Neptun.** Ich kenne die liebliche Arethusa, mein Alpheus: sie sprudelt krystallhell aus reinem Kiesgrund, über welchen ihr perlendes Wasser wie lauteres Silber dahin rieselt.

Alpheus. In der That, du kennst diese Quelle recht gut, Neptun. Zu ihr also eile ich hin.

Neptun. So ziehe hin und sey glücklich in deiner Liebe. Nur das sage mir noch, wo du die Arethusa gesehen, da du ein Arcadier und sie eine Syracusanerin ist?

Alpheus. Ich habe Eile, Neptun, und du hältst mich mit unnützen Fragen auf.

Neptun. Du hast Recht: mache denn, daß du zu deiner Geliebten kommst, und auftauchend aus dem Meere mische dich mit ihrem Gewässer zu Einem vereinten Strome.

IV. Des Proteus Verwandlungen.
Menelaus. Proteus.

1. **Menelaus.** Nun, — daß du zu Wasser werden
könnest, Proteus, ist nicht eben unglaublich, da du ohnedieß
eine Meernatur bist: auch zu einem Baume will mir noch
gefallen lassen; sogar daß du bisweilen in einen Löwen dich
verwandelst, ist noch nicht über allen Glauben: aber daß ein
Meerbewohner, wie du, zu Feuer soll werden können, ist mir
zu wunderbar, um es für wahr zu halten.

Proteus. Wunderbar oder nicht, mein lieber Menelaus: es ist nun einmal so.

Menelaus. Ich habe es zwar selbst auch gesehen:
aber, freimüthig zu gestehen, ich glaube, es ist ein bischen
Gaukelei bei der Sache mituntergelaufen, indem du die Augen der Zuschauer zu täuschen wußtest, und in der Wirklichkeit weder zu Feuer, noch zu sonst etwas Anderem wurdest.

2. **Proteus.** Wie sollte denn in einer so in die Sinne
fallenden Sache irgend ein Betrug möglich seyn? Hast du
denn nicht mit offenen Augen gesehen, in welche Gestalten
ich mich verwandelte? Wenn du nun so ungläubig bist, mein
Bester, und dir einbildest, die ganze Sache wäre nur Lug
und Trug, und es werde dir ein Blendwerk vorgemacht, so
darfst du ja nur, wenn ich wieder Feuer werde, die Hand
nach mir ausstrecken, um sogleich zu wissen, ob ich nur aus-
sehe wie Feuer, oder auch brennen kann.

Menelaus. Die Probe ist nicht zuverläßig, Proteus.

Proteus. Du haſt wohl, wie es ſcheint, noch nie ei=
nen Polypen geſehen, und kennſt die ſonderbare Eigenſchaft
dieſes Seethiers nicht?

Menelaus. Einen Polypen ſah ich ſchon: dieſe ſon=
derbare Eigenſchaft aber wünſchte ich von dir zu hören.

3. Proteus. Dem Felſen, an welchen er ſich vermit=
telſt ſeiner Arme und Fangfüße wie angewurzelt geheftet hat,
macht er ſich ganz ähnlich, indem er ſeine Farbe ändert, und
die des Felſen annimmt: hiedurch entgeht er den Augen der
Fiſcher, indem ſie ihn von dem Steine, dem er vollkommen
gleicht, nicht unterſcheiden können.

Menelaus. So geht die Sage. Allein deine Ver=
wandlungen ſind doch noch viel unbegreiflicher.

Proteus. Ich wußte nicht, Menelaus, wem du ſonſt
glauben ſollteſt, wenn du deinen eigenen Augen nicht glau=
ben willſt.

Menelaus. Ich habe es zwar mit ſehenden Augen
angeſehen: aber es iſt und bleibt doch ein Unding, daß Ei=
ner und Derſelbe zu Waſſer und zu Feuer ſoll werden können!

V. Der Zankapfel.
Panope. Galene.

1. Panope. Sahſt du nicht, Galene, was geſtern bei
dem Hochzeitmahle in Theſſalien die Eris that, weil man ſie
nicht geladen hatte?

Galene. Ich war nicht unter den Gäſten: Neptun
hatte mir aufgetragen, das Meer indeſſen ruhig zu hal=

ten. Nun was war es denn, was die Eris that, weil sie
nicht dabei war?

Panope. Thetis und Peleus waren eben in das Braut=
gemach gegangen, begleitet von Amphitriten und Neptun:
die Gäste tranken, oder unterhielten sich sehr lebhaft, viele
hörten Apolls Citherspiel und dem Gesange der Musen zu;
während dessen kam Eris von Allen unbemerkt heran, und
warf einen ganz goldenen wunderschönen Apfel in den Saal,
mit der Aufschrift: die Schönste soll ihn haben. Und
wie absichtlich fugte sich's, daß der Apfel in die Gegend rollte,
wo Juno, Venus und Minerva Platz genommen hatten.

2. Merkur hob ihn auf und las die Ueberschrift. Wir
Nereïden schwiegen natürlich dazu; denn was konnten wir
Anderes thun, da jene zugegen waren? Von jenen dreien
aber wollte jede den Apfel sich zueignen, und behauptete, den
nächsten Anspruch auf denselben zu haben; und wenn Jupi=
ter sie nicht aus einander gebracht hätte, so wäre es gewiß
noch zu Thätlichkeiten gekommen. Der aber sagte: ich will
hierüber nicht entscheiden (denn sie hatten einen Ausspruch
von ihm verlangt), sondern geht auf den Ida zu des Pria=
mus Sohn: dieser weiß die Schönste am besten herauszufin=
den; er ist ein großer Liebhaber vom Schönen, und wird ge=
wiß kein ungeschicktes Urtheil fällen.

Galene. Was thaten nun die Göttinnen?

Panope. Heute, glaube ich, gehen sie auf den Ida:
wir werden bald Nachricht bekommen, welche gewonnen hat.

Galene. Das behaupte ich zum Voraus, daß bei ei=
ner Nebenbuhlerin, wie Venus, keine Andere den Preis da=

von tragen wird, wenn anders der Schiedsrichter nicht gänz=
lich blödsichtig ist.

VI. Die Entführung der Amymone.

Triton. Neptun. Amymone.

1. **Triton.** An die Lernäische Quelle geht alle Tage
ein Mädchen, um Wasser zu holen, Neptun. Ich wüßte nicht,
daß ich in meinem Leben ein reizenderes Geschöpf gesehen
hätte.

Neptun. Ist sie eine Freigeborne oder eine Sclavin?

Triton. Das Letztere keineswegs: sie heißt Amymone,
und ist eine von den fünfzig Töchtern des Danaus: ich habe
mich nach ihrem Namen und ihrer Herkunft erkundigt. Da=
naus hält seine Töchter sehr hart, gewöhnt sie, alle Hausar=
beiten selbst zu verrichten, und schickt sie sogar an den Brun=
nen: kurz er erzieht sie so, daß sie sich allen Geschäften un=
verdrossen unterziehen.

2. **Neptun.** Macht sie den langen Weg von Argos
nach Lerna ganz allein?

Triton. Ganz allein. Argos ist ein durstiges Land, *)
wie du weißt: sie muß daher täglich dorthin nach Wasser
gehen.

Neptun. Du hast mir durch das, was du mir von
diesem Mädchen sagtest, bereits den Kopf verdreht, Triton.
Wir wollen uns zu ihr begeben.

---

*) Das wasserlose, Hom. Il. IV, 171.

Triton. Gut; es ist eben jetzt die rechte Zeit: sie wird bereits auf halbem Wege nach Lerna seyn.

Neptun. So spanne sogleich meinen Wagen an — doch nein, es hält zu lange auf, bis der Wagen zurecht gemacht und die Pferde angeschirrt sind. Hole mir einen der flinksten Delphine herbei: auf dem werde ich wohl am schnellsten von der Stelle kommen. — —

Triton. Hier ist bereits der behendeste von allen.

Neptun. Schön: ich reite von dannen, und du, Triton, schwimmst neben her. — Nun da wir zur Stelle sind, will ich mich irgendwo in Hinterhalt legen; halte du inzwischen Wache, und wenn du sie kommen siehst. —

Triton. Sie ist schon ganz nahe.

3. Neptun. Wahrlich, ein hübsches, blühendes Mädchen. Wir müssen uns ihrer bemächtigen. —

Amymone. Hülfe! Räuber! Kerl, wo willst du hin mit mir? Gewiß hat dich Oheim Aegyptus hergeschickt; aber warte, ich werde den Vater rufen.

Triton. Stille, stille, Amymone! es ist ja Neptun.

Amymone. Warum nicht gar Neptun! — Was that ich dir, Mensch? Wehe! du ziehst mich mit Gewalt in's Wasser — ich Unglückliche! ich werde ertrinken müssen!

Neptun. Sey ruhig, es soll dir kein Leid widerfahren. Nach deinem Namen soll sich eine Quelle benennen, die ich hier auf dem Strande mit dem Dreizack aus diesem Felsen schlagen will. Du wirst glückselig, und die einzige unter deinen Schwestern seyn, die nicht auch nach dem Tode noch Wasser zu tragen hat.

Notus. Zephyr.

1. **Notus.** Die Kuh dort, Zephyr, die Merkur über's Meer nach Aegypten führt, wäre einst Jupiter's Geliebte gewesen?

Zephyr. Dieselbe, Notus: aber freilich war sie damals keine Kuh, sondern des Flusses Inachus schöne Tochter. In ihre jetzige Gestalt ward sie verwandelt von der Eifersucht der Juno, die es nicht sehen konnte, wie Jupiter das Mädchen so heftig liebte.

Notus. Liebt er nun auch die Kuh noch?

Zephyr. Gar sehr: deßwegen schickt er sie nach Aegypten und hat uns befohlen, keine Wellen auf dem Meere zu erregen, bis sie hinübergeschwommen seyn würde. Sie ist schwanger: wenn sie aber geboren haben wird, soll sie und das Kind unter die Götter aufgenommen werden.

Notus. Die Kuh unter die Götter?

2. **Zephyr.** Allerdings, und zwar soll sie, wie mir Merkur sagte, die Schutzgöttin der Schiffenden und unsere Herrin werden, die Jedem von uns nach Gefallen zu wehen befehlen oder verbieten kann.

Notus. Da muß man ihr wohl jetzt schon den Hof machen, Zephyr, als ob sie bereits unsere Gebieterin wäre.

Zephyr. Du hast beim Jupiter Recht: sie wird dann nur um so gnädiger seyn. Aber siehe, sie ist bereits hinüber und an das Land gestiegen. Siehst du, wie sie schon nicht

---

*) Vergl. Göttergespr. III.

nehr auf vier Füßen geht, und wie Merkur wieder eine
aufrechte stattliche Frauengestalt aus ihr gemacht hat?

Notus. Eine wunderbare Erscheinung, Zephyr. Hörner, Schwanz und gespaltene Füße sind auf einmal verschwunden, und die Kuh ist eine lieblich Jungfrau. Und siehe da:
was kam den Merkur an? auch er hat sich verwandelt, aus
dem Jünglings- ist ein Hunde-Kopf geworden?

Zephyr. Wir wollen nicht vorwitzig seyn: er muß am
besten wissen, was er zu thun hat.

VIII. Arion.

Neptun. Die Delphine.

1. Neptun. Recht schön, ihr Delphine, daß ihr stets
den Menschen so gut seyd. Schon in alten Zeiten habt ihr
das Söhnchen der Ino, als es mit seiner Mutter von den
Scironischen Felsen in's Meer stürzte, aufgefangen, und auf
den Isthmus gebracht. Und so eben war es wieder einer von
euch, der den Sänger von Methymna dem Untergange entriß, den ihm die Schiffer zugedacht hatten, indem er ihn ergriff, und samt Sängergewand und Cither nach dem Tänari-
schen Vorgebirge trug.

Delphin. Wundere dich nicht, Neptun, wenn wir den
Menschen wohl wollen, da wir ja selbst aus Menschen Fische
geworden sind.

Neptun. Ich verarge es auch dem Bacchus, daß er
euch nach errungenem Siege verwandelte, da er euch, wie er
mit Andern gethan, bloß zur Unterwerfung hätte nöthigen

sollen. Aber sage mir, guter Delphin, wie war das eigentlich mit Arion?

2. Delphin. Periander hatte, denke ich, großes Gefallen an ihm, und ließ ihn öfters zu sich kommen, um sich an seinem kunstvollen Gesang und Spiel zu ergötzen. Reichlich belohnt von diesem Herrscher wollte sich Arion zu den Seinigen nach Methymna begeben, um ihnen seinen Reichthum zu zeigen, und bestieg ein Fahrzeug, das einer Bande schurkischer Gesellen angehörte. Als er sie nun das viele Gold und Silber sehen ließ, das er bei sich hatte, faßten sie, sobald sie mitten auf dem ägäischen Meere waren, einen Anschlag gegen sein Leben. Da sprach Arion (ich schwamm nämlich dicht neben dem Schiffe her und hörte Alles): „Nun denn, weil ihr das über mich beschlossen habt, so laßt mich wenigstens mein Sängergewand anlegen, und mir selbst einen Todtengesang singen, und mich dann freiwillig in's Meer stürzen." Sie erlaubten es ihm, und so sang er, feierlich als Sänger angethan, ein wunderliebliches Lied: hierauf stürzte er sich in die See, in der Meinung, seinen augenblicklichen Tod zu finden. Ich aber faßte ihn auf, nahm ihn auf meinen Rücken, und schwamm mit ihm nach dem Tänarus.

Neptun. Ich lobe deine Liebe zur Tonkunst: du hast ihm für den Genuß, den sein Gesang dir gewährte, würdig gelohnt.

IX. Helle.

Neptun. Amphitrite und andere Nereïden.

1. **Neptun.** Diese Meerenge, in welche das Mädchen gefallen, soll hinfort Hellespont heißen. Ihren Leichnam aber habt ihr Nereïden nach Troas zu bringen, wo ihn die Einwohner bestatten sollen.

Amphitrite. Nicht doch, Neptun! In diesem Meere, das von ihr den Namen führt, sollte sie von uns begraben werden. Uns jammert das Schicksal dieses Mädchens so sehr, das von seiner Stiefmutter die ärgsten Mißhandlungen erduldete.

Neptun. Es geht nicht an, Amphitrite; auch würde es sich überhaupt nicht schicken, wenn sie hier irgendwo unter dem Sande läge: sondern, wie gesagt, ihre Grabstätte soll in Troas oder auf dem Chersonnes seyn. Uebrigens wird es ihr zur Genugthuung gereichen, wenn Ino mit Nächstem das gleiche Schicksal haben, und von Athamas verfolgt sich, mit ihrem Sohne in den Armen, von der Höhe des Cithäron in das Meer stürzen wird.

Amphitrite. Aber diese werden wir dem Bacchus zu Gefallen retten müssen, dessen Säugamme und erste Erzieherin sie gewesen war.

2. **Neptun.** Das böse Weib verdiente es freilich nicht: doch finde ich es ebenfalls billig, Amphitrite, dem Bacchus hierin gefällig seyn.

Eine Nereïde. Aber was stieß denn dieser Helle zu, daß sie von dem Widder herabfiel, während ihr Bruder Phryxus sicher und wohlbehalten davon reitet?

Neptun. Das gieng ganz natürlich zu: er ist ein jun=
·ger Bursche und stark genug, die schnelle Bewegung auszu=
halten; das Mädchen aber, einer solchen Fahrt ungewohnt,
hatte kaum das sonderbare Fahrzeug bestiegen, und in die
unermeßliche gähnende Tiefe hinabgeblickt, als sie die Fassung
verlor, und bei der reißenden Schnelligkeit des Fluges von
Betäubung und Schwindel ergriffen die Hörner des Widders,
woran sie sich bisher fest gehalten hatte, aus den Händen ließ
und in die See stürzte.

Die Nereïde. Aber hätte denn ihre Mutter Nephele
der Fallenden nicht zu Hülfe kommen sollen?

Neptun. Freilich hätte sie sollen: aber das Verhäng=
niß vermag mehr als eine Nephele.

X. Delos.
Iris. Neptun.

1. Iris. Jupiter befiehlt dir, Neptun, du sollest die
irrende Insel, welche sich von Sicilien losriß, und bis jetzt
unter dem Wasser schwimmt, heraufziehen, und auf einer recht
sichern Grundlage feststellen, daß sie mitten auf dem Aegäi=
schen Meere sichtbar werde und bleibe. Er bedarf ihrer.

Neptun. Es soll geschehen. Doch darf ich fragen,
was ihm die Insel helfen soll, wenn sie nun über dem Wasser
ist und stille steht?

Iris. Latona soll auf derselben entbunden werden:
schon leidet sie sehr von den Geburtswehen.

Neptun. Wie? ist denn in dem ganzen großen Him=
mel kein Platz mehr, um dort zu gebären? Und sollte es auch
nicht seyn, hat denn die ganze Erde nicht Raum genug, ihre
Neugebornen aufzunehmen?

Iris. Nein, Neptun. Juno hat die Erde mit einem
schweren Eide verbindlich gemacht, der kreisenden Latona kei=
nen Aufenthalt zu gewähren. Diese Insel aber ist nicht mit
unter dem Eide begriffen, weil sie unsichtbar war.

2. Neptun. Ich verstehe. — Halte still, Insel, tau=
che aus der Tiefe empor, und schwimme nicht länger, son=
dern bleibe fest und empfange, du Glückselige, die beiden
Kinder meines Bruders, die schönsten der Götter! Und ihr,
Tritonen, tragt Latona herüber, und verbreitet heitere Ruhe
auf dem ganzen Meere! Den Drachen aber, der sie bis jetzt
allenthalben verscheuchte und ängstigte, werden, sobald sie
entbunden ist, ihre Neugebornen verfolgen und ihre Mutter
an ihm rächen. — Melde du nun Jupitern, es wäre Alles
wohl bestellt; Delos steht fest, Latona darf nur kommen und
gebären.

XI. Xanthus.

Xanthus. Thalaffa (das Meer).

1. Xanthus. Nimm mich auf, Thalaffa, lösche den
Brand meiner Wunden: ich leide entsetzlich.

Thalaffa. Was ist dir? Wer hat dich so verbrannt?

Xanthus. Vulcan — ach! ich siede, ich bin lauter
Gluth, ich Unglückseliger!

Thalaffa. Aber warum hat er dir das gethan?

Xanthus. Wegen des Sohnes der Thetis. Da dieser die Phrygier erschlug, bat ich ihn flehentlich, von seinem Grimm abzulaffen, aber vergeblich; er sperrte mein ganzes Flußbette mit den Leichnamen der Erschlagenen, bis ich endlich aus Mitleiden mit den Unglücklichen austrat, um den Achilles unter Waffer zu setzen, damit er in Furcht gerathe und genöthigt würde, von den Trojanern abzustehen.

2. Vulcan aber, der irgendwo in der Nähe war, kam mit allem Feuer, glaube ich, das er in seinem Schmiedeofen und im Aetna, und wo sonst immer, vorräthig hatte, über mich her, zündete meine Ulmen und Tamarisken an, sott mir die unglücklichen Fische und Aale, und ließ mich selbst so lange sieden und kochen, daß wenig fehlte, so hätte er mich gänzlich trocken gelegt. Doch du siehst ja selbst an meinen Brandmalen, wie ich zugerichtet bin.

Thalaffa. Du bist wirklich ganz dunkelgefärbt und heiß; und wie könnte es anders seyn? Die dunkle Blutfarbe kommt von den vielen Leichnamen und die Hitze, wie du selbst erzählst, von dem Feuer. Aber es ist dir Recht geschehen, Xanthus; warum giengst du auf meinen Enkel los und bedachtest nicht, daß er der Sohn einer Nereïde ist?

Xanthus. Sollte ich mich denn meiner guten Nachbarn, der Phrygier, nicht annehmen?

Thalaffa. Und Vulcan hätte sich des Achilles nicht annehmen sollen, eines Sohnes der Thetis?

Doris. Thetis.

1. **Doris.** Was weinst du, meine Thetis?

Thetis. Ach Doris, ich sah ein wunderschönes Mädchen mit ihrem neugebornen Kinde; beide ließ der Vater des Mädchens in einen Kasten legen, und befahl den Schiffern, mit demselben auf die hohe See zu fahren, und ihn in weiter Entfernung vom Lande über Bord zu werfen, damit die unglückliche Mutter mit ihrem Säuglinge umkommen möchte.

Doris. Und warum denn, liebe Schwester? Sage mir's doch, wenn du die Sache so genau weißt.

Thetis. Acrisius, ihr Vater, hatte sie, da sie außerordentlich schön war, in ein ehernes Gemach eingesperrt, um ihre jungfräulichen Reize zu bewahren. Da soll Jupiter — ob es wahr ist, weiß ich nicht — sich in Gold verwandelt haben, und durch's Dach zu ihr herabgeflossen seyn. Sie hätte den herabrinnenden Gott in ihren Schooß aufgenommen und wäre schwanger geworden. Der Vater aber, ein hitziger argwöhnischer Alter, gerieth, als er es gemerkt, in den äußersten Zorn, in der Meinung, sie wäre von irgend einem entehrt worden, und steckte sie, nachdem sie kaum geboren hatte, in den Kasten.

2. **Doris.** Aber wie benahm sie sich, als sie in's Meer hinabgelassen wurde?

Thetis. Ueber ihr eigenes Schicksal äußerte sie kein Wort, und fügte sich in ihre Verurtheilung: aber flehentlich bat sie für das Leben ihres Söhnchens, und zeigte weinend

dem Großvater das wunderschöne Kind, welches indessen harm=
los, und ohne sein Verderben zu ahnen, die Wellen anlä=
chelte. Ich werde nie ohne Thränen daran denken können.

Doris. Du machst, daß ich mitweinen muß. — Und
sind sie denn jetzt todt?

Thetis. Noch nicht. Der Kasten treibt noch in der
Gegend von Seriphus, und sie sind am Leben.

Doris. Je nun, warum retten wir sie nicht sogleich?
Wenn wir sie den Fischern dort am Ufer von Seriphus in ihre
Netze spielen, so werden sie von diesen herausgezogen und am
Leben erhalten werden.

Thetis. Schön! das wollen wir thun. Die Mutter
und ihr hübsches Knäbchen sollen uns nicht zu Grunde gehn!

XIII. Tyro.

Enipeus. Neptun.

1. Enipeus. Die Wahrheit zu gestehen, Neptun, das
war nicht schön von dir, meine Gestalt anzunehmen, um
meine Geliebte zu beschleichen und zu Falle zu bringen. Das
Mädchen meinte, sie hätte es mit mir zu thun, sonst wäre
sie dir gewiß nicht zu Willen gewesen.

Neptun. Du warst ja immer so stolz und so kalt,
Enipeus, daß du ein Vergnügen daran fandest, das reizende
Mädchen, das tagtäglich dich besuchte und vor Liebe fast ver=
gieng, gleichgültig anzusehen und zu kränken. Sie irrte an
deinen Ufern umher, stieg in deine Wellen, ja badete sich in

ihnen mehr als einmal, mit dem sehnlichen Wunsche, die Deinige zu werden, und du — bliebst spröde gegen sie.

2. Enipeus. Und deßwegen warst du befugt, unter meiner Maske das arglose Kind zu berücken, und mir den ersten Genuß ihrer Zärtlichkeit vorweg zu nehmen?

Neptun. Nun ist es zu spät, eifersüchtig zu seyn, mein guter Enipeus; hättest du vorher nicht so stolz und spröde gethan! Uebrigens ist der Tyro kein Leid widerfahren, da sie meinte, von dir besucht zu werden.

Enipeus. Das ist nicht wahr: du sagtest ihr ja im Abgehen, daß du Neptun wärest. Dieß hat sie am meisten verdrossen. Und mir hast du Unrecht gethan, daß du meine Freuden genoßest, und umflossen von einer purpurnen Woge, die euch beide barg, statt meiner —

Neptun. Stille, Enipeus, ich hatte nur, was du verschmähtest.

XIV. Andromeda.

Triton. Iphianassa, Doris und andere Nereïden.

1. Triton. Euer Meerungeheuer, ihr Nereïden, das ihr auf des Cepheus Tochter, Andromeda, losgelassen habt, hat nicht nur diesem Mädchen keinen Schaden zugefügt, wie ihr meintet, sondern ist selbst bereits umgekommen.

Eine Nereïde. Wer hat es denn umgebracht, Triton! Hat vielleicht Cepheus seine Tochter ihm nur zur Lock=

speise vorgesetzt, und das Ungethüm aus einem Hinterhalt
mit überlegener Macht überfallen und erschlagen?

Triton. Das nicht: aber ihr erinnert euch doch wohl
des Knäbchens der Danaë noch, des Perseus, den sein Groß=
vater zugleich mit seiner Mutter in einem Kasten in's Meer
geworfen, und den ihr aus Mitleiden gerettet habt?

Iphianassa. Ich kenne ihn schon: er muß nun zu
einem schönen tapfern Jüngling herangewachsen seyn.

Triton. Dieser hat das Ungeheuer umgebracht.

Iphianassa. Und warum denn? er hätte uns den
Dank für seine Rettung anders bezahlen sollen.

2. Triton. Ich will euch den ganzen Hergang erzäh=
len. Perseus ward zu den Gorgonen gesandt, deren Bezwin=
gung der König von Seriphus als ein Probestück ihm aufer=
legt hatte. Als er nach Lybien kam —

Iphianassa. War er denn allein, Triton, oder hatte
er Streitgenossen bei sich? Ohne diese wäre es wohl eine
mißliche Fahrt gewesen.

Triton. Er zog durch die Luft: Minerva hatte ihn
mit Flügeln versehen. An dem Orte ihres Aufenthaltes an=
gelangt, traf er sie, glaube ich, schlafend: schnell hieb er der
Medusa den Kopf ab und flog eilends davon.

Iphianassa. Wie konnte er das, da man ja die Gor=
gonen nicht ansehen darf, oder wer sie ansieht, hinfort nichts
mehr sieht?

Triton. Minerva hielt ihren Schild vor — so hörte
ich ihn die Sache der Andromeda und hernach dem Cepheus
erzählen — und zeigte ihm auf der polirten Oberfläche dessel=
ben wie in einem Spiegel das Bild der Medusa: und nun

faßte er, den Blick auf das Bild gerichtet, mit der Linken
ihr Haar, griff mit der Rechten nach seinem krummen Säbel
und hieb ihr den Kopf ab. Ehe noch ihre Schwestern er=
wachten, war er schon davon geflogen.

3. Wie er aber hieher an die Aethiopische Küste kam,
und schon nahe an der Erde flog, sah er die Andromeda an
einen in's Meer vorragenden Fels angeschmiedet daliegen,
und, ihr Götter, wie reizend! mit aufgelösten Locken, nackt
bis unter den Gürtel. Anfänglich fühlte er blos Mitleid
mit ihrem Schicksal und fragte sie nach der Ursache ihrer
Verurtheilung; allmählich aber bemächtigte sich seiner die
Liebe zu ihr, und er beschloß — da nun einmal das Mädchen
gerettet werden sollte — ihre Befreiung. Als daher das gräßliche
Ungethüm herankam, um die Andromeda zu verschlingen, hielt
sich der Jüngling schwebend über ihm, und zerhieb es mit
dem Säbel in der einen Hand, während er es mit dem vor=
gehaltenen Gorgohaupt in der andern in Stein verwandelte.
So starb das Thier und erstarrte zu Stein, so weit es der
Medusa ausgesetzt gewesen war. Perseus aber löste die Bande
der Jungfrau, und reichte ihr die Hand, wie sie auf den
Spitzen der Füße ängstlich von dem steilen und glatten Fels
herabstieg. Nun feiert er sein Hochzeitfest in des Cepheus
Hause, von wo er seine junge Gattin nach Argos führen
wird. Auf diese Art ward der Andromeda, statt des Todes,
ein Bräutigam zu Theil, wie man ihn nicht alle Tage findet.

4. Iphianassa. Ich wenigstens bin gar nicht unzu=
frieden, daß es so gieng: denn womit hat uns die Tochter be=
leidigt, wenn auch ihre Mutter einmal vermessen genug war,
schöner als wir seyn zu wollen?

Doris. Eben weil sie Mutter ist, würde das Schicksal der Tochter die empfindlichste Strafe für sie gewesen seyn.

Iphianassa. Laß uns die Sache vergessen, Doris. Mag auch ein Weib auf dieser barbarischen Küste zur Ungebühr geschwatzt haben: ist sie doch hart genug durch die Angst gestraft, die sie um ihr Töchterchen haben mußte. Freuen wir uns lieber über der Andromeda Hochzeitfeier!

XV. Die Entführung der Europa.

Zephyr. Notus.

1. Zephyr. Mein Lebtage, so lange ich blase, habe ich keinen prächtigern Aufzug auf dem Meere gesehen. Sahst du ihn nicht auch, Südwind?

Notus. Was für einen Aufzug, Zephyr? Wer waren denn die Festfeiernden?

Zephyr. Du bist also um ein Schauspiel gekommen, dergleichen du wohl nie wieder eines zu sehen bekommen wirst.

Notus. Ich hatte am rothen Meere zu thun, und mußte auch einen Theil von Indien, so weit es am Meere liegt, bestreichen: ich weiß also nicht, wovon du sprichst.

Zephyr. Du kennst doch den Sidonier Agenor?

Notus. Allerdings, den Vater der Europa: was soll der?

Zephyr. Eben von letzterer habe ich dir zu erzählen.

Notus. Etwa, daß Jupiter seit geraumer Zeit des Mädchens Liebhaber ist? O das habe ich längst gewußt.

2. Zephyr. Also von dieser Liebe weißt du. Höre nun das Weitere. Europa war mit ihren Gespielinnen, sich zu vergnügen, an's Ufer gegangen. Jupiter hatte die Gestalt eines Stieres angenommen, und trieb Kurzweil mit den jungen Mädchen, denen er außerordentlich wohl gefiel. Er war ganz weiß, hatte zierlich gewundene Hörner und einen gar sanften, frommen Blick; tummelte sich lustig auf dem Anger herum und brüllte so anmuthig, daß Europa das Herz faßte, ihn zu besteigen. Kaum war das geschehen, als Jupiter mit seiner Last in vollem Laufe dem Meere zurannte, sich in dasselbe stürzte und fortschwamm. Das Mädchen, auffer sich vor Schreck, hielt sich mit der Linken an seinen Hörnern, um nicht herabzugleiten, mit der andern Hand hielt sie ihr Gewand zusammen, das der Wind gefaßt hatte.

3. Notus. Da hast du in der That einen anmuthigen, reizenden Anblick gehabt, Zephyr, Jupitern als Stier, mit seinem Liebchen auf dem Rücken durch die Fluthen schwimmend —

Zephyr. O, was nun folgt, war noch weit schöner! Die See ward alsogleich ganz wogenlos: die tiefste Ruhe breitete sich über die spiegelglatte Fläche. Wir Winde verhielten uns ganz still, und hatten nichts Anderes zu thun, denn als Zuschauer dieser Erscheinung zu folgen. Die Liebesgötter flogen neben ihnen und so nahe über dem Meere hin, daß sie bisweilen mit den Fußspitzen das Wasser streiften: sie trugen brennende Fackeln in den Händen und sangen dabei den Brautgesang. Die Nereiden tauchten auf, und ritten, die Meisten halbnackt, auf Delphinen nebenher, und jauchzten und

klatſchten: auch das Tritonengeſchlecht, und was immer für
Weſen freundlicher Art in den Gewäſſern leben, ſchwammen
in Reigen um die Jungfrau her. Neptun ſelbſt hatte ſeinen
Wagen beſtiegen, und fuhr, mit Amphitriten an ſeiner Seite,
fröhlich vor ihnen her, um dem ſchwimmenden Bruder den
Weg zu weiſen. Zuletzt kam die Liebesgöttin, auf einer Mu-
ſchel liegend und von zwei Tritonen getragen, und ſtreute
eine bunte Fülle von Blumen über die Braut aus.

4. So gieng der Zug von Phönicien bis Kreta. Aber
kaum hatte er das Land betreten, ſo verſchwand der Stier,
und Jupiter in eigener Geſtalt führte Europen in die diktäi-
ſche Höhle, wo ſie wohl zu wiſſen ſchien, was ihrer wartete:
denn hocherröthend und ohne die Augen aufzuſchlagen gieng
ſie an ſeiner Seite. Wir aber ſtürzten uns, der eine da,
der andere dort hinaus über die See, und ſetzten ſie wieder
in ihre vorige lebhafte Bewegung.

Notus. Du biſt glücklich, Zephyr, daß du einen ſolchen Anblick hatteſt: ich habe inzwiſchen nichts als Greifen,
Elephanten und Mohren zu Geſichte bekommen.

Todtengeſpräche.

I. Diogenes und Pollux.

1. Diogenes. Mein beſter Pollux, ich bitte dich,
wenn du in die Oberwelt hinaufſteigſt — und morgen glaube

ich), ist die Reihe wieder an dir *) — so suche Menippus, den
Hund (Cyniker), zu sprechen (du triffst ihn ohne Zweifel zu
Corinth beim Craneüm oder im Lyceum zu Athen, wo er sich
über die Zänkereien der Philosophen lustig machen wird), und
sage ihm, Diogenes fordere ihn auf, wenn er über die Dinge
auf der Oberwelt genug gelacht haben werde, hieher zu kommen, wo er noch viel mehr zu lachen bekommen werde. Dort
wäre sein Lachen noch immer mit widrigen Empfindungen ge-
mischt, und oft genug durch die Frage verkümmert: wer weiß,
was nach diesem Leben kommen wird? Hier werde er so
wenig, als ich, aufhören, recht von Herzens Grunde zu lachen,
zumal wenn er sehen werde, wie die Reichen, die Satrapen,
die Könige und Fürsten hier so erbärmlich klein und unscheinbar dastehen, daß man sie nur an ihrem Geheul unterscheiden könne, und wie sie sich so kläglich, so verächtlich geberden, wenn sie sich ihres Zustandes da oben erinnern. Sag'
ihm das, Pollux, und er möchte, wenn er herabgehe, seinen
Schnappsack mit Feigbohnen wohl versehen, und wenn er irgendwo auf einem Kreuzwege ein Hecatemahl oder ein Rei-
nigungsey antreffe, solle er's zu sich stecken.

   2. Pollux. Ich werde ihm das ausrichten, Diogenes;
beschreibe mir aber das Aussehen des Mannes, damit ich ihn
um so sicherer finde.

   Diogenes. Ein alter Kahlkopf mit einem abgeschabten durchlöcherten Mantel, der gegen Wind und Wetter offen
und mit Lappen von Farben aller Art überflickt ist: er lacht

---

*) S. Göttergespräche XXVI.

beständig, und treibt besonders gerne mit den großmäulichen Philosophen sein Gespötte.

Pollux. An diesen Kennzeichen wird er leicht herauszufinden seyn.

Diogenes. Dürfte ich dir nun auch an eben diese Philosophen einen kleinen Auftrag mitgeben?

Pollux. Sage nur, welchen: er wird mich nicht beschweren.

Diogenes. Es ist kurz der: Stelle ihnen recht eindringlich vor, sie sollten doch endlich ihre Possen aufgeben, und aufhören, sich über das Weltall zu zanken, sich Hörner aufzupflanzen, *) Krokodilschlüsse zu machen, und junge Leute zu Grübeleien anzuleiten, die zu nichts führen.

Pollux. Aber sie werden mich einen Dummkopf heißen, der aus Unwissenheit ihre Weisheit verunglimpfe.

Diogenes. Dann richte ihnen einen Gruß von mir aus, und sie sollen — die schwere Noth kriegen.

Pollux. Gut, auch das will ich ihnen hinterbringen.

3. Diogenes. Hierauf, mein liebstes, bestes Polluxchen, wende dich zu den Reichen, und sage ihnen in meinem Namen: „Ihr eiteln Narren, wofür hütet ihr euer Gold? Was plagt ihr euch mit euren Zinsrechnungen und sammelt Talente zu Talenten, da ihr doch in Kurzem mit einem einzigen Obolus von dannen müßt?"

Pollux. Auch das soll ihnen gesagt werden.

---

*) Der gehörnte Schluß lautet: „was du nicht verloren hast, das hast du noch; du hast keine Hörner verloren, also —"

Diogenes. Und den Schönen und Starken, einem Megillus von Corinth, und Damorenus, dem Ringer, sage, daß es bei uns keine blonden Locken, keine schwarze feurige Augen, keine blühende Gesichtsfarbe, keine nervigten Sehnen und kräftige Schultern giebt, sondern daß ohne allen Unterschied ein Schädel so kahl und häßlich als der andere ist.

Pollux. Ich mache mir nichts daraus, dieß jenen Schönen und Helden zu Gemüthe zu führen.

Diogenes. Und den Armen, deren so viele sind, die im Unmuth über ihre bedrängte Lage laute Klagen führen, sage, sie möchten ihrem Weinen und Seufzen ein Ende machen; und stelle ihnen vor, wie hier allgemeine Gleichheit sey, und daß sie sehen würden, daß die gewesenen Reichen es bei uns in keinem Stücke besser, als die Andern, haben. Und endlich, mein bester Lacedämonier, sage auch deinen Landsleuten, wenn du so gut seyn willst, darüber recht die Meinung, daß sie nicht mehr sind, was sie ehemals waren.

Pollux. Nichts gegen die Lacedämonier, Diogenes, das leid' ich nicht. Was du mir an die Uebrigen aufgegeben hast, werde ich pünctlich ausrichten.

Diogenes. Ich bin's zufrieden; wenn du nur das Letztere thust, so mögen deine Landsleute leer ausgehen.

II. Cröfus, Midas und Sardanapal, als Ankläger des Menippus bei Pluto.

1. Cröfus. Länger halten wir's nicht aus, Pluto, mit einem Nachbar, wie dieser Hundephilosoph da ist. Ent-

weder bringe ihn irgend anderswo unter, oder wir selbst
werden einen andern Aufenthaltsort nehmen.

Pluto. Was konnte er denn euch zu Leide thun, ein
Todter den anderen?

Cröfus. Wenn wir klagend und seufzend unseres frühern Zustandes gedenken, Midas seines Goldes, Sardanapal seines Wohllebens und ich meiner Schatzkammern, so
lacht er und schimpft uns Sclaven und Taugenichtse; bisweilen stört er uns sogar durch Singen in unserem Wehklagen: kurz der Kerl ist uns äußerst zur Last.

Pluto. Was höre ich von dir, Menippus?

Menippus. Die lautere Wahrheit, Pluto. Ich kann
nun einmal diese niederträchtigen, verdorbenen Gesellen nicht
leiden, die, nicht zufrieden, ein schlechtes Leben geführt zu
haben, auch nach dem Tode noch mit ihrer Erinnerung und
ihrer Sehnsucht an der Oberwelt hängen: darum mache ich
mir ein Vergnügen daraus, sie zu ärgern.

Pluto. Das solltest du nicht: der Verlust, den sie betrauern, ist in der That nicht unbedeutend.

Menippus. Bist denn auch du so schwach, Pluto, ihr
Gewinsel zu billigen?

Pluto. Das nicht: aber ich will keine Unruhen und
Streitigkeiten unter euch haben. [Geht ab.]

2. Menippus. Wißt nur, ihr Schlechteren als alle
eure Lydier, Phrygier und Assyrer, daß ihr vor mir nun und
nimmermehr Ruhe haben werdet: wendet euch hin, wo ihr
wollt, ich werde euch auf dem Fuße folgen, um euch zu
quälen, und euch die Ohren voll zu singen und euch auszulachen.

7*

Crösus. Ist das nicht der frechste Uebermuth?

Menippus. O nein; sondern von euch war es der frechste Uebermuth, ehrliche Leute zu hudeln, und dabei zu verlangen, sie sollen euch auf den Knieen verehren, ohne euch den Gedanken an den Tod auch nur einen Augenblick einfallen zu lassen. Nun heult ihr, da ihr aller jener Herrlichkeiten beraubt seyd.

Crösus. Aber, ihr Götter, welcher Besitzungen beraubt!

Midas. Und ich, welcher Menge Goldes!

Sardanapal. Und ich, welcher entzückenden Genüsse!

Menippus. Recht so, macht nur so fort! Ich will euch indessen das Kenne dich selbst einmal um das andere zwischenein tönen lassen: es nimmt sich vortrefflich aus, wenn es als Begleitung zu euern Lamentationen gesungen wird.

III. Menippus, Amphilochus und Trophonius.

1. **Menippus.** Ich möchte doch wissen, wie ihr beide, Trophonius und Amphilochus, zu der Ehre gekommen seyd, Tempel zu haben und für Propheten zu gelten? Ihr seyd Todte, wie wir Anderen, und doch sind die Menschen albern genug, euch für Götter anzusehen.

Amphilochus. Was können wir dafür, wenn die Leute sich in ihrem Unverstand solche Vorstellungen von Verstorbenen machen?

Menippus. Es wäre doch wohl nicht geschehen, wenn ihr nicht bei euren Lebzeiten dergleichen Gaukeleien getrieben

und euch für Leute ausgegeben hättet, die in die Zukunft sehen und den Fragenden das Künftige vorhersagen könnten.

Trophonius. Amphilochus wird ohne Zweifel wissen,
was er dir seinerseits hierauf zu antworten hat. Ich aber,
bester Menippus, bin ein Heros und ertheile Orakel denen,
die in meine Höhle hinabsteigen. Du bist wohl gar nie zu
Lebadea gewesen, sonst wärest du gewiß nicht so ungläubig.

2. Menippus. Das wäre! Wenn man also nicht
nach Lebadea geht, sich in ein Leintuch stecken und einen
Fladen in die Hände geben läßt, und damit durch das enge
Loch in die dortige Höhle kriecht, so kann man nicht wissen,
daß du, wie du da stehst, so todt bist, als wir Alle, und daß
dich nur deine Gaukeleien von uns unterscheiden? — Aber,
großer Prophet, sage mir doch, was ist denn das: ein Heros? Mir ist es ein wahres Räthsel.

Trophonius. Ein aus Mensch und Gott zusammen-
gesetztes Wesen.

Menippus. Das also, wenn ich dich recht verstehe,
weder Mensch noch Gott ist, sondern beides zugleich? Aber
wo ist denn nun deine göttliche Hälfte hingekommen?

Trophonius. Eben diese ist's, Menippus, die in
Böotien orakelt.

Menippus. Das ist mir ein bischen zu hoch, mein
Bester. Ich sehe doch gar zu gut, daß der ganze Trophonius
ein Todter ist.

IV. Merkur und Charon.

1. **Merkur.** Rechnen wir einmal mit einander, Fährmann, wenn es dir recht ist, was du mir bis jetzt schuldig geworden bist, damit wir nicht wieder Streit darüber bekommen.

Charon. Gut — wir wollen rechnen: wenn wir dieß
in's Reine gebracht haben, so ist allen Verdrießlichkeiten vor-
gebengt.

Merkur. Für einen Anker, den ich dir auf Bestellung
lieferte — fünf Drachmen

Charon. Viel Geld!

Merkur. Straf mich Pluto, wenn er mich nicht selbst
fünf Drachmen kostete! Ferner einen Ruderriemen für zwei
Obolen.

Charon. Nun so schreibe fünf Drachmen, zwei Obolen.

Merkur. Für eine starke Nadel, das Segel zu flicken,
ausgelegt — fünf Obolen.

Charon. Schreibe sie dazu.

Merkur. Für Wachs, die Ritzen des Nachens zu verstopfen, für Nägel und einen Strick, aus dem du das Raa-
tau gemacht hast, zusammen zwei Drachmen.

Charon. Schön! da hast du einmal wohlfeil eingekauft.

Merkur. Das ist alles, wenn wir nichts vergessen haben: und wann versprichst du denn, mich zu bezahlen?

Charon. In diesem Augenblicke ist mir's unmöglich,
bester Merkur: wenn aber wieder eine Pest oder ein Krieg
uns Schaaren von Todten zuschickt, so wird sich wohl durch
einen kleinen Rechnungsfehler vom Fahrgeld, wenn Viele auf
einmal kommen, etwas auf die Seite bringen lassen.

2. **Merkur.** Und ich soll inzwischen sitzen und wünschen, daß um meines Vortheils willen das Aergste eintreten möchte?

Charon. Es bleibt nun einmal nichts anderes übrig, lieber Merkur. Du siehst ja selbst, wie Wenige zu dermaliger Friedenszeit herbeikommen.

Merkur. Desto besser: möge sich darüber meine Bezahlung immerhin verzögern. — Du weißt übrigens, Charon, wie die Leute aussahen, welche vor Zeiten hieher kamen; durchgängig waren es stattliche, größtentheils rothbackigte, mit Wunden bedeckte Männer. Die jetzt ankommen, haben entweder Gift von ihren eigenen Kindern oder Eheweibern erhalten, oder durch Wohlleben sich Wassersucht und Podagra zugezogen, und sind sämmtlich blasse und elende, den Vorigen gänzlich unähnliche, Gestalten. Den Meisten aber sieht man es wohl an, daß sie um des Geldes willen einander auf den Dienst lauerten, und darüber zu uns wandern mußten.

Charon. Es ist eben auch eine gar zu reizende Sache um das Geld.

Merkur. Man könnte mir es also auch nicht sehr verübeln, wenn ich meine Forderung an dich etwas strenger eintriebe?

—————

V. Pluto und Merkur.

1. **Pluto.** Du kennst doch wohl den hochbetagten reichen Eucrates, der keine Kinder, wohl aber ein Paar tausend gute Freunde hat, die auf seine Erbschaft Jagd machen?

Merkur. Den Sicyonier meinst du? O ja, den kenne ich. Was ist's mit ihm?

Pluto. Laß mir den am Leben, Merkur, und miß ihm, wenn es angeht, zu den neunzig Jahren, die er schon gelebt hat, noch weitere neunzig und drüber zu. Seine Schmarotzer und Schmeichler aber, den jungen Charinus, Damon, und wie sie Alle heißen, hole mir, Einen nach dem Andern, herunter.

Merkur. Das würde doch sonderbar herauskommen, Pluto!

Pluto. Keineswegs; im Gegentheil höchst gerecht und billig. Was hat der Alte ihnen zu Leide gethan, daß sie ihm den Tod wünschen? Wie sind sie mit ihm verwandt, daß sie sein Vermögen begehren? Und was der höchste Grad der Schurkerei ist: die Wohldiener wollten, daß er beim Henker wäre und thun ihm doch so schön in's Gesicht. Ist er krank, so versprechen sie ihm Dankopfer darzubringen, im Fall er sich herausrisse, während doch keinem Menschen verborgen ist, was sie im Schilde führen. Mit einem Worte, es ist ein heuchlerisches Spitzbubenvolk: darum soll mir der Alte gar nicht sterben; seine Seelenwärter hingegen sollen vergebens geschnappt haben, und nur gleich herbeikommen.

2. **Merkur.** Das wird den Schurken in die Quere kommen! Aber Eucrates versteht es auch vortrefflich, sie zum Besten zu haben und mit Hoffnungen hinzuhalten. Immer thut er, als ob es am Ausgehen mit ihm wäre, und ist doch bei weitem gesünder als die jungen Leute, die sich bereits in seine Erbschaft theilen, und an dem Gedanken an

das glückselige Leben sich weiden, das sie schon bei sich aus=
gemacht haben.

Pluto. Eucrates soll also sein Alter abstreifen, und
wie Jolaus, sich wieder verjüngen; jene aber sollen ihr schmäh=
liches Ende finden, und mitten aus ihren Hoffnungen und er=
träumten Reichthümern gerissen und hieher gebracht werden.

Merkur. Sorge nicht dafür, Pluto. Ich werde sie
dir Alle, Einen nach dem Andern, herbeischaffen. Es sind ih=
rer sieben, wie ich glaube.

Pluto. Gut, raffe sie weg: und Eucrates, ein frischer
Jüngling statt des Greisen, der er zuvor gewesen, wird jeden
derselben zu Grabe geleiten.

VI. Terpsion und Pluto.

1. Terpsion. Ist das auch recht, Pluto, daß ich in
meinem dreißigsten Jahre sterben mußte, während der neun=
zigjährige Thucritus noch am Leben ist?

Pluto. Nicht mehr denn billig, Terpsion. Thukritus
hat noch nie einem seiner Freunde den Tod gewünscht: vor
dir aber war er seines Lebens nie sicher, da du seine Erb=
schaft nicht erwarten konntest.

Terpsion. Wie? Wäre es nicht in der Ordnung, daß
ein alter Mann, der seinen Reichthum nicht mehr selbst ge=
nießen kann, abtrete und den Jüngern Platz mache?

Pluto. Da machst du ein ganz neues Gesetz, Terpsion,
daß, wer sein Geld nicht mehr zu seinem Vergnügen anwen=
den kann, deswegen sterben soll. Verhängniß und Natur
haben es anders verordnet.

2. **Terpsion.** Eben das ist's, worüber ich mich be=
schwere. Das Sterben sollte nach der Ordnung gehen, zu=
erst der Aelteste, sodann der Nächste an Jahren nach ihm und
so fort: und nicht umgekehrt, daß ein eisgrauer Alter, der
kaum noch drei Zähne im Munde und blöde Triefaugen hat,
und wenigstens vier Sclaven braucht, wenn er aufstehen und
gehen will, daß so ein lebendiges Gerippe ohne Sinn und Em=
pfindung zum Gespötte der Kinder noch immer fortlebe, wäh=
rend die schönsten und stärksten jungen Männer sterben müs=
sen. Das ist die verkehrte Welt. Wenigstens sollte man die
Zeit wissen können, wann solche Alte mit Tod abgehen werden,
damit man nicht in den Fall komme, dem Einen oder dem An=
dern vergeblich den Hof gemacht zu haben. Dermalen aber
geht es nach dem Sprüchwort: der Wagen zieht den Ochsen.

3. **Pluto.** Das ist vernünftiger so geordnet, als du
dir einbildest. Wer heißt euch die Mäuler nach fremdem Ei=
genthum aufsperren, und kinderlosen Greisen zur Adoption
euch aufdringen? Ist es also nicht natürlich, daß Jedermann
lacht, wenn die Alten euch begraben? ein Schauspiel, das
jedesmal männiglich Vergnügen macht. Denn so sehnlich ihr
wünschet, daß die guten Alten einmal sterben möchten, so
herzlich gönnen euch alle Leute den Tod vor jenen. Ihr
habt ja eine ganz neue Kunst erfunden, euch in alte Weiber
und Greise zu verlieben; versteht sich, wenn sie kinderlos
sind: denn die, welche Kinder besitzen, haben für euch keine
Reize. Doch haben schon manche derselben die schurkische
Absicht eures Verliebtseyns gemerkt, und stellen sich, auch
wenn sie Kinder haben, als ob sie dieselben nicht leiden könn=

ten, um auch Liebhaber zu bekommen. Am Ende aber bleiben jene Trabanten, die ihren Geliebten so lange Zeit nicht von der Seite gewichen waren, von dem Testamente dennoch ausgeschlossen; die Natur, die elterliche Liebe, behält wie billig die Oberhand, und jene knirschen mit den Zähnen und werden obendrein noch ausgelacht.

4. Terpsion. Gewiß nur allzu wahr! Ach! was hat dieser Thukritus nicht alles von mir verschlungen, während er immer seinem Ende nahe schien! So oft ich bei ihm eintrat, fieng er an zu ächzen und zu stöhnen, und wie ein eben aus dem Ey gekrochenes Küchlein zu pipen. Ich, in der zuversichtlichen Erwartung, ihn allernächstens auf der Bahre zu sehen, schickte ihm eine Delicatesse um die andere, um mich von meinen Nebenbuhlern an glänzender Freigebigkeit nicht übertreffen zu lassen. Die Sorgen, welche mir diese Geschenke verursachten, das Berechnen und Anordnen derselben machte mir manche schlaflose Nacht; und eben diese Schlaflosigkeit und diese Sorgen sind die Ursachen meines frühzeitigen Todes geworden. Er aber, der so manche fette Lockspeise auf meine Kosten verzehrt hat, stand ehegestern auf meinem Grabe, und lachte sich die Haut voll.

5. Pluto. Brav, brav, Thukritus, nun sollst du auch leben, so lang wie möglich, und reich dabei seyn, und über solche Schlucker dich lustig machen. Stirb mir nicht eher, bevor du den Letzten derer, die um dein Erbe buhlen, vorangeschickt hast.

Terpsion. Für mich wäre es nun das Tröstlichste, Pluto, wenn auch Chariades vor dem Alten sterben müßte.

Pluto. Sorge nicht: auch Phidon und Melanthus und alle Uebrigen sollen ihm vorangehen, und zwar von denselben Sorgen hiehergeliefert werden, wie du.

Terpsion. Das lobe ich mir. Nun, Thukritus, magst du leben, so lange es dir gefällt.

VII. Zenophantes und Callidemides.

1. **Zenophantes.** Ha, Callidemides, bist du auch gestorben? Was ist dir zugestoßen? Bei meinem Tode warst du ja zugegen: weißt du noch, es war an der Tafel des Dinias, wo ich ein wenig zu viel zu mir genommen hatte, und erstickte?

Callidemides. Ich erinnere mich: den meinigen fand ich durch einen sonderbaren Zufall. Du kennst wohl auch den alten Ptöodorus?

Zenophantes. Den kinderlosen Reichen? O ja, ich sah dich oft genug bei ihm stecken.

Callidemides. Ich machte ihm recht fleißig den Hof, weil er mir versprochen hatte, mich zum Erben einzusetzen. Allein da sich mir die Sache gar zu sehr in die Länge zog, und der Alte noch älter als Tithonus zu werden drohte, so gedachte ich auf einem kürzern Wege zu meinem Erbe zu gelangen. Ich kaufte Gift und beredete seinen Mundschenken, dasselbe in einem volleingeschenkten Becher bereit zu halten, und dem Ptöodorus (der einen wackern Zug liebt), sobald er zu trinken fordern würde, darzureichen. Zugleich gab ich ihm das eidliche Versprechen, ihm, wenn er das thun würde, die Freiheit zu schenken.

Zenophantes. Und er that es? Du ſcheinſt mir et=
was recht außerordentliches erzählen zu wollen.

2. Callidemides. Wie wir nach dem Bade in's Speiſe=
zimmer traten, hatte der Junge bereits zwei volle Becher be=
reit, den einen mit Gift für den Ptöodorus, und einen un=
vergifteten für mich. Nun weiß ich nicht, wie es kam, daß
er ſich vergriff und den letztern dem Ptöodorus, den vergifte=
ten aber mir darreichte. Und ſo trank der Alte ohne Scha=
den, ich aber ſtürzte plötzlich erſtarrt zu Boden, und ward
das Opfer der unſeligen Verwechſelung. Was iſt das? Du
lachſt? Das iſt nicht ſchön, über ſeinen Freund ſich luſtig zu
machen.

Zenophantes. Ach, Callidemides, dein Unfall iſt gar
zu ſchaurig. Was ſagte denn der Alte dazu?

Callidemides. Je nun — der erſchrak anfänglich, wie
er mich ſo plötzlich hinſtürzen ſah: bald aber mußte er den
wahren Hergang der Sache gemerkt haben; denn er lachte
gleichfalls über den Verſtoß ſeines Mundſchenken.

Zenophantes. Das haſt du von dem kürzern Wege,
den du einſchlagen wollteſt: wäreſt du auf der Straße ge=
blieben, ſo wäreſt du zwar etwas langſamer, aber deſto ſiche=
rer zum Ziele gekommen.

VIII. Cnemon und Damnippus.

Cnemon. Verwünſcht! mußte ich das Sprüchwort
wahr machen: das Hirſchkalb kommt über den Löwen?

Damnippus. Warum ſo böſe, Cnemon?

Enemon. Warum ich böse bin? Weil ich Pinsel mich überlisten ließ, und mit Uebergehung derjenigen, in deren Händen ich mein Vermögen am liebsten gesehen hätte, einen andern Erben wider Willen hinterließ.

Damnippus. Wie gieng das zu?

Enemon. Dem steinreichen und kinderlosen Hermolaus machte ich in der Erwartung den Hof, ihn bald sterben zu sehen; und er ließ sich meine Aufwartung recht gerne gefallen. Da glaubte ich es recht pfiffig anzugehen, wenn ich ein Testament bekannt werden ließe, worin ich ihm mein ganzes Vermögen vermachte; denn ich dachte, er werde ehrliebend genug seyn, ein Gleiches zu thun.

Damnippus. Und that er es wirklich?

Enemon. Was er in seinem Testamente geschrieben, weiß ich nicht. Denn ich mußte unversehens die Welt verlassen, weil mir das Dach über dem Kopf zusammensturzte. Und nun hat Hermolaus mein Vermögen, wie ein Meerwolf den Hamen sammt dem Köder, verschlungen.

Damnippus. Ja, und den Fischer dazu. Du hast also die Falle dir selbst gestellt.

Enemon. Nicht anders: und eben das ist's, worüber ich heulen möchte.

IX. Simylus und Polystratus.

1. Simylus. Kommst du endlich auch zu uns, Polystratus? Du bist gewiß nicht viel weniger als hundert Jahre alt geworden.

Polystratus. Acht und neunzig, mein lieber Simylus.

Simylus. Wie gieng dir's denn in den letzten dreißig Jahren? Denn du warst ungefähr gegen siebenzig, als ich starb.

Polystratus. O ganz vortrefflich, wie seltsam dir das auch vorkommen mag.

Simylus. Seltsam allerdings, wenn ein so alter, gebrechlicher, und zudem kinderloser Greis, wie du warst, großes Vergnügen an den Genüssen des Lebens finden konnte.

2. Polystratus. Es stand mir alles zu Gebote, die schönsten Knaben in Menge, die niedlichsten Mädchen, und Salben und Weine vom feinsten Blumenduft und sybaritische Tafeln.

Simylus. Räthselhaft! ich kannte dich doch immer als sehr haushälterisch.

Polystratus. Alle diese Herrlichkeiten, mein Bester, strömten mir unentgeldlich von Andern zu. Vom frühen Morgen an liefen sie mir fast das Haus weg, mich zu besuchen, und mir Geschenke aller Art, das schönste und kostbarste aus allen Weltgegenden, darzubringen.

Simylus. Wie, Polystratus, du wärest also nach meinen Zeiten ein Fürst geworden?

Polystratus. Nichts weniger. Aber ich hatte manches tausend Liebhaber.

Simylus. Ha ha ha! Liebhaber, du, ein alter Schatz mit vier Zähnen?

Polystratus. So wahr Jupiter lebt, ich hatte die Vornehmsten in der ganzen Stadt zu Liebhabern, die sich das größte Vergnügen daraus machten, dem alten, triefäugigen, verschleimten Kahlkopf, den du vor dir siehst, alle mögli-

chen Aufmerksamkeiten zu erweisen, und von welchen jeder
glückselig war, wenn ich ihm auch nur einen Blick schenkte.

Simylus. Du hast doch wohl nicht, wie Phaon einst
aus Chios, die Venus über die Meerenge geführt, und von
ihr auf deine Bitte von neuem Jugend, Schönheit und Lieb=
reiz zur Belohnung erhalten?

Polystratus. Auch das nicht: sondern so, wie ich
bin, war ich ein Gegenstand ihres Verlangens.

Simylus. Du sprichst in Räthseln.

3. Polystratus. Und doch ist nichts bekannter und
häufiger als die Liebe zu reichen und kinderlosen Greisen.

Simylus. Ah, nun verstehe ich, von welcher Art
deine Schönheit war: es war die goldene Venus, die dich
damit beschenkte.

Polystratus. Glaube mir, mein Simylus, ich hatte
von diesen Liebhabern, die mich beinahe anbeteten, keinen
kleinen Genuß. Bisweilen that ich spröde, und ließ den Ei=
nen oder den Andern gar nicht vor mich kommen. Das
machte, daß sie mit einander eiferten, und in dem Bestreben,
mir gefällig zu seyn, einander zu überbieten suchten.

Simylus. Und wie verfügtest du am Ende über dein
Vermögen?

Polystratus. In's Gesicht sagte ich jedem Einzelnen
von ihnen, daß ich ihn zum Erben einzusetzen gesonnen wäre.
Weil nun dieß Jeder glaubte, so waren sie alle nur um so krie=
chender gegen mich. Ganz anders aber lautete das wirkliche
Testament, welches ich hinterließ, und worin ich ihnen nichts
als einen tüchtigen Verdruß vermachte.

4. **Simylus.** Und wen bezeichnete denn dein letzter Wille als Erben? Vermuthlich einen aus deiner Verwandtschaft?

Polystratus. Nein, wahrhaftig nicht; sondern einen vor kurzem erst gekauften schönen jungen Sclaven aus Phrygien.

Simylus. Wie alt ungefähr?

Polystratus. Gegen die zwanzig.

Simylus. Ha, ich kann mir seine Verdienste vorstellen.

Polystratus. Wenigstens war er würdiger, als alle Uebrigen, mich zu beerben, wiewohl er ein Ausländer und ein Taugenichts ist. Auch werden ihm, seitdem er im Besitz meines Vermögens ist, von den Angesehensten der Stadt Aufwartungen gemacht; man zählt ihn, trotz seines glattgeschornen Kinnes *) und seiner barbarischen Mundart, zu den edelsten Geschlechtern, und heißt ihn adeliger als Codrus, schöner als Nireus, klüger als Ulysses.

Simylus. Meinetwegen mögen sie ihn zum Gouverneur von ganz Griechenland machen: nur soll ihnen einmal seine Erbschaft nicht zufallen.

---

*) Kennzeichen dergr, die sich zu unreinen Diensten erniedrigten.

X. Charon, Merkur und verschiedene Schatten, als Menippus, Charmolaus, Lampichus, Damasias, ein Sodat, ein Philosoph, und ein Rhetor.

1. **Charon.** So laßt euch doch sagen, wie sich die Sache verhält. Unser Nachen ist klein und wurmstichig, wie ihr selbst seht, und läßt ziemlich viel Wasser ein: und wenn er sich stark auf eine Seite neigte, so würde er gar umschlagen und untergehen. Nun sind eurer so Viele auf einmal angekommen, und Jeder ist noch obendrein so stark bepackt, daß ich fürchte, wenn ihr mit all eurem Plunder einsteigen wolltet, möchte es euch bald grauen, zumal die, welche nicht schwimmen können.

Die Schatten. Wie sollen wir's denn machen, um glücklich hinüber zu kommen?

Charon. Das will ich euch sagen. Das unnöthige Zeug da habt ihr alles auf dem Ufer zurückzulassen, und mutternackt einzusteigen; denn auch so noch wird das Schiffchen kaum Alle fassen können. Du wirst inzwischen Sorge tragen, Merkur, Keinen hereinzulassen, der nicht, wie gesagt, sich leicht gemacht und sein Gepäck abgelegt hat. Stelle dich neben die Schiffsleiter, untersuche Einen nach dem Andern, und nöthige sie Alle, nackt einzusteigen.

2. **Merkur.** Gut, es soll geschehen. Wer ist der Erste da?

Menippus. Ich bin Menippus. Siehst du, Merkur, meinen Ranzen und meinen Stab habe ich in den See geworfen, meinen alten abgeschabten Mantel aber weislich nicht mitgenommen.

Merkur. Steig ein, Menippus, vortrefflichster der Sterblichen: du sollst den Ehrensitz auf einer Erhöhung neben dem Steuermann haben, um die übrigen Alle zu überschauen. — Und wer ist denn der hübsche Junge da?

3. Charmolaus. Ich bin Charmolaus aus Megara, der Reizende, dem man den Kuß mit zwei Talenten bezahlte.

Merkur. Lege ab deine Schönheit und deine Lippen sammt ihren Küssen und die dichten Locken, das blühende Roth der Wangen und dein ganzes zartes Fell dazu. — Gut! Nun bist du leicht genug: eingestiegen! — Du da, mit dem Purpurmantel, dem Diadem, und der hochmüthigen Miene, wer bist du?

4. Lampichus. Lampichus, Thrann von Gela.

Merkur. Wie, Lampichus, du kommst in einem solchen Aufzuge hieher?

Lampichus. Warum nicht? Ein Fürst wird doch nicht nakt und bloß erscheinen sollen?

Merkur. Der Fürst nicht, aber der Todte. Also weg mit diesen Dingen!

Lampichus. Siehe hier liegen meine Kostbarkeiten.

Merkur. Nun wirf auch deinen Dünkel und deinen Hochmuth von dir! sie würden die Fähre niederdrücken, wenn sie mit dir hineinplumpten.

Lampichus. Wenigstens mein Diadem laß mir, und mein Oberkleid.

Merkur. Keineswegs, auch dieses leg' ab.

Lampichus. So sey es! — Was nun weiter? Du siehst, daß ich Alles abgelegt habe.

8 *

Merkur. Die Grausamkeit, die Thorheit, die Gewalt=
thätigkeit, der Zorn, alles das muß auch noch fort.

Lampichus. Siehe, nun bin ich frei davon.

Merkur. Jetzt steige ein. — Du dicke Fleischmasse,
wer bist du?

5. Damasias. Der Athlet Damasias.

Merkur. Wahrhaftig, so ist's: ich erinnere mich, dich
öfters in den Ringschulen gesehen zu haben.

Damasias. Ja wohl, Merkur. Ich bin nackt, wie du
siehst; laß mich nur immer einsteigen.

Merkur. Halt, mein Bester: man ist nicht nakt, wenn
man in eine solche Menge Fleisch gehüllt ist. Der Nachen
müßte untersinken, wenn du auch nur einen Fuß hineinsetztest:
also fort damit, und wirf auch diese Siegerkränze und präch=
tigen Zeugnisse weg.

Damasias. Nun bin ich wirklich ganz und gar aus=
gezogen, siehst du, und gewiß eben so leicht als die übrigen
Schatten.

6. **Merkur.** Um so besser: also hinein! — Auch du,
Crato, lege hier nur gleich deinen Reichthum, deine Weich=
lichkeit und dein Wohlleben nieder: weg mit den kostbaren
Leichengewändern und den hohen Würden deiner Ahnen!
Laß zurück deinen Adel, deinen Rang, und die Ehrentitel,
welche der Staat dir ertheilt haben mag, und die Inschrif=
ten auf deinen Bildsäulen, und sage kein Wort davon, daß
sie dir ein so großes Grabmahl errichteten: denn schon die
Erwähnung dieser Dinge fällt zu sehr in's Gewicht.

Crato. Ich werfe sie von mir, ungerne zwar, allein
— was will man machen?

7. **Merkur.** Alle Hagel, da kommt einer in voller Rüstung — was willst du damit? Wozu schleppst du diese Trophäe herbei!

Soldat. Ich habe gesiegt, Merkur, und wegen meines braven Benehmens vom Staat eine öffentliche Ehrenbezeugung erhalten.

Merkur. Laß deine Trophäe immer auf der Erde! Im Hades ist Friede: du wirst da keine Waffen brauchen. —

8. Aber der Mensch dort mit der gravitätischen Haltung und dem langen Barte, der so vornehm einherschreitet, die Augbraunen hinaufzieht und in Nachdenken vertieft scheint, wer ist denn der?

Menippus. Es ist ein Philosoph, Merkur, oder vielmehr ein Windbeutel voller Gaukelei. Laß ihn gleichfalls sich ausziehen, und du wirst hundert närrische Sächelchen finden, die er unter seinem Mantel birgt.

Merkur. Wohlan also, lege vor allen Dingen deinen Mantel ab, und was du sonst noch an dir hast. [Der Philosoph entkleidet sich.] Hilf Himmel! was führt der alles mit sich! welche Last von Marktschreierei, Unwissenheit, Streitsucht, leerem Dünkel, müßigen Streitfragen, spitzfündigen Erörterungen, verworrenen Begriffen! Wie viel eitles Bemühen, wie viel alberne Grillen und Kleinigkeitskrämereien! Und, beim Jupiter, auch Gold giebt es da, und Zornsucht, und Wollust, Schamlosigkeit und Lüderlichkeit aller Art! O ich sehe es recht gut, wie sehr du es auch zu verstecken suchst. Weg mit diesem Allem, und mit deinem Lug und Trug, deiner Aufgeblasenheit und deinem Dünkel, als ob du besser

wäreſt, als andere Leute. Wenn du dieſes Alles mitnehmen
wollteſt, welches fünfzigrudrige Laſtſchiff könnte dich tragen?

Der Philoſoph. Nun denn, weil du es ſo haben
willſt — hier iſt es Alles.

9. Menippus. Aber Merkur, auch ſeinen Bart ſoll
er ablegen: du ſiehſt, wie dicht und ſtruppicht er iſt: fünf
Pfund wiegt er zum wenigſten.

Merkur. Du haſt Recht, Menippus. [Zu dem Philoſophen.] Nimm deinen Bart ab.

Der Philoſoph. Wer ſoll mir ihn denn abſcheeren?

Merkur. Menippus hier ſoll die Schiffsart zur Hand
nehmen, und ihn auf der Leiter abhacken.

Menippus. Nicht doch, Merkur, gieb mir die Säge
dort: das muß noch luſtiger ſeyn.

Merkur. Die Art thut's auch. — Gut! der Bocks-
bart iſt herunter: nun ſiehſt du doch wieder aus, wie ein
Menſch.

Menippus. Soll ich ihm nicht auch noch ſeine Aug-
brauen ein bischen ſtutzen?

Merkur. Allerdings: er zieht ſie ja bis über die Stirne
hinauf; ich weiß gar nicht, warum er eine ſo wichtige Miene
macht. — Was iſt das? Du weinſt ſogar, erbärmlicher
Wicht? Dir graut vor der Ueberfahrt? Fort, hinein!

Menippus. Halt, er hat noch etwas unter der Achſel,
gerade das Schwerſte.

Merkur. Was denn?

Menippus. Die Schmarotzerei, die ihm bei Lebzeiten
ſo Vieles eintrug.

Der Philosoph. Und du, Menippus, lege deine freche Zunge und deinen mitleidlosen rohen Spott ab: du bist der Einzige von Allen, der noch lacht.

10. Merkur. Nein, Menippus, behalte diese Dinge: sie sind leicht mitzuführen, und wir können sie wohl brauchen auf unserer Ueberfahrt. — Du endlich, Redekünstler, wirf mir deinen ungeheuern Wortschwall, deine Gegensätze und Gleichklänge, deine künstlichen Perioden und Barbarismen, und den ganzen schwerfälligen rhetorischen Plunder weg.

Der Rhetor. Siehe, hier liegt er.

Merkur. Nun gut. — Mache den Nachen los, Charon! Die Leiter hereingenommen, den Anker aufgezogen! Ausgespannt das Segel, Fährmann, das Steuer gerichtet! Nun fort, in Gottes Namen! — Was heult ihr, Tröpfe? Und du besonders, Philosoph; vielleicht, weil wir dir so eben den Bart rasirt haben?

11. Der Philosoph. Nein, Merkur, sondern weil ich die Seele für unsterblich hielt.

Menippus. Er lügt: es sind offenbar ganz andere Dinge, die ihn jammern.

Merkur. Diese wären?

Menippus. Daß er nicht mehr an köstlichen Tafeln schmausen und des Nachts nicht mehr ausgehen, den Mantel über den Kopf ziehen, und von allen unbemerkt die Hurenspelunken der Reihe nach besuchen soll: daß er den Tag über keine jungen Leute mehr mit seiner Weisheit zu Narren haben und schweres Geld dafür einstreichen kann, deßwegen heult er.

Der Philoſoph. Machſt denn du dir nichts daraus, Menippus, daß du geſtorben biſt?

Menippus. Wie ſollte ich, da ich dem Tode ungeru= fen entgegeneilte? Aber während wir hier plaudern, läßt ſich nicht von der Erde her ein Lärm von mehreren lauten Stimmen vernehmen?

12. Merkur. Allerdings, und aus mehr als Einer Gegend. Dort ſtrömen die Leute in die Volksverſammlung und überlaſſen ſich ihrer Luſtigkeit über den Tod des Tyran= nen Lampichus: ſeine Gattin iſt unter den Händen der Wei= ber, und ſogar ſeine kleinen Kinder werden von andern Jun= gen mit einem Steinhagel empfangen. Dort in Sicyon wird dem Redner Diophantus, der dem Crato hier die Leichenrede hält, der lauteſte Beifall zugerufen. Und — weiß der Him= mel — dort heult ſogar die Mutter des Damaſlas an der Spitze der Klageweiber um einen Damaſlas!. Nur um dich, Menippus, weint Niemand: wo du liegſt, iſt's ſtille und einſam.

13. Menippus. O nicht ſo ſehr, Merkur: du wirſt bald hören, wie die Hunde ganz erbärmlich über mir zuſam= menheulen, und die Raben mit den Flügeln ſchlagen, wenn ſie ſich verſammeln werden, mich zu begraben.

Merkur. Du biſt ein braver Kerl, Menippus! Doch — wir ſind am Ufer: ſteigt alſo aus und geht auf dieſem Wege gerade fort zum Gerichte. Wir, der Fährmann und ich, kehren zurück, um wieder Andere zu holen.

Menippus. Glück zu, Merkur! — Wir wollen vor= wärts gehen. Was zögert ihr! Gerichtet müſſen wir nun ſchon werden. Freilich ſpricht man von ſchweren Strafen, von

Rädern, Geiern, Felsblöcken: und Jedem wird sein ganzes Leben unter die Augen gestellt.

XI. Crates und Diogenes.

1. **Crates.** Du hast doch den Mörichus gekannt, Diogenes, den steinreichen Corinthier, der so viele Waaren-schiffe besaß, und dessen Vetter, der gleichfalls reiche Aristeas, das Homerische

> Schaffe du mich fort, oder ich dich *) —

immer im Munde führt?

Diogenes. Je nun, was ist's mit diesen?

Crates. Sie waren in gleichem Alter; da aber jeder von beiden den Andern zu beerben hoffte, so erwiesen sie sich gegenseitig alle Aufmerksamkeit, und machten öffentlich ihr Testament, worin Mörichus den Aristeas, wenn ihn dieser überleben sollte, und Aristeas den Mörichus auf denselben Fall zum Herrn seines ganzen Vermögens einsetzte. So lau-tete das beiderseitige Testament. Die Beiden aber fuhren fort, es einander in Gefälligkeiten und Schmeicheleien zuvorzuthun. Auch die Wahrsager, die Stern- und Traumdeuter, die Wun-dermänner von der Chaldäerzunft, ja der pythische Gott selbst verhießen bald dem Aristeas, bald dem Mörichus den Sieg, so daß sich die Wagschale bald zu des Einen, bald zu des An-dern Gunsten neigte.

2. **Diogenes.** Und was geschah am Ende? Du machst mich neugierig.

---

*) Iliade **XXIII,** 124.

Crates. Alle Beide starben an Einem Tage. Die Erbschaften fielen zwei Verwandten, dem Eunomius und Thrasykles zu, die nie geahnt hatten, daß es so kommen würde. Denn die beiden Erblasser waren mitten auf der Ueberfahrt von Sicyon nach Cirrha vom Nordwestwinde überfallen worden, der das Fahrzeug umstieß und sie unter den Wellen begrub.

3. Diogenes. Recht so! Wir beide, als wir noch im Leben waren, hatten nichts dergleichen gegen einander im Sinne. Ich wünschte nie dem Antisthenes den Tod, um seinen Stab zu erben — und er hatte einen sehr tüchtigen aus Oelbaumholz, den er sich selbst geschnitten —; und eben so wenig, glaube ich, trugst auch du, Crates, je ein Verlangen nach meinem Tode, um meine Habseligkeiten, mein Faß und meinen Ranzen sammt den zwei Maaß Feigbohnen zu erhalten, die er in sich faßte.

Crates. Ich bedurfte dergleichen so wenig als du, Diogenes. Uebrigens hast du von Antisthenes, und ich von dir das gebührende Erbtheil erhalten, ein Erbtheil, das wichtiger und mehr werth ist als alle Herrlichkeit des Perserkönigs.

Diogenes. Und das war?

Crates. Weisheit, Selbstgenügsamkeit; Wahrheitsliebe, Freimuth und Unabhängigkeit.

4. Diogenes. Beim Jupiter, ich erinnere mich, diese Reichthümer von Antisthenes überkommen und dir reichlich vermehrt hinterlassen zu haben.

Crates. Den Leuten aber war an diesen Gütern nichts gelegen: darum hat uns auch Niemand, in der Hoffnung, uns zu beerben, den Hof gemacht. Nur auf das Gold waren Aller Augen gerichtet.

Diogenes. Wie natürlich. Sie wären, wenn sie dergleichen Dinge von uns bekommen hätten, nicht im Stande gewesen, sie auch nur aufzubewahren, da ihre Lüderlichkeit sie zu durchlöcherten Säcken gemacht hatte, die nichts bei sich behalten. Wollte man daher Weisheit, Freimuth, Wahrheitsliebe ihnen eingießen, alsbald würde der unhaltbare Boden sie wieder ausfließen lassen. Es geht ihnen hierin gerade wie den Danaïden, welche Wasser in ein angebohrtes Faß schöpfen. Mit dem Golde aber ist es etwas anderes: das halten sie mit den Zähnen und Nägeln und auf alle Weise fest.

Crates. Dafür haben wir aber unsern Reichthum auch hier noch bei uns: jene aber kommen mit einem einzigen Obolus an, und behalten auch diesen nur bis an Charon's Fähre.

————

XII. Alexander, Hannibal, Scipio und Minos.

1. **Alexander.** Mir gebührt der Vorzug vor dir, Afrikaner! Ich bin der Größere.

Hannibal. Mit nichten: ich bin's.

Alexander. Je nun, so soll Minos entscheiden.

Minos. Wer seyd ihr denn?

Alexander. Dieser da ist Hannibal aus Carthago, und ich bin Alexander, der Sohn Philipp's von Macedonien.

Minos. Zwei berühmte Namen, beim Jupiter! Aber worüber streitet ihr denn?

Alexander. Ueber den Vorrang. Hannibal behaup=
tet, ein größerer Feldherr, als ich, gewesen zu seyn: ich hin=
gegen sage, daß ich, was ja allgemein bekannt ist, nicht nur
diesen, sondern überhaupt alle meine Vorgänger im Kriegs=
wesen übertroffen habe.

Minos. Einer nach dem Andern soll für seine Sache
sprechen. Mache du den Anfang, Afrikaner!

2. Hannibal. Nun kommt mir nichts so gut zu
Statten, Minos, als daß ich hier in der Unterwelt auch noch
Griechisch gelernt habe; so daß mein Gegner auch hierin
nichts vor mir voraus hat. — Ich behaupte, daß diejenigen
das größte Lob verdienen, welche anfangs nichts bedeuteten,
und es gleichwohl sehr weit gebracht haben, indem sie durch
sich selbst Macht und Ansehen sich erwarben und würdig er=
schienen, die höchste Gewalt zu bekleiden. So war ich mit
wenig Leuten nach Spanien gekommen, und diente anfänglich
als Unterbefehlshaber unter meinem Bruder: bald aber ward
ich für den Tüchtigsten im Heere erkannt und der höchsten
Stelle gewürdigt. Da eroberte ich Celtiberien, bezwang das
westliche Gallien, überstieg die höchsten Gebirge, durchzog
verheerend die Landschaften um den Po, zerstörte eine Menge
Städte, unterwarf mir die Gefilde Italiens und rückte bis
in die Vorstädte der Hauptstadt selbst vor. An einem einzi=
gen Tage hätte ich so viele Feinde erschlagen, daß man ihre
Fingerringe nach Scheffeln maß, und ihre Leichname zu
Brücken über Ströme dienten. Und alle diese Thaten ver=
richtete ich, ohne mich Jupiter=Ammon's Sohn nennen zu
lassen, und mich für einen Gott auszugeben, oder von Träu=
men meiner Mutter zu fabeln; sondern, während ich für einen

bloßen Sterblichen gelten wollte, erprobte ich mich an dem
einsichtsvollsten Feldherrn und hatte es mit den streitbarsten
Kriegern der Welt zu thun. Denn die, welche ich schlug,
waren keine Meder und Armenier, die davon laufen, ehe
man sie jagt, und den Sieg Jedem überlassen, der ihnen ein
bischen keck entgegen geht.

3. Alexander aber hatte von seinem Vater eine Herrschaft geerbt, die er nur vergrößerte und weit ausdehnte,
indem er sich die Gunst des Glückes zu Nutzen machte. Allein
nach seinen Siegen bei Issus und Arbela, die ihn vollends
zum Ueberwinder des erbärmlichen Darius gemacht hatten,
verließ er die heimische Sitte, verlangte göttliche Verehrung,
vertauschte seine Lebensweise gegen die medische, und mordete
seine eigenen Freunde eigenhändig bei seinen Trinkgelagen,
oder ließ sie gefesselt zum Tode führen. Ich hingegen betrachtete mich bei meiner Gewalt über meine Mitbürger immer als einen Ihres gleichen, und als sie mich aus Italien
zurückberiefen, weil eine große feindliche Flotte Carthago zu-
steuerte, gehorchte ich unverzüglich, kehrte in den Privat-
stand zurück, und ertrug, selbst da sie mich verurtheilten,
mein Schicksal ohne Bitterkeit. Dieß that der Barbar, der
aller feinern Griechischen Bildung ermangelte, der nicht, wie
dieser da, Homer's Gesänge herzusagen wußte, noch auch
unter dem großen Philosophen Aristoteles studirt hat, sondern der einzig und allein seine glückliche Naturanlage zur
Führerin hatte. Diese Gründe sind's, aus welchen ich behaupte, den Vorzug vor Alexander'n zu verdienen. Wenn er
schöner war, weil ein Diadem sein Haupt umschlang, so
mag das allerdings in den Augen von Macedoniern von Ge-

nicht seyn: wie sollte er aber um deßwillen größer als der hochherzige Kriegsheld erscheinen, der seinem Geiste unendlich mehr als seinem Glücke verdankte!

Minos. Das war eine wackere Rede, wie man sie keinem Afrikaner zutrauen sollte. Nun, Alexander, was hast du hierauf zu erwiedern?

4. Alexander. Eigentlich sollte man dem Unverschämten gar nichts erwiedern; denn schon das Gerücht wird dich hinlänglich belehrt haben, was ich für ein großer König, und was dieser für ein räuberischer Abentheurer war. Gleichwohl urtheile erst aus dem, was ich sagen werde, ob mein Vorzug vor Hannibal nicht groß genug ist. Ich war noch sehr jung, als ich die Regierungsgeschäfte antrat: dennoch hielt ich den erschütterten Thron kraftvoll aufrecht, zog die Mörder meines Vaters zur Strafe, machte mich den Griechen durch die Zerstörung von Theben furchtbar, und ward hierauf von ihnen zum Feldherrn erwählt. Nun hielt ich es meiner für unwürdig, mich auf den vom Vater ererbten macedonischen Thron zu beschränken; ich dachte auf eine Weltherrschaft und fühlte, daß es mir unerträglich wäre, wenn nicht Alles mir unterworfen würde. Mit einem kleinen Heerhaufen griff ich Asien an, siegte am Granicus in einer großen Schlacht, eroberte Lydien, Jonien, Phrygien: kurz alles Land, das mein Fuß betrat, mir unterwerfend, rückte ich bis Issus vor, wo Darius mit vielen Myriaden mich erwartete.

5. Wie viele Todte ich auch damals an Einem Tage in die Unterwelt schickte, wißt ihr ja selbst: der Fährmann erzählt noch heute, daß sein Nachen nicht groß genug gewesen

sey, sondern daß er Flöſſe habe zuſammen binden müſſen,
um die ganze Menge herüber zu bringen. Dabei ſtellte ich
mich überall ſelbſt an die Spitze der Gefahr, mit dem Wun=
ſche, eine ehrenvolle Wunde zu empfangen. Um dich nicht
mit einer Schilderung meiner Thaten vor Tyrus und bei
Arbela aufzuhalten, erwähne ich nur, daß ich bis Indien
vordrang, den Ocean zur Gränze meines Reiches machte,
die Elephanten Indiens bändigte und den König Porus mir
unterwarf. Auch ſetzte ich über den Tanaïs, und ſchlug die
Scythen, ein gar nicht zu verachtendes Volk, in einer gro=
ßen Reiterſchlacht. Meinen Freunden habe ich Wohlthaten
erwieſen, an meinen Widerſachern Rache genommen. Und
wenn mich die Sterblichen für einen Gott hielten, ſo iſt
nicht ihre Schuld, daß ſie die Größe meiner Thaten ſo et=
was von mir glauben ließ.

6. Endlich ſtarb ich als König, dieſer aber in der Ver=
bannung bei Pruſias von Bithynien auf eine Weiſe, welche
des ränkevollſten und grauſamſten aller Menſchen würdig war.
Denn auf welche Art er in Italien die Oberhand behielt,
will ich hier nicht ausführen: genug es geſchah nicht durch
Kraft und Muth, ſondern durch ſchlechte Mittel, durch Treu=
loſigkeit und argliſtige Ränke. Rechtlich und offen handelte
er niemals. Und wenn er mir Schwelgerei vorwirft, ſo ſcheint
er vergeſſen zu haben, wie er in Kapua hauſte, wo ſich
der große Held an lüderliche Dirnen hieng, und die günſtig=
ſten Zeitpunkte zu Unternehmungen in Wollüſten verſchwelgte.
Hätte ich nicht, in Geringachtung des Abendlandes, meine
Waffen gegen den Orient gerichtet, es wäre wahrlich nichts
Großes geweſen, Italien, ohne einen Tropfen Blutes zu

vergießen, einzunehmen; und Afrika und alle Lande bis Ca-
dir unter mein Joch zu beugen. Allein ich hielt es unter
meiner Würde, Völker zu bekriegen, die nun feige genug
sind, die Herrschaft eines Einzigen anzuerkennen. → Ich
bin zu Ende. Entscheide nun, Minos. Denn von Vielem,
was sich noch sagen ließe, mag dieß genug seyn.

7. Scipio. Nicht eher, als bis du auch mich gehört
hast.

Minos. Wer und woher bist du denn, guter Freund,
daß du hier etwas zu sagen hast?

Scipio. Aus Italien, der Feldherr Scipio, der Kar-
thago zerstörte und große Siege über die Afrikaner erfocht.

Minos. Und was hast du denn zu sagen?

Scipio. Daß ich geringer als Alexander, aber größer
als Hannibal sey, den ich geschlagen und genöthigt habe,
eine schändliche Flucht zu ergreifen. Wie unverschämt also
von diesem, einem Alexander den Rang streitig machen zu
wollen, mit welchem nicht einmal Scipio, Hannibal's Ueberwinder sich zu messen wagt?

Minos. Beim Jupiter, das heißt verständig gesprochen. So fälle ich also das Urtheil: der Erste ist Alexander,
der Zweite du, Scipio: der Dritte mag Hannibal seyn; denn
auch dieser ist im Geringsten nicht zu verachten.

————————

XIII. Diogenes und Alexander.

1. Diogenes. Was ist das, Alexander? Du bist
auch gestorben, wie wir andern Alle?

Alexander. Wie du siehst: was ist denn Wunderbares daran, wenn der Sterbliche stirbt?

Diogenes. Ammon hat also gelogen, wenn er dich seinen Sohn nannte, und Philippus war wirklich dein Vater?

Alexander. Nicht anders: ich wäre wohl nicht gestorben, wenn ich Ammon's Sohn wäre.

Diogenes. Gleichwohl waren Mährchen solcher Art auch in Betreff der Olympias im Umlauf, als ob sie Umgang mit einem Drachen gehabt hätte, und derselbe in ihrem Bette gesehen worden wäre: einige Zeit darauf wärest du geboren worden; den betrogenen Philippus aber hätte man auf dem Glauben gelassen, dein Vater zu seyn.

Alexander. Auch ich hörte eben das: allein jetzt sehe ich wohl, daß weder an den Aussagen meiner Mutter, noch an denen der Ammon'spriester ein vernünftiges Wort war.

Diogenes. Doch kam dir diese Lüge bei deinen Unternehmungen nicht übel zu Statten, Alexander. Es waren ihrer Viele, welche, im Glauben an deine Gottheit, sich dir demüthig unterwarfen.

2. Aber sage mir doch, wem hast du denn dein gewaltiges Reich hinterlassen?

Alexander. Das weiß ich selbst nicht, guter Diogenes. Ich konnte hierüber nichts mehr bestimmen, ausser daß ich im letzten Augenblicke noch dem Perdiccas meinen Fingerring übergab. Worüber lachst du denn?

Diogenes. Worüber anders, als über die klugen Streiche der Griechen, die mir jetzt der Reihe nach beifallen. Kaum hattest du den Thron bestiegen, so fiengen sie an,

dir zu schmeicheln, wählten dich zu ihrem Vorstande und zum
Feldherrn gegen die Perser: Etliche zählten dich sogar den
zwölf Göttern bei, bauten die Tempel und opferten dir als
dem Drachensohne. — Aber wo haben dich denn deine Ma=
cedonier begraben?

3. Alexander. Schon ist's der dritte Tag, und
noch immer liege ich zu Babylon: allein Ptolemäus, mein
Leibtrabant, verspricht, sobald ihm die gegenwärtigen Ver=
wirrungen einige Zeit lassen, mich nach Aegypten zu bringen
und zu bestatten, wo ich denn einer von den ägyptischen Göt=
tern werden soll.

Diogenes. O Alexander! ich soll nicht lachen, da ich
sehe, daß du auch im Schattenreiche noch so albern bist, und
ein Anubis oder Osiris zu werden hoffest? Göttersohn, bilde
dir so etwas nicht ein. Es geht nun ein für allemal nicht
an, daß, wer einmal über den See gesetzt und den Eingang
der Unterwelt hinter sich hat, wieder zurückkehre. Aeakus
ist wachsam, und mit dem Cerberus läßt sich auch nicht
spaßen.

4. Aber nur das möchte ich von dir wissen, wie dir zu
Muthe ist, wenn du an die Herrlichkeiten denkst, welche du
auf der Oberwelt zurückgelassen hast, an deine Leibwachen,
Trabanten und Satrapen, und die vielen zu deinen Füßen
knieenden Nationen, an dein Babylon und Bactra, an deine
großen Indischen Wunderthiere, dein Gold, deine Hoheit und
deinen Ruhm, und wie du einst von Purpur umwallt, und
das Haupt mit dem weißen Diademe umschlungen, in strah=
lender Majestät einherfuhrst — machen dir solche Erinnerun=
gen das Herz nicht schwer? Wirklich, du weinst, eitle See=

le? Nicht einmal das hat dich dein weiser Aristoteles ge=
lehrt, wie unzuverläßig die Gaben des Glückes sind?

5. Alexander. Ach nenne ihn nicht weise, der unter
allen meinen Schmeichlern der ärgste Schurke war. Glaube
mir, ich muß am besten wissen, was von ihm zu halten ist.
Was bettelte er nicht Alles von mir, welche Briefe schrieb
er mir, wie mißbrauchte er die Liebhaberei, mit welcher ich
die Wissenschaften zu begünstigen mir zur Ehre rechnete,
wie kriechend pries er bald meine Schönheit, als ob auch
diese zu den wahren Gütern gehörte, bald meine Thaten und
meine Reichthümer! Denn auch die letztern erklärte er für
ein wahres Gut, um sich nicht schämen zu müssen, daß er
selbst so Vieles von mir annahm. Kurz, Aristoteles ist ein
ausstudierter Betrüger, und der ganze Gewinn, den ich von
seiner Philosophie habe, ist der, daß ich nun über den Ver=
lust jener Dinge, welche du so eben aufzähltest, wie über
den Verlust der größten Güter traure.

6. Diogenes. Weißt du was? Ich will dir ein
kummerstillendes Mittel sagen. Da bei uns keine Nießwurz
wächst, so trinke in vollen Zügen aus dem Lethequell, und
das mehreremal. Sey gewiß, die aristotelischen Güter wer=
den dir bald keinen Kummer mehr machen. — Aber da sehe
ich ja den Clitus und Callisthenes und mehrere Andere auf
dich daher stürmen, als ob sie für das, was du ihnen ge=
than, Rache nehmen und dich zerreißen wollten. Schlage
also diesen andern Weg ein, und — hörst du? — trinke recht
fleißig.

9*

XIV. Alexander und Philippus.

1. **Philippus.** Nun Alexander wirst du wohl nicht mehr in Abrede seyn, daß du wirklich mein Sohn bist. Denn als der Sohn des Jupiter=Ammon wäreſt du wohl schwerlich geſtorben.

Alexander. O Vater, ich ſelbſt wußte es recht gut, daß ich des Philippus Sohn und des Amyntas Enkel war. Allein ich ließ mir das Orakel gerne gefallen, weil ich es bei meinen Unternehmungen für förderlich hielt.

Philippus. Wie ſo? Du konnteſt einen Vortheil darin ſehen, dich zum Gegenſtande von Pfaffentrug zu machen?

Alexander. Ich betrachtete die Sache nicht ſo. Sondern die barbariſchen Völker zitterten vor mir, und keines derſelben wagte, zum Widerſtande gegen den vermeintlichen Gott die Waffen zu ergreifen. So war es mir ein Leichtes, mir ſie alle zu unterwerfen.

2. **Philippus.** Was waren es aber auch für Leute, welche du dir unterwarfſt? Waren es Männer, gegen die es eine Ehre iſt im Felde zu ſtehen, oder haſt du es nicht vielmehr mit Memmen zu thun gehabt, die mit ſchwachen Bogen und elenden Schildchen oder Schilden aus Weidengeflechten bewaffnet waren? Die Griechen überwinden, Böotier, Phocenſer, Athener ſchlagen, das iſt eine andere Arbeit. Mit Arcadiſchen Schwerbewaffneten, Theſſaliſcher Reuterei, Eleïſchen Schützen, dem leichten Fußvolk von Mantinea, Thraciern, Illyriern, Päoniern — mit ſolchen Truppen fertig geworden ſeyn, das ſind große Thaten. Jene Meder, Perſer

und Chaldäer aber, verzärtelte und mit goldenen Waffen ge=
zierte Puppen, weißt du nicht, wie sie vor dir schon von den
Zehentausend, die mit Clearchus ausgezogen waren, geschla=
gen wurden, und wie sie da nicht einmal den Muth hatten,
es zum Handgemenge kommen zu lassen, sondern, ehe noch
ein Geschoß sie erreichen konnte, davon liefen?

3. Alexander. Aber die Scythen, Vater, und die
Indischen Elephanten sind doch keine so verächtlichen Gegner:
und gleichwohl besiegte ich sie, ohne Zwistigkeiten unter ihnen
selbst zu stiften, oder meinen Sieg von Verräthern zu er=
kaufen. Nie erlaubte ich mir um meines Vortheiles willen
einen Meineid, einen Bruch des gegebenen Wortes oder ir=
gend eine Treulosigkeit. Griechenland gewann ich, mit Aus=
nahme der Thebauer, ohne Schwerdtstreich: wie ich aber diese
züchtigte, wirst du ohne Zweifel bereits vernommen haben.

Philippus. Ich weiß das Alles: Clitus hat es mir er=
zählt, derselbe den du über der Tafel mit der Lanze durch=
bohrtest, weil er sich unterstanden hatte, in Vergleichung
mit deinen Thaten die meinigen zu loben.

4. Auch sagte man mir, du hättest den Macedonischen
Kriegsmantel abgelegt, und dafür ein weiches Persisches Ge=
wand umgethan, und die Tiare (Turban) aufgesetzt, ja
sogar von Freigebornen, edlen Macedoniern, göttliche Vereh=
rung verlangt, und was die größte Thorheit war, die Sit=
ten der Ueberwundenen nachgemacht. Ich schweige von dei=
nen übrigen Thaten, daß du, zum Beispiel, Löwen und Ge=
lehrte zusammensperrtest, unwürdige Hochzeiten feiertest, in
den Hephästion bis zum Wahnsinn verliebt warst, und der=
gleichen. Das Einzige Lobenswürdige, das ich von dir ver=

nahm, war die Selbstverläugnung, welche du in Beziehung
auf die schöne Gemahlin des Darius bewiesen, so wie die
Fürsorge, welche du für seine Mutter und Töchter getragen
hast. Das war königlich gehandelt.

5. Alexander. Wie, mein Vater, an meinem Mu=
the also, den ich so gerne in Gefahren erprobte, an jener
Heldenthat bei den Oxydraken, wo ich der Erste war, der von
der Mauer in die Stadt sprang, an den vielen Wunden, die
ich empfieng, an Allem dem findest du nichts zu loben?

Philippus. Nein, Alexander: nicht als ob ich es
nicht für rühmlich hielte, wann sich ein König einmal in der
Schlacht an die Spitze seines Heeres stellt und Wunden da=
von trägt? sondern weil dein Benehmen eben dir am wenig=
sten Vortheil brachte. Denn wenn man dich, der für einen
Gott gelten wollte, verwundet, bluttriefend und ächzend aus
der Schlacht tragen sah, so warst du ein Gegenstand des
Spottes für alle Zuschauer: dein Ammon aber war als Be=
trüger und Lügenprophet, und seine Priester als kriechende
Schmeichler überwiesen. Oder sollte man nicht lachen, wenn
man einen Sohn Jupiter's in Ohnmacht fallen und ärztlicher
Hülfe bedürftig sieht? Und vollends jetzt, da du gar ge=
storben bist, glaubst du nicht, daß gar Viele in scharfer Lauge
über deine schlecht gespielte Rolle sich auslassen werden,
wenn nun der Leichnam des Gottes ausgestreckt, und nach
dem Gesetze aller Leiber in Fäulniß und Verwesung überge=
hend, vor ihnen liegt? Zu dem hat das, was du vorhin
als einen Vortheil anführtest, daß du nämlich durch den
Glauben der Völker an deine Göttlichkeit dich um so leichter
zum Herren derselben machtest, dem Ruhme deiner Thaten

schon um deßwillen sehr geschadet, weil jede derselben immer noch zu klein war, wenn sie für die That eines Gottes gelten sollte.

6. **Alexander.** So denken die Menschen doch nicht von mir, sondern sie setzen mich einem Bacchus und Herkules an die Seite: und wirklich bin ich der Einzige, der das unersteigliche Felsennest Aornus, das keiner von jenen Beiden eingenommen hatte, in seine Gewalt bekam.

Philippus. Hörst du, wie du nun schon wieder als Ammon's Sohn sprichst, indem du dich mit Herkules und Bacchus vergleichst. Schäme dich doch, Alexander, und gewöhne dir diese thörichte Einbildung ab: lerne dich selbst kennen, und dir bewußt werden, daß du ein Schatten bist.

XV. Antilochus und Achilles.

1. **Antilochus.** Was du neulich zu Ulysses über den Tod sagtest, Achilles, verräth eine des Zöglings von Chiron und Phönix sehr unwürdige Schwachheit. Ich hörte dich sagen, du wolltest

————— — lieber das Feld als Tagelöhner bestellen
Einem dürftigen Mann ohn' Erb' und eigenen Wohlstand,
Als die sämmtliche Schaar der geschwundenen Todten beherrschen *).

Diese unedle Aeusserung schickte sich allenfalls für einen feigen Phrygier, der sich nicht schämt das Leben über Alles zu lieben. Aber daß der Sohn des Peleus, sonst ein Held und

*) Odyss. XI, 489. nach Voß.

mit Gefahren vertraut, wie Keiner, nun auf einmal so niedrig von sich denkt, das ist große Schande und widerspricht
gar sehr deinen bei Lebzeiten verrichteten Thaten. Hast du
doch selbst einen glorreichen Tod dem noch so langen Leben
vorgezogen, welches du als König, aber ruhmlos, in Phthiotis
hättest führen können.

2. **Achilles.** Ach Nestoride, damals kannte ich diesen
Zustand noch nicht. Unwissend, was das Bessere wäre, gab
ich dem elenden Bischen Ruhm vor dem Leben den Vorzug.
Jetzt aber weiß ich, wie so eitel und unnütz dieser Ruhm
mir ist, was auch die Leute da oben davon singen und sagen
werden. Hier unter den Schatten ist Gleichheit der Ehre.
O mein Antilochus, Schönheit und Stärke sind dahin: Alle
liegen wir hier, in Nichts von einander unterschieden, von
derselben Finsterniß eingehüllt. Die Schatten aus Troja
fürchten mich nicht, die Achäer ehren mich nicht. Die ge-
naueste Gleichheit herrscht, und der Schlechteste wie der
Edelste — Einer ist todt wie der Andre. Dieß ist mein Kummer, und darum beklage ich es, daß ich nicht lebe, und wäre
es auch nur als Tagelöhner.

3. **Antilochus.** Was will man machen, Achilles?
Die Natur hat es so gewollt, daß Alle ohne Ausnahme sterben müssen. Diesem Gesetze müssen wir uns also ohne Gram
und Kummer fügen. Ueberdieß siehst du ja, wie viele deiner
Freunde du um dich hast: auch Ulysses wird in Kurzem hier
seyn. Es liegt also doch immer ein Trost in dem Gedanken,
nicht der Einzige zu seyn, der leidet, sondern sein Ungemach
mit Andern zu theilen. Du siehst hier den Herkules, den
Meleager, und andere wunderwürdige Männer, von denen

gewiß Keiner die Erlaubniß, in die Oberwelt zurückzukehren, annehmen würde, wenn man sie ihm unter der Bedingung ertheilte, als Tagelöhner zu dienen „einem dürftigen Mann ohn' Erb' und eigenen Wohlstand.‟

4. Achilles. Das ist der wohlmeinende Trost eines Freundes. Allein ich kann nun einmal nicht dafür, daß mich die Erinnerung an das Leben so tief kränkt, und ich glaube, es geht euch Allen auch so. Wenn ihr es nicht gesteht, um so schmählicher ist es, daß ihr es euch stillschweigend gefallen laßt.

Antilochus. Keineswegs Achilles, wir handeln nur um so vernünftiger, da wir einsehen, wie fruchtlos es wäre, viele Worte darüber zu verlieren. Wir halten es also für's Beste, zu schweigen und zu dulden, um uns nicht, wie du, mein Freund, mit so eiteln Wünschen lächerlich zu machen.

XVI. Diogenes und Hercules.

1. Diogenes. Ist das nicht Herkules? Beim Hercules, er ist's — der Bogen, die Keule, das Löwenfell, die große Statur, der leibhafte Hercules! Also Jupiter's leiblicher Sohn wäre gestorben? Nein, sage mir doch, du Siegesheld, bist du denn wirklich todt? Auf der Oberwelt opferte ich dir ja als einem Gotte?

Hercules. Und thatest recht daran. Der wahre Hercules lebt im Himmel bei den Göttern, und

— — umarmt die blühende Hebe *).

Ich bin nur sein Gebild.

*) Odyss. XI, 604.

Diogenes. Wie meinst du das: Gebild des Got=
tes? Und ist es möglich, zur einen Hälfte ein Gott, zur an=
dern gestorbey zu seyn?

Hercules. Allerdings: denn nicht er selbst ist todt,
sondern nur ich, sein Bild.

2. Diogenes. Ich verstehe: er hat dem Pluto dich
als Ersatzmann gestellt; und du bist nun in seinem Namen
todt?

Hercules. So ungefähr.

Diogenes. Wie gieng aber das zu, daß Aeacus, der
es doch sonst so genau nimmt, die Sache nicht merkte, und
den untergeschobenen Hercules für den ächten gelten ließ?

Hercules. Weil ich ihm auf ein Haar ähnlich sah.

Diogenes. Es ist auch wahr, so ähnlich, daß du er
selbst seyn könntest. Wenn es sich nur nicht am Ende um=
gekehrt verhält und du hier der wahre Hercules bist, dein
Schattenbild aber die Hebe bei den Göttern geheurathet
hat!

3. Hercules. Du hast ein unverschämtes loses Maul!
Wenn du nicht augenblicklich aufhörst zu spotten, so sollst du
fühlen, wessen Gottes Gebild ich bin.

Diogenes. Wahrhaftig er spannt den Bogen. O ich
bin schon einmal gestorben, ich fürchte dich nicht mehr. Aber
ich bitte dich um deines Hercules willen, sage mir doch,
warst du damals, wie er noch am Leben war, als seine Ge=
stalt auch schon bei ihm? Oder machtet ihr damals nur Eine
ungetrennte Person aus, und trenntet euch erst im Tode,
wo denn der Eine zu den Göttern aufflog, du aber, sein
Schattenbild, hieher in die Unterwelt wandertest?

Hercules. Eigentlich sollte ich einem Menschen, der so geflissentlich seinen Spaß mit mir haben will, gar keine Antwort geben. Ich will dir aber gleichwohl so viel sagen: was von Amphitryo an Hercules war, das ist gestorben, und das Alles bin ich; was von Jupiter war, ist unter den Göttern im Himmel.

4. Diogenes. Ach! nun sehe ich klar. Also zwei Herculesse auf einmal hat Alcmene geboren, den Einen von Amphitryo, den Andern von Jupiter, und ihr waret demnach Zwillinge. Das wußte man freilich nicht.

Hercules. Nicht so, Dummkopf. Wir Beide waren Ein und Ebenderselbe.

Diogenes. Das begreift sich nun wieder nicht so leicht, zwei Herculesse in Einen zusammengesetzt! es müßte denn seyn, daß ihr eine Art von Centaur wäret, ein Mensch und ein Gott, in Ein Wesen zusammengewachsen:

Hercules. Siehst du denn nicht, daß gleichermaßen alle Menschen aus zwei Theilen, aus Seele und Leib, zusammengesetzt sind? Was hindert also, daß nicht die Seele, die aus Jupiter ist, im Himmel, und das Sterbliche, das heißt ich, unter den Todten sey?

5. Diogenes. Das ließe sich hören, mein bester Amphitryonide, wenn du ein Körper wärest. Nun aber bist du ein unkörperliches Gebilde: und so fürchte ich, du wirst endlich noch einen dreifachen Hercules herausbringen.

Hercules. In wiefern einen dreifachen?

Diogenes. Ich denke so: Einer ist im Himmel; Einer bei uns, das Gebilde, das bist du, und der Körper verbrannte auf dem Oeta zu Asche — sind zusammen ihrer drei.

Nun magst du noch auf einen dritten Vater für deinen Kör=
per denken.

Hercules. Das ist ein frecher, spitzfindiger Kerl! Und
wer bist denn du!

Diogenes. Des Diogenes aus Sinope Gebilde. Er
selbst ist zwar nicht

— — im Kreis der unsterblichen Götter, *)

aber im Umgange mit den Trefflichsten der Abgeschiedenen,
wo er sich über Homer und seine albernen Fabeleien lustig
macht.

XVII. Menippus und Tantalus.

1. Menippus. Warum weinst du, Tantalus? Oder
jammerst du über dich selbst?

Tantalus. Ach, Menippus, ich vergehe vor Durst!

Menippus. Du stehst ja am Wasser: warum bist du
zu faul, dich zu bücken, oder auch nur mit der hohlen Hand
zu schöpfen?

Tantalus. Das Bücken hilft mir nichts: das Wasser
flieht vor mir, so bald es merkt, daß ich herankomme: und
wenn ich auch etwas mit der Hand schöpfe und zum Munde
führe, so kann ich kaum die äuffersten Lippen benetzen; denn
das Wasser zerrinnt mir, ich begreife nicht wie, zwischen
den Fingern, und meine Hand ist wieder so trocken als
zuvor.

Menippus. Ein wunderliches Leiden, Tantalus. Al=
lein, wie kannst du denn zu trinken verlangen, da du doch

*) Odyss. XI, 602.

keinen Körper hast? Der hungernde und dürstende Theil
deiner selbst liegt ja in Lydien begraben: wie solltest denn
du, die bloße Seele, noch dürsten und trinken können?

Tantalus. Das ist eben meine Strafe, daß die Seele
dürsten muß, als ob sie ein Körper wäre.

2. Menippus. So will ich es denn glauben, weil du
sagst, der Durst sey dir als Strafe auferlegt. Worin sollte
aber für dich das Ungemach bestehen? Oder fürchtest du
etwa, aus Mangel an einem Trank, zu sterben? Ich sehe
doch keine andere Schattenwelt, und weiß auch von keiner
Wanderung aus diesem an einen andern Ort.

Tantalus. Du hast allerdings Recht: aber eben dieß
ist ein Theil meiner Verdammniß, daß ich eine Sucht zu
trinken habe, ohne dessen zu bedürfen.

Menippus. Possen, Tantalus: du brauchst, meine
ich, allerdings einen Trank, aber wahrlich nur einen von
der stärksten Nieswurz. Dein Uebel ist das gerade Gegen=
theil von dem, welches der Biß wüthender Hunde verursacht:
du scheuest dich nicht vor dem Wasser, sondern vor dem
Durst.

Tantalus. O lieber Menippus, ich würde mir gar
nichts daraus machen, auch einen Nieswurz=Absud zu trin=
ken. Wenn ich nur welchen hätte!

Menippus. Beruhige dich, guter Tantalus. Wir
Schatten alle trinken so wenig, als du, weil es eine Un=
möglichkeit ist. Aber freilich dürsten wir nicht, wie du, zur
Strafe, und weil das Wasser vor uns davon liefe.

XVIII. Menippus und Merkur.

1. **Menippus.** Wo sind denn jene berühmten männlichen und weiblichen Schönheiten, Merkur? Mache mich neuen Ankömmling hier unten doch ein wenig bekannt.

Merkur. Ich habe keine Zeit dazu, guter Menippus: aber siehe dort rechts sind Hyacinth, Narciß, Nireus, Achilles, Thyro, Helena, Leda, kurz alle Schönheiten des Alterthums beisammen.

Menippus. Ich sehe nur nackte Gerippe und Schädel, von denen Einer aussieht wie der Andere.

Merkur. Gleichwohl sind diese Gerippe, von denen du so verächtlich sprichst, noch immer die Bewunderung aller Dichter.

Menippus. Zeige mir doch einmal die Helena; ich wüßte sie nicht herauszufinden.

Merkur. Dieser Schädel da ist Helena.

2. **Menippus.** Also um dieses Gebeines willen wurden tausend Schiffe aus dem ganzen Griechenland bemannt, so viele Tausend Griechen und Asiaten erschlagen, und so manche Stadt dem Boden gleich gemacht?

Merkur. Du hättest dieses Weib bei ihren Lebzeiten sehen sollen, Menipp: gewiß, du hättest diejenigen nicht getadelt,

Die um ein solches Weib so lang' ausharrten im Elend [*]).
Blumen, die in ihrer Blüthe und mit ihrem Farbenschmucke noch so schön waren, erscheinen häßlich, wenn sie verdorrt sind, und der frische Schmelz der Farben verschwunden ist.

---

[*] Iliade III, 157. nach Voß.

Menippus. Eben deßwegen wundere ich mich, Merkur, daß die Achäer nicht sollten eingesehen haben, wie sie sich um eines so kurz währenden, und so schnell verblühenden Dinges willen bemühen.

Merkur. Ich habe jetzt keine Zeit, mit dir zu philosophiren, Menippus. Wähle dir einen beliebigen Platz aus und lagere dich. Ich muß gehen und die übrigen Todten herbeiholen.

XIX. Aeacus, Protesilaus, Menelaus und Paris.

1. **Aeacus.** He, Protesilaus, was fällst du über die Helena her? warum fassest du sie an der Kehle?

Protesilaus. Sie ist Schuld an meinem Tode: mein Hauswesen mußte ich unvollendet, und meine junge, kaum geehlichte Gattin als Wittwe zurücklassen.

Aeacus. Klage den Menelaus deßhalb an, der um eines solchen Weibes willen euch nach Troja führte.

Protesilaus. Du hast Recht: den muß ich dafür belangen.

Menelaus. Nicht mich, mein Bester, sondern mit weit größerem Rechte den Paris, der mein, seines Gastfreundes, Weib schurkischer Weise entführte. Der verdiente nicht bloß von dir, sondern von allen Griechen und Asiaten erdrosselt zu werden, da durch seine Schuld so Viele ihren Tod gefunden haben.

Protesilaus. Ganz recht: heran also, Unglücksparis, du sollst mir nicht so bald aus den Händen!

Paris. Du thust mir Unrecht, Protesilaus, zumal da wir Kunstverwandte sind: ich hatte mich auch, wie du, auf's Lieben gelegt, und war von demselben Gotte getrieben worden. Nun weißt du ja selbst, daß es etwas Unwillkühr= liches um das Lieben ist, und daß es irgend ein Dämon ist, der uns führt, wohin er will, ohne daß es möglich wäre, ihm zu widerstehen.

2. Protesilaus. Du hast auch Recht! Könnte ich jetzt doch nur gleich den Liebesgott zu fassen bekommen!

Aeacus. Ich will seine Vertheidigung übernehmen. Er wird dir zugeben, an der Liebe des Paris zur Helena vielleicht Schuld zu seyn; aber an deinem Tode, wird er sa= gen, sey Niemand Schuld als du selbst. Bei der Ankunft an der Troischen Küste hättest du dich, ohne an deine junge Gattin zu denken, von Tollkühnheit und Ehrgeiz verleiten lassen, zuerst an's Land zu springen, und sogleich bei der Landung, der Erste von Allen, den Tod gefunden.

Protesilaus. Nun so will ich mich gleichfalls, und noch triftiger, rechtfertigen und sagen: auch ich trage dessen keine Schuld, sondern das Verhängniß, welches von Anfang an dieses Loos mir zugedacht hatte.

Aeacus. So ist's: was klagst du also Andere an?

Lucian's

Werke,

übersetzt

von

August Pauly,

Professor, Lehrer an der lateinischen und Real=Anstalt
zu Biberach.

———

Drittes Bändchen.

———

Stuttgart,

Verlag der J. B. Metzler'schen Buchhandlung.
Für Oestreich in Commission von Mörschner und Jasper
in Wien.

1 8 2 7.

Todtengespräche.

XX. Menippus und Aeacus.

1. **Menippus.** Um Pluto's willen! thu mir doch den Gefallen, Aeacus, und zeige mir Alles der Reihe nach.

Aeacus. Alles, Menippus, ist wohl nicht so leicht zu zeigen: aber das Hauptsächlichste sollst du zu sehen bekommen. Den Cerberus da kennst du schon: auch den Fährmann dort, der dich herüberbrachte, den See und den Pyriphlegethon [Feuerstrohm] hast du bereits bei deiner Hieherkunft gesehen.

Menippus. Ich kenne das Alles, und weiß auch schon, daß du der Thürhüter bist: eben so sah ich schon den König und die Furien. Aber die Menschen der Vorzeit zeige mir, und besonders die nahmhaftesten unter ihnen.

Aeacus. Siehe, hier ist Agamemnon, dort Achilles und neben ihm Idomeneus; weiterhin Ulysses, Ajax, Diomedes und sämmtliche alten Häupter der Griechen.

2. **Menippus.** O wehe, Homer, wie sind die Helden deiner Gesänge in den Staub gesunken! Welch unkenntliche, häßliche Fratzen! Lauter Staub und Tand! Ohnmächtige Luftgebilde *) fürwahr! — Aber wer ist der da, Aeacus?

---

*) Odyss. X, 521.

Aeacus. Cyrus: der dort ist Cröſus, neben ihm Sardanapal, der über beiden Midas, und Jener ist Xerres.

Menippus. Du warſt es alſo, Schurke, vor welchem Griechenland zitterte, als du über den Hellespont eine Brücke ſchlugſt, und durch Berge ſchiffen wollteſt? — Und Cröſus — wie der ausſieht! — Und Sardanapal! Erlaube mir, Aeacus, daß ich ihm ein Tüchtiges hinter die Ohren verſetze.

Aeacus. Bei Leibe nicht! Du würdeſt ihm ſeinen mürben Weiber-Schädel entzweiſchlagen.

Menippus. So will ich wenigſtens dem Mannweib in's Geſicht ſpucken.

3. **Aeacus.** Soll ich dir auch die Philoſophen zeigen?

Menippus. Allerdings!

Aeacus. Gleich der erſte hier iſt Pythagoras.

Menippus. Sey mir gegrüßt, Euphorbus, Apollo, und was du Alles ſeyn willſt.

Pythagoras. Sey mir gleichfalls gegrüßt, Menippus.

Menippus. Haſt du deinen goldenen Schenkel nicht mehr?

Pythagoras. Ach nein: aber laß doch ſehen, ob du in deinem Ranzen etwas zu eſſen haſt.

Menippus. Nichts als Bohnen, die du ja doch nicht eſſen darfſt.

Pythagoras. Gieb ſie nur: bei den Schatten bin ich auf andere Anſichten gekommen: ich habe eingeſehen, daß die Bohnen und die Köpfe unſerer Eltern nichts mit einander gemein haben.

4. **Aeacus.** Hier iſt Solon, des Ereceſtides Sohn,

dort Thales, neben ihm Pittacus, und die übrigen der Sieben, wie du siehst.

Menippus. Diese sind die Einzigen unter Allen, die
ein aufgereimtes und heiteres Aussehen haben. Wer ist aber
der dort, der mit Asche überdeckt ist, wie ein Brod aus einem ungefegten Ofen, und dem die Brandblasen am ganzen
Leibe ausgeschlagen haben?

Aeacus. Das ist Empedokles, der halbgebraten aus
dem Aetna bei uns ankam.

Menippus. He da, guter Freund mit den ehernen
Füßen, was wandelte ihn an, daß er sich in den Aetna stürzte?

Empedokles. Es war ein Anfall von Trübsinn, Menippus.

Menippus. Nein, nein, beim Jupiter, Ruhmsucht
war's und Dünkel und viel eitler Dunst im Gehirne, was
dich sammt deinen Pantoffeln verdientermaßen zu Kohlen
ausbrannte. Das pfiffige Stückchen hat dir indessen nichts
geholfen: es kam doch an den Tag, daß du gestorben warst.
— Wo ist aber Sokrates, bester Aeacus?

Aeacus. Er plaudert gewöhnlich mit Nestor und Palamedes.

Menippus. Ich möchte ihn doch gar zu gerne sehen,
wenn er hier irgendwo in der Nähe ist.

Aeacus. Siehst du den Kahlkopf dort?

Menippus. Aber hier sind lauter Kahlköpfe: dieses
Merkmal haben Alle.

Aeacus. Ich meine die Stülpnase.

Menippus. Auch diese ist bei Einem, wie bei dem
Andern: sie haben alle Stülpnasen.

Sokrates. Suchst du mich, Menippus?

5. Menippus. Ja, Socrates.

Socrates. Nun, wie steht's zu Athen?

Menippus. Da giebt es gegenwärtig eine Menge junger Leute, die sich für Philosophen ausgeben: und wirklich, wenn man ihr ganzes Aeußere und ihren Gang sieht, so sollte man sie fast Alle für hochstudierte Weltweise halten.....*) Uebrigens hast du ohne Zweifel selbst bemerkt, in welch veränderter Gestalt Aristipp und selbst Plato hieher kamen. Jener roch nach Salben, und dieser hatte bei den Herren in Sicilien den gehorsamen Diener machen gelernt.

Socrates. Und wie spricht man denn von mir?

Menippus. Du bist hierin ganz besonders glücklich, Socrates. Allgemein glaubt man, du wäreſt ein Wundermann gewesen, und hätteſt Alles gewußt, da du doch — wenn ich die Wahrheit sagen soll — nichts wußteſt.

Socrates. Ich sagte es ihnen ja selbst: aber die Leute meinten, das wäre bloße Ironie.

6. Menippus. Was hast du hier für Gesellschaft bei dir?

Socrates. Charmides, Phädrus, und den Sohn des Clinias (Alcibiades).

Menippus. Bravo, Socrates; also biſt du noch immer nicht gleichgültig gegen das Schöne, und übſt auch hier noch deine Liebeskunſt?

Socrates. Wie könnte ich auch sonſt etwas Angeneh=

*) Wahrscheinliche Lücke im Original.

meres treiben? Uebrigens — ist es dir nicht gefällig, dich hier bei uns niederzulassen?

Menippus. Nein, Socrates, ich will mich wieder zu Cröfus und Sardanapal begeben, und bei diesen meine Wohnung aufschlagen: denn ich verspreche mir vielen Spaß davon, ihre Lamentationen anzuhören.

Aeacus. Ich muß nun auch zurück, damit mir kein Schatten sich heimlich davon schleicht. Ein andermal sollst du mehr sehen, Menippus.

Menippus. Gehe nur, Aeacus; ich habe an dem Bisherigen genug.

XXI. Menippus und Cerberus.

1. **Menippus.** Heda, Vetter Cerberus — denn als Hundephilosoph bin doch wohl dein Verwandter — sage mir doch beim Styx! wie benahm sich denn Socrates, als er zu euch herabkam? Denn da du ein Gott bist, wirst du wohl ohne Zweifel nicht bloß bellen, sondern auch, so oft dir's gefällt, in menschlicher Rede dich vernehmen lassen können.

Cerberus. In der Entfernung kam es mir vor, als nähere er sich mit ruhiger Miene, und ohne irgend einige Angst vor dem Tode blicken zu lassen: auch schien er dieß absichtlich denen, die außerhalb der Mündung der Unterwelt standen, zeigen zu wollen. Wie er aber mit dem Kopfe innerhalb des Schlundes war, und die dicke Finsterniß sah, und ich ihn, da er zögerte, am Fuße packte und sammt seinem Schierlingstranke vollends herabzog, da heulte er wie ein Kind, jammerte über seine Söhne, und wußte sich gar nicht zu fassen.

2. **Menippus.** Also war der Mann ein bloßer Sophist, und mit seiner Todesverachtung war es ihm kein Ernst?

Cerberus. Nicht anders. Wie er sah, daß der Tod unvermeidlich wäre, spielte er den Helden und that, als ob er freiwillig litte, was er zu leiden gezwungen war, bloß um sich von den Zuschauern bewundern zu lassen. Ueberhaupt kann ich das von allen Leuten dieses Schlages sagen: bis an die Pforte sind sie voll Muth und Kraft; aber so wie sie drinnen sind, werden sie jämmerlich zu Schanden.

Menippus. Aber wie gefiel dir mein Betragen bei der Hieherkunft?

Cerberus. Du allein hast dich unserer Familie würdig benommen, und vor dir Diogenes. Ohne euch nöthigen und fortstoßen zu lassen, tratet ihr herein, heiter, lachend und spottend über das Gewinsel der Uebrigen.

XXII. Charon, Menippus und Merkur.

1. **Charon.** Das Fährgeld bezahlt, verfluchter Kerl!

Menippus. Schreie immer, wenn es dir Vergnügen macht.

Charon. Ich sage dir, bezahle mich für die Ueberfahrt.

Menippus. Du bekommst nichts: denn ich habe nichts.

Charon. Wer ist so arm, daß er nicht wenigstens einen Obolus vermöchte?

Menippus. Ob sonst noch Jemand, weiß ich nicht: ich habe einmal keinen.

Charon. Ich erdroßle dich, Halunke, wenn du mich nicht bezahlst, so wahr mir Pluto helfe!

Menippus. Und ich schlage dir den Hirnschädel ent= zwey.

Charon. Wie? Die ganze lange Fahrt sollst du un= entgeldlich gemacht haben?

Menippus. Merkur soll für mich zahlen: er hat mich ja dir übergeben.

2. Merkur. Beim Styr, da käm' ich gut zu, wenn ich für die Todten auch noch zahlen müßte.

Charon. Ich lasse dich nicht von der Stelle.

Menippus. Nun gut, so ziehe deinen Nachen an's Land und bleibe bei mir, so lange du willst. Allein wie willst du von mir bekommen, was ich nicht habe?

Charon. Wußtest du denn nicht, was du mitzubringen hattest?

Menippus. Ich wußte es wohl, aber ich hatte nichts. Hätte ich deswegen nicht sterben sollen?

Charon. Du solltest also der Einzige seyn, der sich rühmen könnte, umsonst die Ueberfahrt gemacht zu haben?

Menippus. Nicht so ganz umsonst, guter Freund, ich half ja pumpen und rudern, und war der einzige Passagier, der dir nicht die Ohren voll heulte.

3. Charon. Das Alles hat mit dem Fährgeld nichts zu schaffen: meinen Obolus hast du mir zu bezahlen; das darf nun einmal nicht anders seyn.

Menippus. So fahre mich wieder auf die Oberwelt zurück.

Charon. Du meinst es gut mit mir: nicht wahr, da=
mit ich noch obendrein Schläge von Aeacus bekäme?

Menippus. So laß mich also in Ruhe.

Charon. Was hast du in deinem Ranzen da? Zeige her!

Menippus. Feigbohnen, wenn dir damit gedient ist,
und ein Hecate=Mahl.

Charon. Woher bringst du uns denn diesen hündi=
schen Kerl, Merkur? Was hat er nicht Alles während der
Ueberfahrt geplaudert! Wenn die Andern heulten, sang und
lachte er und machte seine Witze über sie.

Merkur. Du weißt noch nicht, Charon, was für ei=
nen merkwürdigen Mann du herübergefahren hast? Er ist
ein Freier im wahren Sinne des Worts und kümmert sich
um nichts, er ist — Menippus.

Charon. Aber wenn ich dich je wieder kriege —

Menippus. Ja, wenn! Zum Zweitenmal kriegst du
mich gewiß nicht!

XXIII. Protesilaus, Pluto und Proserpina.

1. Protesilaus. O König und Herr, Jupiter der
Unterwelt, und du, Tochter der Ceres, verschmähet nicht eine
Bitte der Liebe!

Pluto. Wer bist du? Was verlangst du von uns?

Protesilaus. Ich bin Protesilaus, des Iphicles Sohn,
aus Phylace, war ein Mitstreiter der Achäer und der Erste,
der vor Ilium fiel; und bitte, mich auf kurze Zeit zu ent=
lassen, um wieder in's Leben zurückzukehren.

Pluto. Guter Protesilaus, das ist eine Liebhaberei, die du mit allen Todten gemein hast: aber Keinem kann sein Wunsch erfüllt werden.

Protesilaus. Ach, Pluto, nicht das Leben ist's, was ich liebe, sondern meine junge Gattin, die ich gleich nach der Hochzeit im Brautgemache zurückließ, als ich mich nach Troja einschiffte. Dort fiel ich Unglückseliger sogleich beim Aussteigen von Hector's Hand; und nun, o Herr, verzehrt mich fast die Liebe zu meinem Weibe, und gerne wollte ich wieder zurückkommen, dürfte ich nur auf wenige Augenblicke ihr sichtbar werden.

2. **Pluto.** Trankst du nicht aus dem Lethequell, Protesilaus?

Protesilaus. O ja, Herr! allein meine Liebe ist überschwänglich.

Pluto. Gedulde dich: deine Gattin wird ja selbst einmal hieherkommen; was brauchst du also zu ihr hinaufzureisen?

Protesilaus. Ich halte es aber nicht so lange aus, Pluto. Du hast ja selbst geliebt, und weißt also, wie Einem da zu Muthe ist.

Pluto. Was würde es denn dir helfen, Einen Tag wieder lebendig zu seyn? In Kurzem gienge die alte Wehklage wieder an.

Protesilaus. Ich hoffe mein Weib zu bewegen, mir zu euch nachzufolgen: so würdest du für Einen Schatten in kurzer Zeit zwei erhalten.

Pluto. Es geht nun einmal nicht an, und ist noch nie vorgekommen.

3. **Protesilaus.** Erinnere dich doch, Pluto: dem Orpheus habt ihr um derselben Ursache willen seine Eurydice wiedergegeben, und dem Hercules zu Gefallen meine Verwandtin Alceste auf die Oberwelt entlassen.

Pluto. Und wolltest du denn als so ein kahler und häßlicher Schädel vor deiner hübschen jungen Frau erscheinen? Welchen Empfang könntest du dir versprechen, da sie dich nicht einmal erkennen könnte? Sie würde erschrecken, glaube mir, und dich fliehen, und dann hättest du den langen Weg umsonst gemacht.

Proserpina. Nun, nun, lieber Mann, auch diesem Uebelstande könntest du abhelfen. Beßehl dem Merkur, den Protesilaus, sobald er an's Tageslicht gekommen seyn wird, mit seinem Stabe zu berühren, und ihn mit Einemmale zu eben dem schönen Jüngling zu machen, der er war, als er aus dem Brautgemach hervorgieng.

Pluto. Nun denn, weil Proserpina zustimmt, so führe ihn hinauf, Merkur, und mache ihn wieder zum jungen Ehmann: aber vergiß mir nicht, Protesilaus, daß du nur auf Einen Tag Urlaub hast!

XXIV. Diogenes und Mausolus.

Diogenes. Auf was bist du denn so stolz, Carier, daß du den Vorrang vor uns Allen begehrst?

Mausolus. Wisse, Sinopenser, ich war König von ganz Carien, Herr eines Theils von Lydien, hatte mir mehrere Inseln unterworfen, und meine Eroberungen über den größten Theil von Jonien bis Milet erstreckt. Dabei war ich schön und groß, und ausdauernd in den Beschwerden des Krieges. Das Vornehmste aber ist, daß ich zu Halicarnaß ein ungeheures Grabmal auf mir liegen habe, dem kein anderes, weder an Größe noch an Schönheit der Ausarbeitung gleich kommt. Es prangt mit den vollendetsten Kunstwerken, mit Bildern von Menschen und Pferden aus dem schönsten Marmor, wie man nicht leicht an einem Tempel finden wird. Meinst du nun nicht, daß ich auf dieses Alles mit Recht stolz bin?

2. Diogenes. Wie? auf dein Königreich, auf deine Schönheit, und auf die Schwere deines Grabmals?

Mausolus. Allerdings.

Diogenes. Aber, mein schönster Mausolus, wo ist denn jetzt dein kräftiger Körperbau und dein schönes Gesicht? Wenn Einer entscheiden sollte, welcher von uns Beiden der Schönste wäre, so wüßte ich nicht, warum er deinem Schädel den Vorzug vor dem meinigen geben sollte. Wir sind Beide Kahlköpfe, grinsen mit den Zähnen, haben leere Augenhöhlen und Stülpnasen wie die Affen. Dein Grabmahl aber und das kostbare Gestein daran mag immerhin das Erste seyn, was die Halicarnasser den Fremden zeigen, stolz auf die Ehre, das große Prachtgebäude in ihren Mauern zu besitzen. Was aber du, mein Bester, für einen Genuß davon hättest, sehe ich wahrlich nicht ein: es müßte denn nur der seyn, sagen zu können, daß du eine größere Last tragest, als wir andern Alle, weil du eine so gewaltige Steinmasse auf dir liegen hast.

3. Mausolus. "Das Alles" sollte mir also zu nichts

helfen, und Mausolus und Diogenes sollten von gleichem Range
seyn?

Diogenes. O nein, mein edler Herr, durchaus nicht
von gleichem Range. Mausolus wird heulen und wehklagen,
wenn er sich der Dinge auf der Erde erinnert, in deren Besitz
er sich so glücklich wähnte, und Diogenes — wird ihn auslachen. Mausolus wird viel von dem Grabmal zu sprechen
wissen, welches ihm seine Schwester und Gemahlin Artemisia
zu Halicarnaß erbauen ließ: Diogenes weiß zwar nicht, ob
sein Leichnam irgendwo ein Grab bekommen hat, oder keines,
und bekümmert sich auch nicht darum; aber er selbst hat das
Leben eines Mannes gelebt und wird fortleben im Munde
der edelsten Menschen, ein Denkmal, das höher ist und auf
festerem Grunde ruht, als das Deinige, du erbärmlichste aller carischen Sclavenseelen!

XXV. Nireus, Thersites und Menippus.

1. Nireus: Siehe da ist Menippus, der soll entscheiden, welcher von uns Beiden der Schönere ist. Sprich, Menippus; meinst du nicht auch, daß ich es bin?

Menippus. Wer seyd ihr denn? Dieß sollte ich doch,
dünkt mich, vor allen Dingen wissen.

Nireus. Nireus und Thersites.

Menippus. Welcher von euch Beiden ist Nireus, und
welcher Thersites? Denn noch ist es nicht allzu deutlich.

Thersites. Nun habe ich doch schon so viel gewonnen, daß ich dir ähnlich bin, und daß der Unterschied zwischen

uns Beiden nicht so groß ist, wie ihn der blinde Homer
machte, der dich als den Schönsten unter allen Griechen pries:
vielmehr daß der Spitzkopf mit der häßlichen Glatze dem
Richter eben so wohl zu gefallen scheint, wie dein Gesicht.
Bedenke dich denn, Menippus, welchen du für den Schönsten
erklären willst.

Nireus. Mich doch wohl, der Aglaja und des Cha-
rops Sohn,
　　Mich den Schönsten der Männer, die einst vor Ilion
　　　　　　　　　　　　　　　　　　zogen. *)

2. Menippus. Aber nicht unter die Erde bist du
als der Schönste gekommen, dünkt mich. Dein Gerippe sieht
dem des Thersites ganz ähnlich, und dein Schädel ist nur
darin von dem seinigen unterschieden, daß der deinige mür-
ber ist: wenigstens siehst du mir schwächlich und unmännlich
genug aus.

Nireus. Frage nur den Homer, wie ich war, als ich
mit den Achäern in den Krieg zog.

Menippus. Träumereien! ich halte mich an das,
was ich mit meinen Augen sehe, und was du jetzt bist: über
Jenes können nur diejenigen urtheilen, die damals lebten.

Nireus. Hier unten wäre ich also nicht mehr schöner
als die Uebrigen?

Menippus. Weder du, noch irgend Jemand ist hier
schön: im Schattenreiche ist allgemeine Gleichheit, und Einer
sieht aus wie der Andere.

Thersites. Ich wenigstens bin auch damit zufrieden.

*) Iliade II, 675.

Lucian. 3s Bdchn.

XXVI. Menippus und Chiron.

1. **Menippus.** Ich habe mir sagen laffen, Chiron, du hätteſt, wiewohl du ein Gott biſt, dennoch zu ſterben ver= langt.

Chiron. Man hat dir die Wahrheit geſagt, Menip= pus; ich hätte unſterblich ſeyn können: doch zog ich den Tod vor, wie du ſiehſt.

Menippus. Was wandelte dich für eine Liebe zum Tode an, der doch für die Meiſten ſo wenig Liebenswürdi= ges hat?

Chiron. Dir, als einem verſtändigen Manne, will ich es ſagen. Es machte mir keine Freude mehr, unſterblich zu ſeyn.

Menippus. Wie? Es war dir entleidet, das Son= nenlicht zu ſehen?

Chiron. Ja, Menippus. Was mich freuen ſoll, das darf nicht immer das Nämliche ſeyn, es muß Abwechſelung haben. Aber, immer zu leben, immer dieſelben Genüſſe, die= ſelbe Nahrung zu haben, dieſelbe Sonne zu ſehen, den im= mer wiederkehrenden Wechſel der Jahreszeiten, und immer dieſelbe, ſich wieder erneuernde, Reihenfolge aller Erſcheinun= gen zu beobachten, wie es bei mir der Fall war — glaube mir, dieſer Dinge wird man herzlich ſatt. Denn nicht im= mer eben und daſſelbe zu haben, ſondern die Veränderung iſt angenehm.

Menippus. Du haſt zwar Recht, Chiron: aber wie kannſt du dich in die Unterwelt ſchicken, ſeitdem du aus ei= gener Wahl hieher gekommen biſt?

2. **Chiron.** Gar nicht übel, Menippus. Die allgemeine Gleichheit führt ein schönes, volksthümliches Verhältniß herbei, und es ist wirklich so ziemlich gleichgültig, ob man am Tageslicht' oder in dieser Finsterniß sich befindet, außer daß man hier der Obliegenheit entbunden ist, essen und trinken zu müssen.

Menippus. Gib acht, Chiron, daß du nicht mit dir selbst in Widerspruch geräthst, und am Ende auf denselben Punkt zurückkommst, von dem du dich doch entfernen wolltest.

Chiron. Wie so?

Menippus. Ich meine, wenn das ewige Einerlei im Leben dir zum Ekel ward, so dürfte bei der Einförmigkeit des hiesigen Aufenthalts leicht derselbe Fall eintreten; und da müßtest du denn eine neue Veränderung, einen Uebergang von da in ein anderes Leben suchen, was meines Erachtens unmöglich wäre.

Chiron. Was ist da zu thun, Menippus?

Menippus. Ich dächte, was die bekannte Regel besagt: der Vernünftige soll zufrieden seyn mit dem, was da ist, und nichts für unerträglich halten.

XXVII. Diogenes, Antisthenes, Crates und ein Bettler.

1. **Diogenes.** Hört einmal, Antisthenes und Crates: da wir ja doch nichts zu thun haben, wollen wir nicht einen Spaziergang nach dem Eingange machen, und sehen, wer die Neuankommenden sind, und wie sich Jeder von ihnen geberdet?

2 *

Antisthenes. Gehen wir, Diogenes. Es wird ein kurzweiliges Schauspiel seyn, wie sie wehklagen und flehentlich bitten, daß man sie gehen lassen möchte, und wie Einige gar nicht vorwärts wollen, sondern, wenn Merkur sie am Kragen faßt und fortstößt, sich widerspenstig, aber vergeblich, gegen den Boden anstemmen.

Crates. Ich will euch inzwischen erzählen, was ich bei meiner Hieherkunft unterwegs gesehen habe.

Diogenes. Laß hören, Crates: ich sehe dir's an, du wirst spaßhafte Dinge zum Besten geben.

2. Crates. Unter vielen Andern, die mit mir hieher wanderten, waren drei besonders merkwürdig, unser reicher Ismenodor, der medische Satrap Arsaces, und der Armenier Orötes. Ismenodor, welcher in der Nähe des Cithäron, auf einer Reise — wenn ich nicht irre — nach Eleusis von Straßenräubern ermordet worden war, ächzte und stöhnte, und hielt seine Wunde mit den Händen zu: dabei rief er seinen kleinen Kindern, die er zurückließ, mit Namen, und schalt auf sich selbst, daß er verwegen genug gewesen wäre, auf eine Reise über den Cithäron und durch die im letzten Krieg veröbeten Gegenden von Eleutherä, nur zwei Sklaven mit sich zu nehmen, da er doch fünf goldene Schalen und vier goldene Becher bei sich gehabt hätte.

3. Arsaces hingegen, schon ein bejahrter Mann, der übrigens etwas Ehrwürdiges in seinem Aussehen hatte, schimpfte auf gut barbarisch, daß er zu Fuß gehen müsse, und wollte haben, daß ihm sein Pferd gebracht würde. Dieses war nämlich mit ihm zugleich gefallen, als in einem Treffen mit den Cappadociern am Araxes beide mit Einem Stoß von einem

Thracischen Peltasten durchbohrt worden waren. Arsaces hatte sich, wie er erzählte, zu weit von den Seinigen entfernt und in den Feind gewagt: der Thracier stellte sich ihm entgegen, stieß mit seinem kleinen Schilde die Lanze des Arsaces von sich ab, legte sodann seine Sarissa *) ein und durchbohrte Roß und Mann.

4. **Antisthenes.** Wie war das mit Einem Stoße möglich?

Crates. Nichts leichter, Antisthenes. Arsaces kam also mit seiner eingelegten zwanzig Ellen langen Lanze herangesprengt: der Thracier wehrt mit seinem Schilde den Stoß ab, die Spitze fährt an ihm vorbei, er läßt sich schnell auf ein Knie nieder, hält die Sarissa vor, und läßt das Pferd, das im heftigsten Ungestüm ansprengt, unter der Brust sich einrennen; der Spieß dringt durch, und fährt dem Arsaces mitten durch den Unterleib. Siehst du, so gieng es ganz natürlich zu, und das Pferd, nicht der Thracier, hat das Meiste dabei gethan. Allein der Satrap war gar ungehalten, daß er vor den Uebrigen nichts voraus haben sollte, und hätte gerne als Ritter seinen Einzug gehalten.

5. **Der Dritte, Orötes,** ein Mann aus dem Privatstande, war so schwach auf den Füßen, daß er weder stehen noch gehen konnte. Dieß ist ein durchgängiges Leiden aller Medier; so wie sie vom Pferde herab sind, gehen sie kümmerlich und unsicher auf den Zehen, als ob sie auf Dornen zu treten befürchteten. Dieser Orötes legte sich den langen Weg auf den Boden, und war auf keine Weise zum Aufste-

*) Ein langer Macedonischer Spieß.

hen zu bewegen, bis ihn endlich der gute Merkur auf die Schultern lud und in den Nachen trug. Ich begleitete ihn mit Gelächter.

6. **Antifthenes.** Als ich diese Reise machte, mischte ich mich nicht unter die Uebrigen: ich ließ sie wehklagen, sprang in den Nachen, und versicherte mich des besten Platzes, um während der Ueberfahrt bequem zu sitzen. Indem wir herüberfuhren, heulten die Andern und bekamen die Seekrankheit: mir hingegen machten sie nicht wenig Spaß.

7. **Diogenes.** Auch ich hatte solche kurzweilige Reisegefährten. Mit mir kamen hieher Blepsias, Wechsler aus dem Piräeus, Lampis aus Akarnanien, gewesener Befehlshaber eines Miethkorps, und der reiche Damis aus Corinth. Dieser Letztere war an Gift gestorben, das ihm sein eigener Sohn bereitet hatte: Lampis, aus Liebe zur Hetäre Myrtion zur Verzweiflung gebracht, hatte sich selbst den Tod gegeben; und von Blepsias hieß es, der Tropf wäre am Hunger draufgegangen: und wirklich machten es seine ausserordentliche Bläffe und Magerkeit sehr wahrscheinlich. Wiewohl ich also wußte, welchen Tod Jeder derselben gefunden, befragte ich sie doch noch besonders darüber. Da beklagte sich Damis sehr über seinen Sohn; ich erwiederte ihm, es wäre ihm Recht geschehen, da er als ein Mann von neunzig Jahren und wenigstens tausend Talenten Vermögen sich's hätte wohl seyn lassen, während sein achtzehnjähriger Sohn mit vier Obolen sich hätte begnügen müssen. Zu dem Akarnanier, der bald seufzte, bald über die Myrtion fluchte, sagte ich: warum klagst du die Liebe an, und nicht vielmehr dich selbst? Der Held, der vor dem Feinde nie zitterte, und Andern vor-

auf den Gefahren entgegengieng, warum gab er sich den heuch=
lerischen Thränen und Seufzern des ersten besten Dirnchens
gefangen? Blepsias hingegen machte sich selbst die größten
Vorwürfe, daß er so thöricht gewesen, sein Vermögen für
Erben aufzusparen, die ihn nichts angiengen, und sich einzu=
bilden, er werde ewig lieben. Auf diese Art unterhielt ich
mich ganz vergnüglich bei ihren Litaneien.

8. Nun aber sind wir an die Mündung gekommen. Wir
wollen hier stehen bleiben, und die Ankömmlinge schon von
weitem her beobachten. Potz Element! Leute in Menge
und von aller Art! Alle sind in Thränen, die neugebornen
und unmündigen Kinder ausgenommen: sogar die ältesten
Greise jammern laut! Sonderbar! Sollten sie in einem Zau=
bertranke diese Liebe zum Leben eingesogen haben?

9. Ich will mich mit meinen Fragen einmal an diesen
steinalten Greis da machen. Was weinst du, Alter? Grämst
du dich, daß du sterben mußtest? Da bist doch gewiß nicht
zu jung hieher gekommen, guter Freund: aber vielleicht hast
du eine Krone getragen?

Bettler. O nein!

Diogenes. Oder warst ein Satrap?

Bettler. Auch das nicht.

Diogenes. Also wenigstens ein reicher Mann? und
nun verdrießt es dich, deine vielen Herrlichkeiten mit dem
Rücken ansehen und todt seyn zu müssen?

Der Bettler. Gar nichts dergleichen. Ich wurde ge=
gen neunzig Jahre alt, war blutarm, kinderlos, lahm, blöd=
sichtig, und fristete mein Leben kümmerlich mit dem Ertrage
meiner Angelruthe.

Diogenes. Und unter solchen Umständen hättest du länger leben wollen?

Der Bettler. Warum nicht? das Licht ist so freund-lich; der Tod so furchtbar, so schauerlich.

Diogenes. Du faselst, alter Herr, und wiedersetzest dich dem Geschick wie ein eigensinniges Kind. Bist du doch fast so alt, als Charon, der Fährmann. Was kann man von jungen Leuten erwarten, wenn Menschen von diesem Alter noch in das Leben verliebt sind? Diese sollten ja den Tod sogar aufsuchen, als den besten Arzt für alle Beschwer-den des hohen Alters. Doch — wir wollen gehen: man möchte, wenn man uns hier an dem Eingange herumschlen-dern sieht, auf den Verdacht gerathen, als hätten wir im Sinne durchzugehen.

XXVIII. Menippus und Tiresias.

1. **Menippus.** He blinder Tiresias — wiewohl, wir haben alle leere Augenhölen, und so ist schwer zu sagen, wer der blinde Phineus und wer der luchsäugige Lynceus ist — du warst ja ein Prophet und einmal ein Weib, ein andermal wieder ein Mann, wie ich von den Dichtern ver-nommen habe; sage mir nun doch in aller Welt, welches Le-ben hast du angenehmer gefunden, das eines Mannes, oder das eines Weibes?

Tiresias. Bei weitem das Letztere, Menippus: es ist um vieles bequemer; die Weiber herrschen über die Männer, und brauchen nicht in den Krieg zu gehen, oder auf den Stadtmauern Wache zu halten, noch auch in den Volksver-

sammlungen sich herumzuzanken und vor Gericht sich zu verantworten.

2. Menippus. Du hast wohl [nie gehört, welche
Klagen die Medea des Euripides über das Jammerleben
der Weiber führt, wie unerträglich sie die Schmerzen findet, welche sie bei Geburten auszustehen haben? Aber —
jene Stelle der Medea erinnert mich eben recht daran — hast
du auch ein Kind geboren, da du ein Weib warest, oder
warst du dort oben immer unfruchtbar?

Tiresias. Warum willst du das wissen?

Menippus. Es ist mir eben [nicht so wichtig; doch
wenn du mir es sagen willst. —

Tiresias. Je nun — es war weder das Eine, noch
das Andere der Fall.

Menippus. Schon gut: ich wollte eigentlich nur erfahren, ob du wirklich so beschaffen warst, daß es möglich
gewesen wäre, Mutter zu werden.

Tiresias. Allerdings war ich es.

Menippus. Und hat sich die weibliche Natur nur
so allmählig verloren, um der männlichen Platz zu machen,
oder geschah die Verwandlung schnell und auf einmal?

Tiresias. Ich weiß nicht, was du mit diesen Fragen
willst: und ich glaube gar, du zweifelst an der Sache
überhaupt?

Menippus. Zweifeln? das sey ferne, Tiresias. Solche Dinge muß man in aller Einfalt und ohne zu grübeln,
ob sie auch möglich seyen, oder nicht, hinnehmen.

3. Tiresias. Du wirst also eben so wenig glaublich
finden, was von Verwandlungen anderer Weiber in Vögel,

Bäume, wilde Thiere u. dergl. erzählt wird, von einer Aë= don, Daphne, Callisto?

Menippus. Sobald ich diese treffen werde, will ich hören, was sie mir zu sagen wissen werden. Nur das noch, mein Bester: konntest du auch schon als Weib, so gut wie nachher, wahrsagen, oder bist du deiner Prophetengabe erst zugleich mit deiner Mannheit inne geworden?

Tiresias. Siehst du, wie wenig du von meiner Ge= schichte unterrichtet bist? Weißt du denn nicht, daß ich einst einen Streit zwischen den Göttern zu schlichten hatte, und daß Juno mich dafür des Gesichts beraubte, Jupiter hinge= gen durch das Geschenk der Wahrsagerkunst mich für diesen Verlust zu entschädigen suchte?

Menippus. Noch immer treu den alten Lügen, Tire= sias? Aber das ist so Prophetenart: man ist es schon ge= wohnt an euch, daß kein vernünftig Wort aus eurem Munde geht.

XXIX. Ajax und Agamemnon.

1. Agamemnon. Wenn du in einem Anfall von Raserei dich selbst um's Leben brachtest, und mit uns Allen ein Gleiches im Sinne hattest, warum klagst du deßwegen den Ulysses an? Unlängst, als er hieher kam, um sich weis= sagen zu lassen, würdigtest du ihn keines Wortes, sondern giengst mit hochmüthigem Gesicht und großen Schritten an ihm, deinem alten Freunde und Kriegskameraden, vorbei.

Ajax. Und das mit allem Recht. Er war die einzige Ursache an meiner Raserei, da er allein mir die Waffen des Achilles streitig machte.

Agamemnon. Wolltest du denn über uns Alle ohne Kampf und Gegner siegen?

Ajax. In dieser Sache allerdings. Die Rüstung hatte meinem Anverwandten gehört, und so hatte ich den nächsten Anspruch darauf. Auch habt ihr übrigen Alle, ungeachtet eures Vorrangs vor Ulysses, auf einen Wettkampf deßwegen verzichtet, und mir den Preis freiwillig überlassen. Nur der Laërtiade, den ich doch mehr als einmal der Gefahr entrissen, von den Phrygiern zusammengehauen zu werden, dünkte sich vornehmer, und meinte, daß ihm die Waffen besser anstünden als mir.

2. **Agamemnon.** Eigentlich solltest du, mein tapferer Freund, der Thetis die Schuld beimessen, welche, anstatt die Rüstung als einen von deinem Verwandten dir zugefallenen Nachlaß dir zu übergeben, dieselbe als einen Kampfpreis für Alle aussetzte.

Ajax. Nein, nur über Ulysses beklage ich mich, den Einzigen, der sie mir streitig machte.

Agamemnon. Es ist doch wohl verzeihlich, Ajax, wenn ein Sterblicher nach Ruhm begierig ist, dem schönsten Gute, um dessen willen auch von uns Jeder sich allen Gefahren gerne unterzog. Ulysses hat dich nun einmal überwunden, und das nach dem Ausspruche selbst trojanischer Schiedsrichter.

Ajax. Ich weiß schon, wer die war, die mich verurtheilte. Allein — man soll den Göttern nichts nachsagen. Und den Ulysses hass' ich nun einmal: ich kann nicht anders, und wenn es mir Minerva selbst verwehrte.

XXX. Minos und Sostratus.

1. **Minos.** Der Straßenräuber Sostratus wird in den Feuerstrom geworfen! Diesen Tempelräuber soll die Chimära zerreißen! Jener Despot, Merkur, ist neben Titnus auszurecken, und die Geier sollen ihm gleichfalls die Leber aushacken! Ihr aber, ihr Gerechten, eilet dem elysischen Gefilde zu, und zur Belohnung, daß ihr im Leben recht gehandelt, bewohnet hinfort die Inseln der Seeligen!

Sostratus. Höre, Minos, ob ich mit Folgendem Unrecht habe.

Minos. Ich soll dich noch einmal anhören, Bösewicht? Bist du nicht schon so vieler Mordthaten überwiesen?

Sostratus. Ueberwiesen zwar, ob ich aber mit Recht gestraft werde, ist eine andere Frage.

Minos. Mit allem Recht, wenn anders Recht ist, daß Jedem nach Verdienst vergolten werde.

Sostratus. Beantworte mir nur die Einzige Frage —

Minos. Mach's kurz, denn ich habe noch über Mehrere abzuurtheilen.

2. **Sostratus.** Was ich im Leben gethan, hab' ich es aus eigener Bewegung gethan, oder weil die Schicksalsgöttin es so über mich verhängt hatte?

Minos. Aus dem letztern Grunde, versteht sich.

Sostratus. Also handeln die Guten alle, und wir, die wir für Böse gelten, nur im Dienste des Verhängnisses?

Minos. Allerdings, im Dienste der Clotho, die Jedem bei seiner Geburt schon seine Handlungen zuweist.

So ftratus. Wenn also Einer von einem Andern, dem er nicht widersprechen darf, weil er die Gewalt in Händen hat, genöthigt wird, einen Dritten zu tödten, wie zum Beispiel ein Scharfrichter, wenn er es auf des Richters, ein Trabant, wenn er es auf des Despoten Geheiß thut, wen wirst du für die Tödtung verantwortlich machen?

Minos. Natürlich den Richter oder den Despoten. Das Schwerdt selbst einmal gewiß nicht: denn dieses dient als bloßes Werkzeug dem Belieben desjenigen, der als erster Urheber der Tödtung zu betrachten ist.

So ftratus. Schön Minos, daß du dich meines Gleich=nisses noch durch eine Zugabe angenommen. Eben so, wenn mir Einer aus Aufträg seines Herrn eine Summe Goldes oder Silbers überbringt, wem bin ich als dem wohlthätigen Ge=ber zu danken verpflichtet?

Minos. Dem Uebersender: denn der Ueberbringer ist nur dessen Diener.

3. So ftratus. Siehst du nun, wie ungerecht du zu verfahren im Begriffe bist, da du uns, die wir bloß die Be=fehle der Clotho als ihre Diener ausgeführt, bestrafen, die=jenigen hingegen ehren und belohnen willst, die in gleichem Dienste fremdes Gute gethan haben? Denn den Einwurf wird wohl Niemand machen wollen, daß es möglich gewesen wäre, sich dem Zwange eines allgewaltigen Verhängnisses zu widersetzen.

Minos. O Sostratus, bei genauerer Betrachtung der Dinge wirst du finden, daß noch manches Andere geschieht, was mit der Vernunft nicht zum besten übereinstimmen will. Da ich übrigens sehe, daß du ein eben so schlauer Advocat,

als großer Räuber bist, so sollst du deine Frage nicht um=
sonst gemacht haben. Binde ihn los, Merkur: seine Strafe
soll ihm erlassen seyn. Aber das sage ich dir: hüte dich,
daß nicht auch die andern Todten von dir solche Fragen ma=
chen lernen!

Menippus oder das Todtenorakel *).

Menippus und Philonides.

1. **Menippus.** Sey mir gegrüßt, du heimathliches
Dach; zurück
An's Licht gekommen seh' ich mit Ent=
zücken dich **).

Philonides. Wie? Ist das nicht Menippus, der
Hund? Wahrhaftig! er ist's und kein Anderer, der leibhafte
Menippus! Was will er aber mit diesem seltsamen Aufzug,
mit dem Reisehut, der Leier und der Löwenhaut? Ich muß
doch zu ihm hingehen. Willkommen, Menippus, woher des
Wegs? Du hast dich schon lange nicht mehr in der Stadt
sehen lassen.

Menippus. Ich komme aus dem finstern Thor der
Todtengruft,
Wo, von den Göttern ferne, Pluto thront ***).

---

*) Dieses Stück wird von den Kunstrichtern seit Du Soul
(Solanus) des Lucian für unwürdig erklärt, und einem
größtentheils unglücklichen, Nachahmer desselben zuge=
schrieben.

**) Aus des Euripides rasendem Hercules. V. 523.

***) Aus desselben Hecuba. V. 1.

Philonides. Hercules! Menippus wäre also, ohne daß wir es wußten, gestorben, und kehrt nun wieder in's Leben zurück?

Menippus. Gestorben nicht, beseelt noch nahm mich Hades auf.

Philonides. Und der Grund zu dieser seltsamen und abentheuerlichen Reise war —?

Menippus. Mich trieb der Jugend unbedachter kecker Muth *).

Philonides. So höre doch einmal auf, im hochtragischen Tone zu sprechen, mein Bester: steige von den Stelzen der Jamben herab, und sage mir ganz einfach, was soll dieser Anzug? Wozu die Reise in die Unterwelt? Denn nur so zum Vergnügen wird wohl Keiner den unlustigen Weg machen.

Menippus. O Geliebter,

— — mich führte die Noth herab in Aïdes Wohnung,
Um des Thebischen Greises Tiresias Seele zu fragen **).

Philonides. Höre du, du bist wahrhaftig nicht bei Troste. Wie würdest du sonst mit deinem guten Freunde beständig in Versen sprechen?

Menippus. Wundere dich darüber nicht, mein Lieber! Ich komme so eben von Euripides und Homer, wo ich ohne zu wissen, wie es zugieng, so sehr mit Versen angefüllt worden bin, daß sie mir jetzt noch unwillkührlich in den Mund kommen.

---

*) Fragment aus der Andromeda des Eurip.
**) Hom. Odyss. XI, 165. Voß.

2. Aber sage mir auch, wie steht's bei euch auf der Oberwelt? Was machen sie in der Stadt?

Philonides. Es gibt eben nichts Neues: die Leute treiben's, wie von jeher: sie stehlen, schwören falsche Eide, wuchern und schinden und schaben.

Menippus. Die armen, bedauernswürdigen Leute! Sie wissen noch nicht, welche Beschlüsse ganz neuerlich von den Unterirdischen zum Nachtheile der Reichen gefaßt worden sind, Gesetze, denen sich die Letztern, so wahr Cerberus lebt, auf keine Weise werden entziehen können.

Philonides. Was sagst du? Die Unterirdischen hätten Verordnungen gegen die Bewohner der Oberwelt gemacht?

Menippus. Ja, beim Jupiter, und mehr als eines: allein ich darf nicht öffentlich davon sprechen und die Geheimnisse der Unterwelt verrathen, sonst könnte eine Klage gegen mich wegen Verletzung des Heiligen bei Rhadamanthus anhängig gemacht werden.

Philonides. Nicht doch, Menippus: theile immer einem guten Freunde mit, was du weißt. Du sprichst mit einem Manne, der schweigen kann und die Weihe hat.

Menippus. Du verlangst da eine Gefälligkeit von mir, die mir gefährlich werden könnte, Freund! Doch, weil du es bist, will ich es wagen. Es ward also beschlossen, daß die reichen Knauser, welche ihr Gold, wie Acrisius seine Danaë, hinter Schloß und Riegel bewachen — —

Philonides. Halt, mein Lieber, erzähle mir von diesem Beschluß nicht eher, als bis du mir, was ich zu hören am meisten begierig bin, gesagt haben wirst, was dir den Gedanken zu dieser Reise eingab, und wer dabei dein

Führer war. Sodann erzähle mir alles, was du dort unten
gesehen und gehört haft: denn ich darf von einem so wißbe=
gierigen Manne wohl vermuthen, daß er nichts hörens= und
sehenswürdiges wird vorbei gelaffen haben.

3. **Menippus.** Ich muß dir nun schon auch hierin
zu Willen seyn. Wer könnte auch der Nöthigung eines so
guten Freundes widerstehen? Vor allen Dingen will ich dir
also sagen, wie der Entschluß bei mir entstand, das Schat=
tenreich zu besuchen, und welche Absicht ich dabei hatte. In
meinen Knabenjahren las ich bei Homer und Hesiod gar viel
von Kriegen und Streitigkeiten der Halbgötter und sogar der
Götter selbst untereinander, von ehebrecherischen Buhlschaften
derselben, von Gewaltthaten, Räubereien, Rechtshändeln,
und wie der Sohn den Vater vom Throne jagte, Geschwister
sich heiratheten und dergleichen. Alle diese Dinge nun er=
schienen mir ganz löblich, und es kitzelte mich nicht wenig,
in Aehnlichem mich zu versuchen. Als ich aber zum Manne
heranreifte, hörte ich, wie die Gesetze ganz anders, als die
Dichter, sprachen: man solle nicht stehlen, nicht ehebrechen,
keine Händel anfangen und dergl. Da war ich nun in großer
Verlegenheit, und wußte nicht mit mir selbst Eins zu wer=
den. Einmal dachte ich, die Götter würden doch gewiß sich
keine Buhlereien und Streitigkeiten erlauben, wenn sie nicht
wüßten, daß sie recht daran thun. Andererseits aber würden
doch die Gesetzgeber nicht das Gegentheil vorschreiben, wenn
sie nicht überzeugt wären, daß es so nützlich ist.

4. In dieser Rathlosigkeit hielt ich's für's Beste, zu
den sogenannten Philosophen meine Zuflucht zu nehmen, mich
ihnen ganz und gar zu übergeben, und sie zu bitten, mir ei=

nen geraden und sichern Lebensweg zu zeigen. Ich hatte mir
freilich nicht träumen lassen, daß ich, wie das Sprüchwort
sagt, aus dem Regen in die Traufe kommen würde. Allein,
kaum hatte ich mich näher mit ihnen bekannt gemacht, als
ich hier erst Unwissenheit und Ungewißheit in Fülle fand, so
daß die Handlungsweise des gemeinen Mannes mir eine goldene Richtschnur im Vergleiche mit derjenigen zu seyn schien,
welche mir jene Philosophen vorzeichneten. Der Eine derselben
lehrte, die Lust wäre der Inbegriff aller Glückseligkeit: um
diese hätte man sich einzig und allein, und auf alle Weise zu
bemühen. Ein Anderer behauptete, Mühe und Arbeit sey das
Höchste; man müsse den Leib zähmen, Schmutz und Unsau-
berkeit nicht achten, und recht ungefällig und grob gegen die
Leute seyn: dabei leyerte er einem unaufhörlich die abgedro-
schene Stelle des Hesiod *) von dem Schweiße und dem mü-
hevollen Pfade vor, der zur Höhe der Tugend führe. Wieder ein Anderer gebot, das Geld zu verachten, und seinen
Besitz für etwas Gleichgültiges zu halten. Ein Vierter aber
suchte zu zeigen, daß auch der Reichthum unter die Güter
zu zählen sey. Ihre Meinungen über das Weltall mag ich
gar nicht erwähnen, da ich die Ausdrücke Ideen, unkör-
perliche Dinge, Atome, leeren Raum und einen
ganzen Schwarm ähnlicher Worte tagtäglich und so bis zum
Ueberdruß oft zu hören bekam, daß mir ganz übel ward.
Das Allertollste aber war; daß sie die entgegengesetztesten Behauptungen anstellten, und Jeder für die seinige so siegreiche
und überzeugende Gründe vorzubringen wußte, daß, wenn

---

*) Hes. Werke und Tage v. 287. ff.

der Eine behauptete, dieser Gegenstand ist warm, und der Andere, er ist kalt, man weder dem Einen noch dem Andern widersprechen konnte, so gewiß man wußte, daß ein und dasselbe Ding zu einer und derselben Zeit nicht warm und kalt zugleich seyn kann. Mir gieng es dabei wie einem Schlafenden, der bald auf diese, bald auf jene Seite nickt; so gab ich bald Diesem, bald Jenem meinen Beifall.

5. Nicht minder ungereimt fand ich, was ich bei genauerer Aufmerksamkeit auf diese Philosophen entdeckte, daß sie nämlich im Leben gerade auf das Entgegengesetzte von dem ausgehen, was sie in ihren Vorträgen anpreisen. So sah ich, daß die, welche die Verachtung des Geldes predigten, wie Kletten daran hiengen, mit ihren Schuldnern wegen der Zinsen Rechtshändel anfiengen, in ihrer Weisheit nur um Lohn unterrichteten, und um des Gewinnes willen sich Alles gefallen ließen. Und Solche, die den Ruhm verwarfen, zielten mit allen ihren Reden und Handlungen darauf hin, sich welchen zu erwerben. Fast Alle waren Ankläger der Wollust, und im Stillen war Jeder der Wollust einzig und allein ergeben.

6. Es gieng mir zwar nun zu Herzen, mich auch in dieser Erwartung getäuscht zu sehen; doch tröstete mich allmählig der Gedanke, nicht der Einzige zu seyn, der des Wahren unkundig im Finstern wandelt, sondern dieß Loos mit vielen weisen, und ihrer Einsicht wegen hochberühmten Männern zu theilen. Da kam mir einsmals, als ich in einer schlaflosen Nacht über dieser Sache brütete, der Gedanke, mich nach Babylon zu begeben, und dort einen der Magier, der Schüler des Zoroaster und Erben seiner Weisheit, um

3 *

seinen Beistand anzugehen. Ich hatte nämlich gehört, daß
die Magier mit Hülfe gewisser Zauberformeln und mysteriö=
ser Ceremonien die Pforten des Schattenreichs zu öffnen, und
welchen sie wollten, sicher hinunterzuführen, und eben so wie=
der heraufzugeleiten vermöchten. Am zweckmäßigsten glaubte
ich also zu verfahren, wenn ich durch einen dieser Zauberer
mich in den Stand setzen ließe, diese Fahrt zu machen, und
den Tiresias aus Böotien besuchte, um von diesem weisen
Propheten mir sagen zu lassen, welchen Lebensweg ein ver=
ständiger Mensch als den besten zu erwählen hätte. Gedacht,
gethan. Ich machte mich rasch auf die Beine, und lief, was
ich konnte, geradeswegs nach Babylon. Kaum dort angekom=
men, traf ich mit einem weisen Chaldäer, Namens Mithro=
barzanes, zusammen, einem Manne von geheimer, übermensch=
licher Wissenschaft, dem sein eisgraues Haupt und sein langer
Bart ein sehr ehrwürdiges Aussehen gaben. Diesen brachte
ich mit vieler Mühe und nach langem Bitten dazu, mein
Wegweiser zu seyn, wobei ich ihm freistellte, einen Lohn zu
fordern, welchen er wollte.

7. Der Magier fieng nun damit an, daß er mich neun
und zwanzig Tage lang, vom Neumond an gerechnet; jedes=
mal Morgens vor Sonnenaufgang an den Euphrat führte
und abwusch, indem er mit dem Gesichte gegen Osten gekehrt
ein langes Gebet hersagte, wovon ich übrigens nicht viel ver=
standen habe. Denn er haspelte es, wie die schlechten Ausru=
fer in den Kampfspielen thun, in einem undeutlichen und
leyernden Tone ab; nur war es mir, als ob er damit gewisse
Geister citirte. Wenn nun diese Formel beendigt war, so spuckte

er mir dreimal in's Gesicht; und nun gieng es wieder nach
Hause, ohne daß mir erlaubt war, unter Weges einen Menschen anzusehen. Während dieser Zeit lebten wir bloß von
Baumnüssen, Milch, Wassermeth und Wasser aus dem Flusse
Choaspes, und schliefen unter freiem Himmel auf einem Ra-
senplatze. Nachdem ich nun durch diese Casteiungen gehörig
vorbereitet war, führte er mich um Mitternacht an den Ti-
gris, reinigte mich abermals mit Wasser, trocknete mich hierauf ab und umkreisete mich mehrmals mit einer Kienfackel,
einer Meerzwiebel und verschiedenen andern Dingen, während
er beständig jene Beschwörungsformel zwischen den Zähnen
murmelte. Wie er mich so mit seinem Zauber um und um
geweiht hatte, damit mir die gespenstischen Erscheinungen
nichts anhaben möchten, führte er mich rücklings wieder nach
Hause, um uns nun zur Fahrt selbst anzuschicken.

8. Er selbst legte ein magisches Gewand an, das viele
Aehnlichkeit mit der Tracht der Medier hatte: mich rüstete
er mit diesem Hute, diesem Löwenfelle und dieser Leyer aus,
und befahl mir, wenn man mich nach dem Namen fragen
sollte, mich nicht Menippus, sondern Hercules, Ulysses oder
Orpheus zu nennen.

Philonides. Warum das, Menippus? Ich sehe weder von diesem Aufzuge, noch von diesen Namen einen Grund
ein.

Menippus. Und doch ist der Grund sehr einleuchtend und nichts weniger als geheimnißvoll. Denn da jene
drei schon vor uns einmal lebendig in die Unterwelt hinab-
gestiegen waren, so glaubte mein Magier, ich würde, wenn
ich mir ein ähnliches Aussehen gäbe, die Aufmerksamkeit des

Aeacus durch den ihm gewohnten Anblick des tragischen Auf=
zugs um so leichter täuschen und ungehindert durchpaffiren.

9. Schon graute der Tag, als wir uns an den Fluß
begaben und uns zur Abfahrt anschickten. Das Fahrzeug,
die Opferthiere, den Waffermeth und alles Uebrige, was zu
der geheimnißvollen Verrichtung erforderlich war, hatte der
Alte schon in Bereitschaft. Alles das brachten wir nun in
den Kahn, und

— — — — — — — selber hinein dann
Stiegen wir, herzlich betrübt, und häufige Thränen
vergießend. *)

Eine Strecke weit gieng es den Fluß hinab, bis wir in den
sumpfigen See kamen, in welchen sich der Euphrat verliert.
Jenseits deffelben gelangten wir an ein einsames, waldigtes
und düsteres Ufer. Wir stiegen an's Land, und Mithrobar=
zanes gieng voran. Hierauf machten wir eine Grube, schlach=
teten die Schafe, und besprengten die Grube rings mit dem
Opferblut. Während dieses Opfers hielt der Magier eine
brennende Fackel in der Hand, und citirte, nicht mehr, wie
sonst, mit halblauter Stimme, sondern, so stark er konnte,
schreiend, die Genien des Todtenreichs insgesammt, die Straf=
geister und Furien, die nächtliche Hecate

— — und die schreckliche Persephoneia **)
herauf, denen er noch mehrere barbarische, vielsylbige und
mir gänzlich unbekannte Namen beifügte.

10. Da gerieth Alles ringsumher in Aufruhr und Er=
schütterung: die Macht der Zauberformel machte die Erde

*) Odyff. XI, 4. 5. Voß.
**) Ebend. 47.

bersten; aus der Ferne ließ sich das Gebell des Cerberus ver=
nehmen — der Spuck ward gräßlich.

    Bang erschrak dort unten der Schattenfürst Aïdoneus. *)

Nun erschien die ganze Unterwelt vor meinen Augen, der
stygische See, der Feuerstrom und selbst der Pallast des Plu=
to. Wir stiegen hinab und trafen den Rhadamanthus halb
todt vor Schrecken. Cerberus beulte zwar noch, und wollte
sich gegen uns in Bewegung setzen: allein kaum hatte ich ein
Paar Accorde auf meiner Lyra gegriffen, als ihn diese Töne
augenblicklich besänftigten. So kamen wir bis an den stygi=
schen See: aber es fehlte wenig, so wären wir nicht hinüber
gekommen. Die Fähre war schon ganz angefüllt mit Todten,
die erbärmlich zusammenheulten: es war ein Schwarm Ver=
wundeter, die, wie ich vermuthe, aus einer Schlacht kamen;
denn dem Einen war ein Bein, dem Andern der Kopf, dem
Dritten ein anderer Theil des Körpers zerschmettert. Gleich=
wohl nahm mich der gute Charon, der mich wegen meines
Löwenfells für Hercules hielt, noch in den Nachen auf, setzte
mich mit aller Bereitwilligkeit über, und wies uns beim
Aussteigen den Weg.

    11. Als wir in dem finstern Raume waren, gieng Mi=
throbarzanes voran, ich aber folgte ihm auf dem Fuße nach,
bis wir auf eine große mit Asphodil bewachsene Wiese ka=
men, wo uns die Schatten der Todten schwirrend umflatter=
ten. Ein wenig weiter vorwärts gelangten wir an die
Stelle, wo Minos auf einem hohen Stuhle saß und Gericht
hielt. Neben ihm standen die Strafgeister, die Rachegenien

---

*) Iliade XX, 61. Voß.

und die Furien. Von einer Seite her wurden eine Menge
Gefangener an einer langen Kette geschlossen herbeigeführt,
wie man mir sagte, lauter Ehebrecher, Hurenwirthe, Zoll=
pächter, Schmarotzer, falsche Angeber, und wie die Schurken
alle heißen, welche alle Ordnung in der Welt zerrütten. Von
einer andern Seite kamen die Reichen und Wucherer heran,
alle blaß, mit Hängebäuchen und podagrischen Füßen, Jeder
mit einem Halseisen und einer centnerschweren Klammer be=
lastet. Wir stellten uns in die Nähe, um zu sehen, was
vorgieng, und hörten nun, wie sich die Angeschuldigten ver=
theidigten. Als ihre Ankläger trat eine ganz neue und selt=
same Gattung von Rednern auf.

Philonides. Was für welche denn? Du wirst doch
keinen Anstand nehmen, mir auch das zu sagen?

Menippus. Du kennst doch die Schatten, die sich
von allen im Sonnenscheine befindlichen Körpern bilden?

Philonides. Freilich.

Menippus. Nun eben diese Schatten sind's, die,
wenn wir gestorben sind, Zeugniß gegen uns ablegen, und
uns alles dessen überweisen, was wir im Leben gethan ha=
ben. Und sie gelten für um so glaubwürdiger, da sie immer
um uns sind, und ihre Körper nie verlassen.

12. Minos schickte hierauf Jeden nach vorheriger sorg=
fältiger Untersuchung nach dem Orte der Gottlosen, um dort
die verdiente Strafe seiner Verbrechen zu empfangen. Am
schärfsten verfuhr er mit denen, welche, in übermüthigem
Stolze auf Macht und Reichthümer auf Erden, beinahe gött=
liche Verehrung erwartet hatten. Das Großthun mit so
vergänglichen Dingen, und die Aufgeblasenheit solcher Leute,

die nicht bedenken, wie hinfällig sie und ihre Güter sind, ist
ihm ein Gräuel. Da standen sie nun, entkleidet aller jener
glänzenden Außendinge, ihres Reichthums, ihres Adels, ihrer
Herrschergewalt, hefteten die Blicke zur Erde, und überdach=
ten noch einmal den Traum ihrer frühern Herrlichkeit. Ich
hatte meine Lust an diesem Anblicke, und wo ich einen der=
selben im Leben gekannt hatte, diesem näherte ich mich ganz
sachte, und erinnerte ihn, was er auf Erden gewesen, wie
hoch er damals den Kopf getragen, wie viele Leute alle Mor=
gen vor seiner Pforte gestanden, und sich alle Grobheiten von
seinem Hausgesinde hätten gefallen lassen, um den Augenblick
zu erwarten, wo er sich endlich mit Purpur, Gold und bun=
tem Schimmer überdeckt vor ihnen sehen ließ, und diese Auf=
wartenden glückselig zu machen glaubte, wenn er ihnen seine
Brust oder seine Hand zum Kusse darbot. Mit diesen und
ähnlichen Reden ärgerte ich sie nicht wenig.

13. Ein einziges Mal hat jedoch Minos nach Gunst
entschieden. Der Sicilische Despot Dionysius war von Dion
vieler schwerer Verbrechen angeklagt worden, und auch sein
Schatten hatte gegen ihn gezeugt, und es war schon an dem,
daß er gebunden der Chimäre vorgeworfen werden sollte, als
Aristipp aus Cyrene, der dort unten in großem Ansehen
steht und sehr vielen Einfluß hat, herbeikam und ihn der
Verdammniß durch die einzige Aussage entriß, Dionysius
hätte sich um viele Gelehrte durch seine Freigebigkeit ver=
dient gemacht.

14. So gut wir uns hier in der Nähe des Richterstuh=
les unterhielten, so giengen wir doch weiter, um auch den
Ort der Strafen zu sehen. Hier, Freund, ist erst viel des

Jammers zu sehen und zu hören. Man vernimmt zu glei=
cher Zeit das Pfeifen und Klatschen der Geißelhiebe und das
Gewinsel derer, die in den Flammen braten; man sieht Fol=
tern, Marterhölzer, Räder; hier zerreißt Chimära, dort zer=
fleischt Cerberus die Unglücklichen. Hier bekommen alle Ver=
brecher ohne Unterschied ihr Theil, König und Knecht, Sa=
trap und Bettler, Reiche und Arme. Da ist freilich Keiner,
der nicht seine Frevelthaten bereute. Einige derselben, die
erst kürzlich verstorben waren, kannten wir noch: allein sie
wandten uns den Rücken und suchten sich zu verbergen; oder
wenn sie uns ansahen, so geschah es mit der kriechenden Miene
eines niederträchtigen Sclaven: und das waren eben diejeni=
gen, welche sich im Leben auf eine so unverschämt hochmü=
thige Weise benommen hatten, von welcher du keine Vorstel=
lung hast. Die Armen bekamen jedoch nur die Hälfte der
Strafe zu erleiden, und durften von Zeit zu Zeit ausruhen,
bis die Marter wieder von neuem angieng. Auch sah ich hier
wirklich jene Verbrecher aus der Sagenzeit, den Irion, den
Sisyphus, den bejammernswürdigen Phrygier Tantalus, und
den Erdensohn Tityus. Hercules! was der groß ist! einen
ganzen Acker bedeckt er mit seinem ausgestreckten Körper.

15. Wir giengen auch hier vorüber und kamen nun in
das Acherusische Feld: dort fanden wir die Halbgötter und
die Heroïnnen und die ganze übrige Menge der Todten nach
Völkern und Stämmen abgetheilt. Viele von ihnen waren
alt, wie verschimmelt, und, mit Homer zu sprechen, ohnmäch=
tige Schatten. Einige aber schienen noch frisch und ziemlich
wohl erhalten, besonders die Todten aus Egypten, denen das
Einbalsamiren eine vorzügliche Dauerhaftigkeit gegeben hatte.

Allein die einzelnen Todten zu unterscheiden, war so leicht
nicht: sie sind sämmtlich nackte Gerippe, die sich alle voll=
kommen ähnlich sahen. Nur mit Mühe und nach langem Be=
trachten konnten wir Einzelne erkennen. Sie lagen unschein=
bar und ohne alle besondere Kennzeichen auf einem Haufen
übereinander, und hatten auch keine Spur mehr von dem,
was bei uns zur Schönheit gehört. Aus diesem Haufen
übereinanderliegender Skelete also, von denen eines so furcht=
bar wie das andere die leeren Augenhöhlen wies und mit
den unbedeckten Zähnen mich angrinste, war ich sehr in Ver=
legenheit, wie ich den Thersites und den schönen Nireus, den
Bettler Irus und den Phäaken=König, den Koch Pyrrhias
und Agamemnon herausfinden sollte. Da war auch kein ein=
ziges der alten Merkmahle mehr an ihnen zu sehen; Alle
ohne Unterschied waren unkenntliche, charakterlose Knochen=
gestalten.

16. Wie ich so diese Erscheinungen betrachtete, kam mir
das ganze menschliche Leben wie ein großer festlicher Aufzug
vor, dessen Vorsteherin und Anordnerin die Glücksgöttin ist,
welche unter die aufziehenden Personen die mannichfaltigsten
Rollen vertheilt. Der Erste Beste, den ihr der Zufall in die
Hände spielt, wird von ihr als König ausstaffirt, bekommt
eine Tiare auf den Kopf und ein Diadem um die Stirne,
und wird mit einer Leibwache umgeben. Ein Anderer erhält
die Sklaventracht: ein Dritter wird zum schönen Jüngling
herausgeputzt; und weil das Schauspiel Mannichfaltigkeit ha=
ben soll, so muß sich der Vierte gefallen lassen, eine häßliche
und lächerliche Figur vorzustellen. Oft läßt die Göttin mit=
ten unter dem Aufzug selbst von Einigen die Masken wech=

feln, ohne fie die zugetheilten Rollen zu Ende fpielen zu laf=
fen: da muß denn ein Cröfus den Königsmantel ausziehen
und die Tracht eines Sclaven und Kriegsgefangenen anlegen;
ein Mäandrius, der bisher unter den Sclaven aufzog, be=
kömmt die Tyrannenrolle des Polycrates. Eine Zeitlang
dürfen fie fo den angewiefenen Charakter behalten. Hat
aber der Aufzug fein Ende erreicht, fo muß Jeder feine Maske
und ganze Tracht fammt dem Körper zurückgeben, und ift nun
wieder, wie zuvor, nicht mehr und nicht weniger als jeder
feiner Nachbarn. Gleichwohl giebt es Narren unter ihnen,
die, wenn die Göttin auf Zurückgabe des geliehenen Putzes
dringt, fich beklagen und einen Lärm anfangen, als ob man
ihnen ihr Eigenthum entriffe, während fie doch nur zurückge=
ben follen, was ihnen auf eine kurze Zeit zum Gebrauch gelie=
hen war. Gewiß haft du fchon daffelbe auf der Schaubühne
bemerkt, daß ein und derfelbe tragifche Schaufpieler, nach
Bedürfniß des darzuftellenden Stücks, bald einen Creon, bald
einen Priamus, bald einen Agamemnon aus fich machen muß,
und wenn er eben einen Cecrops oder Erechtheus in majeftä=
tifcher Haltung dargeftellt hat, vom Dichter gleich darauf
wieder als Sclave herausgefchickt wird. Ift das Schaufpiel
aus, fo legt der Held den goldgeftickten Mantel und die vor=
nehme Maske ab, fteigt vom Cothurn herab, und der Atride
Agamemnon oder Creon, des Menöceus Sohn, wandelt nun
wieder unter den Leuten als der arme, unbedeutende Polus,
Charikles Sohn, aus Sunium, oder Satyrus, Theogiton's
Sohn, aus Marathon, herum. Eben fo, dachte ich damals,
verhält es fich auch mit dem menfchlichen Leben.

17. **Philonides.** Aber sage mir einmal, Menippus: stehen denn diejenigen, welche auf Erden kostbare und erhabene Grabmähler, Denksäulen, Statuen und Aufschriften haben, dort unten nicht in größern Ehren als die gemeinen Todten?

Menippus. Possen! Hättest du nur den Mausolus gesehen, jenen Carier, der durch sein Grabmal weltberühmt geworden ist, ich bin gewiß, du wärest des Lachens nicht satt geworden; so armselig lag er in einem Winkel unter dem Haufen der übrigen Todten versteckt, ohne, wie ich glaube, von seinem Grabmahl einen andern Vortheil als den zu haben, daß er unter einer ungeheuren Last schmachtete. Aeacus mißt Jedem, mein Freund, seinen Platz zu, und da dieser auf's Höchste einen Fuß in die Breite beträgt, so muß man sich, so gut es gehen will, damit begnügen, und sich im Liegen fein hübsch zusammenziehen! Aber noch mehr Spaß hättest du gehabt, wenn du gesehen hättest, wie unsere ehemaligen Könige und Satrapen dort betteln gehen, oder aus Dürftigkeit Salzfische verkaufen, oder das A b c lehren, und dabei gleich den verächtlichsten Sclaven von dem Ersten Besten sich Grobheiten aller Art und sogar Ohrfeigen gefallen lassen müssen. Als ich vollends den macedonischen König Philipp sah, konnte ich gar nicht mehr an mich halten: man zeigte mir ihn, wie er in einem Winkel zusammengekauert um's Geld zerrissene Schuhe flickte. Noch viele andere große Herrn, als Xerxes, Darius, Polycrates, konnte man an den Scheidewegen stehen und betteln sehen.

18. **Philonides.** Freund, diese Schilderung der Könige ist mir ein Bischen zu toll und gränzt an's Unglaubliche.

Sage mir lieber, was Socrates machte, und Diogenes, und wen du sonst von den Weisen sahest.

Menippus. Socrates? Nun der spaziert noch immer umher, und katechisirt Jeden zu Schanden, der ihm in den Weg kommt. Gewöhnlich sind Palamedes, Ulysses, Nestor und andere Schwätzer mit ihm zusammen. Wie ich ihn sah, waren ihm von seinem Schierlingstranke die Beine noch sehr aufgelaufen und angeschwollen. Unser vortrefflicher Diogenes aber hält sich immer in der Nähe von dem Assyrer Sardanapal, dem Phrygier Midas, und anderen solchen Goldmännern auf, wo er seine größte Lust daran findet, sie jammern und ihr vormaliges Glück überrechnen zu hören: bisweilen legt er sich auf den Rücken, und singt mit seiner rauhen, abscheulichen Stimme, so laut er kann, um ihr Geheul zu überschreien. Das kränkt denn diese Leute so sehr, daß sie wirklich darauf denken, in eine andere Gegend zu ziehen, um den unerträglichen Diogenes los zu werden.

9. Philonides. Genug hievon. Aber was ist denn das für ein Volksbeschluß, von welchem du anfänglich sagtest, daß er zum Nachtheile der Reichen gefaßt worden sey?

Menippus. Gut, daß du mich daran erinnerst. Ich wollte gleich anfangs davon reden, bin aber unvermerkt auf ganz andere Dinge zu sprechen gekommen. Während meiner Anwesenheit in der Unterwelt also hatten die Gemeindehäupter eben eine Volksversammlung ansagen lassen, worin Angelegenheiten, das Gemeindewohl betreffend, verhandelt werden sollten. Die Todten strömten in Menge herbei. Ich mischte mich unter sie, und benahm mich sogleich als ein Mitglied dieser Versammlung. Nach mehreren Verhandlun-

gen über andere Gegenstände kam man endlich auch an die
Reichen. Da wurden denn von vielen Seiten schwere Kla=
gen vorgebracht über ihre Gewaltthätigkeit, ihre Anmaßung,
ihre verächtliche und ungerechte Behandlung Anderer; am
Ende erhob sich einer der Demagogen, und verlas folgenden

G e s e ß e s e n t w u r f.

20. „In Anbetracht, daß die Reichen zu ihren Lebzei=
„ten sich viele gesetzwidrige, gewaltthätige und räuberische
„Handlungen zu Schulden kommen lassen, insonderheit
„aber den Armen auf alle Weise mit Verachtung zu be=
„gegnen sich herausnehmen; als hat demnach Rath und
„Volk für gut befunden, daß noch dem Tode besagter Rei=
„chen ihre Leiber hinfüro gleichermaßen wie die der andern
„Uebelthäter gestraft, ihre Seelen hingegen wiederum in's
„Leben zurückgeschickt werden, in Esel fahren, und sol=
„chergestalten zweihundert und fünfundzwanzig tausend
„Jahre lang verurtheilt seyn sollen, als Esel von Eseln
„geboren, Lasten zu tragen, und von den Armen sich trei=
„ben zu lassen, und daß solchen nicht eher, als nach Ab=
„lauf besagter Frist zu sterben vergönnet seyn solle."

„Vorstehendes Gesetz hat in Antrag gebracht: Schädler,
„Knochenmanns-Sohn, aus Todtenau, von dem Stamme
„der Abgestandenen."

Nach Verlesung dieses Gesetzesentwurfs gaben die Be=
hörden mittelst ihrer Stimmtafeln, die Gemeinde durch Hän=
deaufheben ihre Beistimmung. Brimo brummte und Cerbe=
rus bellte dazu. Auf diese Weise erhalten die dortigen Gese=
ßesvorschläge ihre Bestätigung und Gültigkeit. —

21. So viel von dieser Volksversammlung. Nun gieng ich, den Tiresias, wegen dessen ich eigentlich die Reise gemacht hatte, aufzusuchen, und fand in ihm ein altes, blindes und schmächtiges Männchen. Nachdem ich ihm mein Anliegen vorgetragen und ihn gebeten hatte, mir zu sagen, was die beste Art, zu leben wäre, lachte er und sagte mir mit seinem schwachen Stimmchen: „Mein Sohn, ich kenne die Ursache deiner Verlegenheit; sie kommt von den Philosophen, die mit einander in stetem Widerspruche sind. Allein ich darf mich nicht gegen dich herauslassen: Rhadamanthus hat es ausdrücklich verboten." — „O Väterchen," versetzte ich, „sage mir doch, was du weißt, und laß mich nicht noch blinder, als du selbst bist, im Leben herumirren." Da zog er mich bei Seite, und wie wir weit genug von den Uebrigen entfernt waren, raunte er mir ganz leise in's Ohr: „Das beste und vernünftigste Leben ist das der Ungelehrten. Gib die Narrheit auf, den überirdischen Dingen nachzugrübeln, und den Ursprung und letzten Zweck der Dinge erforschen zu wollen; verachte die künstlichen Schlüsse der Sophisten, und halte dich überzeugt, daß alle diese Dinge eitle Possen sind. Hingegen sey dein einziges Streben darauf gerichtet, die Gegenwart dir zu Nutzen zu machen, so viel du kannst: im Uebrigen gehe an den meisten Dingen mit Lachen vorüber, und halte nichts für wichtig genug, um dich darum zu bemühen." So sprach Tiresias, und

Wandelte eiligen Schrittes hinab die Asphodelos-Wiese *).

---

*) Odyss. XI, 539.

22. Schon war es spät geworden; darum bat ich den Mithrobarzanes, mich ohne längeres Säumen in die Oberwelt zurückzuführen. „Sey gutes Muths,‘‘ erwiederte er, „ich will dir einen kurzen und bequemen Rückweg zeigen.‘‘ Mit diesen Worten führte er mich an einen noch weit finsterern Ort des Schattenreichs, und wies mit der Hand nach einem schwach leuchtenden Punkte in der Ferne, wo das Sonnenlicht durch eine Ritze zu dringen schien. „Dort siehst du,‘‘ sprach er, „die heilige Grotte des Trophonius, durch welche die Böotier in die Unterwelt herabkommen. Hier steige hinauf, und du wirst in wenigen Augenblicken auf Griechischem Boden stehen.‘‘ Hocherfreut umarmte ich meinen Magier zum Abschiede, arbeitete mich mit Mühe durch die Erdritze hinan, und befinde mich nun, wunderbar genug, in Lebadea.

Charon oder die Weltbeschauer.

Merkur. Charon.

1. **Merkur.** Ah, Charon, bist du da? Was lachst du? Was trieb dich, deinen Nachen im Stiche zu lassen, und auf die Oberwelt zu kommen? War es doch bis auf diesen Tag nicht leicht deine Sache, dich hier oben umzutreiben.

Charon. Ich habe Lust bekommen, Merkur, zu sehen, wie es in der Welt aussieht, was die Menschen hier treiben, und was das für Dinge sind, deren Verlust Alle bekla-

gen, wenn sie zu uns kommen. Denn bis jetzt habe ich Kei=
nen derselben übergefahren, der nicht Thränen vergossen hätte.
Da machte ich's denn, wie jener junge Thessalier (Protesi=
laus), und erbat mir auf einen einzigen Tag Urlaub, verließ
meinen Kahn und stieg an's Licht herauf. Und nun begeg=
nest du mir wie gerufen. Denn du bist hier allenthalben wohl
bekannt, und wirst also, wie ich hoffe, mich Fremdling her=
umführen, und mir alles Sehenswürdige zeigen.

Merkur. Wenn ich nur Zeit hätte, lieber Fährmann!
Aber ich bin eben auf dem Wege, dem obern Jupiter ein
Geschäftchen, in menschlichen Angelegenheiten, auszurichten.
Jupiter ist hitzig, und da fürchte ich, wenn ich mich verspä=
tete, er möchte mich vollends ganz zu dem Eurigen machen
und in die Finsterniß verbannen, oder, wie er es neulich
dem Vulcan machte, an der Ferse mich fassen und über die
heilige Himmelsschwelle schleudern, *) damit ich der zweite
lahme Mundschenk wäre, der sich auslachen lassen muß.

Charon. Du wirst doch deinen alten Freund, deinen
Schiffskameraden, deinen Kollegen im Todtenführeramte,
nicht so auf's Gerathewohl auf der Erde herumirren lassen?
Es wäre doch nicht schön von dir, Sohn der Maja, wenn
du vergessen hättest, daß ich dich noch nie Wasser schöpfen
oder rudern geheißen habe. Während ich alter Mann ganz
allein mit beiden Rudern zugleich arbeite, liegst du mit dei=
nen breiten Schultern auf dem Verdecke ausgestreckt und
schnarchest, oder plauderst während der ganzen Ueberfahrt,
wenn du irgend einen Schwätzer unter den Schatten an=

---

*) Siehe Iliade I, 590.

triffst. Hörst du, liebstes Merkurchen, laß mich nicht im
Stiche, ich bitte dich um deines Vaters willen; führe mich
allenthalben herum in der Welt, damit ich doch auch etwas
gesehen habe, wenn ich wieder nach Hause komme. Denn
wenn du von mir gehst, ist mir's, als ob ich stockblind wäre.
Gerade wie die Leute, wenn sie in unsere Finsterniß kommen,
unsichern Trittes herumtappen, so geht es mir hier am Son=
nenlicht: es blendet mich zu sehr. Thu mir also immer den
Gefallen, lieber Cyllenier; ich werde dir ewig dafür dank=
bar seyn.

2. Merkur. Das Ding wird mir übel bekommen: ich
sehe voraus, der Lohn dieses Herumführens wird in Ohrfei=
gen bestehen. Doch — sey's d'rum! Wenn man von einem
so guten Freunde genöthigt wird, was will man machen?
Daß ich dir aber Alles, Stück für Stück, zeige, ist eine Un=
möglichkeit, lieber Fährmann. Dazu wäre ein Aufenthalt
von vielen Jahren erforderlich, und inzwischen würde mich
Jupiter wie einen entlaufenen Sklaven durch öffentlichen
Ausruf erfragen lassen. Und du selbst wärest abgehalten,
dein Leichenamt zu verwalten: Pluto's Reich käme zu Scha=
den, wenn du ihm in so langer Zeit keine Todten zuführtest;
und wie ungehalten würde der Zolleinnehmer Aeacus werden,
wenn ihm kein Obolus mehr eingienge? Wir wollen also
nur darauf denken, wie du das Hauptsächlichste, was es hier
oben giebt, zu sehen bekommest.

Charon. Siehe du selbst, wie das am besten zu ma=
chen ist: ich bin fremd, und weiß hier oben keinen Bescheid.

Merkur. Das Ganze ist: wir brauchen einen hohen
Standpunkt, von welchem aus du Alles überschauen kannst.

4 *

Wenn du freilich den Himmel besteigen dürftest, so wären wir aller Mühe überhoben: denn von da könntest du, wie von einer Warte, das Ganze genau bettachten. Allein, da du stets mit den Schatten der Todten verkehrest, so ist dir nicht erlaubt, Jupiter's Himmelsburg zu betreten; und so bleibt uns nichts übrig, als nach irgend einem hohen Berge uns umzusehen.

3. Charon. Du weißt, Merkur, was ich euch zu sagen pflege, wenn wir auf dem See sind? Wenn da ein Windstoß schief in das Segel fährt, und die Wellen hoch gehen, so schreit ihr, die ihr doch von der Sache nichts verstehet, der Eine, ich soll das Segel einziehen, ein Anderer, ich soll es weiter auslassen, wieder ein Anderer, man müsse vor dem Winde fahren. Da ermahne ich euch jedesmal zur Ruhe: ich müsse am besten wissen, was zu thun sey. So thue nun auch du, was du fürs Beste hältst: du bist jetzt mein Steuermann; und ich werde, wie ein Passagier soll, stille und bescheiden dasitzen, und mich in Allem deinen Anordnungen fügen.

Merkur. Vernünftig gesprochen: denn ich werde am besten wissen, was zu thun ist, und bald einen bequemen Standpunkt ausfindig gemacht haben. — Laß einmal sehen, ob wir den Caucasus dazu brauchen können — oder wäre der Parnassus höher? Oder ist der Olymp höher als beide? Halt — beim Olympus fällt mir etwas ein, das nicht uneben seyn sollte. Aber du müßtest mir ein bischen Hand anlegen helfen.

Charon. Befehl nur: ich will thun, was ich kann.

Merkur. Der Dichter Homer sagt, die beiden Söhne des Aldeus (Otus und Ephialtes), also auch nur ihrer zwei, hätten einmal, wiewohl sie noch Knaben waren, den Ossa aus seinen Grundvesten reißen und ihn auf den Olymp, und oben drauf noch den Pelion setzen wollen, in der Meinung, daß dieß eine hinreichende Treppe seyn würde, um in den Himmel zu gelangen. Nun freilich, diese beiden Jungen mußten ihr Beginnen schwer büßen, denn ihre Absicht war frevelhaft. Wir beide aber, die wir nichts zum Nachtheile der Götter dabei im Sinne haben, warum sollten wir nicht auf dieselbe Weise etliche Berge auf einander wälzen und uns einen hohen Standpunkt errichten, der uns eine vollständigere Aussicht gewährt?

4. Charon. Aber werden wir beide auch im Stande seyn, den Pelion oder den Ossa in die Höhe zu heben?

Merkur. Warum denn nicht? Meinst du denn, wir wären schwächer als jene beiden Knäblein, da wir doch Götter sind?

Charon. Das nicht: allein das Unternehmen wäre ein so starkes Stück Arbeit, daß ich die ganze Sache nicht glauben kann.

Merkur. Du bist freilich kein Gelehrter, lieber Charon, und durchaus nicht von poetischem Schlage. Der Kraftmann Homer hingegen hat uns mit zwei einzigen Versen den Himmel ersteigbar gemacht: so leicht wurde es ihm, Berge auf Berge zu thürmen. Ich verstehe nur nicht, wie dir das so unbegreiflich vorkommt, da dir doch gewiß bekannt ist, daß der einzige Atlas den ganzen Himmel, sammt uns Olympiern allen, auf seinen Schultern hat? Ohne Zweifel ha

du auch gehört, wie mein Bruder Hercules sich einst unter
diese Last gestellt hat, um jenen Atlas auf eine Weile abzu=
lösen und sich erholen zu lassen?

Charon. Gehört habe ich es wohl, Merkur: ob es
aber wahr ist, werdet ihr, du und die Dichter, wissen.

Merkur. Die lautere Wahrheit, guter Charon. War=
um sollten denn so weise Männer uns Lügen berichten? —
Also, wohlan, laß uns zuerst den Ossa aus dem Grunde he=
ben, wie uns der Gesang des großen Baumeisters Homer
anweist,

    — — — — — dann auf den Ossa
    Pelion's Waldgebirg *)

emporthürmen. — Siehst du, wie leicht und poetisch wir da=
mit zu Stande gekommen sind? — Nun will ich hinaufstei=
gen und sehen, ob es hoch genug ist, oder ob wir noch dar=
auf bauen müssen. —

5. O wehe! wir sind noch weit unter dem Himmel!
Gegen Morgen wird kaum Jonien und Lydien sichtbar; auf
der Abendseite sieht man nicht über Italien und Sicilien hin=
aus; gegen Mitternacht sehe ich blos bis an die Donau, und
hier vor uns nur bis Creta, und das nicht ganz deutlich.
Wir müssen auch noch den Oeta herbeischaffen, lieber Fähr=
mann, und auf die andern Berge alle den Parnassus oben
auf stellen.

Charon. Machen wir es so! Nur siehe zu, daß un=
ser Werk, wenn wir es über alle Gebühr in die Höhe stre=
cken, nicht am Ende baufällig wird, und wir nicht sammt

---

*) Odyss. XI, 314.

demselben zu Boden stürzen, wo alsdann unsere zerschellten Köpfe einen traurigen Beweis liefern würden, wie Homer zu bauen versteht.

Merkur. Sey ohne Sorgen. Es wird Alles ganz gefahrlos ablaufen. Bring den Oeta herüber — jetzt den Parnassus draufgewälzt! Siehst du, ich steige hinauf. — Herrlich! ich sehe Alles. Komm du nun auch herauf!

Charon. Reiche mir die Hand, Merkur! Es ist ein ansehnliches Gerüstchen, das ich besteigen soll.

Merkur. Wenn du Alles sehen willst, Charon, so mußt du dir nichts daraus machen. Man kann nicht zugleich sehlustig seyn, und immer auf dem sichern Boden bleiben wollen. — Halte mich nur fest an der Hand, und nimm dich in Acht, daß du auf keine schlüpfrige Stelle geräthst! — Schön! nun bist du ja auch oben! — Weil der Parnaß zwei Gipfel hat, so wollen wir Jeder von einer dieser Spitzen Besitz nehmen, und uns auf denselben niederlassen. Schau nun rings um dich her, und betrachte dir Alles der Reihe nach.

6. Charon. Ich sehe viel Land, und einen großen See um dasselbe her und Berge und Ströme noch größer, als der Kocyt und Pyriphlegethon, und winzige Menschlein, und eine Art Löcher oder Höhlen, in denen sie wohnen.

Merkur. Das sind Städte, was du für Höhlen hältst.

Charon. Weißt du auch, Merkur, daß wir nun erst nichts ausgerichtet haben? daß wir den Parnaß sammt dem castalischen Brunnen und den Oeta und alle die anderen Berge vergebens von der Stelle schafften?

Merkur. Wie so?

Charon. Ich sehe von dieser Höhe nichts deutlich genug: ich sollte nicht blos Städte und Berge, wie in einem Gemälde vor dem Auge haben, sondern möchte die Menschen und ihr Treiben selbst betrachten, und hören, was sie reden. Wie zum Beispiel vorhin, als du mich anträffst, da ich eben lachte, und du mich fragtest, warum ich lache, da hatte ich eben etwas gehört, was mir überaus lustig vorkam.

Merkur. Und was war das?

Charon. Es ward einer von einem seiner Freunde auf den folgenden Tag eingeladen, mit ihm zu speisen. „Ich werde unfehlbar erscheinen,‟ war die Antwort. Kaum hatte er das gesagt, als — der Himmel weiß wie — ein Ziegel vom Dache fiel, und ihn erschlug. Da mußte ich lachen, daß der Mann sein Versprechen so schlecht erfüllte. — Ich werde mich also wohl weiter herunter begeben müssen, um Alles besser zu sehen und zu hören.

7. **Merkur.** Bleib ruhig sitzen. Auch für dieses Uebel weiß ich ein Mittel. Homer hat eine Zauberformel, die auch in diesem Falle hilft, und mit welcher ich dir auf der Stelle das schärfste Gesicht geben kann. Stelle dir nur, wenn ich die Worte spreche, recht deutlich vor, deine Blödsichtigkeit wäre verschwunden, und du sehest alles auf's Klarste.

Charon. Sprich nur!

Merkur. Auch entnahm ich den Augen die Finsterniß,
welche sie deckte;
Daß du wohl erkennest den Gott und die
sterblichen Menschen. *)

*) Iliade V, 127.

Charon. Was ist das?

Merkur. Siehst du nun?

Charon. Ach unübertrefflich! Der berühmte Lynceus war blind gegen mich. Erkläre mir nun sogleich Alles, was ich sehe, und antworte mir auf meine Fragen. Erlaubst du mir aber, diese Fagen mit Homerischen Worten zu thun, damit du dich überzeugest, daß ich mit dem Dichter so unbekannt nicht bin?

Merkur. Wie wärest denn du zu dieser Bekanntschaft gekommen, ein Mann, der nie seinen Nachen und seine Ruberbank verließ?

Charon. Siehst du, wie geringschätzig du von meinem Geschäfte denkst! Als Homer gestorben war, und ich ihn überführte, hörte ich ihn Vieles declamiren und singen, wovon mir noch Manches im Gedächtniß geblieben ist. Wir wurden damals von keinem geringen Sturm überfallen. Denn Homer hatte einen Gesang angestimmt, der für Schiffende nicht von der besten Vorbedeutung war, wie nämlich Neptun die Wolken zusammengetrieben, und das Meer mit seinem Dreizack, wie mit einer Kelle aufgewühlt, und alle Sturmwinde in Bewegung gesetzt habe, und dergleichen mehr: wie er so das Meer in seinen Versen durcheinander rührt, stürzt sich ein so gräßlicher Sturm aus einer finstern Wetterwolke auf uns, daß unser Schifflein am Umschlagen war. Da ward Homer seekrank, und gab mehrere seiner Rhapsodieen samt der Scylla, Charybdis und dem Cyclopen von sich.

Merkur. Aus diesem reichlichen Ergusse war es nun freilich nicht schwer, Einiges zu behalten.

8. **Charon.** Sage mir also:

>Wer ist der Sterbliche dort, dickleibig, groß und
>gewaltig,
>Höher denn alles Volk an Haupt und mächtigen
>Schultern? *)

Merkur. Das ist der Athlete Milo aus Croton: eben
klatschen ihm die Griechen Beifall zu, weil er einen Ochsen
auf seinen Schultern mitten durch das Stadium trug.

Charon. Aber wie viel größern Beifall werde ich ver=
dienen, Merkur, der ich dir nun nächstens diesen Milo selbst
aufpacken und in meine Fähre legen werde, wenn er über=
wältigt von dem unbezwinglichsten aller Gegner, dem Tod,
bei uns erscheinen wird, ohne begreifen zu können, wie Je=
ner ihm ein Bein unterschlagen konnte? Das wird ein Jam=
mer seyn, wenn ihm dieß Beifallklatschen und seine Sieger=
kränze einfallen werden! Jetzt freilich, so lange er sich we=
gen seines Ochsentragens anstaunen läßt, bildet er sich ge=
waltig viel ein. Sollte man wirklich glauben, Merkur, die=
sem Mann könne der Gedanken kommen, daß er einmal ster=
ben werde?

Merkur. Wie wäre es auch möglich, in dieser kräfti=
gen Blüthe an den Tod zu denken?

Charon. Laß ihn! Er wird uns bald genug was zu
lachen geben, wenn er keine Mücke mehr, geschweige einen
Ochsen zu tragen im Stande seyn wird. Aber sage mir nun
auch, wer der majestätische Mann dort ist? Seinem Ge=
wande nach ist er kein Grieche.

---

*) Nach Iliade III, 226 .

9. **Merkur.** Das ist Cyrus, des Cambyses Vater, der die Herrschaft, welche die Medier so lange besessen, auf die Perser gebracht, erst kürzlich die Assyrer besiegt, und Babylon erobert hat. Und nun ist er, wie es scheint, im Begriffe, nach Lydien zu ziehen, um mit Ueberwindung des Crösus Herr von ganz Asien zu werden.

Charon. Crösus? wo ist denn der?

Merkur. Siehst du dort unten die große Festung mit der dreifachen Mauer? Das ist Sardes: dort sitzt Crösus, wie du siehst, auf einem goldenen Stuhle und spricht eben mit Solon aus Athen. Wollen wir hören, was sie sprechen?

Charon. Recht gerne!

10. „Crösus. Du hast nun meinen Reichthum gese-
„hen, Athenischer Fremdling, meine Schatzkammern,
„die ganze Menge ungeprägten Goldes, die ich be-
„sitze, und alle meine übrigen Kostbarkeiten — nun
„sage mir, welchen hältst du unter allen Sterblichen
„für den Glücklichsten.“

Charon. Was wird Solon hierauf antworten?

Merkur. Sey ohne Sorgen: gewiß nichts Gemeines.

„Solon. O Crösus! die Glücklichen sind selten.
„Von denen, die ich kenne, schienen mir Cleobis
„und Biton es am meisten geworden zu seyn die
„beiden Söhne der argivischen Priesterin.“

Charon. Ach, er spricht von den beiden Jünglingen, die neulich zu gleicher Zeit starben, nachdem sie sich vor den Wagen ihrer Mutter gespannt, und sie bis vor den Tempel gezogen hatten.

„Cröſus. Mögen denn dieſe die erſten unter den „Glücklichen ſeyn! Wer wäre aber der Nächſte nach „ihnen?"

„Solon. Tellus, ein Bürger aus Athen: dieſer „ſtarb nach einem glücklichen Leben den Tod für's „Vaterland."

„Cröſus. Wie? und ich?. Unverſchämter! ich gelte „dir nicht für glücklich?"

„Solon. Das weiß ich nicht, Cröſus, ſo lange du „das Ende deines Lebens nicht erreicht haſt. Der „Tod iſt die ſicherſte Probe in dieſer Sache: ob Ei= „ner bis zu dieſem letzten Augenblicke glücklich ge= „blieben, darauf kömmt es an."

Charon. Brav, Solon, daß du auch unſer nicht vergeſſen haſt, und die Entſcheidung über jene Frage auf meine Fähre ausgeſetzt ſeyn läſſeſt!

11. Was ſind aber das für Leute, die Cröſus jetzt aus= ſendet, und was tragen ſie denn auf ihren Schultern?

Merkur. Goldene Ziegel ſind's, die er dem delphi= ſchen Gott als Weihgeſchenk für die Orakelſprüche überſchickt, die ihn nächſtens zu Grunde richten werden. Denn auf Pro= phezeihungen hält der Mann über die Maaßen viel.

Charon. Jenes blaßgelbe, ins röthliche ſpielende Ding alſo, das ſo hell glänzt, iſt Gold? Nun ſeh' ich doch ein= mal, wovon ich ſo viel reden höre.

Merkur. Ja, Charon, Gold iſt ſein vielbeſungener Name: alle Welt ſtreitet ſich um ſeinen Beſitz.

Charon. Und gleichwohl ſehe ich nicht, was es für einen beſondern Vorzug haben ſoll: es müßte denn das da=

für gelten, daß es diejenigen, die es tragen, tüchtig be-
schwert.

Merkur. Du weißt also nicht, wie viele Kriege um
seinetwillen geführt, hinterlistige Plane geschmiedet, falsche
Eide geschworen, Räubereien und Mordthaten verübt werden, und wie viele Menschen durch seine Schuld Ketten tragen? weißt nicht, daß um dieses Metalles willen die Sterblichen Handel treiben, in entlegene Meere schiffen, und in
Sklaverei gerathen?

Charon. Wie, Merkur, um eines Metalles willen,
das sich doch nur so wenig vom Kupfer unterscheidet? Denn
das Letztere kenne ich gut, da ich, wie du weißt, einen Obolus als Fährlohn von jedem Ueberfahrenden beziehe.

Merkur. Weil es Kupfer in Menge giebt, bemüht
man sich nicht sonderlich darum. Aber dieses Metall gräbt
man aus tiefen Schachten und nur in geringer Menge —
freilich auch nur aus der Erde, wie das Blei und andere
Metalle.

Charon. O aber die große Thorheit, in eine schwere
Masse von hellgelber Farbe verliebt zu seyn!

Merkur. Solon dort ist es nicht, wie du siehst. Er
lacht über Cröfus und den dummen Stolz des Barbaren.
Eben will er, wie mir scheint, eine Frage an ihn thun.
Wir wollen hören.

    12. „Solon. Sage mir doch, Cröfus, glaubst du
      „denn, daß Apollo dieser Ziegel bedürfe?"

      „Cröfus. Allerdings. Denn in ganz Delphi besitzt
      „er kein Weihgeschenk von diesem Werthe."

„Solon. Du glaubst also diesen Gott glücklich zu
„machen, wenn er unter andern Kostbarkeiten auch
„goldene Ziegel besäße?"

„Crösus. Wie sollte ich nicht?"

„Solon. Da setzest du eine große Armuth im Him=
„mel voraus, Crösus, wenn du meinst, man müsse
„dort, wenn man Gold haben wolle, dasselbe aus
„Lydien holen lassen."

„Crösus. Wo fände sich auch Gold in solcher Fülle,
„wie bei uns?"

„Solon. Sage einmal, giebt es auch Eisen in Lydien?"

„Crösus. Nicht sehr viel.".

„Solon. So geht euch gerade das vornehmste Me=
„tall ab."

„Crösus. Wie? Eisen wäre edler als Gold?"

„Solon. Wenn du nicht böse werden willst über meine
„Fragen, so sollst du dich gleich davon überzeugen."

„Crösus. Frage immerhin."

„Solon. Wer ist der Vornehmere, der Beschützer,
„oder der Beschützte?"

„Crösus. Versteht sich, der Beschützer."

„Solon. Wenn nun Cyrus, wie verlauten will,
„einen Angriff auf Lydien machen wird, wirst du
„deinen Soldaten goldene Säbel machen lassen, oder
„dich dazu des Eisens bedienen müssen?"

„Crösus. Des Letzteren allerdings."

„Solon. Wenn du dir also kein Eisen zu verschaf=
„fen wüßtest, so würde dein Gold als Beute zu
„den Persern wandern?"

„Cröſus. Das wolle Gott verhüten!"

„Solon. Ferne ſey es immer! Aber wirſt du nun
„zugeben, daß Eiſen das Beſſere iſt?"

„Cröſus. Wie? Du wäreſt alſo der Meinung, ich
„ſollte dem delphiſchen Gotte eiſerne Ziegel zum
„Geſchenke machen, und meine goldenen wieder ho=
„len laſſen?"

„Solon. Apoll bedarf des Eiſens eben ſo wenig.
„Magſt du Gold oder ein anderes Metall nach Del=
„phi ſtiften, ſo wird es nur für die Phocenſer,
„Böotier oder Delphier ſelbſt, oder irgend einen
„Deſpoten oder Räuber eine willkommene Beute
„ſeyn: der Gott wird ſich wenig um die Arbeit dei=
„ner Goldſchmiede bekümmern."

„Cröſus. Immer ziehſt du doch gegen meine Schätze
„zu Felde, aus Neid, wie mich dünkt."

13. Merkur. Hörſt du, Charon? die Freimüthigkeit
und Wahrheit in dieſen Aeuſſerungen iſt dem Lydier uner=
träglich: es dünkt ihn gar zu ſeltſam, daß ein armer Kerl
ſich vor ihm nicht duckt, ſondern frei herausſagt, was ihm
auf die Zunge kommt. Aber er wird ſich bald genug wieder
des Solon erinnern, wenn er als des Cyrus Gefangener auf
deſſen Befehl auf den Scheiterhaufen gelegt werden wird.
Ich habe nämlich die Clotho neulich in dem Buche des Schick=
ſals leſen gehört; und da kam denn unter Anderem auch vor,
Cröſus werde von Cyrus gefangen genommen, Cyrus aber
von jenem Maſſagetiſchen Weibe umgebracht werden. Du
ſiehſt ſie doch, die Scythin auf dem weißen Pferde dort?

Charon. Recht gut ſehe ich ſie.

Merkur. Das ist Tomyris. Diese wird dem Cyrus den Kopf abhauen, und in einen mit Blut gefüllten Schlauch werfen. Siehst du auch den Jüngling dort, den Sohn des Cyrus? das ist Cambyses. Dieser wird dem Vater in der Regierung nachfolgen, und nach tausend Unfällen in Libyen und Aethiopien, sein Leben endlich im Wahnsinn enden, weil er den Apis getödtet hat.

Charon. O der närrischen Geschöpfe! Wer kann aber den Hochmuth ansehen, mit welchem sie heute auf alle Andern herabschauen? Und wer sollte glauben, daß der Eine in Kurzem ein Gefangener seyn, der Andere seinen Kopf in einem Schlauche voll Blut stecken haben werde?

14. Wer ist aber jener Mann, Merkur, in dem Purpurmantel mit der goldenen Spange, und mit dem Diadem auf dem Haupte, dem sein Koch einen Ring überreicht, den er so eben beim Aufschneiden eines Fisches gefunden,

> Dort auf umflutheter Insel, ein König rühmt er zu
> seyn sich? *)

Merkur. Schön homerisirt, lieber Charon! Der Mann, den du siehst, ist Polycrates, Herr von Samos. Er hält sich für vollkommen glücklich: allein der Aermste wird mit Einem Male von der Höhe seines Glücks herabstürzen: sein Sclave, der dort neben ihm steht, Mäandrius, wird ihn an den Satrapen Orötes verrathen, und von diesem wird er an's Kreuz geschlagen werden. Auch dieses habe ich von der Clotho gehört.

---

*) Zum Theil zusammengeflickt aus Odyss. I, 50 und 180.

Charon. Brav, vortreffliche Clotho, herzhaft die Kerls gekreuzigt! die Köpfe ihnen abgehauen! Sie sollen erfahren, daß sie Menschen sind! Bis dahin mögen sie immer höher stehen als Andere; ihr jäher Sturz wird dann nur um so erbärmlicher seyn. Habe ich sie nur einmal in meinem Nachen, wie ich sie auslachen will! Ich werde Jeden von ihnen wieder erkennen, so nackt und bloß sie erscheinen werden nach Zurücklassung ihrer Purpurmäntel, Diademe und goldenen Stühle.

15. Merkur. Das wird das Schicksal dieser Großen seyn. Sieh' aber nun auch diese übrige Menschenmenge, Freund Charon, hier diese Seefahrer, dort jene streitenden Kriegsheere; da Leute, die sich vor Gericht herumzanken, dort Arbeiter auf dem Felde; hier reiche Wechsler, dort Bettler.

Charon. Welch buntes, verwirrtes Gewimmel! Diese Städte kommen mir vor wie Bienenstöcke, wo Jeder seinen eigenen Stachel hat, und seinen Nachbar zu stechen sucht. Einige wenige gleichen den Wespen: sie fallen über den Schwächern her und plündern ihn aus. Ein Schwarm kaum sichtbarer Nebelgestalten umflattert beständig diese Menge: was sind das für Wesen, Merkur?

Merkur. Dieß sind die Hoffnungen, Charon, die Besorgnisse, die Thorheiten, die Lüste, die Geldsucht, der Zorn, der Haß und andere Genien dieser Art. Die meisten von ihnen, als: die Thorheit, der Haß, der Zorn, die Eifersucht, die Unwissenheit, die Rathlosigkeit, die Geldsucht, haben sich unter den Menschen niedergelassen, und leben in wahrer Staatsgemeinschaft mit ihnen: die Furcht aber und die Hoffnun-

gen schweben über ihren Häuptern; so oft sich jene auf einen
Sterblichen wirft, bringt sie ihn ausser Fassung, oder drückt
ihn bisweilen gänzlich zu Boden: Die Hoffnungen hingegen
flattern immer ganz nahe um ihre Köpfe; sobald aber einer
sie zu fassen glaubt — flugs sind sie davon, und der Mensch
steht da mit offenem Munde, wie Tantalus bei euch in der
Unterwelt an der Quelle.

16. Wenn du deine Sehkraft etwas anstrengen willst,
so wirst du auch die Parzen über ihnen erblicken, wie sie Je=
dem an seiner Spindel das zarte Gespinnste zuspinnen, an
welches sein Daseyn geknüpft ist. Siehst du nicht, daß feine
Fäden, wie die eines Spinnengewebes, auf sie herunterlaufen?

Charon. Wohl sehe ich; daß unendlich zarte Fäden in
großer Menge hier Einen und dort Einen umschlingen.

Merkur. Ganz richtig, Fährmann. Wenn nun Einer
so angekettet ist, so deutet dieß das Verhängniß an, daß
Einer von der Hand des Andern das Leben verlieren, oder
daß der, dessen Faden länger ist, den Andern beerben wer=
de. Du siehst aber, an was für dünnen Fädchen Alle hän=
gen. Da wird Einer in die Höhe gezogen, und ragt über alle
Andere hervor; der Faden aber, der zu schwach für das Ge=
wicht ist, reißt ab, und der Mensch stürzt mit um so größe=
rem Getöse, je höher er gehangen hatte. Ein Anderer, der
nur wenig über die Erde gehoben worden war, fällt so ge=
räuschlos, daß sein Fall kaum von den Nachbarn vernommen
wird.

Charon. Schnakische Dinge das!

17. Merkur. Wahrhaftig, guter Charon, du würdest
keine Worte finden, das Lächerliche der eiteln Bestrebungen

zu schildern, in welchen die Menschen sich abmühen, wäh=
rend sie doch unser guter Freund Thanatos (Tod) oft mitten
aus ihren Planen und Wünschen davon führt. Indessen hat
er, wie du siehst, der Diener und Boten genug, die ihn
melden, kalte und hitzige Fieber, Schwindsucht, Lungenent=
zündung, Gift, Schwert, Räuber, Richter und Tyrannen.
An alles? das denken sie nicht, so lange sie's gut haben und
wohl sind: so wie sich aber ein Unfall einstellt, so ist des
Ach und O, des Heulens und Wehklagens kein Ende. Be=
dächten sie gleich anfangs, daß sie sterblich sind, und nach
einem kurzen Besuch in diesem Leben gleich Reisenden, wie=
der wie aus einem Traume, mit Zurücklassung aller Erden=
dinge, davon müssen, so betrügen sie sich vernünftiger im Le=
ben, und stürben mit größerer Ruhe. Nun aber, da sie mei=
nen, wie sie es jetzt haben, so soll es immer seyn, sind sie
untröstlich, wenn ein Todesbote zu ihnen tritt, um sie mit
der Auszehrung oder einer Lungenkrankheit zu binden und
von dannen zu führen. Das macht, sie hatten sich's nicht
gedacht, daß sie weggerafft werden könnten. Was würde
jener arme Schelm, der jetzt mit allem Eifer sich ein neues
Haus baut und die Arbeiter so emsig antreibt, machen, wenn
man ihm sagte, daß er zwar die Beendigung desselben erle=
ben würde, aber wenn er kaum das Dach darauf gesetzt hätte,
sterben, und seinem Erben den Besitz desselben hinterlassen
müsse, sohne auch nur ein einzigesmal darin gespeist zu ha=
ben? Jener dort, der sich freut, daß ihm seine Gattin ei=
nen Sohn geboren, der deswegen seinen Freunden ein Gast=
mahl giebt, und den Knaben nach seinem Namen nennt,
meinst du wohl, er würde sich so sehr über dessen Geburt

5 *

freuen, wenn er wüßte, daß ihm nach sieben Jahren das
Kind schon wieder sterben soll? Der Grund seiner Freude
ist der, daß er nur auf jenen glücklichen Vater sieht, dessen
Sohn als Ringer in Olympia den Preis davon getragen,
daß er hingegen den Nachbar, der eben sein Knäbchen zu
Grabe trägt, nicht bemerkt, und nicht weiß, an welch kurzem Fädchen das Leben des seinigen hängt. Und wie Viele
siehst du hier, die wegen der Grenzen ihrer Besitzungen im
Streite liegen, oder solche, die Gold und Silber zusammen-
häufen: ehe sie anfangen, ihre Güter zu genießen, erscheinen jene Boten des Todes, und rufen sie ab.

18. Charon. Ich sehe das Alles, und denke eben darüber nach, worin denn eigentlich das Angenehme, das dieses
Leben für sie hat, bestehe, und was denn das seyn könne,
dessen Verlust sie so unglücklich macht. Betrachten wir ihre
Könige, welche für die Glücklichsten unter ihnen gelten, so
ist, abgesehen von dem Unbeständigen und Zweideutigen des
Glücks überhaupt, des Lästigen weit mehr, als des Angenehmen ihnen zu Theil geworden; denn Furcht, Haß, Zorn,
Leidenschaften aller Art, geheime Nachstellungen, Schmeichelei und andere Uebel sind im steten Gefolge aller Fürsten.
Ich übergehe hier den Schmerz über Trauerfälle, übergehe
so mancherlei andere Leiden des Körpers und der Seele,
welche ihre Macht über sie so gut, als über andere Sterbliche ausüben. Ist aber das Loos der Könige so traurig, so
läßt sich leicht entnehmen, wie die Geringen daran seyn
werden.

19. Ich will dir sagen, Merkur, mit was ich das Men-
schenleben vergleiche. Du sahest wohl schon oft die Blasen,

die eine mit Gewalt hervorfprudelnde Quelle bildet, und aus
deren Zufammenhäufung der Schaum entfteht? Viele der=
felben find nur klein, und platzen und verfchwinden im Au=
genblicke. Einige aber dauern länger aus, und indem fich
mehrere andere mit ihnen vereinigen, blähen fie fich auf und
fchwellen zu bedeutender Höhe an: allein — es kann nun
einmal nicht anders feyn — nach einiger Zeit platzen auch
diefe. Siehe hier das Bild des Menfchenlebens. Alle wer=
den mit Lebenshauch angefchwellt, die Einen mehr, die Andern
weniger. Bei Vielen hält diefer Hauch einige, doch nur
kurze Zeit aus: Andere verfchwinden zugleich mit dem Ent=
ftehen; zerplatzen aber müffen fie Alle.

Merkur. Deine Vergleichung ift nicht minder glück=
lich, als die des Homer, der das Menfchengefchlecht mit
Baumblättern vergleicht. *)

20. Charon. Ungeachtet nun, daß es fich fo mit ih=
nen verhält, fehen wir fie gleichwohl mit einander um den
Befitz von Gewalt, Ehrenftellen und Reichthümern ringen
und wetteifern, während fie doch alles diefes einft zurücklaf=
fen und mit einem einzigen Obolus fich bei uns einftellen
müffen. Meinft du alfo nicht, ich foll, da wir nun fchon auf
der Höhe ftehen, ihnen, fo laut ich kann, zurufen, eitler Be=
mühungen fich zu enthalten und im Leben ftets den Tod vor
Augen zu haben? Ich würde ihnen fagen: „O ihr Narren,
was bemüht ihr euch um folcherlei Dinge? Hört auf, euch
zu plagen! Ihr werdet nicht immer leben, und keines der
hier viel geltenden Dinge ift von ewiger Dauer: Keiner von

*) Iliade VI, 146. ff.

euch kann etwas davon im Tode mit sich nehmen; Jeder muß
nackt und bloß davon, und sein Haus, sein Geld, seine Güter
kommen von einem Herrn auf den andern." Wenn ich dieses
und Aehnliches recht vernehmlich ihnen in die Ohren schreien
würde, glaubst du nicht, die Menschheit hätte großen Nutzen
davon, und würde um Vieles vernünftiger werden?

21. Merkur. O ehrlicher Charon, du weißt nicht, wie
fest ihnen der Unverstand und der Selbstbetrug die Ohren
verstopft haben: man könnte sie mit keinem Bohrer öffnen.
Ist es doch, als hätten sie eben so viel Wachs darin, als
einst Ulysses aus Furcht vor dem Sirenengesang seinen Ge=
fährten einstopfte. Sie würden dich also nicht vernehmen,
und wenn du zum Bersten schreien wolltest. Denn was bei
euch ein Trunk aus der Lethe vermag, das bewirkt bei ihnen
der Unverstand. Doch giebt es einige Wenige unter ihnen,
die kein Wachs in den Ohren haben, und die, ihrer natürli=
chen Neigung zur Wahrheit folgend, die menschlichen Dinge
scharf durchschauen und für das erkennen, was sie sind.

Charon. Nun, so will ich wenigstens meinen Zuruf
an diese richten.

Merkur. Es wäre überflüssig, ihnen zu sagen, was
sie schon wissen. Siehst du nicht, wie sie sich von der Menge
absondern, wie sie das allgemeine Thun und Treiben verla=
chen, und weit entfernt, ein Gefallen an diesen Dingen zu
haben, offenbar nur' darauf denken, sich aus der Welt zu
euch zu flüchten? zumal' da sie von Andern nur gehaßt sind,
weil sie den Leuten ihre Thorheiten unter die Augen halten.

Charon. Herrliche Leute! Nur Schade, daß ihrer so
wenige sind.

Merkur. Es muß auch an diesen wenigen genügen. — Aber nun laß uns wieder herabsteigen!

22. **Charon.** Nur Eins noch möchte ich wissen, Merkur! Um mich vollständig mit der Oberwelt bekannt gemacht zu haben, zeige mir auch die Behältnisse, in welche sie ihre Leichen versenken.

Merkur. Sie nennen das Gräber, Grüfte, auch Leichenhügel. Siehst du vor den Thoren der Städte jene Erdaufwürfe, jene Säulen und Pyramiden? Diese sind sämmtlich Todtenbehausungen und Leichenbehälter.

Charon. Und was wollen denn die Leute dort, welche die Grabsteine salben und mit Blumenkränzen behängen? Auch sehe ich welche, die Holzstöße neben den Grabhügeln aufrichten, und Gruben in die Erde machen: auf jenen verbrennen sie ganze Mahlzeiten, und in die Gruben gießen sie, wenn ich recht unterscheiden kann, Wein und Honigtrank?

Merkur. Ich weiß nicht, mein lieber Fährmann, was dieß Alles denen in der Unterwelt helfen soll. Die Leute haben einmal den Glauben, die Seelen der Abgeschiedenen kämen herauf, flatterten um das Todtenopfer, und genößen, so viel sie könnten, den Fettdampf der Speisen, und tränken den Honigtrank aus den Gruben.

Charon. Das wäre! Essen und trinken sollen die nackten Todtenschädel? Doch es wäre lächerlich, dir zu sagen, wie albern diese Vorstellung ist, da du ja täglich Todte hinabführst, und so gut weißt, als ich, ob es möglich ist, daß sie, nachdem sie einmal zu Unterirdischen geworden sind, wieder heraufkommen. Es wäre doch lustig, Merkur, wenn du zu deinen übrigen vielen Geschäften, die Todten nicht

bloß hinunter=, sondern auch heraufführen dürftest, um sie
trinken zu lassen. O ihr dummen Leute, die ihr nicht wißt,
wie himmelweit der Zustand der Todten und der Lebenden
verschieden ist, und wie es bei uns zugeht, und daß

> Todt sind beide, der Grabesberaubte und der Begrabne:
> Gleich wie Irus geehrt ist Völkerfürst Agamemnon,
> Und Thersites gleich dem Sohne der lockigten Thetis.
> Aber Alle gesammt sind klägliche Leichengestalten,
> Ausgetrocknet Geripp' im Asphodilengefilde. *) .

23. Merkur. Herkules! Welche Menge homerischer
Brocken! Aber, weil du mich an Achill erinnerst, so will ich
dir doch auch sein Grab zeigen. Siehst du es dort am Meere
auf dem troischen Vorgebirge Sigéum? Gegenüber auf Rhö=
téum liegt Ajar begraben.

Charon. Diese Grabhügel sind nicht eben groß. Zeige
mir aber nun auch noch die berühmten Städte, von welchen
wir unten so viel reden hören, Ninus (Ninive) die Residenz
des Sardanapal, Babylon, Mycenä, Cleonä, und besonders
Troja selbst; denn noch erinnere ich mich gar zu wohl, wie
ich einst von dorther so viele Passagiere bekam, daß ich wäh=
rend zehn ganzer Jahre mein Schifflein weder an's Land zie=
hen, noch auslüften konnte.

Merkur. Mein guter Fährmann, Ninus ist so gänz=
lich zu Grunde gegangen, daß keine Spur mehr von ihm
vorhanden ist, und du die Stelle nicht erkennen würdest, wo
es gestanden hatte. Babylon steht zwar noch dort mit seinen
Thürmen und seiner gewaltigen Ringmauer: aber es wird

---

*) Parodieen von Il. IX, 319. 20. 568. Odyss. X, 521. XI,
538.

nicht lange anstehen, so wird man auch seine Stätte suchen
müssen. Mycenä aber, und Cleonä, und besonders Troja
schäme ich mich, dir zu zeigen: denn ich bin gewiß, du wür=
dest bei deiner Zurückkunft den guten Homer beim Kopfe
nehmen, daß er in seinen Gesängen so viel Aufhebens von
ihnen gemacht hat. Vor Alters waren sie zwar reich und
blühend, aber nun sind sie gleichfalls nicht mehr. Ja, mein
Charon, auch die Städte sterben, wie die Menschen, und,
was du mir nicht glauben wirst, ganze Ströme vergehen.
Vom Inachus in Argolis ist auch nicht einmal das Bette
mehr zu finden.

Charon. O wehe, Homer, wie schlimm sieht es da
mit deinen hochklingenden Beinamen aus: „Ilion's heilige
Stadt." — „Die weitdurchwanderte Troja." — „Das herr=
lichgebaute Cleonä." —

24. Aber fast hätte ich über unserm Plaudern zu fra=
gen vergessen, wer denn jene Krieger dort sind, die einander
um die Wette todtschlagen?

Merkur. Du siehst hier Argiver und Lacedämonier,
und den schon halbtodten Anführer der Letztern, Othryades,
wie er noch mit seinem eigenen Blute die Namen seiner
Mitbürger auf die Trophäe schreibt.

Charon. Worüber fiengen sie denn Krieg an?

Merkur. Ueber den Besitz eben des Feldes, auf wel=
chem sie sich schlagen.

Charon. O die Thoren! Sie wissen nicht, daß, wenn
auch jeder Einzelne von ihnen einen ganzen Peloponnes be=
säße, er einst von Aeacus doch kaum einen Fuß breit Raum
erhalten wird. Jenes Feld aber wird immer wieder neue

Beſitzer und Bearbeiter erhalten, und mehr als einmal wird die Pflugſchar die Steine dieſes Denkmahles auswühlen.

Merkur. So wird es am Ende gehen. — Nun aber wollen wir wieder herabſteigen, und, nachdem wir die Berge wieder an Ort und Stelle gebracht haben, unſerer Wege ge= hen, ich, um meinen Auftrag zu beſorgen, und du zu deiner Fähre. Mit Nächſtem werde ich dich wieder ſehen, und dir neue Todte zuführen.

Charon. Nun, beſter Merkur, du haſt dich recht ſehr um mich verdient gemacht: ich werde dir ſtets zu Danke ver= pflichtet ſeyn; denn ohne dich hätte mich meine Reiſe wenig geholfen. — [im Weggehen für ſich] Was doch alles die armen Menſchen ſich zu ſchaffen machen mit ihren Königen, goldenen Ziegeln, Feſtopfern und Schlachten, und — von Charon iſt die Rede nicht!

Die Opfer.

1. Man müßte in der That in einer ſehr niedergeſchla= genen Stimmung ſeyn, wenn man das Benehmen des ein= fältigen Volkes bei ſeinen Opfern, Feſten und feierlichen Tempelbeſuchen betrachten, und die Vorſtellungen, die ſich die Leute von den Göttern machen, die Bitten und Gelübde, die ſie gen Himmel ſchicken, mit anhören könnte, ohne die Ungereimtheit aller dieſer Dinge höchſt lächerlich zu finden. Vor allen Dingen aber wird man verſucht, die Frage bei ſich aufzuwerfen, ob man die Menſchen, die ſo unedel und niedrig

von der Gottheit denken, um sich einzubilden, sie bedürfe der
Menschen, und freue sich, von ihnen geschmeichelt zu wer=
den, und zürne, wenn man sie vernachläſſigt, ob man solche
Leute für gottesfürchtig und fromm, oder nicht vielmehr für
Feinde der Götter halten soll, die in einem unglückseligen
Wahne befangen sind. Sie erzählen zum Beiſpiel, jene
traurigen Auftritte in Aetolien, die Unglücksfälle der Calydo=
nier, der gewaltſame Tod ſo vieler Menſchen, das jämmer=
liche Ende des Meleager, alles dieses wäre das Werk der
Diana geweſen, die es sehr übel genommen, daß König De=
neus sie nicht zu ſeinem Opferfeſte eingeladen hatte. So
tief also gieng es der Göttin zu Herzen, um einen Schmaus
zu kurz gekommen zu ſeyn! Iſt mir doch, als ſehe ich ſie,
wie sie, während alle Götter zu Oeneus sich begeben haben,
allein im Himmel sitzt und vergehen möchte vor Aerger bei
dem Gedanken an das herrliche Feſt, von welchem sie ausge=
schloſſen ſeyn soll.

2. Dagegen werden wohl die Aethiopier dreimal ſelig
zu preiſen ſeyn, wenn sich Jupiter einmal der großen Gefäl=
ligkeit erinnern wird, mit welcher sie ihn einſt ſammt den
übrigen Göttern, die er mit sich gebracht, ganze zwölf Tage
nach einander zu Gaſte hatten. Es scheint nun einmal, daß
die Götter nichts, was sie thun, unentgeldlich thun. Sie
verkaufen ihre Güter an die Menschen. Die Gesundheit läßt
sich, wenn es gut geht, um ein Kalb erhandeln, das Reich=
werden um vier Ochsen, ein Königsthron aber koſtet ſchon
eine Hecatombe: um mit heiler Haut von Troja nach Py=
lus zu kommen, sind neun Stiere, und für die glückliche Ue=
berfahrt von Aulis nach Troja, iſt eine königliche Jungfrau

erforderlich. Hecuba mußte es von der Minerva mit zwölf
Ochsen und einem schönen Kleid erkaufen, daß Troja nicht
schon früher einmal eingenommen wurde.. Auch läßt sich ver=
muthen, daß viele Dinge ihnen um einen bloßen Hahn, um
einen Blumenkranz, oder auch nur um ein Bischen Weih=
rauch feil sind.

3. Das Alles muß der alte, im Götterwesen erfahrene
Priester Chryses wohl gewußt haben: er war bei Apoll mit
so mancher Gefälligkeit im Vorschuß; als er aber dennoch un=
verrichteter Sachen von Agamemnon abziehen mußte, fieng er
an, mit seinem Gotte zu rechten, forderte seine Auslage von
ihm zurück, und ließ ihn, beinahe in dem heftigen Tone des
Vorwurfs, also an: „Wie oft schon, mein schöner Apoll, habe
ich deinen, sonst immer unbekränzten, Tempel mit Kränzen
geschmückt, wie oft schon fette Schenkel der Stiere und Zie=
gen auf deinen Altären verbrannt! Und du siehst unbeküm=
mert dem Unrecht zu, das ich leide, und machst dir nichts
aus deinem Wohlthäter!" Und wirklich, Apoll schämte sich
ob diesem Vorwurfe, nahm Bogen und Pfeile, setzte sich auf
eine Anhöhe über dem Griechischen Lager bei den Schiffen,
und schickte einen Regen seiner Pestgeschosse auf die Achäer
und ihre Maulesel und Hunde.

4. Bei Gelegenheit des Apoll will ich doch noch einiges
Andere erwähnen, was die „weisen Leute" von ihm zu sa=
gen wissen; ich meine hier nicht seine unglücklichen Liebes=
abenteuer, des Hyacinthus trauriges Ende, oder die Geschichte
mit der spröden Daphne, sondern einen weit schlimmern
Auftritt. Er hatte nämlich die Cyclopen getödtet, und wurde
dafür förmlich zur Verbannung verurtheilt und aus dem

Himmel auf die Erde geschickt, um hier das Loos der Men=
schen zu theilen. Wirklich verrichtete er in Thessalien bei
Admet, und in Phrygien bei Laomedon Tagelöhnersdienste.
Bei letzterem war er jedoch nicht allein, sondern in Gesellschaft
Neptun's. Beide waren hier vom Mangel genöthigt, Ziegel
zu streichen und die Mauern von Troja bauen zu helfen, wo=
für ihnen der Phrygier nicht einmal ihren ganzen Lohn aus=
zahlte, sondern über dreißig Trojanische Drachmen ihnen
schuldig geblieben seyn soll.

5. Diese und noch andere viel erbaulichere Geschichtchen
von Vulcan, Prometheus, Saturn, der Rhea und fast Jupi=
ter's ganzer Familie, erzählen uns die Poeten mit sehr wich=
tiger Miene. Das Schönste ist, daß sie im Anfang ihrer
Gesänge die Musen um Beistand anrufen; man muß also
annehmen, daß sie göttlicher Eingebung voll uns singen, wie
Saturn, nachdem er seinen Vater Uranus entmannt, und den
Himmelsthron bestiegen, gleich dem Thyest aus Argos, seine
eigenen Kinder auffraß; wie Rhea den Jupiter rettete, indem
sie statt seiner dem Saturn einen Stein zu verschlingen gab,
und darauf das Kind in Creta aussetzte, wo es von einer
Ziege gesäugt ward, gerade wie Telephus von einer Hirsch=
kuh, und der ältere Cyrus von einer Hündin; wie ferner
Jupiter seinen Vater vom Throne stößt und in's Gefängniß
wirft, und die Herrschaft behauptet; wie er verschiedene Wei=
ber gehabt, zuletzt aber nach Persischer und Assyrischer Sitte
seine leibliche Schwester Juno heurathete, und wie es ihm
bei seinem verliebten Temperamente und sonderlichen Vermö=
gen ein Leichtes gewesen, den ganzen Himmel mit Kindern
anzufüllen, indem er theils mit Ebenbürtigen welche zeugte,

theils aber auch von etlichen sterblichen Erdenbewohnerinnen
mit Baftarten beschenkt wurde: verwandlungsreicher als selbst
Protcus wäre der Ehrenmann. bald zum Stier, bald zum
Schwan, bald zum Adler, ja sogar zu Golde geworden; und
nur die einzige Minerva hätte er lediglich innerhalb seines
Gehirnes erzeugt und aus seinem Haupte geboren, den Bacchus
hingegen aus seiner brennenden Mutter Leib halb ausgetra=
gen gerettet, in seinem Schenkel verschloffen, und, als die
Wehen sich einstellten, herausgeschnitten.

6. Aehnliches wissen sie uns auch von der Juno zu sin=
gen: sie habe ohne Zuthun eines Mannes, von einem Luft=
hauch angeblasen, den Vulcan empfangen und geboren, einen
Sohn, dem nicht das glücklichste Loos zu Theil ward. Er ist,
sagen sie, ein gemeiner Handwerker, ein rußiger Schmidt, der
sein ganzes Leben im Qualm seiner sprühenden Feueresse zu=
bringen muß, und noch dazu gar übel auf den Füßen ist. Ein
Fall nämlich auf die Erde, als ihn Jupiter aus dem Him=
mel schmiß, hatte ihm auf immer die Füße gelähmt; und hät=
ten ihn damals die Lemnier nicht noch glücklicherweise aufge=
fangen, so wäre uns der gute Vulcan zu Grunde gegangen,
wie einst Astyanar, als er von einem Thurme herabstürzte.
Doch die Sagen von Vulcan sind noch erträglich: aber wer
weiß nicht, wie es dem Prometheus ergieng, weil er den
Menschen etwas zu eifrig zugethan war? Ließ ihn Jupiter
nicht nach Scythien abführen und an den Caucafus schmie=
den, wo ihm beständig ein Adler zur Seite ist, um ihm tag=
täglich auf's neue die Leber auszuhacken? So büßte dieser
das Verbrechen der Menschenliebe!

7. Und was die alte Göttermutter Rhea thut, ist hier zu bemerken gleichfalls nicht am unrechten Orte. Dieses längst verblühte alte Weib scheut sich nicht, in schöne Knaben bis zur Eifersucht verliebt zu seyn, und begeht sogar die Unanständigkeit, ihren Attis neben sich auf ihren Löwenwagen zu setzen, ungeachtet dieser eine — taube Nuß ist. Wie sollte man es da einer Venus verübeln, wenn sie es im Punkte der ehelichen Treue so genau nicht nimmt, oder einer Luna, wenn sie sich aus ihrer Bahn ein Paarmal auf Endymion herabsenkt?

8. Doch um uns nicht länger bei diesen Scenen aufzuhalten, wollen wir einen poetischen Flug nehmen, und gerade so, wie es Homer und Hesiod machten, uns in den Himmel selbst emporschwingen, um zu sehen, wie Alles da oben eingerichtet ist. Daß das Himmelsgewölbe auf seiner Aussenseite von Erz ist, hat uns Homer schon längst gesagt. Wenn man nun über das Gewölbe hinausgestiegen ist, und es ganz hinter sich hat, so erscheint das Licht heller, die Sonne reiner, die Sterne strahlender: allenthalben ist lichter Tag, der Fußboden aber ist von klarem Golde. Gleich am Eingang wohnen die Horen als die Thürhüterinnen; sodann kommen die Wohnungen der Iris und des Merkur, als der Diener und Boten des Jupiter. Weiterhin erscheint Vulcan's Schmiede, die voller Instrumente und Kunstwerke ist. Hierauf folgen nach einander die Palläste der Götter und Göttinnen, und endlich Jupiter's königliche Burg. Alles dieses hat Vulcan auf's prächtigste gebaut und eingerichtet.

9. Aber die Götter, gelagert um Zeus *)

*) Iliade IV, 1.

(Denn da wir so hoch sind, schickt sich's, dünkt mich, nicht
immer auf dem Boden der Prosa zu bleiben) schauen auf die
Erde herab und spähen nach allen Seiten, ob sie nicht ir=
gendwo ein Opferfeuer brennen sehen

　　　Und hochwallenden Duft in wirbelndem Rauche gen
　　　　　　　　　　　　　　Himmel. *)

Wenn ihnen nun ein Sterblicher opfert, so lassen sie sich's
wohl seyn, schnappen nach dem Dampfe, und schlürfen so gie=
rig, wie die Fliegen, das Blut ein, welches um die Altäre
gegossen wird. Sind sie aber auf Hausmannskost beschränkt,
so besteht ihre Mahlzeit aus Nectar und Ambrosia. Vor
Zeiten wurden auch Menschen zu ihrer Tafel gezogen, wie
Jrion und Tantalus. Da sie sich aber Unverschämtheiten
erlaubten, und nichts bei sich behalten konnten, was hier
oben gesprochen ward, so wurden ihnen Strafen zuerkannt,
die auch jetzt noch fortdauern: und seitdem ist dem sterblichen
Geschlechte der Himmel verschlossen und verboten.

10. So verhält es sich mit der Lebensweise der Götter.
Diesem gemäß haben auch die Menschen ihre gottesdienstli=
chen Gebräuche eingerichtet. So bestimmten sie zu ihrer Ver=
ehrung Hayne, weihten ihnen Berge, bezeichneten Vögel,
Gewächse und dergleichen als diesem oder jenem Gotte ge=
weihte Gegenstände. Sodann theilten sich die verschiedenen
Völker noch insbesondere in die Verehrung derselben: jedes
machte einen der Götter zu seinem Landmanne: so der Del=
phier und Delier den Apoll, der Athener die Athene (Mi=
nerva), in welch letzterem Falle man natürlich die Verwandt=

_____

*) Jliade I, 3₁₇.

schaft mit der Namenähnlichkeit beweist; der Argiver die Juno, der Mygdonier die Rhea, der Paphier die Venus. Die Creter aber rühmen sich nicht nur, daß Jupiter bei ihnen geboren und erzogen worden, sondern wissen sogar auch sein Grab zu zeigen, und wir Alle waren seit so langen Zeiten einfältig genug, uns einzubilden, Jupiter sey immer noch der alte Donnerer, Wolkenverwalter und Weltregierer, und wußten nicht, daß er längst gestorben ist und in Creta begraben liegt.

11. Damit aber diese Götter nicht ohne Haus und Heerd wären, erbaute man ihnen Tempel, und stellte ihre Bilder hinein, zu deren Verfertigung man die Praxiteles, Phidias und Polyclete zu Hülfe rufen mußte. Der Himmel weiß, wo diese die Originale zu Gesicht bekamen: genug sie bilden uns den Jupiter mit einem starken Barte, den Apoll in ewiger Jugend, den Merkur als reifern Jüngling, den Neptun dunkelgelockt, die Minerva mit großen Eulenaugen. Und nun geht man in den Tempel und sieht nicht mehr das Indische Elfenbein und das Gold aus den Thracischen Bergwerken, sondern den leibhaften Sohn des Saturn und der Rhea, wie ihn Phidias auf die Erde gebannt, und ihm befohlen, das einsame Pisa zu hüten, wo er zufrieden seyn muß, wenn ihm alle fünf Jahre der Eine oder der Andere bei Gelegenheit der Olympischen Spiele ein Opfer darbringt.

12. Wenn man nun ein Opfer darbringen will, so werden Gefäße mit Weihwasser rings um den Altar gestellt, die Formel, welche den Profanen sich zu nähern verbietet, feierlich ausgesprochen, und hierauf das Thier herbeigeführt. Der Landmann bringt einen Pflugstier, der Schäfer ein Lamm,

der Ziegenhirt eine Ziege; ein Anderer liefert Weihrauch oder Honigkuchen. Der Arme versöhnt seinen Gott auch wohl mit einem bloßen Handkusse. Das Thier aber wird (um auf die Opfer zurückzukommen) bekränzt, und damit nichts Unreines geopfert werde, zuvor genau untersucht, ob es vollkommen tadellos ist; dann führt man es zum Altare und schlachtet es im Angesichte des Gottes. Wenn nun das arme Thier jammervolle Töne von sich stößt, so werden sie, wie natürlich, als Laute guter Vorbedeutung ausgelegt, und das Röcheln seiner hinsterbenden Stimme ist die Musik zu dieser feierlichen Handluug. Wie kann man zweifeln, daß das Ganze den Göttern ein höchst genußreiches Schauspiel seyn müsse?

13. Eine Tafel mit einer Aufschrift verbietet zwar den Zutritt innerhalb jener Weihwassergefäße Jedem, der nicht reine Hände habe: demungeachtet steht der Opferpriester selbst mit Blut über und über besudelt mitten im heiligen Kreise, zerstückt wie ein zweiter Cyclop das geschlachtete Thier, löst die Eingeweide und reißt das Herz heraus, umgießt den Altar mit dem Blute, und verrichtet, was weiß ich was für manche andere heilige Ceremonien. Hierauf wird das Feuer angezündet, der Priester legt die Ziege sammt ihrem Fell, das Schaf mit seiner Wolle auf die Flamme, und nun wallt jener köstliche, götterwürdige Opferdampf hoch empor, und verbreitet sich allmählig durch den ganzen Himmel. Den Scythen hingegen sind thierische Opfer für die Götter zu gemein: sie bringen daher ihrer Diana Menschen dar, und erwerben sich so das besondere Wohlgefallen dieser Göttin.

14. Wiewohl diese, und die Gebräuche der Assyrier, Phrygier und Lydier, könnte man sich zur Noth noch gefallen lassen. Aber wenn wir erst nach Egypten kommen, da sehen wir ehrwürdige Gestalten, die dem Himmel Ehre machen. Jupiter erscheint hier mit einem Widderkopfe, der vortreffliche Merkur hat ein Hundegesicht, und Pan ist dort vollends ganz zum Bock geworden. Auch verehren sie an einigen Orten einen Ibis, an andern ein Crocodil, wieder an andern einen Affen.

Wolltest du aber auch dieses erkunden, daß du es wissest, *) so laß dir von einem der vielen dortigen Weisen, Schriftgelehrten und kahlgeschorenen Propheten (freilich nur, wenn zuvor der Ruf erscholl: „Bleibt ferne, ihr Profanen!") erzählen, wie die Götter aus Furcht vor dem Aufstand, den die Giganten, ihre Feinde, gegen sie erregt hätten, nach Egypten geflohen, in der Hoffnung, hier vor ihren Gegnern geborgen zu seyn. In der Angst hätte dann der Eine Bocks=, der Andere Widder = Gestalt angenommen, ein Dritter sich in einen Vogel, ein Vierter in ein Crocodil verwandelt, und so weiter. Aus diesem Grunde würden diese Gestalten bis auf den heutigen Tag den Göttern beibehalten. Dieß gründet sich natürlich auf eine mehr als zehentausend Jahr alte schriftliche Urkunde, die seither im Allerheiligsten ihrer Tempel aufbewahrt wird.

15. Uebrigens sind ihre Opfer dieselben, wie anderwärts, nur mit dem Unterschiede, daß sie das Opferthier betrauern, und, sobald es geschlachtet ist, einen Kreis um dasselbe schlie=

---

*) Iliade VI, 150.

ßen und eine laute Wehklage erheben: auch giebt es Einige,
die das Thier bloß abschlachten und dann verscharren. Wenn
aber der Stier Apis, ihr größter Gott, stirbt, da ist Keinem
sein Haupthaar so lieb, der es sich nicht abscheeren ließe, um
mit seinem Kahlkopf seine tiefe Trauer zu bezeugen, und
wenn er die Purpurlocke des Nisus besäße. Da übrigens
dieser Apis ein Gott ist, den man aus der Heerde nimmt,
so wird sein Verlust bald wieder durch die förmliche Wahl
eines andern ersetzt, der an Schönheit und stattlichem Ansehen vor den gemeinen Rindern hervorragt. — Doch es wäre
vergeblich, über alle diese Thorheiten, an welchen der Volksglaube hängt, sich in ernste Rügen und Zurechtweisungen
einzulassen; man kann hier bloß die Rolle des Heraclit, oder
die des Democrit spielen, und sich entweder, wie der Letztere,
über die Narrheit der Leute lustig machen, oder ihren Unverstand beweinen.

Die Versteigerung der philosophischen Orden.

Jupiter. Merkur. Die Repräsentanten der philosophischen Orden: Pythagoras, Diogenes,
Demokrit, Heraklit, Sokrates, Chrysipp
und Pyrrho (unter dem Sclavennamen Pyrrhias) als Sclaven. Verschiedene Käufer.

1. Jupiter [zu ein Paar Bedienten]. Frisch, ihr
Bursche! Aufgeräumt, die Sitze zurecht gestellt, damit Platz

ift für die Ankommenden! — Nun die Orden herbeigeführt,
und der Reihe nach aufgestellt! Aber putzt mir sie auch vorher heraus, damit sie sich vortheilhaft ausnehmen, und recht
viele Liebhaber herbeiziehen! — Du, Merkur, lade nun mittelst öffentlichen Ausrufs die Käufer ein, bei der Verkaufs-
verhandlung sich einzufinden. Wir bieten nämlich zum Verkaufe aus: „Philosophische Orden aller Gattung
und von allerhand Regeln. Sollte es dem einen
oder andern der Käufer im Augenblick nicht gelegen seyn, baare Bezahlung zu leisten, so geben
wir Credit auf Jahresfrist, gegen Stellung eines Bürgen." — —

Merkur. Es kommen schon Viele herbei. — Wir wollen nun ungesäumt anfangen, damit die Leute nicht aufgehalten werden.

Jupiter. So schreiten wir denn zum Verkaufe!

2. Merkur. Welchen sollen wir zuerst vorführen?

Jupiter. Den Jonier da, mit den langen Haaren; der
Mensch hat etwas Ehrwürdiges in seinem Wesen.

Merkur. He, Pythagoräer, komm herab, laß dich von
dieser Versammlung beschauen.

Jupiter. Biete ihn aus, Merkur!

Merkur. Ein vortrefflicher Orden, der ehrwürdigste
von allen! Wer hat Lust? Wer will mehr seyn, als ein
Mensch? Wer will die Harmonie des All kennen lernen?
Wer nach dem Tode wieder lebendig werden?

Ein Käufer. Sein Aeußeres ist eben nicht gemein.
Was versteht er denn?

Merkur. Arithmetik, Astronomie, Geometrie, Musik; er versteht sich auf's Zaubern und Wunderthun, und ist ein perfekter Wahrsager.

Käufer. Ist es erlaubt, ihn selbst ein wenig zu fragen?

Merkur. So viel du willst.

3. Käufer. Was für ein Landsmann?

Pythagoras. Ein Samier.

Käufer. Wo bist du erzogen worden?

Pythagoras. In Egypten, bei den dortigen Weisen.

Käufer. Sag' an, was wirst du mich lehren, wenn ich dich kaufe?

Pythagoras. Lehren werde ich dich nichts, nur dich wieder erinnern.

Käufer. Wie soll das zugehen?

Pythagoras. Erst werde ich dir die Seele reinigen, und allen Schmutz, der ihr anhängt, abwaschen.

Käufer. Stelle dir einmal vor, ich wäre schon ausgereinigt; gieb mir nun eine Probe deiner Wiedererinnerungs= Methode.

Pythagoras. Vorher mußt du dich lange Zeit ganz ruhig verhalten, und fünf Jahre hindurch kein Wort reden.

Käufer. Schön Dank, mein Freund: da solltest du des Cröfus Sohn *) in die Lehre nehmen. Ich brauche gern meine Zunge; eine Bildsäule mag ich nicht aus mir machen lassen. Was geschieht aber nach Ablauf der fünf Jahre des Stillschweigens?

---

*) d..h. einen Taubstummen.

Pythagoras. Dann wirst du in die Tonkunst und Geometrie eingeübt.

Käufer. Allerliebst! Erst wird man ein Musikant, hernach ein Philosoph.

4. Pythagoras. Nach diesem mußt du zählen lernen.

Käufer. Zählen? Das kann ich ja schon.

Pythagoras. Wie zählst du denn?

Käufer. Eins, zwei, drei, vier — —

Pythagoras. Siehst du, was du für viere hältst, ist zehn,*) und ein vollkommenes Dreieck, und unser Schwur.

Käufer. Nun, bei der großen Viere! Geheimnißvollere und göttlichere Dinge sind mir mein Tage nicht zu Ohren gekommen.

Pythagoras. Hierauf sollst du über die Erde, die Luft, das Wasser und das Feuer, ihre Kräfte, Bewegung und Figur unterrichtet werden.

Käufer. Wie? das Feuer, die Luft, das Wasser hätten eine Figur?

Pythagoras. Augenscheinlich; sie haben ja Bewegung, welche bei gestalt- und formlosen Dingen nicht Statt findet. Auch wirst du lernen, daß die Gottheit eine Zahl und Harmonie ist.

Käufer. Wunder über Wunder!

---

*) Denn $4 + 3 + 2 + 1$ ist $= 10$. Das vollkommene (d. h. gleichseitige) Dreieck wird aus diesen Zahlen so gebildet:

5. **Pythagoras.** Außerdem wirst du erfahren, daß du, der nur Einer zu seyn scheint, eigentlich gedoppelt bist. Der Eine erscheinst du, der Andere bist du.

Käufer. Was sagst du? Ich bin ein Anderer, und nicht eben der, welcher in diesem Augenblicke mit dir spricht?

Pythagoras. Jetzt zwar bist du dieser: aber ehemals erschienst du in einem andern Leibe und unter einem anderen Namen. Seiner Zeit wirst du abermal in einen andern Körper übergehen.

Käufer. Du behauptest also, ich werde unsterblich seyn, und in vielerlei Gestalten verwandelt werden? —

6. Doch genug hievon. Sage mir, was ist deine gewöhnliche Kost?

Pythagoras. Thierische Nahrung genieße ich nicht: sonst esse ich alles, nur keine Bohnen.

Käufer. Warum denn letztere nicht? Hast du einen Abscheu davor?

Pythagoras. Das nicht: aber sie sind heilig. Die Bohne ist eine Frucht von wunderbarer Natur: für's Erste ist sie lauter Saame; zweitens stellt sie, wenn man ihr, so lange sie noch grün ist, die Haut abzieht, das Bild der männlichen Geschlechtstheile dar; ferner werden gekochte Bohnen, wenn man sie eine gewisse Anzahl Nächte im Mondschein stehen läßt, zu Blut; und endlich, was noch das wichtigste ist, besteht zu Athen die gesetzliche Sitte, bei der Wahl der obrigkeitlichen Personen mit Bohnen zu stimmen.

Käufer. Vortrefflich! Mit welcher Weihe der Mann spricht! — Nun aber entkleide dich, ich muß dich auch nackt

sehen. *) — Hilf Hercules! er hat einen goldenen Schen=
kel! **) Der ist offenbar mehr als ein bloßer Mensch: ich
muß ihn haben: wie hoch hältst du ihn?

Merkur. Zu zehen Minen.

Käufer. Um das ist er mein.

Jupiter. Zeichne Namen und Wohnort des Käufers
auf.

Merkur. Er ist, wie ich glaube, aus dem italischen
Griechenland, und zwar aus der Gegend von Croton und Ta=
rent. Aber er ist nicht allein, es sind ihrer an dreihundert,
die ihn gemeinschaftlich erstanden haben.

Jupiter. Sie mögen ihn hinnehmen. — Nun einen
Andern vorgeführt!

7. Merkur. Etwa den schmutzigen Kerl dort aus dem
Pontus?

Jupiter. Immerhin.

Merkur. Nun herbei, du mit dem Ranzen und den
nackten Schultern, gehe rings um die Anwesenden herum. —
Hier ist zu kaufen ein tapferer Mann, ein vortrefflicher,
edler, freier Mann! Wer ist Liebhaber?

Käufer. Was rufst du da aus? Einen freien Mann?

Merkur. Allerdings.

Käufer. Besorgst du denn nicht, von ihm des Men=
schenraubs angeklagt, oder vor den Areopag geladen zu werden?

Merkur. Der macht sich nichts daraus, wenn er ver=
kauft wird: er glaubt allenthalben frei zu seyn.

---

*) Wie das auf dem Sclavenmarkte Sitte war.
**) Vergl. Todtengespr. XX, 3.

Käufer. Wozu wäre denn der schmutzige Kerl, der nicht einmal im Kopfe richtig zu seyn scheint, zu gebrauchen? Höchstens könnte man einen Gräber oder Wasserträger aus ihm machen.

Merkur. Nicht blos das: du kannst ihn auch als Thürhüter anstellen, und wirst finden, daß er dir so treu, als der beste Hund dient; in der That führt er auch den Namen, der Hund.

Käufer. Wo ist er her, und was ist seine Handthierung?

Merkur. Das Beste ist, du fragst ihn selbst.

Käufer. Ich fürchte sein finsteres und trutziges Wesen, und besorge, er möchte mich anbellen, oder gar beißen, wenn ich ihm zu nahe komme. Siehst du nicht, wie er seinen Knittel aufhebt, die Augbraunen zusammenzieht, und so grimmig drohend um sich blickt?

Merkur. Fürchte nichts, er ist zahm.

8. Käufer. Nun, guter Freund, wo bist denn du zu Hause?

Diogenes. Ueberall.

Käufer. Wie habe ich das zu verstehen?

Diogenes. Du siehst in mir einen Weltbürger.

Käufer. Wer ist denn dein Vorbild?

Diogenes. Herkules.

Käufer. Dein Prügel sieht einmal seiner Keule ähnlich genug: allein warum trägst du nicht auch ein Löwenfell, wie jener?

Diogenes. Mein Löwenfell ist dieser alte Mantel da. Ich lebe, wie Hercules, im beständigen Kriege mit der Wollust, und mache es mir gleichfalls zum Geschäfte, die Welt von ihren Uebeln zu reinigen, nur mit dem Unterschied, daß ich es freiwillig und nicht, wie Jener, auf eines Andern Geheiß thue.

Käufer. Ein löbliches Bestreben! Aber was verstehst du denn eigentlich, und was ist dein Handwerk?

Diogenes. Ich bin ein Befreier der Menschen, und ein Arzt ihrer Gebrechen: überhaupt aber geht meine Absicht dahin, ein Prediger der Wahrheit und Freimüthigkeit zu seyn.

9. Käufer. Nun denn, mein Prediger, wenn ich dich kaufe, was gedenkest du denn mit mir vorzunehmen?

Diogenes. Vor allen Dingen werde ich dir die Weichlichkeit ausziehen, dich mit der Dürftigkeit zusammensperren, und in einen groben Mantel dich kleiden. Sodann wirst du arbeiten und dich anstrengen müssen, und dabei auf der Erde schlafen, Wasser trinken und mit der nächsten besten Nahrung dich sättigen. Wenn du Geld hast, wirst du es, falls du meinem Rathe folgst, in's Meer werfen. Um Ehweib, Kinder, Vaterland, bekümmerst du dich nicht; alle Menschendinge gelten dir für Narrenspossen. Du verlässest dein väterliches Haus, und bewohnest ein Grabmal, ein verlassenes Wachthürmchen, oder auch nur eine Tonne. Du trägst einen Ranzen mit Feigbohnen und Pergamentrollen angefüllt, die auf beiden Seiten vollgeschrieben sind. In diesem Zustande wirst du dich für glücklicher erklären, als selbst der Perserkönig. Auch wenn du gepeitscht oder gefoltert werden solltest, so wird es dir nicht schmerzhaft dünken.

Käufer. Was sagst du? Peitschenhiebe nicht schmerz-

haft? Ja, wenn ich das Dach einer Schildkröte, oder den
Panzer eines Krebses auf mir liegen hätte.

Diogenes. Du wirst es wenigstens machen, wie es —
mit einer kleinen Veränderung — bei Euripides *) heißt:

Die Seel' empfindet Schmerz, der Mund weiß nichts davon.

10. Das Hauptsächlichste aber, was du dir aneignen
mußt, ist folgendes: Sey recht grob und unverschämt, und
schimpfe Könige und gemeine Leute, Einen wie den Andern,
in's Angesicht. Das wird Aller Augen auf dich ziehen und
machen, daß man dich allgemein für einen resoluten Kerl
hält. Deine Sprache muß rauh, widerlich, holpricht klingen,
ungefähr wie Hundegebell: eben so muß dein Gesicht in tru-
tzige Falten gelegt, und dein Gang einem solchen Gesichte
angemessen seyn: kurz Alles an dir sey thierisch und wild.
Weg mit Schaam, Anstand, Bescheidenheit; und das Errö-
then sey von deiner Stirne für immer verbannt. Gehe immer nur den Orten nach, wo die meisten Menschen sind: aber
mitten unter diesen sey allein, vermeide alle Berührung mit
Andern, gieb weder einem Bekannten noch einem Fremden
Gehör, sonst wäre es um deine königliche Unabhängigkeit
geschehen. Thue keck lich vor Aller Augen, was Andere auch
im Verborgenen zu thun, Anstand nehmen würden. Von
den verschiedenen Gattungen des Genusses sinnlicher Liebe
wähle die wunderlichste. Und wenn du der Sache ein Ende
machen willst, so friß einen rohen Polyp**) oder einen Meer-

---

*) Hippolyt. 622: „Die Zunge sprach den Schwur, er bin-
det nicht den Geist."

**) Wie Diogenes selbst gethan haben soll.

wurm auf, und ſtirb. Das iſt die Glückſeligkeit, die ich dir
zuſage.

11. **Käufer.** Geh mir zum Henker! Scheußlichkeiten
ſind das, deren ſich jeder Menſch ſchämen ſollte.

Diogenes. Aber, höre doch, es iſt ja ſo leicht, ſo
mühelos, dieſe Glückſeligkeit zu erreichen. Du bedarfſt dazu keines Unterrichts, keines Studiums, keines gelehrten
Schnickſchnacks, ſondern kurz und gerade iſt dieſer Weg zum
Ruhm. Du kannſt ein Menſch ohne alle Bildung, ein Gerber, ein Häringskrämer, ein Zimmermann, oder ein Geld-
mäkler ſeyn: das ſoll dich nicht hindern, ein Wundermann
zu werden, wenn du nur Unverſchämtheit, Frechheit, und
die Fertigkeit, brav zu ſchimpfen, dir erworben haben wirſt.

Käufer. Zu ſolchen Dingen kann ich dich nicht brauchen: aber du könnteſt einen Ruderknecht, oder einen tüchtigen Arbeiter im Garten abgeben, und dazu will ich dich kaufen; aber das Höchſte was ich um dich gebe, ſind zwei Obolen. Iſt er feil darum?

Merkur. Nimm ihn hin. Wir ſind froh, daß wir
des läſtigen Schreiers los ſind: er weiß doch nichts, als
den Leuten ohne Unterſchied Grobheiten zu ſagen.

12. **Jupiter.** Einen Andern herbei, den Cyrenaiker *)
dort in dem Purpurkleide und mit dem Kranze auf dem Kopf!

Merkur. Jetzt wohl aufgemerkt! Das iſt ein koſtba-
res Stück für reiche Herren! Wer hat Luſt zu dem ange-
nehmſten und glücklichſten Leben? Wer will ſich Genüſſe
aller Art verſchaffen? Wer kauft dieſen Wohlleber da?

---

*) Ariſtipp.

Käufer. Tritt herzu, und sage, was du verstehst: ich will dich kaufen, wenn du mir zu etwas nütze bist.

Merkur. Laß ihn mit Fragen in Ruhe, mein Bester: du siehst, er ist betrunken und kann mit der Zunge nicht fortkommen: du würdest also doch keine Antwort erhalten.

Käufer. Aber welcher Vernünftige wird einen so verdorbenen und lüderlichen Sclaven kaufen wollen? Nach wie vielen Salben und Essenzen er duftet! Wie kraftlos und unstet sein Gang ist! Was ist denn sonst seine Sache, Merkur? womit giebt er sich ab?

Merkur. Um es kurz zu sagen, er ist ein vortrefflicher Gesellschafter, ein tüchtiger Zechbruder, und versteht es, wie Wenige, einem verliebten Taugenichts in Gesellschaft einer Tänzerin einen lustigen Abend zu verschaffen. Zudem ist er der vollendetste Gutschmecker, der erfahrenste Koch, mit einem Worte: er hat das Wohlleben in ein sinnreiches System gebracht. Seine Bildung genoß er zu Athen: darauf trat er in die Dienste einiger Sicilianischen Fürsten, bei welchen er im größten Ansehen stand. Sein Hauptgrundsatz aber ist: Niemand zu achten, mit Allen umzugehen, und aus allen Dingen den Honig des Vergnügens zu sammeln.

Käufer. Da mußt du dich um einen Käufer umsehen, der das Geld im Ueberfluß hat: ich bin nicht der Mann, mir ein so lockeres Leben zu kaufen.

Merkur. Wie es scheint, werden wir den nicht an den Mann bringen, Jupiter.

13. **Jupiter.** Auf die Seite mit ihm: laß einen Andern kommen, oder vielmehr zwei auf einmal, den Lacher

von Abdéra, und den weinenden Ephesier: diese Beiden will
ich mit einander losschlagen.

Merkur. Herbei, ihr Beide! — Nun kommen zum
Verkauf: Ein Paar vortrefflicher Charaktere, die Weisesten
von Allen!

Käufer. Hilf, Jupiter, welcher Contrast! Der Eine
lacht ja unaufhörlich, und der Andere scheint in tiefer Trauer
zu seyn; denn er weint an einem fort. Was hast du denn,
sonderbarer Kerl? was lachst du so?

Demokritus. Du fragst noch? Weil mir euer ganzes Thun und Treiben, sammt euch selbst, lächerlich vorkommt.

Käufer. Wie? uns lachst du aus? Gelten denn dir
alle menschlichen Dinge so viel als nichts?

Demokritus. Nicht anders. Es ist überall nichts
Ernstes und Tüchtiges daran. Ein leeres eitles Spiel! Alles
ist ungefährer Atomentanz im unendlichen Raume.

Käufer. Du selbst bist mir ein leerer eitler Geselle. *)
Ha! die Unverschämtheit! Wird das Gelächter kein Ende
nehmen? —

14. Aber du, mein Guter, mit dir wird sich, denke
ich, vernünftiger sprechen lassen: warum weinst du denn?

Heraklitus. O Fremdling, ich finde alle menschlichen
Dinge so jämmerlich und beweinenswerth. Alles ist einem
zerstörenden Verhängnisse unterworfen. Deßhalb bemitleide
und beklage ich die Sterblichen. Wiewohl das Gegenwärtige
noch erträglich ist gegen die gräßliche Zukunft, die ihnen be-

---

*) Das Wortspiel ἀπειρίη (unendlicher Raum) und ἄπειρος
(unwissend) mußte aufgeopfert werden.

vorsteht: ich meine den großen Weltbrand, der Alles zerstören
wird. Das ist meine Klage, daß nichts Festes und Bleiben=
des ist, sondern Alles wie in einem chaotischen Brei durch=
einandergeht; und daß Wonne und Ungemach, Verstand und
Unverstand, Großes und Kleines im Grunde ebendasselbe ist.
Das Unterste wird zu oberst gekehrt, und das Ganze ist nur
ein bunter Wechsel von Erscheinungen im Kinderspiele der
Zeit.

Käufer. Was ist denn die Zeit?

Heraklitus. Ein flatterhaftes Kind, das mit Wür=
feln spielt.

Käufer. Und was sind die Menschen?

Heraklitus. Sterbliche Götter.

Käufer. Und die Götter?

Heraklitus. Unsterbliche Menschen.

Käufer. Du sprichst mir in Räthseln, mein Bester.
Deine Reden sind wahrlich so unklar, als die Sprüche des
Orakelgottes.

Heraklitus. Was kümmere ich mich um euch?

Käufer. Darum wird dich auch kein vernünftiger Mensch
kaufen wollen.

Heraklitus. Ihr könnt mir Alle zum Henker gehen,
Jung und Alt, Käufer und Nichtkäufer.

Käufer. Der Mensch ist offenbar nicht mehr weit von
der Tollheit entfernt. Ich werde Keinen von diesen Beiden
nehmen.

Merkur. So bleiben also auch diese unverkauft.

Jupiter. Biete einen Andern aus!

15. Merkur. Etwa den maulfertigen Athener dort?

Jupiter. Ganz recht.

Merkur. Herbei du! — Ein guter verständiger Charakter! Heda, wer kauft ihn? Wer will einen ganz heiligen Mann?

Käufer. Wer bist du denn deines Zeichens?

Sokrates. Ich bin ein Knabenliebhaber und kundig der Liebeskunst.

Käufer. Da kann ich dich in meinem Hause nicht brauchen. Mein Sohn, für den ich einen Erzieher suche, ist ein hübscher Junge.

Sokrates. Wie könntest du diesem schönen Jüngling einen bessern Begleiter geben, als eben mich? Ich bin ja nicht in den Leib verliebt, sondern finde nur die Seele schön. Sey versichert, wenn der schönste Junge mit mir unter Einer und derselben Decke geschlafen hat, so wirst du doch aus seinem eigenen Munde hören, daß ich ihm nichts zu Leide that.

Käufer. Ich möchte es doch nicht darauf ankommen lassen. Ein Knabenliebhaber seyn, und nur auf die Seele operiren? Zumal, wenn der Liebling mit ihm unter Einer Decke liegt, und ihm gänzlich zu Gebote steht?

Sokrates. Ich schwöre dir's bei'm Hund und bei'm Platanusbaum, daß es sich so verhält.

Käufer. Hercules, was für sonderbare Götter!

Sokrates. Wie, du meinst, der Hund wäre kein Gott? Weißt du denn nichts von dem großen Anubis in Aegypten, von dem Sirius am Himmel und dem Cerberus in der Hölle?

Lucian. 3s Bdchn.   7

17. **Käufer.** Du hast Recht; ich habe mich geirrt. Was führst du für eine Lebensart?

Sokrates. Ich lebe in einem von mir selbst geschaffenen Freistaate nach einer ganz eigenen Verfassung und nach meinen eigenen Gesetzen.

Käufer. Ich möchte nur ein einziges dieser Gesetze hören.

Sokrates. Mein wichtigstes handelt von den Weibern, und lautet also: Keine Frau soll Eines Mannes Eigenthum seyn, sondern Jedwedem soll es freistehen, an den Rechten des Letztern Theil zu nehmen.

Käufer. Was ist das? Die Gesetze gegen den Ehebruch wären also aufgehoben?

Sokrates. Allerdings sind sie es, so wie alle dergleichen Pedantereien.

Käufer. Und welche Bestimmung traffst du denn in Beziehung auf die schönen Knaben?

Sokrates. Ein Kuß von einem derselben ist der Ehrenpreis für den Braven, der eine männliche Großthat verrichtete.

18. **Käufer.** Der Tausend! Was das eine Prämie ist! — Was ist denn das Wesentliche von deiner Philosophie?

Sokrates. Die Ideen, oder die Urbilder der Dinge. Denn von Allem, was du hier siehst, von Himmel, Meer, Erde und den Dingen auf der Erde, bestehen unsichtbare Urbilder ausserhalb des Alls.

Käufer. Wo wären sie also?

Sokrates. Nirgends. Denn wenn sie irgendwo wären, so wären sie nicht.

Käufer. Ich verstehe nicht, was du mit diesen Urbildern da meinst.

Sokrates. Kein Wunder. Du bist blind an den Augen des Geistes. Ich hingegen sehe die Urbilder von dir und mir und allen Gegenständen: mit einem Worte, ich sehe alles doppelt.

Käufer. Du bist ein gelehrter scharfsichtiger Mensch; ich muß dich kaufen. — Wie viel forderst du für ihn?

Merkur. Zwei Talente.

Käufer. Ich nehme ihn darum. Den Betrag werde ich demnächst berichtigen.

Merkur. Wie ist dein Name?

Käufer. Dio aus Syracus.

Merkur. Nehme ihn, ich wünsche Glück. —

19. Nun komm du heran, Epicurder! Wer hat Lust zu ihm? Er ist ein Schüler des Lachers dort und jenes Betrunkenen, die ich vorhin ausgeboten hatte; aber das hat er vor ihnen voraus, daß er noch um etwas gottloser ist. Uebrigens ist er ein angenehmer Geselle, der gerne was Gutes ißt.

Käufer. Wie hoch kommt er zu stehen?

Merkur. Zwei Minen.

Käufer. Da sind sie. Aber, daß ich's nicht vergesse, was ißt er denn am liebsten?

Merkur. Süße Sachen, Alles, was nach Honig schmeckt, besonders aber trockene Feigen.

Käufer. Da soll Rath werden: ich will ihm karische Feigenkuchen kaufen, bis er genug hat.

20. Jupiter. Rufe einen Andern; dort den glattgeschornen, sauersichtigen Burschen aus der Stoa.

7 *

Merkur. Der kommt eben recht. Gar Viele von denen, die sich bei diesem Verkauf eingestellt haben, scheinen
nur auf ihn zu warten. — He! ich verkaufe nun die Tugend selbst, die vollkommensten Lebensmaximen! Wer hat
Lust, Alles allein zu wissen?

Käufer. Wie ist denn das zu verstehen?

Merkur. Dieser da ist allein weise, allein schön, allein rechtschaffen, allein tapfer, er ist Herrscher, Redner,
reicher Mann, Gesetzgeber, kurz er ist Alles in Allem.

Käufer. Das wäre! Ist er denn auch der einzige
Koch, oder gar Gerber, Zimmermann und dergleichen?

Merkur. Das will ich meinen.

21. Käufer. So komm doch näher, du Wundermann,
und sage mir, deinem Käufer, wer du bist? Verdrießt dich's
denn nicht, verkauft zu werden und ein Knecht zu seyn?

Chrysippus. Im Geringsten nicht. Dergleichen hängt
nicht von uns ab, und was nicht von uns abhängt, ist
gleichgültig.

Käufer. Das verstehe ich nun einmal nicht.

Chrysippus. Du weißt also auch nicht, daß von diesen Dingen die einen vorziehlich, die andern nicht vorziehlich sind?

Käufer. Das verstehe ich eben so wenig.

Chrysippus. Ich glaube es gerne: du bist an unsere
Ausdrücke nicht gewöhnt, und hast keine erfassende Einbildungskraft. Wer aber unsere logische Theorie tüchtig erlernt
hat, weiß nicht nur dieß, sondern weiß auch, was Symbama und Parasymbama ist, und kennt den qualitativen und
quantitativen Unterschied derselben.

Käufer. Ich bitte dich bei deiner Weisheit, erkläre mir, was das heißen soll, Symbama, Parasymbama. Ich weiß gar nicht, wie mir wird bei dem Klingklang dieser Worte.

Chrysippus. Ich will es dir gerne erklären. Siehst du, wenn einer einen lahmen Fuß hat, und mit diesem lahmen Fuße an einen Stein stößt und sich beschädigt, so ist seine Lahmheit das Symbama, und der Schaden, den er davon trägt, ist das Parasymbama.

Käufer. Das heißt Scharfsinn! Was weißt du noch mehr?

22. Chrysippus. Ich verstehe Redeschlingen zu machen, in welchen ich die, welche sich mit mir einlassen, so zu fangen, und ihnen den Mund zu verschließen weiß, als ob ich ihnen einen Maulkorb angelegt hätte. Der Name dieses wirksamen Mittels ist der gepriesene Syllogismus.

Käufer. Hercules, was muß das für ein gewaltsames Ding seyn?

Chrysippus. Gieb einmal Acht. Hast du ein Kind?

Käufer. Ja. Warum fragst du?

Chrysippus. Gesetzt, dein Kind befände sich am Ufer eines Flusses, und ein Crocodil stürzte herzu und ergriffe es, verspräche dir aber, dein Kind unter der Bedingung zurückzugeben, daß du errathest, ob es wirklich gesonnen sey, dasselbe zurückzugeben, oder nicht: was würdest du sagen?

Käufer. Eine schwere Frage! Ich weiß wirklich nicht, was ich sagen sollte, um mein Kind wieder zu bekommen. Ich müßte dich um's Himmels willen bitten, für mich zu antworten, ehe mir die Bestie den Jungen auffräße.

Chrysippus. Geduld: du wirst noch viel wunderba=
rere Dinge lernen.

Käufer. Und welche denn?

Chrysippus. Den Schnitter, den Herrschenden,
vor allen aber die Electra und den Verhüllten.

Käufer. Was sind das für Dinge: der Verhüllte, die
Electra?

Chrysippus. Je nun die Electra ist eben jene be=
rühmte Tochter des Agamemnon, die eben dasselbe zu glei=
cher Zeit wußte und nicht wußte. Denn als ihr Bruder
Orestes vor ihr stand, ohne daß sie ihn kannte, wußte
sie zwar, daß Orestes ihr Bruder sey, aber daß der, den sie
sah, Orestes sey, wußte sie nicht. — Nun sollst du aber
auch den wunderwürdigen Syllogismus: der Verhüllte,
kennen lernen. Sag' einmal, kennst du deinen Vater?

Käufer. Hoffentlich.

Chrysippus. Wie aber, wenn ich einen verhüllten
Mann vor dich hinführte, und dich fragte: kennst du diesen?
Was würdest du sagen?

Käufer. Versteht sich, daß ich ihn nicht kenne.

Chrysippus. Siehst du nun, du kennst deinen eige=
nen Vater nicht: der Verhüllte war's.

Käufer. Ja — so! Aber ich brauche ja nur das
Tuch wegzuziehen, so weiß ich gleich, woran ich bin. —

23. Was ist denn aber eigentlich das letzte Ziel deiner
Weisheit? oder was wirst du thun, wenn du den Gipfel der
Tugend erreicht hast?

Chrysippus. Dann werde ich mich um die ersten Natur=

güter bemühen, *) um Reichthum, Geſundheit und dergleichen. Aber ehe man es ſo weit bringt, iſt noch Vieles zu thun. Man muß ſeine Augen an klein geſchriebenen Büchern ab= ſtumpfen, muß eine Menge Regeln und Erklärungen zuſam= men tragen, und den Kopf mit ſprachwidrigen Redensarten und wunderlichen Formeln und Ausdrücken anfüllen; und was endlich der Hauptpunkt iſt, man kann kein Philoſoph werden, wenn man nicht nach einander drei tüchtige Portio= nen Nießwurztrank zu ſich genommen hat.

Käufer. Das iſt Alles recht löblich; du haſt einen mannhaften Entſchluß gefaßt. Aber deinem Ausſehen nach zu ſchließen, haſt du etwas von einem Harpax, einem Zinſen= mäkler an dir; wie will ſich das zu einem Manne ſchicken, der bereits ſeine Nießwurz getrunken hat, und in der Tu= gend ſchon perfekt ſeyn ſoll?

Chryſippus. Im Gegentheile, ſein Geld auf Zinſen zu leihen, ſchickt ſich ſonſt für keinen Andern, als eben für den Philoſophen. Denn da Schlüſſe zuſammen zu rechnen nur allein dieſem zukommt, das Berechnen der Intereſſen aber gleichfalls in dieſes Gebiet gehört, ſo folgt, daß wie jenes, ſo auch dieſes lediglich Sache des Weiſen iſt. Auch wird er nicht blos, wie die gewöhnlichen Leute thun, ein= fache und einmalige, ſondern Zinſen aus Zinſen nehmen. Du weißt ja, daß es zweierlei Zinſen giebt, erſte und zwei= te, die gleichſam die Kinder der erſten ſind. Siehſt du, nun

---

*) Die Leſeart iſt noch ungewiß. Einſtweilen wird ange= nommen: περὶ τὰ πρῶτα τὰ κατὰ φύσιν τότε γενήσομαι.

geht es nach dem Syllogismus: „wenn der Weise die er=
sten Zinsen nimmt, so nimmt er auch die zweiten. Nun
nimmt er die ersten, also nimmt er auch die zweiten."

24. **Käufer.** So wird sich's wohl auch mit der Be=
zahlung verhalten, welche du von den jungen Leuten für den
Unterricht in der Philosophie bekommst. Es wird natürlich
nur dem Weisen zustehen, sich für die Tugend bezahlen zu
lassen?

Chrysippus. Ganz richtig. Denn ich nehme die Be=
lohnung nicht um meinetwillen an, sondern dem zu Gefallen,
der mir sie giebt. Der Eine ist der ausgießende, der Andere
der auffassende. Meinen Schüler übe ich, das erstere, mich
selbst, das letztere zu seyn.

Käufer. Du wolltest vermuthlich umgekehrt sagen, der
Schüler sey der auffassende, und du — der allein reiche —
der ausgießende?

Chrysippus. Du Schalk! wart ich werde dir einen
Syllogismus auf den Hals schicken, dem du nicht ausweichen
sollst.

Käufer. Und was wird mir der anhaben können?

Chrysippus. Er wird dich in Verlegenheit setzen,
zum Schweigen bringen, und machen, daß es dir drehend
wird im Kopfe. Ja, vernehme das Aergste: ich darf nur
wollen, so bist du im Augenblicke in einen Stein verwandelt.

25. **Käufer.** Ho ho! in einen Stein! Du siehst mir
doch nicht aus wie ein zweiter Perseus, *) mein Theuerster.

---

*) S. Meergöttergespr. XIV.

Chrysippus. Höre nur: ein Stein ist ein Körper, nicht wahr?

Käufer. Allerdings.

Chrysippus. Ein belebtes Wesen ist auch ein Körper?

Käufer. Unstreitig.

Chrysippus. Und du bist ein belebtes Wesen?

Käufer. Ich sollt' es meinen.

Chrysippus. Also bist du ein Stein, weil du ein Körper bist.

Käufer. Ums Himmelswillen, nein! Löse den Zauber, und mache mich wieder zum Menschen.

Chrysippus. Das soll gleich geschehen seyn. Sage mir also, ist jeder Körper ein belebtes Wesen?

Käufer. O nein.

Chrysippus. Ist ein Stein ein belebtes Wesen?

Käufer. Auch nicht.

Chrysippus. Aber du bist ein Körper?

Käufer. Ja.

Chrysippus. Und ein belebtes Wesen, wiewohl du ein Körper bist?

Käufer. Ja wohl.

Chrysippus. Also bist du kein Stein, weil du ein belebtes Wesen bist.

Käufer. Das hast du gut gemacht; denn es war mir schon, als wollten mir, wie einst der Niobe, die Glieder erkalten, und sich allmählig versteinern. Nun gut, ich kaufe dich. Was muß ich um ihn geben, Merkur?

Merkur. Zwölf Minen.

Käufer. Hier sind sie.

Merkur. Haſt du ihn für dich allein gekauft?

Käufer. O nein, ſondern wir Alle, die du hier ſiehſt, haben ihn zuſammen.

Merkur. Eine hübſche Anzahl ſtämmiger Burſche: für die iſt der Schnitter *) eben recht.

16. Jupiter. Halte dich nicht lange auf: rufe einen Andern.

Merkur. Holla! mein ſchöner Peripatetiker, **) an dich kommt die Reihe. — Gebt Acht! Das iſt ein reicher, und

---

*) „Ein Philoſoph ſagt zu einem Bauer, der im Begriff iſt, ſein Korn zu ſchneiden: ich will dir beweiſen, daß du dein Korn nicht ſchneiden wirſt, und was noch mehr, daß es gar nicht möglich iſt, daß du es jemals ſchneideſt. — Den Beweis möcht' ich wohl hören, ſagt der Bauer. — So merke auf, ſpricht der Philoſoph: du wirſt dein Korn entweder ſchneiden, oder nicht ſchneiden, nicht wahr? — Bauer. Eins von beiden, ja! — Philoſoph. Im erſten Falle (wenn du ſchneiden wirſt) wirſt du alſo nicht entweder ſchneiden oder nicht ſchneiden, ſondern du wirſt ſchneiden. — Bauer. Verſteht ſich. — Philoſoph. Im andern Falle (wenn du nicht ſchneiden wirſt) wirſt du ebenfalls nicht entweder ſchneiden oder nicht ſchneiden, ſondern du wirſt nicht ſchneiden. — Bauer. Das iſt klar. — Philoſoph. Alſo iſt nicht wahr, daß du entweder ſchneiden, oder nicht ſchneiden wirſt, ſondern du kannſt gar nicht ſchneiden. — Der Bauer antwortete nichts, aber er machte es wie Alexander der Große; er gieng auf ſein Feld und ſchnitt ſein Korn rein ab: und damit hatte er nun allerdings den Knoten des Philoſophen zerſchnitten, aber nicht aufgelöst." Wieland zum Gaſtmahl oder den neuen Lapithen, Anm. 15.

**) Ariſtoteles.

dabei grundgescheidter Mann. Den müßt ihr kaufen; er weiß Alles, ohne Ausnahme Alles.

Käufer. Was ist sein Character.

Merkur. Er ist ein Mann von geregelten Wesen, billigdenkend, weiß sich in's Leben zu schicken, und, was das Außerordentlichste, er ist doppelt.

Käufer. Wie so?

Merkur. Ein Anderer erscheint er von außen, ein Anderer ist er von innen. Wenn du ihn also kaufen willst, so vergiß nicht, daß dieser der esoterische, jener der exoterische heißt.

Käufer. Was ist das Hauptsächlichste seiner Ansicht?

Merkur. Daß es dreierlei Güter gebe: solche, die in der Seele, wieder solche, die im Körper, und Güter, die außer diesen beiden ihren Sitz hätten.

Käufer. Das ist nun doch Menschenverstand! Was soll er kosten?

Merkur. Zwanzig Minen.

Käufer. Viel Geld!

Merkur. Gewiß nicht, mein Bester. Er ist selbst nicht ohne Vermögen, wie ich mit Grund vermuthe. Du darfst dich in der That nicht lange besinnen, ihn zu kaufen. Zudem kannst du gar viele hübsche Sachen bei ihm lernen, zum Beispiel: wie lange eine Mücke lebt, wie tief der Sonnenschein in's Meer eindringt, und was die Austern für eine Seele haben.

Käufer. Herkules, was das subtile Untersuchungen sind!

Merkur. Was würdeſt du erſt ſagen, wenn du noch viel merkwürdigere Beweiſe ſeines Scharfſinnes hören würdeſt, was er zum Beiſpiel über den Saamen und über die Zeugung zu ſagen weiß, und wie die Kinder in Mutterleibe formirt werden, und daß der Menſch ein lachendes, der Eſel aber ein Thier ſey, das nicht lachen, noch auch Häuſer bauen und ſchiffen könne.

Käufer. Das heiße ich einmal eine tiefe, fruchtbare Wiſſenſchaft! Sey's alſo, ich kaufe ihn um zwanzig.

27. Merkur. Gut. — Iſt noch Einer übrig? Ja, der Zweiſler dort. Herbei Pyrrhias, *) laß dich ausbieten! Tummle dich doch! der Markt fängt an ſich zu verlaufen. — He, iſt Keiner mehr da der uns dieſen vollends abnimmt?

Käufer. Ich vielleicht. Was weißt du denn?

Pyrrhias. Nichts. —

Käufer. Wie ſoll ich das verſtehen?

Pyrrhias. Ich zweifle überhaupt, ob Etwas iſt.

Käufer. Sind denn wir nicht Etwas?

Pyrrhias. Ich weiß es nicht.

Käufer. Weißt du denn nicht einmal, daß du ſelbſt biſt?

Pyrrhias. Das weiß ich noch viel weniger.

Käufer. Was der Mann Zweifel hat! Was willſt du denn mit der Wage in der Hand?

Pyrrhias. Ich wäge auf derſelben die Gründe für und wider gegen einander ab: und wann ich ſehe, daß ſie

---

*) Sclavenname ſtatt Pyrrho.

sich ganz genau das Gleichgewicht halten, dann befinde ich mich über die Wahrheit im Zweifelsfalle.

Käufer. Von sonstigen Dingen aber, was verstehst du am ordentlichsten zu verrichten?

Pyrrhias. Ich kann Alles, nur keinen Entlaufenen fangen.

Käufer. Warum nur gerade das nicht?

Pyrrhias. Weil ich nichts erfasse. *)

Käufer. Ich glaube es wohl; du kommst mir ziemlich langsam und unbeholfen vor. Aber auf was läuft denn am Ende deine Weisheit hinaus?

Pyrrhias. Auf das Nichts wissen, Nichts sehen, und Nichts hören.

Käufer. Also giebst du dich auch sogar für taub und blind aus?

Pyrrhias. Ja, und oben drein bin ich ohne Urtheilskraft, ohne Empfindung, kurz nicht besser als jeder Wurm.

Käufer. Dich muß ich haben. Was soll er gelten?

Merkur. Eine attische Mine.

Käufer. Hier! Nun, Patron, was sagst du dazu, habe ich dich gekauft oder nicht?

Pyrrhias. Das ist nicht gewiß.

Käufer. Gewiß genug: ich habe dich ja gekauft und bezahlt.

Pyrrhias. Ich bin darüber noch zweifelhaft, und werde es näher erwägen.

---

*) Erfassen (καταλαμβάνειν) sagten die Skeptiker von der Erkenntniß einer vollkommenen Gewißheit.

Käufer. Inzwischen hast du mir zu folgen: du bist mein Sclave, verstehst du?

Pyrrhias. Wer weiß, ob du die Wahrheit sagst?

Käufer. Zeugen genug — der Ausrufer, mein Geld, und alle Anwesenden.

Pyrrhias. Ist denn Jemand da?

Käufer. Bursche, wenn du nicht glauben willst, daß ich dein Herr bin, so sollst du im Mühlgewölbe den Glauben häßlich in die Hände bekommen.

Pyrrhias. Ich bin darüber noch zweifelhaft.

Käufer. Ich habe dir meine Meinung gesagt, und damit genug.

Merkur. Hörst du, mache keine Umstände und folge deinem neuen Herrn! — Ihr Alle seyd übrigens auf morgen wieder eingeladen: da gedenken wir Ungelehrte, Handwerker, und überhaupt gemeine Leute zum Verkauf zu bringen.

Der Fifcher oder die Auferftandenen.

Socrates. Empedokles. Plato. Ariftoteles.
Chryfippus. Diogenes. Lucian, unter dem
Namen Freimund. Die Philofophie. Die
Wahrheit. Die Tugend. Die Sittfamkeit.
Der Syllogismus. Pythagoräer. Peripate=
tiker. Epicuräer. Academiker. Stoiker.
Die Prieſterin der Minerva. Die
Ueberführung.

1. Socrates. Werft zu! Werft zu! Steinigt den
verfluchten Kerl! Nehmet Erdſchollen! Schmeißt ihm Scher=
ben nach! Schlagt mit Prügeln auf den gottloſen Schurken!
Laßt mir ihn nur nicht entwiſchen! Frifch auf, Plato, Chry=
fipp, und du! — Zugeſchlagen! In geſchloſſenen Gliedern
gegen ihn angerückt, und mit vereinter Kraft;

— — Ranzen an Ranzen gedrängt, und Knüttel an Knüt=
tel, *)

ihm zu Leibe! Denn er ift ja unfer gemeinſchaftlicher Feind,
und es ift Keiner unter uns, dem nicht fein Uebermuth ge=
golten hätte. Auf, Diogenes! jetzt, wenn je einmal, brauch
deinen Knotenſtock, und laß mir nicht ab! Er foll es büßen,

---

*) Parodie von Il. II, 363.

der Lästerer! Was ist das, Epikur und Aristipp? seyd ihr schon müde? Pfui!

Seyd nun Männer, ihr Weisen, gedenkt des grimmigen
Zornes! *)

2. He, Aristoteles, tummle dich! Ach vortrefflich, die Bestie ist gefangen! — Haben wir dich, du Scheusal? Nun sollst du's zu fühlen bekommen, wer die Männer sind, die du gelästert hast. — Was fangen wir mit ihm an? Ich dächte, wir sinnen auf mehr als Eine Todesart, die wir ihm anthun wollen, damit Jeder von uns seine Genugthuung erhält. Ei= gentlich hätte er um jeden Einzelnen von uns einen sieben= fachen Tod verdient. Ich bin der Meinung, es werde ihm vor allen Dingen die Zunge ausgeschnitten, sodann die Au= gen ausgestochen, hierauf soll er gegeißelt und am Ende ge= kreuzigt werden. Was meinst du, Empedokles?

Empedokles. Ich meine, man sollte ihn in den Aetna= Schlund werfen, damit er es verlerne, Männer zu verlästern, die so viel besser als er sind.

Plato. Das Beste wäre wohl, man ließe ihn den Tod des Pentheus oder Orpheus finden: so könnte Jeder zur Ge= nugthuung sich ein Stück von ihm nach Hause nehmen.

3. Lucian. O nicht doch! Ich bitte euch bei Jupi= tern, dem Schirmer der Flehenden!

Socrates. Es ist beschlossen. Du kommst nicht wie= der los. Weißt du nicht, was Homer sagt,

Daß kein Bund die Löwen und Menschenkinder befreun=
det. **)

*) Parodie von Il. VI, 112.
**) Il. XX, 262. Voß.

Lucian. Nun — so will ich gleichfalls Homer's Worte für mich bitten lassen. Vielleicht daß ihr aus Rücksicht auf die epischen Verse, die ich zusammenfüge, mein Flehen nicht verschmähet:

Schont des Unschuldigen Leben, und nehmet stattliche Lö-
sung,

Erz und Goldes genug, das auch die Weisen erfreuet. *)

Plato. Glaubst du, wir wüßten nicht auch aus Homer dir zu antworten? So höre:

Nur nicht Flucht, o Frevler, erwarte mir etwa im
Herzen:

Fruchtlos sprichst du von Gold, da in unsere Hände du
fieleſt. **)

Lucian. O wehe mir! Also auch Homer richtet nichts aus, auf den ich am meisten gehofft! So muß ich denn meine Zuflucht zu Euripides nehmen, ob der mich vielleicht noch rettet:

O morde nicht den Fleh'nden, Götterspruch verbeut's! ***)

Plato. Wie? Sagt Euripides nicht auch:

Nicht Unrecht leiden sie, die Unrecht selbst gethan? †)

Lucian.

Für bloße Worte straft ihr mit dem Tode mich? ††)

---

*) Parod. von Il. X, 378. f. u. I, 23.
**) Parod. von Il. X, 447. f.
***) Bruchstücke aus Euripides.
†) Eurip. Orestes v. 413.
††) Bruchstück.

Plato. Ja, beim Jupiter! Euripides selbst sagt ja:.
Ungezügelter Zunge, und
Frevelnder Thorheit Ende ist
Verderben — — *)

4. Lucian. Nun denn! weil es bei euch unwiderruf=
lich beschlossen ist, daß ich sterben soll, und kein Mittel zu
meiner Rettung mehr vorhanden ist, so sagt mir doch wenig=
stens: wer seyd ihr, und worin besteht der unersetzliche Scha=
den, den ich euch zugefügt haben soll, und worüber ihr so
unerbittlich gegen mich aufgebracht seyd, daß ihr mich sogar
zum Tode führen wollt?

Plato. Frage dich selbst, heilloser Schuft, was du uns
gethan hast, und frage dein sauberes Geschreibe. Hast du
nicht die Philosophie selbst gelästert, und uns Allen den größ=
ten Schimpf angethan, indem du uns weise und — was die
Sache noch ärger macht — freie Männer als Sclaven öffent=
lich feil bieten lässest? Im gerechten Unwillen darüber habe
ich, und Chrysipp, Epikur, Aristoteles, der verschwiegene
Pythagoras, Diogenes, und alle Uebrigen, die du in jener
Schrift so schmählich durchgezogen, von Pluto auf einige Zeit
Urlaub genommen, und sind heraufgekommen, um dich zur
Strafe zu ziehen.

5. Lucian. Nun athme ich wieder auf. Ihr werdet
mir nichts am Leben thun, sobald ihr meine Gesinnung ge=
gen euch werdet kennen gelernt haben. Werfet nur eure
Steine wieder weg, — oder nein, behaltet sie vielmehr: ihr
werdet sie wohl brauchen können gegen die, welche es ver=
dienen.

―――――――――――

*) Bacchantinnen v. 385. ff.

Plato. Possen! Heute noch sollst du sterben, und alsbald

Hüllt dich ein steinerner Rock für das Unheil, das du gehäuft hast. *)

Lucian. So wisset denn, wenn ihr mich tödtet, so tödtet ihr den Mann, der allein unter Allen euer Lob verdiente, der euch befreundet, euch von Herzen zugethan, und, wenn es nicht anmaßlich klingt, der unermüdliche Pfleger und Verfechter eurer Studien war. Sehet zu, daß ihr nicht durch Leidenschaftlichkeit, Undank und Uebereilung gegen den, der euch Gutes erwiesen, die Handlungsweise der heutigen Philosophen anzunehmen scheinet.

Plato. Höret den Unverschämten! Also noch zu Danke hast du uns durch deine Lästerungen verpflichtet? Glaubst du denn wirklich, Sclaven vor dir zu haben? Meinst du, ein so übermüthiges, rohes Geschwätz lassen wir uns noch als eine Wohlthat in Rechnung bringen?

6. **Lucian.** Wie, wo und wann habe ich denn euch übermüthig behandelt? War ich nicht jederzeit ein Verehrer der Philosophie und euer bewundernder Lobredner? Waren nicht eure hinterlassenen Schriften mein liebster Umgang? Und alles das, was ich schreibe, lege ich es der Welt nicht als einen Beweis vor, wie Vieles ich euch verdanke, und wie ich nach Bienensitte aus euern Schriften Honig sammle? Und alle die, welche mich mit Beifall lesen, kennen jede Blume, und wissen, wo und von wem und wie ich sie pflückte. Mit dem Lobe, das sie meiner Blüthenlese zollen, preisen sie

---

*) Jl. III, 57.

8 *

ja in der That nur euren reichen Garten, der an Gestalt und Farbenpracht die mannigfaltigsten Blumen in Fülle hervorbringt für Jeden, welcher sie auszulesen, zu ordnen, und mit gefälliger Abwechselung in Gewinde zu flechten versteht. Wie sollte nun Einer, der so viel Gutes von euch empfangen hat, sich einfallen lassen, seine Wohlthäter zu schmähen, denen er es allein verdankt, daß sein Name einige Bedeutung hat? Er müßte denn nur die Natur eines Thamyris oder eines Eurytus haben, und gegen die Musen, von denen er die Kunst des Gesanges erhalten, als Gegner in einem Wettkampfe auftreten, oder, wie der Letztere, seine Pfeile aus Eifersucht gegen Apollo selbst abschießen wollen, der doch Erfinder und Geber der Schützenkunst ist.

7. **Plato.** Halt, sauberer Freund, diese deine Declamation ist im geradesten Widerspruche mit der That selbst, und stellt deine Frechheit in ein um so grelleres Licht, da du ja selbst gestehst, du hättest die Pfeile, die du auf uns abschossest, von uns erhalten. So wird also dein Verbrechen, uns zur alleinigen Zielscheibe deiner Lästerungen gemacht zu haben, noch durch die Verschuldung des schnödesten Undankes vergrößert. Das war also unser Lohn für die Bereitwilligkeit, mit welcher wir dir unsern Garten aufschloßen, dich allenthalben Blumen pflücken und mit vollen Händen davon gehen ließen? Schon um dieses Undanks willen hast du ja den Tod verdient.

8. **Lucian.** Sehet, wie ihr bloß eurer Rachelust Gehör gebt, und eure Ohren auch den gerechtesten Vorstellungen verschließt! Hätte ich doch nie geglaubt, daß diese Leidenschaft einem Plato, einem Chrysipp, einem Aristoteles, oder

irgend einem Andern von euch etwas anhaben könnte! Wenn irgend einen Sterblichen, so hatte ich mir euch über dergleichen Schwächen erhaben gedacht. Nehmet mir wenigstens das Leben nicht ohne Untersuchung, ohne förmliches Urtheil und Recht! War es doch bei euch immer gebräuchlich, Streitigkeiten nicht nach dem Rechte des Stärkern, sondern im ordentlichen Rechtsgange, und unter Vernehmung des einen wie des andern Theiles zu entscheiden. Stellet also auch jetzt einen Richter auf, und bringt eure Anklage wider mich entweder alle zusammen vor, oder wählet einen Einzelnen aus eurer Mitte, der es im Namen Aller thun soll. Ich werde mich sodann gegen eure Beschuldigungen zu rechtfertigen suchen. Erscheine ich als schuldig, und wird dieses vom Gericht gegen mich erkannt, so werde ich mich ohne Widerrede der gebührenden Strafe unterwerfen, und euch wird der Vorwurf eines gewaltsamen Verfahrens nicht treffen. Wofern ich mich aber genügend verantworte, und rein und unantastbar befunden werde, so wird das Gericht mich freisprechen, und euer Zorn wird sich gegen diejenigen kehren, die euch falsch berichtet und gegen mich aufgehetzt haben.

9. **Plato.** Das wäre freilich Wasser auf deine Mühle! Du gedenkst wohl, den Richter breit zu schlagen, und mit heiler Haut davon zu kommen? Man kennt dich schon als einen durchtriebenen Advocaten, der vortrefflich mit der Rhetorik zu handthieren weiß. Wer wäre denn der Richter, den du aufgestellt wissen willst, und den du nicht durch Geschenke, wie ihr Leute zu thun pflegt, auf deine Seite bringen wirst?

Lucian. Seyd ohne Sorgen. Ich verlange keinen Mann zum Richter, der euch verdächtig und zweideutig schei-

nen, oder gar sein Urtheil an mich verkaufen könnte. Hört
also: die Philosophie soll in Gemeinschaft mit euch selbst
zu Gerichte sitzen.

Plato. Und wer soll denn anklagen, wenn wir die
Richter sind?

Lucian. Ihr sollt Ankläger und Richter zugleich seyn.
Auch das macht mir nicht bange: so gewichtig ist die Ge=
rechtigkeit meiner Sache, und so gewiß bin ich, mich mehr,
als nöthig ist, rechtfertigen zu können.

10. Plato. Was sollen wir thun, Pythagoras und
Socrates? Es kommt mir vor, der Mann hat so Unrecht
nicht, wenn er vor ein förmliches Gericht gestellt zu werden
verlangt.

Socrates. Schreiten wir immerhin zu dieser Ver=
handlung. Wir wollen die Philosophie zuziehen, und hören,
was er wohl zu seiner Vertheidigung vorbringt. Jemand
ungehört verdammen, ist roh und gemein, und schickt sich
bloß für leidenschaftliche Menschen, die ihre Rechtsgründe in
der Faust haben, nicht aber für uns Weise. Wir würden
unsern Verläumdern erwünschten Stoff geben, wenn wir ei=
nen Menschen, ohne ihn sich vertheidigen zu lassen, steinigten,
zumal da wir Verehrer der Gerechtigkeit seyn wollen. Oder
wie könnten wir uns noch über das Verfahren des Anytus
und Melitus, meiner beiden Ankläger, und derer, die damals
zu Gerichte saßen, beschweren, wenn dieser von unserer Hand
gestorben wäre, ohne daß wir seiner Verantwortung auch
nur einen Augenblick unsere Ohren geliehen hätten?

Plato. Vortrefflich erinnert, Socrates! Wir wollen

uns zur Philosophie begeben. Diese soll das Urtheil spre=
chen, und diesem Spruche wollen wir uns fügen.

11. **Lucian.** Nun das läßt sich einmal hören: das
war gut und rechtlich gesprochen! Behaltet indessen eure
Steine nur immer bei euch, wie gesagt: ihr werdet sie nach
Beendigung des Gerichtes brauchen können. Wo ist aber die
Philosophie zu finden? Ich weiß ihre Wohnung einmal
nicht; wiewohl ich aus Verlangen nach ihrem Umgang lange
Zeit und aller Orten ihren Aufenthalt gesucht habe. Da
traf ich einmal auf Leute in groben Mänteln, mit langen
Bärten, die sagten, sie kämen gerade von ihr her. In der
Meinung also, daß diese es am besten wissen müßten, fragte
ich sie darnach. Diese mußten es aber noch viel weniger als
ich gewußt haben; denn entweder gaben sie mir gar keine
Antwort, um ihre Unwissenheit nicht gestehen zu müssen, oder
sie wiesen mich, der Eine an diese, der Andere an eine andere
Thüre. Und so war es mir bis auf den heutigen Tag nicht
möglich, die Behausung der Philosophie ausfindig zu ma=
chen.

12. Es begegnete mir zwar öfter, daß ich entweder auf
eigene Vermuthung hin, oder von einem Andern gewie=
sen, vor eine Thüre kam, wo ich zuverlässig hoffte, die Ge=
suchte endlich einmal zu treffen. Ich mußte dieß aus der
Menge der Aus= und Eingehenden schließen, die sämmtlich
durch ernste, wichtige Mienen, durch Züge, die tiefes Nach=
denken verriethen, und ein gewisses gemessenes Wesen sich
auszeichneten. Ich drängte mich also mit ihnen hinein, und
da fand ich denn ein Weibchen, das, so sehr es ein einfaches

und natürliches Wesen anzunehmen sich bemühte, doch nichts
weniger als natürlich war. Denn ich fand bald, daß die
anscheinende Nachlässigkeit ihres lockigen Haares, so wie der
Faltenwurf ihres Gewandes etwas Affectirtes hatte, das eine
geheime Absicht verrieth. Es wurde mir immer deutlicher,
daß sie sich sorgfältig geputzt hatte, und sich des scheinbar
Ungekünstelten in ihrem Aeußern nur bediente, um desto lie=
benswürdiger zu seyn. Sogar aufgelegtes Weiß und Roth
glaubte ich zu bemerken. Ihre Worte waren einschmeichelnd,
wie die einer Buhlerin. Die Artigkeiten, die ihr von ihren
Liebhabern über ihre Reize gesagt wurden, hörte sie mit
sichtbarem Wohlgefallen an, und eben so bereitwillig war sie,
die Geschenke, die ihr der Eine oder Andere in die Hand
drückte, anzunehmen. Während sie nur immer die Reichsten
neben sich sitzen ließ, würdigte sie die Aermern ihrer Anbeter
auch keines Anblicks. Und mehreremal, wenn sich ihr Ge=
wand von Ungefähr verschob, sah ich, daß sie goldene Ketten,
dicker als ein Aal, um den Hals hatte. Nach solchen Ent=
deckungen gieng ich wieder des Weges, den ich hergekommen
war, und bedauerte nur die armen Narren, die sich von einer
solchen Dirne nicht an der Nase, aber an dem Bart herum=
führen ließen, und, wie einst Irion, statt der Juno ein nich=
tiges Schattengebilde umarmten.

13. Plato. Darin magst du Recht haben. Die Thüre
der Philosophie liegt nicht so im Anlaufe, daß sie Jeder fin=
den könnte. Uebrigens haben wir heute eben auch nicht nö=
thig, uns in ihre Wohnung zu verfügen. Wir können sie
hier im Ceramikus erwarten: denn sie wird nun bald aus

der Akademie zurückkommen, um in der Pöcile *) spazieren
zu gehen; so bringt es ihre stete Tagesordnung mit sich.
Wahrhaftig, sie kommt schon. Siehst du dort die in dem
würdigen Aufzuge, mit dem milden Ausdrucke des Gesichts,
die so nachdenklich und ruhig einhergeht?

Lucian. Ich sehe ihrer Mehrere, die sich an Tracht,
Gang und Haltung ganz ähnlich sind; und doch kann wohl
nur Eine unter ihnen die wahre Philosophie seyn.

Plato. Allerdings. Sie wird sich dir sogleich selbst zu
erkennen geben, sobald sie nur zu reden angefangen haben
wird.

14. Philosophie. Ha! was seh' ich? Plato, Chry=
sippus, Aristoteles, und alle übrigen Häupter unserer Wissen=
schaft, auf der Oberwelt? Was führt euch wieder in's Le=
ben zurück? Habt ihr Verdruß da unten gehabt? Wenig=
stens macht ihr bitterböse Gesichter. Und wer ist denn der
Gefangene da, den ihr mit euch führt? Wohl ein Dieb,
ein Mörder, oder ein Tempelräuber?

Plato. Etwas weit Aergeres noch, als alle Tempel=
räuber, so wahr Jupiter lebt. Er hat sich erfrecht, dich,
heiligste Philosophie, und uns Alle zu lästern, die wir das,
was wir von dir empfangen, der Nachwelt überliefert haben.

Philosophie. Und darüber könnt ihr euch so ereifern?
Wisset ihr nicht, was ich Alles von der Komödie bei den
Dionysien über mich sagen lassen mußte? Und dennoch hielt
ich gute Freundschaft mit ihr, und ließ es mir nicht einfallen,

---

*) Gemähldehalle zu Athen, wo die Stoiker lehrten, die da=
von ihren Namen hatten (ϭοά, Halle).

deßwegen mit ihr zu hadern und sie vor den Gerichten zu
verklagen. Ich ließ ihr gerne ihren Scherz, wie ihn die
Bestimmung des lustigen Festes mit sich brachte. Denn ich
weiß gar zu gut, daß der Spott nichts schlechter macht, und
daß im Gegentheile das wahre Gute und Schöne, wie das
Gold unter Hammerschlägen, dadurch nur um so heller und
reiner strahlt. Ich begreife also nicht, wie ihr deßwegen so
gereizt und rachsüchtig seyn könnt. Warum haltet ihr denn
diesen Menschen da so fest am Nacken?

Plato. Wir nahmen auf Einen Tag Urlaub, und ka=
men, um diesen da zur gerechten Strafe zu ziehen. Denn
das Gerücht hat uns die Schmähungen hinterbracht, welche
er vor aller Welt gegen uns sich erlaubt hat.

15. Philosophie. Und nun wollt ihr ihn ohne Ur=
theil und Recht, und ohne nur seine Vertheidigung anzuhö=
ren, hinrichten? Man sieht ihm doch wohl an, daß er etwas
zu sagen hat.

Plato. Das wollen wir nicht. Die ganze Sache stel=
len wir deiner Entscheidung anheim. Dein Ausspruch soll
dem ganzen Handel ein Ende machen.

Philosophie [zum Beklagten]. Und was sagst du
dazu?

Lucian. Ich sage eben dasselbe, hohe Herrin! Du wirst
allein das Wahre zu finden wissen. Ich bat ja selbst darum,
und erlangte es erst nach vielem Flehen, daß man die Ent=
scheidung der Sache auf dich ausgesetzt seyn ließ.

Plato. Siehst du, infamer Bursche, jetzt kannst du sie
deine Herrin nennen, und noch kurz zuvor stelltest du sie als
das verächtlichste Ding dar, und botest sogar auf öffentlichem

Markte ihre Systeme nach einander, zu zwei Obolen das
Stück, zum Verkaufe aus!

Philosophie. Gebt acht, am Ende hat dieser Mann
gar nicht von der Philosophie, sondern von jenen Markt=
schreiern übel gesprochen, die unter unserem Namen so viele
schlechte Streiche machen.

Lucian. Du wirst dich davon sogleich überzeugen, wenn
du meine Vertheidigung anhören willst. Begeben wir uns
nur auf den Areopag, oder noch besser, auf die Burg selbst,
von wo wir die ganze Stadt mit einem Blicke übersehen
können.

16. Philosophie. [zu ihrem Gefolge]. Ihr, liebe
Freundinnen, lustwandelt inzwischen in der Pöcile. Ich werde
auch dahin kommen, sobald diese Sache im Reinen seyn wird.

Lucian. Wer sind deine Begleiterinnen, Philosophie?
Sie gleichen dir so sehr an schönem, edlem Anstand.

Philosophie. Diese männliche hier ist die Tugend,
jene dort die Selbstbeherrschung, neben ihr die Ge=
rechtigkeit, die vor ihnen hergeht, ist die Wissenschaft,
und dort die farblose, kaum sichtbare Erscheinung ist die
Wahrheit.

Lucian. Die letztere sehe ich nicht.

Philosophie. Siehe dort die nackte, ungeschminkte,
die sich unseren Blicken immer zu entziehen sucht, und wenn
wir sie im Gesichte zu haben glauben, uns wieder entschlüpft:
die ist's.

Lucian. Nun sehe ich sie, aber nur mit Mühe. Nimm
diese deine Begleiterinnen mit dir, damit die Gerichtssitzung
desto vollzähliger und ansehnlicher werde. Wenigstens sollte die

Wahrheit dabei seyn, da ich sie zu meiner Sachwalterin nehmen will.

Philosophie. So kommt denn mit. Es wird euch nicht beschwerlich fallen, auch einmal eine Rechtssache entscheiden zu helfen, zumal eine solche, die unsere eigenen Angelegenheiten betrifft.

17. Die Wahrheit. Gehet nur: ich brauche nicht zuzuhören, da ich längst weiß, wie sich die Sache verhält.

Philosophie. Aber uns, liebe Wahrheit, muß sehr viel daran liegen, daß du mit zu Gerichte sitzest, damit wir über Alles die zuverläßigsten Angaben erhalten.

Wahrheit. Darf ich aber auch diese beiden Dienerinnen, die mir ganz besonders ergeben sind, bei mir haben?

Philosophie. Nimm mit, welche du willst.

Wahrheit. Wohlan, so folget mir, ihr beiden, Freimuth und Aufrichtigkeit, um dieses furchtsame Männchen, unsern Verehrer, aus einer Noth zu befreien, in welche er ohne alle gerechte Ursache gerathen ist. Du, Ueberführung, kannst einstweilen hier bleiben und uns erwarten.

Lucian. O das nicht, meine Herrin! Gerade diese soll mit uns kommen. Ich werde nicht mit gewöhnlichen Bestien zu kämpfen haben, sondern mit frechen, und schwer zu überführenden Burschen, die immer wieder neue Ausflüchte zu finden wissen: daher ist uns die Ueberführung unentbehrlich.

Philosophie. Ja wohl, wir müssen sie bei uns haben. Auch wird es sehr gut seyn, wenn du auch den Beweis mitnimmst.

Wahrheit. So kommt denn alle, weil ihr doch, wie es scheint, beim Gerichte nöthig seyd.

18. Aristoteles. Siehst du, Philosophie, wie er die Wahrheit gegen uns zu gewinnen sucht?

Philosophie. Ihr werdet doch nicht etwa besorgen, die Wahrheit selbst möchte ihm zu Gefallen zur Lügnerin werden?

Plato. Nun das wohl eben nicht: aber — man kann nicht wissen, er ist ein schmeichlerischer, abgeführter Bursche: es könnte ihm doch gelingen, sie zu beschwatzen.

Philosophie. Seyd gutes Muths, die Gerechtigkeit ist bei uns: da wird Niemanden Unrecht geschehen. Laßt uns nun gehen.

19. Sag' an, Beklagter, wie ist dein Name?

Lucian. Freymund, Wahrliebs Sohn, Ueberweisers Enkel.

Philosophie. Was für ein Landsmann?

Lucian. Ein Syrer, aus den Gegenden am Euphrat: doch was schadet dies? Kenne ich doch auch von diesen meinen Gegnern Mehrere, die nicht minder, als ich, barbarischer Abkunft sind, ohne daß Erziehung und Sitten den Landsmann von Soli, Cypern, Babylon und Stagira verrathen. *) Und in deinen Augen würde auch der nichts verlieren, dessen Mundart barbarisch klänge: wenn nur seine Denkart gesund und richtig ist.

_____

*) Chrysippus war aus Soli in Cilicien, Zeno aus Cittium in Cypern, Diogenes der Stoiker aus Babylon, Aristoteles aus Stagira in Macedonien.

20. **Philosophie.** Du hast Recht: die Frage war überflüssig. Was bist du aber eigentlich deines Zeichens? Das sollte ich denn doch wissen.

Lucian. Ich bin ein abgesagter Feind aller Aufschnei= derei und alles marktschreierischen Wesens, aller Lügen und alles eiteln Dünkels, und hasse diese abscheuliche Gattung von Menschen, deren, wie du weißt, eine Unzahl ist, von Her= zensgrunde.

Philosophie. Beim Herkules, wenn das dein Ge= schäft ist, so hast du viel zu hassen.

Lucian. Ja wohl! Du siehst nun selbst, wie Viele auch mich hassen, und welchen Gefahren ich mich dadurch aussetze. Gleichwohl, wie feindlich diese Verhältnisse sind, ist mir darum doch das Freundliche nichts weniger als fremd. Ich bin ein Freund des Wahren, ein Freund des Schönen, ein Freund des Natürlichen und alles wahrhaft Liebenswürdigen. Doch nur sehr Wenige sind es, an denen ich die Kunst, mich zu befreunden, üben kann, während de= rer, die zu hassen mein Beruf ist, viele Tausende sind; so daß ich, indem ich jene Kunst vollends zu verlernen befürchten muß, mit dem letztern mich am Ende nur zu sehr vertraut mache.

Philosophie. Das solltest du wirklich nicht. Das Eine kann bestehen, ohne das Andere aufzuheben. Betrachte nicht jene Liebe und diesen Haß als gesonderte Dinge. Sie schei= nen zweifach, und sind nur Eines.

Lucian. Dieß, o Philosophie, mußt du am besten wis= sen. Mein Wahlspruch ist nun einmal: Haß allen Schlech= ten, Lob und Liebe den Guten! —

21. Philosophie. Nun gut, wir sind zur Stelle. Hier, in der Vorhalle des Minervatempels laßt uns Gericht halten. — Priesterin, besorge die Sitze! — Wir wollen unterdessen der Göttin unsere Verehrung darbringen.

Lucian. O Minerva, Schirmerin der Stadt, sey mein Beistand im Kampfe gegen meine übermüthigen Feinde, und erinnere dich der falschen Eidschwüre, die du täglich aus ihrem Munde vernimmst! Du allein, Wächterin dieser Stadt, siehest ihr ganzes Thun und Treiben. Jetzt ist die Stunde gekommen, Rache an ihnen zu nehmen. Solltest du aber sehen, daß ich überwältigt würde, und der schwarzen Steine mehr, als der weißen, fallen, so lege den Deinigen dazu, und rette mich! —

22. Philosophie. Wohlan! Wir sitzen nun zu Gerichte, und sind bereit anzuhören, was ihr beiderseits zu sagen habt. Weil es aber nicht angeht, ihr Kläger, daß ihr Alle zugleich sprecht, so wählet Einen aus eurer Mitte, welchen ihr dazu für den Geschicktesten haltet, der in eurem Namen die Anklage nebst Beweis vorbringen soll. Sodann wirst du, Freymund, mit deiner Vertheidigung auftreten.

Die Auferstandenen. Wer ist nun wohl von uns der Geschickteste, unsere Sache zu führen?

Chrysippus. Wer anders, als du, Plato? Du besitzest Alles, was dazu nöthig ist, in vollem Maaße, Reichthum und Großartigkeit der Gedanken, hinreißende Anmuth und ächt Attischen Wohllaut der Sprache, dazu Scharfsinn in Auffindung der Beweise, und die Kunst, jeden derselben am rechten Orte und so anzubringen, daß dem Zuhörer die Bei=

ſtimmung unwillkührlich entlockt wird. Wohlan alſo, ſey
unſer Wortführer, und ſage in unſer Aller Namen, was zu
ſagen iſt. Rufe dir alle jene Mittel in's Gedächtniß zurück,
deren du dich gegen deine ſophiſtiſchen Gegner Gorgias, Po=
lus, Prodicus, Hippias bedienteſt, und laſſe ſie hier vereint
wirken. Denn dieſer Gegner iſt gefährlicher, als alle. Streue
das Salz der Ironie auf deine Rede, und rücke dem Feinde
mit deinen ſpitzigen, und aneinander geketteten Fragen zu
Leibe. Auch kannſt du ja, wenn du es für gut hältſt, jene
Stelle vom geflügelten Wagen des Jupiter's anbringen, *)
und den Gott in vollem Grimme heranfahren laſſen, wofern
dieſer Burſche nicht zur Strafe gezogen würde.

23. Plato. Nicht doch: wir brauchen dießmal einen
heftigern Redner, als ich bin, zum Beiſpiel einen Diogenes,
Antiſthenes, Krates, oder dich ſelbſt, Chryſippus. Denn es
iſt hier nicht der Ort für einen ſchönen und ausgearbeiteten
Vortrag: wir müſſen vielmehr einen Sprecher haben, der
darauf eingerichtet iſt, unſern Gegner auf gut advokatiſch in
die Enge zu treiben. Denn Freymund iſt ein gewaltiger Wor=
temacher.

Diogenes. Ich will die Anklage übernehmen: ich
glaube nicht, daß eine Rede dazu erforderlich ſeyn wird. Mich
hat er ſchwerer als alle Andern beleidigt, da er mich neulich
um zwei Obolen ausbieten ließ.

Plato. Philoſophie, Diogenes wird in unſerem Na=
men ſprechen. — Vergiß aber nicht, mein Freund, daß du

*) Anſpielung auf die dichteriſche Stelle im Phädrus g. 56.

nicht blos deine Sache zu führen hast, sondern behalte stets das Gemeinsame im Auge. So wenig wir auch sonst in unsern Ansichten übereinstimmen mögen, so laß dich wenigstens jetzt in keine Erörterung darüber ein; äußere dich auch nicht darüber, welche Vorstellung richtiger als die andere sey: sondern sprich blos deinen Unwillen über die Unverschämtheiten und Schmähungen aus, welche sich Freymund in seinen Schriften gegen die Philosophie überhaupt erlaubt hat. Nimm also durchaus keine Rücksicht auf die verschiedenen Schulen, in die wir zerfallen, und verfechte nur unser gemeinschaftliches Interesse. Bedenke, daß du allein unser Vertreter bist, daß in deinen Händen das Schicksal unserer Sache liegt, und daß es von dir abhängt, ob wir im ehrenvollsten Lichte erscheinen, oder ob alle die Dinge für wahr gehalten werden, welche dieser Mensch über uns ausgesagt hat.

24. Diogenes. Sorget nicht: an mir soll es nicht fehlen; ich werde für Alle sprechen. Und sollte sich wirklich die Philosophie — sanft und mildherzig, wie sie ist — von ihm auf die Seite bringen lassen, und ihn lossprechen wollen, so werde ich wenigstens das Meinige thun und ihm zeigen, daß unser Einer seinen Knüttel nicht zum Spaße führt.

Philosophie. O das sey ferne! Viel vernünftiger ist es ja, dergleichen mit Worten, als mit Prügeln auszumachen. Beginne nun, Diogenes. Das Wasser ist aufgegossen, *) die Blicke der Versammlung sind auf dich gerichtet.

---

*) Die Zeit, vor Gericht zu reden, wurde beiden Theilen nach der Wasseruhr zugemessen.

Lucian. Laß die Uebrigen auch mit zu Gerichte sitzen und ihre Stimmen abgeben, Philosophie. Diogenes aber soll allein Kläger seyn.

Philosophie. Wie? du fürchtest nicht, daß sie gegen dich stimmen werden?

Lucian. Durchaus nicht. Ich werde meine Sache nur mit einer um so größern Mehrheit gewinnen.

Philosophie. Das heißt wacker gesprochen! So setzt euch denn: und du, Diogenes, rede!

25. Diogenes. Was für Männer wir in unserm Leben waren, ist dir genau bekannt, o Philosophie, und es wäre überflüssig, hierüber viele Worte zu machen. Denn, um von mir selbst nichts zu sagen, wer kennt nicht das viele Gute, das Pythagoras, Plato, Aristoteles, Chrysipp und die übrigen hier Anwesenden, in der Welt gestiftet haben? Ich beschränke mich also darauf, den frechen Uebermuth zu schildern, den dieser verruchte Freymund an so verdienten Männern, wie wir sind, ausgelassen hat. Redner vom Handwerk, wie die Sage geht, verließ er die Gerichtshöfe und verzichtete auf die Ehre, die er sich dort durch Ausübung seiner Kunst erwerben konnte, um alle gewonnene Geschicklichkeit und Stärke im Reden gegen uns zu richten und uns unaufhörlich zu verläumden. Er schilt uns öffentlich Windbeutel und Betrüger, und macht uns in den Augen der Welt lächerlich und verächtlich, als ob gar nichts an uns wäre. Ja er wußte sogar den Haß des großen Haufens gegen uns und gegen dich, o Philosophie, rege zu machen, indem er deine Studien Kinderpossen und Narrheiten nannte, und die

ehrwürdigsten Dinge, die du uns gelehrt haſt, zum Gegen=
ſtande ſeiner Witzeleien machte. Dafür erntete er von ſeinen
Zuhörern Lob und Beifallklatſchen, während wir die muth=
willigſten Mißhandlungen erfuhren. Denn ſo iſt nun einmal
die Natur der Menge: ſie leiht ihr Ohr am liebſten dem rohen
Spaßmacher, zumal, wenn er mit ſeinem Spotte Dinge durch=
zieht, die insgemein für die ehrwürdigſten gelten. Was war
es für ein Jubel, als vor Zeiten Ariſtophanes und Eupolis
unſern Sokrates auf die Bühne brachten, um ihn in einigen
abgeſchmackten Scenen dem öffentlichen Gelächter preis zu
geben? Gleichwohl nahmen ſich jene Beiden ſo etwas nur
gegen einen einzelnen Mann heraus, und obendrein an dem
Bacchusfeſte, das an und für ſich ſchon eine ſolche Freiheit
geſtattet. Die Poſſe gehörte als weſentlicher Theil zur Feſt=
feier: jener Gott ſelbſt lacht gerne, und hatte vielleicht ſeine
eigene Freude daran.

26. Dieſer Menſch aber ſtudirte recht abſichtlich und
lange, wie er uns verläſtern könne, ſchrieb ein dickes Buch
voll Schmähungen wider uns zuſammen, verſammelt alsdann
einen Cirkel der gebildetſten und namhafteſten Leute um ſich,
und ergießt nun die Fluth ſeiner Verläumdungen über einen
Plato, Pythagoras, Ariſtoteles, Chryſipp, über mich und
alle übrigen Philoſophen, ohne von der zügelloſen Luſt ir=
gend eines Feſtes fortgeriſſen, oder durch eine Beleidigung
von unſerer Seite perſönlich gereizt worden zu ſeyn. Im
letztern Falle, wenn er nicht der angreifende, ſondern der
ſich vertheidigende Theil wäre, könnte ſein Verfahren eini=
germaßen entſchuldbar genannt werden. Was aber das Un=
verzeihlichſte iſt — hinter deinen eigenen Namen, o Philoſo=

9 *

phie, versteckt er sich, und hat unsern alten Freund den Dialogus *) zu berücken gewußt, daß er ihm nun als Helfershelfer gegen uns zu Willen ist. Auch unsern ehemaligen Gefährten Menippus hat er beschwatzt, sich in seinen Possenspielen gegen uns gebrauchen zu lassen. **) Darum ist dieser auch nicht mit uns als Kläger erschienen: er ist der gemeinschaftlichen Sache untreu geworden.

27. Für dieses Alles hat dieser Mensch gerechte Strafe verwirkt. Was wird er zu seiner Rechtfertigung anführen können, er, der vor so vielen Ohrenzeugen mit den heiligsten Gegenständen seinen Spott getrieben? Auch für die, in deren Gegenwart er es gethan, wird es heilsam seyn, ihn bestraft zu sehen, daß Keiner hinfort sich beigehen lasse, die Philosophie mit Verachtung zu behandeln. Würden wir uns still verhalten, und solche Beleidigungen auf uns sitzen lassen, so würde man es uns nicht für weise Mäßigung, wohl aber für Einfalt und Mangel an Muth anrechnen. Denn nun vollends die allerneueste Unverschämtheit — wer könnte sich die gefallen lassen? Da führt er uns nach einander wie verkäufliche Sclaven auf den Markt, stellt einen Ausrufer auf, und schlägt, wie man erzählt, den Einen um zwanzig, einen Andern um zwölf Minen, Etliche nur um einzige los. Mich hat der heillose Kerl gar um zwei Obolen weggehen lassen, zur großen Ergötzlichkeit aller Anwesenden. Im gerechten

---

*) Die Philosophen, besonders von der Socratischen Schule, hatten die dialogische Form des Lehrvortrags zu der ihrigen gemacht.

**) Man s. die Todtengespräche und den Icaromenippus.

Unwillen über diese schmähliche Mißhandlung erscheinen wir hier auf der Oberwelt, und bitten um Genugthuung.

28. **Die Auferstandenen.** Brav, Diogenes, du hast unsere gemeinsame Sache tüchtig geführt, und Alles gesagt, was nöthig war.

Philosophie. Stille mit euren Lobsprüchen! — Fülle nun dem Beklagten die Wasseruhr. — Die Reihe ist an dir, Freymund! Laß dich vernehmen. Dein Wasser rinnt bereits: säume dich also nicht.

29. **Freymund.** Mein Ankläger Diogenes, o Philosophie, hat nicht einmal Alles, was er konnte, wider mich angegeben, sondern das Meiste und gerade das Schlimmste unbegreiflicher Weise übergangen. Ich bin so weit entfernt, jene Aeußerungen läugnen zu wollen, oder auch nur auf eine Entschuldigung derselben gedacht zu haben, daß ich im Gegentheile gesonnen bin, dasjenige, was entweder mein Ankläger verschwiegen, oder was ich selbst zu sagen früher unterlassen hatte, hier nachzuholen. Du wirst sodann selbst sehen, wer die Leute sind, die ich zum Verkauf ausbieten ließ, und von denen ich die Ausdrücke Marktschreier, Gaukler u. s. w. gebrauchte. Nur darauf bitte ich die Versammlung genau acht zu geben, ob ich in allen Stücken die Wahrheit sage. Sollte aber eine oder die andere meiner Aeußerungen hart oder ehrenrührig klingen, so wird es, denke ich, billiger seyn, die Schuld denen, die durch ihr Betragen mich dazu veranlassen, nicht aber mir beizumessen, der ich ihre Schändlichkeiten aufdecke. — Was zuerst mich selbst betrifft, so sah ich bald genug ein, daß mit der Ausübung der gerichtlichen Beredsamkeit tausend Widerwärtigkeiten verknüpft sin

und daß man dabei Betrügereien, Lügen, Unverſchämtheit,
Geſchrei und Händeln täglich ausgeſetzt iſt.   War es ein
Wunder, wenn ich dieſer Lebensart mich entzog, und mich
zu dir, o Philoſophie, und zu deinen Gütern flüchtete? Als
hätte ich nach Sturm und Wogendrang endlich einen ſichern
Port gefunden, beſchloß ich unter deinem Schirme den Reſt
meiner Tage zu verleben.   •

30. Kaum hatte ich mich mit eurer Wiſſenſchaft etwas
näher bekannt gemacht, ſo konnte es nicht fehlen, ich ver=
ehrte dich und alle Dieſe als die Geſetzgeber der beſten Art
zu leben, und als die Führer für die, welche darnach Ver=
langen tragen: ich ſah in euch die Lehrer der ſchönſten und
heilſamſten Wahrheiten für Jeden, der euren Vorſchriften
mit unverwandtem Blicke und feſten Schritten folgend, nach
ihnen ſein Leben regeln und einrichten will. Allein, beim
Jupiter, wie Wenige ſind in unſern Tagen, die dieß thun!

31. Wie Viele ſehe ich, die nicht aus wirklicher Liebe
zur Philoſophie, ſondern aus Sucht nach dem Anſehen, das
ſie ſich dadurch zu verſchaffen glauben, die Philoſophen ſpie=
len, und, indem ſie gewiſſe äußerliche, in die Augen fallende
Merkmale, die Jeder ohne Mühe nachäffen kann, z. B. den
philoſophiſchen Gang, die Tracht, den Bart u. dergl. anneh=
men, ſich das Anſehen von weiſen und tugendhaften Män=
nern vortrefflich zu geben wiſſen! Seh ich nun, in welch
ſchreiendem Widerſpruch ihre Handlungen mit dieſer Außen=
ſeite ſtanden, wie ihre ganze Lebensweiſe das Gegentheil
von der eurigen war, und die Würde des Standes ſchändete,
zu dem ſie ſich bekannten, ſo erfüllte mich das mit dem tief=

sten Unwillen. Es war mir nicht anders, als sehe ich einen schwächlichen, verweichlichten, weibischen Burschen die Rolle eines Hercules, Theseus oder Achilles übernehmen, während doch weder Haltung, noch Stimme den Helden bezeichnete, sondern der Tropf unter der gewaltigen Maske sich erbärm= lich ausnähme. Würde schon eine Helena und Polyrena sich eine solche bis zur Ungebühr weit getriebene Aehnlichkeit mit ihrem Geschlechte verbitten, *) wie viel übler würde es Her= cules, der Siegprangende, aufnehmen, sich so schmählich zwit= terhaft dargestellt zu sehen? Ich denke, dieser würde ihn sammt seiner Herculeslarve mit Einem Keulenstreich zu Bo= den strecken.

32. Dasselbe ist nun hier der Fall. Es war mir uner= träglich, die schamlose Mummerei mit anzusehen, wie Affen sich unterstanden, Heldenmasken vorzunehmen. Sie machen's, wie der Esel von Kuma. Dieser steckte sich in eine Löwen= haut, und wollte für einen Löwen angesehen seyn. Wirklich gelang es ihm, den unwissenden Kumanern durch sein rauhes Geplärr Schrecken einzujagen; bis endlich ein Fremder, der schon mehr Löwen und Esel gesehen hatte, die Maske ihm abzog und mit Prügeln den Heimweg wies. Was mir aber bei diesem Allem das Schlimmste schien, war dieß: sobald man einen jener Nachäffer einen schlechten oder unanständigen und lüderlichen Streich machen sieht, so geben die Leute so= gleich der Philosophie selbst, und demjenigen Philosophen die Schuld, nach dessen Schule der Sünder sich nennt, und von

---

*) Man erinnere sich an die Sitte der Alten, weibliche Rol= len durch Männer darstellen zu lassen.

deſſen Lehrſätzen er Profeſſion macht. *) Indem man alſo
von der ſchlechten Lebensweiſe eines Solchen ausgeht, werden
die nachtheiligſten Schlüſſe auf euch ſelbſt gemacht. Ihr ſeyd
aber längſt geſtorben, und der Vergleichung mit euern Jün=
gern entrückt, und die Welt hat nur die Letztern und ihren
unwürdigen, ärgerlichen Wandel im Auge. So kam es, daß
ihr zugleich mit dieſen in Aberacht gefallen und gleichſam ab=
weſend, ohne euch verantworten zu können, verurtheilt wor=
den ſeyd.

33. Ich konnte unmöglich gleichgültig dabei bleiben,
und ſtellte alſo die falſchen Philoſophen in ihrer wahren Ge=
ſtalt dar, und zeigte, wie ſie ſo ganz verſchieden von euch
ſelbſt wären. Und nun, ſtatt mich dafür gebührend in Ehren
zu halten, belangt ihr mich vor Gericht! Hörte ich einen
Eingeweihten die Geheimniſſe der beiden Göttinnen **) leicht=
ſinnig ausplaudern, und ich rügte voll Unwillens dieſe Gott=
loſigkeit, würdet ihr denn mich als den Gottloſen ankla=
gen? Das wäre doch wohl ſehr unrecht. Pflegen doch auch
die Athlotheten den Schauſpieler, der die Rolle der Miner=
va, des Neptun oder Jupiter ſchlecht und unwürdig der Gott=
heit geſpielt hat, geiſſeln zu laſſen, ohne daß es die Götter
ihnen verübeln, daß Leute, die einmal in Göttermasken ge=
ſteckt hatten, dem Zuchtmeiſter übergeben werden: im Gegen=
theile ſollt ich denken, ſie haben Gefallen daran, ſie peitſchen
zu ſehen. Denn wird eine Sclaven= oder ſonſtige gemeine
Rolle ungeſchickt gegeben, ſo hat das wenig auf ſich. Hinge=

---

*) Nach der Conjectur ἐνεπορεύετο von Jacobs Act. Phill.
Monacc. T. II. p. 459.

**) Der Ceres und Proſerpina, den eleuſiniſchen Göttinnen.

gen einen Jupiter oder Hercules in unwürdiger Gestalt vor
den Zuschauern auftreten lassen, ist ein Gräuel, der Süh=
nung fordert.

34. Jene Leute nun gehen in ihrer Verkehrtheit so weit,
daß sie zwar eure Schriften sehr genau kennen, aber im Le=
ben solche Grundsätze befolgen, daß es nicht anders ist, als
ob sie euch nur in der Absicht läsen und studirten, um stets
das Gegentheil in Ausübung zu bringen. Was sie uns von
der Verachtung des Geldes und eitler Ehren zu sagen wis=
sen, und daß nur das Sittlichgute ein Gut sey, daß man
leidenschaftlos seyn, über den Flitterstaat der Großen dieser
Welt wegsehen, und mit ihnen umgehen müsse, wie mit sei=
nes Gleichen — Alles das ist, bei den Göttern, recht schön,
vernünftig, wahrhaft großartig. Aber nun sehe man, wie
sie eben diese Lehren nur um Geld ertheilen, wie sie den
Reichen ihre Ehrfurcht zollen, wie sie nach Gold und Silber
schnappen, wie sie bissiger als junge Hunde, furchtsamer als
die Hasen, schmeichlerischer als die Affen, geiler als die Esel,
diebischer als die Katzen, und zänkischer als die Hähne sind.
Daher machen sie sich selbst zum Gespötte, wenn sie Händel
unter sich anfangen, vor den Thüren der Reichen einander
mit den Ellenbogen wegstoßen, und große Gesellschaften und
Schmausereien aufsuchen, wo sie dem Wirth mit den nieder=
trächtigsten Schmeicheleien zur Last fallen, dabei voll unge=
nügsamer Gefräßigkeit sich auf's unanständigste überfüllen,
unter häufigen Bechern abgeschmackte, und mit ihrer Philo=
sophie schlecht harmonirende Gespräche führen, und den Wein
nicht einmal — bei sich behalten. Da lachen denn natürlich

die Laien, die bei dem Gelage zugegen sind, und verachten eine Philosophie, die so häßliche Früchtchen erzieht.

35. Das Schändlichste ist endlich noch, daß Jeder von ihnen behauptet, nichts zu bedürfen, und immer nur schreit: „der Weise ist allein reich!" im nächsten Augenblicke aber um ein Geschenk bittet und unartig wird, wenn man es ihm abschlägt; gerade als wenn Einer im königlichen Aufzuge, mit Diadem und Tiare und allen übrigen königlichen Ehrenzeichen geschmückt, bei dem gemeinen Volke betteln gehen wollte. Wenn sie etwas erhalten wollen, so wird ein langes und breites darüber gesprochen, wie man gegenseitig mittheilsam seyn müsse, wie gleichgültig der Besitz des Reichthums, wie Gold und Silber um nichts besser sey als die Kieselsteine des Ufers: kommt aber irgend ein hülfsbedürftiger alter Bekannter oder vieljähriger Freund, und bittet nur um eine kleine Beisteuer, da ist man mäuschenstille, befindet sich gerade selbst in Verlegenheit, will von Nichts wissen, und stimmt am Ende ein ganz anders Lied an, als man zuvor gesungen. Dahin sind sie nun und verflogen alle jene schönen Deklamationen über die Freundschaft, die Tugend und das Sittlichschöne: es waren in der That nur geflügelte Worte, womit tagtäglich in ihren Schulen eitle Klopffechterei getrieben wird.

36. Diese Menschen sind nur so lange Freunde zusammen, als nicht Gold oder Silber in Wurf kommt. Aber man zeige ihnen nur einen Obolus: gleich ist der Friede gebrochen, unversöhnlicher Hader beginnt, die Schriften werden ausgestrichen, die Tugend flüchtet sich. Da geberden sie sich, wie die Hunde, wenn man einen Knochen unter sie

wirft: sie fahren los, beißen einander, und bellen hinter dem
her, der das Bein erwischt hat. Einst ließ ein ägyptischer
König Affen auf den Waffentanz abrichten; und geschickt,
wie diese Thiere sind, alle menschlichen Verrichtungen nach=
zumachen, lernten sie gar bald, mit Purpurröcken angethan,
und Larven vor den Gesichtern, die künstlichen Bewegungen
des Tanzes ausführen. Lange waren sie die Bewunderung
der Zuschauer; bis einmal ein Spaßvogel, der Nüsse in der
Tasche hatte, diese mitten unter sie hineinwarf. Die Nüsse
sehen und das Tanzen vergessen war Eins. Aus den nietli=
chen Solotänzern wurden wieder Affen, die ihre Masken zu
Grunde richteten, die Kleider zerfetzten, und sich mit einan=
der um das Naschwerk balgten; und so hatte das ganze künst=
lich angeordnete Ballet unter großem Gelächter der Zuschauer
ein Ende.

37. Gerade so machen es auch unsere Philosophen.
Diesen galten meine Ausfälle, und nimmer werde ich aufhö=
ren, sie mit der Geißel der Satyre zu züchtigen. Aber ferne
sey von mir der Wahnsinn, gegen euch und Solche, die euch
gleichen — und wirklich, es giebt deren noch Einige, die der
Philosophie aufrichtig zugethan und euren Vorschriften getreu
sind — je ein schmähendes oder nur schiefes Wort mir zu
erlauben. Was könnte ich auch wider euch sagen? Wo habt
ihr je in eurem Leben euch so, wie Jene, benommen? Nur
jene göttervergessenen Gleisner sind's, die ich, wie ich glaube
mit vollem Rechte, hasse. Oder solltet ihr wirklich, Pytha=
goras, Plato, Chrysipp, Aristoteles, solltet ihr eine Ver=
wandtschaft dieser Menschen mit euch anerkennen? sollten sie
durch irgend Etwas in ihrem Leben beweisen, daß sie die Eu=

rigen sind? Nein beim Jupiter, ihr und sie — das paßt
wie Hercules und der Affe. Weil sie Bärte haben, und phi=
losophische Studien vorgeben, und ernsthafte Gesichter schnei=
den, deßwegen soll man sie mit euch vergleichen? Wenn
sie nur wenigstens ihre Rollen mit einiger Treue spielten,
so könnte man sich's noch gefallen laffen: so aber möchte ein
Geyer eher eine Nachtigall vorstellen, als Einer von diesen
einen Weltweisen. — Ich sagte, was ich für mich zu sagen
wußte. Sprich du, o Wahrheit, ob ich wahr gesprochen.

38. Philosophie. Tritt ein wenig auf die Seite,
Freymund. — Nun, wie steht's? Was sagt ihr zu dem
Vortrag dieses Mannes?

Die Wahrheit. O Philosophie, ich hätte, wie er so
sprach, in die Erde sinken mögen, so wahr ist leider Alles,
was er sagte. Ich erkannte Zug für Zug jeden Einzelnen
von denen, die es so machen. Bei jeder Stelle fand ich au=
genblicklich die Beziehung bald auf Diesen, bald auf Jenen;
kurz er entwarf von diesen Menschen ein sehr deutliches und
vollständiges Gemälde, in welchem er nicht blos ihre äußern
Umrisse, sondern auch ihre Characterzüge auf's getreueste
darstellte.

Die Sittsamkeit. Auch ich, gute Wahrheit, schämte
mich in ihrer Seele.

Philosophie. Nun, ihr Philosophen, was ist eure
Meinung?

Die Auferstandenen. Daß man ihn lossprechen,
ihn öffentlich für unsern Freund und Wohlthäter anerkennen
soll. Gieng es uns nicht eben wie den Bürgern von Ilium,
da sie einen Tragöden zum Singen aufforderten? Man hat uns

unsere eigene Jammergeschichte vorgesungen. Möge er doch nicht aufhören, dieses Lied zu singen, und die den Göttern verhaßten Bursche in ihrer jämmerlichen Gestalt auftreten zu lassen.

Diogenes. Ich lobe mir den Mann gleichfalls, o Philosophie, nehme meine Anklage zurück, und mache ihn zu meinem Freunde, weil er sich so brav bewiesen.

39. Philosophie. Schön! Komm herbei, Freymund! Du bist losgesprochen, hast deine Sache mit allen Stimmen gewonnen, und sollst hinfort der Unsrige seyn.

Freymund. Vor allen Dingen der Göttin meine Anbetung! *) Und um es desto feierlicher zu thun, rufe ich mit dem Tragiker:

> Geberin hehren Siegs! Leite mich stets,
> Und ermüde nicht, mir
> Des Ruhmes Kränze zu reichen! **)

Die Tugend. Nun ist noch die zweite Hälfte unseres Geschäftes übrig: die falschen Philosophen müssen jetzt vorgeladen werden, um ihre Strafe für Alles zu empfangen, was sie an uns gefrevelt haben. Freymund soll Jeden einzeln anklagen.

Freymund. Wohlgesprochen, o Tugend! — He, Syl-

---

*) Zur Rechtfertigung dieser Uebersetzung bemerke ich, daß mir der Aorist προϲεϰύνηϲα hier in derselben Bedeutung zu stehen scheint, wie der Aorist in ἐγέλαϲα Deor. Dial. XVI, 2.

**) Schlußchor in den Phönizierinnen, dem Orestes, und der Iphigenia in Tauris des Euripides.

logismus, rufe in die Stadt hinab, die Philosophen sollen
heraufkommen!

40. **Syllogismus.** Holla, aufgemerkt! Die Philo=
sophen sollen auf der Burg erscheinen, um sich vor der Tu=
gend, der Philosophie und der Gerechtigkeit zu verantworten!

Freymund. Siehst du? Es sind nur Wenige, die
herbeikommen. Die Andern haben die Vorladung wohl auch
gehört, aber zum Theile fürchten sie sich vor einer Untersu=
chung, zum großen Theile aber haben sie keine Zeit zu er=
scheinen, sondern müssen den Reichen ihre Aufwartung ma=
chen. Wenn sie Alle kommen sollen, so mußt du ihnen so
zurufen, Syllogismus: —

Philosophie. Rufe du lieber selbst, Freymund, wie
du es gut findest.

41. **Freymund.** Das soll gleich geschehen. „Holla,
aufgemerkt! Alle, die sich Philosophen nennen, und diesen
Namen zu verdienen glauben, sind eingeladen, auf der Burg
bei einer Austheilung zu erscheinen. Es trifft zwei Minen
und einen Sesamkuchen auf den Mann; und wer einen recht
langen Bart aufzuweisen hat, soll noch einen Feigenkuchen
obendrein bekommen. Ehrbarkeit, Rechtschaffenheit, Enthalt=
samkeit braucht Keiner mitzunehmen: das sind Dinge, die
man nicht vermißt. Dagegen muß Jeder mit fünf Syllogis=
men versehen seyn: denn ohne diese darf Keiner für einen
Weisen passiren.

     Mitten liegen im Kreis auch zwei Talente des Goldes,
     Dem bestimmt, der von allen sich zeigt als den wackersten
                 Streiter." *)

---

*) Parodie von Jl. XVIII, 507. f.

42. Hilf Himmel! wie voll schon der Weg zur Burg herauf ist! Wie das wimmelt! Wie sich das drängt und stößt, so wie von zwei Minen etwas verlautet! Einige steigen an der Pelasgischen Mauer, Andere am Tempel des Aesculap, noch Mehrere am Areopag, Einige selbst am Grabmal des Talos herauf: ja Einige haben sogar am Dioskurentempel Leitern angelegt, und klettern nun mit Gesumse, wie ein Bienenschwarm heran. Von daher und dorther erscheinen Tausende, gleich wie Blätter und knospende Blumen im Frühling. *)

In wenig Augenblicken ist die Burg voll. Mit Geschnatter nehmen sie ihre Plätze ein. Allenthalben sieht man nichts als Ranzen, Bärte, Kriecherey, Unverschämtheit, Knotenstöcke, Gefräßigkeit, Syllogismen, Geldhunger. Die Wenigen, welche auf den ersten Ausruf heraufgekommen waren, sind unter der Menge verschwunden, und wie könnte man sie herausfinden; da ihr Aeußeres von dem der Uebrigen so gar nicht verschieden ist? Das ist denn doch nicht recht, Philosophie, und darüber könnte man dir sehr gegründete Vorwürfe machen, daß du den Bessern kein besonderes Unterscheidungszeichen ertheilest: denn gar oft sehen bloße Gleisner ächten Philosophen weit ähnlicher, als die, welche es wirklich sind.

Philosophie. Dafür soll nun bald gesorgt werden! Nun aber müssen wir diesen hier Gehör geben.

43. Platoniker. Wir Platoniker müssen unsern Theil zuerst haben.

---

*) It. II, 468.

Pythagoräer. Mit nichten: uns gebührt der Vorrang; Pythagoras war älter.

Stoiker. Possen: die Vornehmern sind wir aus der Stoa.

Peripatetiker. Oho, weit gefehlt! Wenn sich's um Geld handelt, sind wir Peripatetiker voran.

Epikuräer. Gebt uns einstweilen nur die Kuchen und die Feigenbrode: auf das Geld wollen wir gerne warten, und wenn wir auch die Letzten seyn sollten.

Academiker. Wo sind die zwei Talente? Wir Academiker wollen beweisen, daß wir die besten Streiter unter Allen sind.

Stoiker. Doch nicht, so lange noch ein Stoiker zugegen ist?

44. Philosophie. Hört auf, euch zu zanken! He, ihr Cyniker dort, stoßt euch nicht so, laßt eure Stöcke in Ruhe! Die Absicht, in welcher ihr hieherberufen worden seyd, ist eine ganz andre. Ich, die Philosophie, und hier die Tugend und die Wahrheit, wir wollen untersuchen, welche von euch wahre Philosophen sind. Diejenigen, deren Leben unseren Vorschriften gemäß erfunden wird, werden für Weise erklärt werden und sollen hinfort glücklich seyn. Die Heuchler aber, die keinen Theil an uns haben, sollen ihr schmähliches Ende finden, daß sich fortan kein eitler Prahler einfallen lasse, eine Würde sich anzumaßen, die für ihn viel zu erhaben ist. — Was soll das? Ihr lauft davon? Wahrhaftig, sie nehmen fast Alle Reißaus, springen über Felsen und Abgründe, und die Burg ist auf einmal wieder leer, bis auf die

Wenigen, die, ohne eine Untersuchung zu scheuen, da geblieben sind.

45. Hebet einmal den Ranzen dort auf, ihr Aufwärter, den der kleine Cyniker im Davonlaufen verloren hat. Laß doch sehen, was er enthalten mag! Feigbohnen, ohne Zweifel, ein Buch und ein Stück grobes Schwarzbrod?

Freymund. Nichts weniger! Seht her, ein Paar Goldstücke, eine wohlriechende Salbe, ein bequemes Besteck, ein Spiegel und ein Paar Würfel.

Philosophie. Ach! vortrefflich, mein sauberer Herr! Das waren also die Stärkungsmittel bei deiner Tugendübung? Mit solchen Sächelchen behangen konntest du dich unterstehen, aller Welt die unverschämtesten Strafpredigten zu halten und Jedermann zu hofmeistern?

Freymund. So sind die Menschen. Euch liegt es nun ob, darauf zu denken, wie die Welt hierüber in's Klare gesetzt, und wie es Jedem möglich werden möge, auf den ersten Blick die ächten Weisen von denen zu unterscheiden, deren Leben das Gegentheil beweist. Besonders aber wird dir daran liegen, o Wahrheit, dieses Mittel aufzufinden: denn es wird nur zu deinem Vortheil seyn, wenn die Lüge nichts mehr über dich vermögen und kein Taugenichts im Stande seyn wird, von aller Welt unerkannt die Rolle des Edeln und Weisen zu spielen.

46. Die Wahrheit. Wenn es euch gefällt, so wollen wir das dem Freymund übertragen: er hat sich als ein braver, uns wohlgesinnter Mann, und als dein aufrichtiger Verehrer bewährt, o Philosophie. Er soll in Gesellschaft der Ueberführung mit Allen, die den Philosophen-Namen

führen, Bekanntschaft machen. Wer sich ihm dann als äch=
ten Jünger der Weisheit erprobt, den soll er mit einem Oel=
zweig kränzen, und in das Prytaneum *) führen. Wo er
aber auf einen dieser heillosen Maul=Philosophen stößt, de=
ren es nur zu Viele giebt, dem soll er den Mantel vom Leibe
reißen, den Bart mit der Schaafscheere auf der Haut ab=
scheeren, und ein Merkzeichen auf die Stirne stechen oder
zwischen den Augbraunen einbrennen, und zwar soll das
Brenneisen die Gestalt eines Fuchses oder Affen haben.

Philosophie. Vortrefflich, liebe Wahrheit! Und die
Probe, Freymund, sey derjenigen ähnlich, welche die Adler
mit ihren Jungen an der Sonne anstellen: aber anstatt sie
wie diese gegen das Licht blicken zu lassen, halte ihnen Gold,
Ansehen und Wollust vor die Augen; und wen du darüber
wegschauen und von dem Anblicke nicht angezogen werden
siehst, der ist's, den du mit dem Oelzweige zu krönen hast.
Wer aber mit den Augen auf jene Dinge starrt, und mit den
Händen nach dem Golde fährt, den ergreife, und lasse ihm
den Bart abscheeren und das Brandmal aufdrücken.

47. Freymund. Es soll geschehen nach deinem Ge=
fallen, Philosophie: bald werden dir Solche, die Füchse und
Affen auf der Stirne tragen, in Menge begegnen, aber nur
Wenige, die Kränze haben. Wenn es euch genehm ist, will
ich gleich jetzt Etliche von Jenen heraufholen.

Philosophie. Wie? Du willst die Entflohenen her=
beischaffen?

_____

*) Um dort auf öffentliche Kosten unterhalten zu werden, eine
Ehre, die nur den verdientesten Staatsbürgern widerfuhr.

Freymund. Sehr leicht, wenn mir nur die Priesterin die Angelschnur dort nebst dem Haken, welche der Fischer aus dem Piräeus gestiftet hat, auf einige Augenblicke borgen will.

Priesterin. Hier hast du sie, und die Ruthe dazu.

Freymund. Noch bitte ich dich um ein Paar getrocknete Feigen und ein Goldstückchen.

Priesterin. Das sollst du haben. — Hier!

Philosophie. Was soll das werden?

Priesterin. Er hat eine Feige und das Goldstück an den Angelhaken befestigt, und läßt nun, auf der Mauer sitzend, die Schnur hinab in die Stadt.

Philosophie. Was machst du da, Freymund? Willst du Steine von der alten pelasgischen Mauer fischen?

Freymund. Stille! warte, was ich für einen Fang thun werde. O Neptun, du großer Fischerpatron, und du holde Amphitrite, ich bitte, bescheret mir nur dießmal einen reichen Zug!

48. Ha! da sehe ich ja schon einen mächtigen Hecht, oder ist's gar ein Goldbrassen?

Die Ueberführung. Auch nicht: es ist eine Art Hay. Er nähert sich der Angel mit aufgesperrtem Rachen: er wittert das Gold: nun ist er dran — er beißt an — er ist gefangen — herauf mit ihm!

Freymund. Du mußt mir ziehen helfen — ach, nun ist er oben. Laß sehen, mein prächtiger Fisch, welcher Gattung du angehörst. Ha! ein Meerhund! *) — Hercules, was der Zähne hat! — So mein sauberer Patron, also zwi=

---

*) Κύων, Wortspiel mit Cyniker.

schen den Felsen *) strich man dem Raube nach, wo man sich recht unbemerkt glaubte? Aber nun sollst du an den Kiemen aller Welt zur Schau aufgehangen werden. — Nehmen wir aber zuvor den Angelhaken mit der Lockspeise heraus. Siehe da! der Haken ist leer! Er hat die Feige sammt dem Goldstücke bereits im Bauche.

Diogenes. Zum Henker, er soll sie von sich geben. Wir brauchen sie noch für Andere.

Freymund. Allerdings. Aber wie, Diogenes! kennst du ihn nicht? geht er dich nichts an?

Diogenes. Nicht das Mindeste.

Freimund. Nun, wie hoch sollen wir ihn schätzen? — Siehst du, das ist eben der, den ich neulich um zwei Obolen ausbot.

Diogenes. Immer noch zu viel für den. Er ist ungenießbar, häßlich von Ansehen, hat ein hartes Fleisch: er ist gar nichts werth. Wirf ihn kopfüber den Felsen hinab. Laß die Schnur noch einmal hinunter, um einen Andern zu fangen. Nur nimm dich in Acht, Freymund, daß die Ruthe nicht bricht!

Freymund. Sorge nicht: sie sind leicht, sie wiegen nicht schwerer als Häringe.

Diogenes. Und haben auch nicht mehr Gehirn. **) Ziehe sie immer herauf!

---

*) D. h. (wie es scheint) in den Winkelgäßchen am felsigten Fuße der Acropolis.

**) So traf Wieland glücklich den Sinn des Wortspiels ἀφύαι und ἀφυέστατοι.

49. **Freimund.** He, was da für ein Plattfisch heran=
kömmt! er sieht ja aus, wie halbirt: es ist eine Scholle,
dünkt mich. Schon sperrt er das Maul nach der Angel, aus
— er packt — wir haben ihn.

Diogenes. Heraufgezogen! — Was ist es für Einer?

Die Ueberführung. Für einen Platoniker giebt er
sich aus.

Plato. Wie, Schandbube, auch du lässest dich mit Gold
fangen?

Freymund. Was meinst du, Plato, was soll mit ihm
geschehen?

Plato. Ebenfalls über die Felsen hinab mit ihm!

50. **Diogenes.** Nun nach einem Andern geangelt!

Freymund. Ach, nun sehe ich einen gar schönen Fisch
herbeikommen: er hat, so viel ich aus der Entfernung beur=
theilen kann, bunte Farben, und Goldstreifen über den Rücken
hinab. Siehst du ihn, Ueberführung? Es ist derselbe, der
den Aristoteles vorstellen will. Schon war er dran, dann
schwamm er wieder weg. — Wie sorgfältig er sich umsieht. *)
— Nun kommt er wieder — er schnappt — gefangen! In
die Höhe mit ihm!

Aristoteles. Frage mich nicht nach ihm, Freymund!
Ich weiß nicht, wer er ist.

Freymund. Nun so werfen wir auch den über den
Berg!

51. **Diogenes.** Aber siehe da, eine ganze Menge Fische
von gleicher Farbe und einer rauhen Haut voller Stacheln:

---

*) περισκοπεῖ.

die sind gewiß schwerer zu fassen, als ein Igel. Da sollten
wir wohl ein Netz haben, wenn eines zur Hand wäre. Doch
es wird hinlänglich seyn, wenn wir nur Einen aus der gan=
zen Heerde heraufziehen. Der Keckste von ihnen wird schon
anbeißen.

Die Ueberführung. Wirf aus, aber verwahre zu=
vor das untere Ende der Schnur wohl mit Eisendrath, da=
mit, wenn der Fisch das Goldstück verschlungen hat seine
scharfen Zähne die Schnur nicht zersägen.

Freymund. Die Angel ist unten. Neptun, beschleu=
nige den Fang! — O seht, seht, wie sie sich um den Köder
reißen. Da haben sich Mehrere zugleich an die Feige ge=
macht, und benagen sie um die Wette: Diese hier hängen an
dem Goldstücke, wie angewachsen. — Ach schön! einer der
Stärksten hat die Angel selbst im Rachen. — He du, sag'
einmal an, wer dein Namenspatron ist? — Aber was bin
ich für ein Narr, daß ich von einem Fisch eine Antwort ha=
ben will! Sprich also du, Ueberführung, wo ist sein Meister?

Die Ueberführung. Chrysippus hier.

Freymund. Ich verstehe; gewiß, weil Gold in dem
Namen steckt. *) Aber sage mir um der Minerva willen,
mein Chrysippus, kennst du diese Leute, und sind es deine
Vorschriften, die sie befolgen?

Chrysippus. Eine beleidigende Frage, beim Jupiter:
glaubst du denn, daß ich in Berührung mit solchen Burschen
stehe?

---

*) Chrysippus würde zu deutsch heißen: Goldroß.

Freymund. Brav, edler Chrysipp! — Nun so soll dieser mit den Uebrigen über den Felsen wandern, zumal da er so grätig ist, daß man sich die Kehle verwunden würde, wenn man ihn essen wollte.

52. Philosophie. Nun mag des Fischens genug seyn, lieber Freymund; damit nicht — denn es giebt ja vielerlei Fische — am Ende einer mit der Angel sammt dem Goldstücke ausreißt, und du der Priesterin beides ersetzen mußt. Wir, meine Freundinnen, wollen lustwandeln gehen: und ihr habt Zeit, euch zurück zu verfügen, damit ihr euern Urlaub nicht überschreitet. — Du aber, Freymund, mache mit der Ueberführung die Runde bei jenen Allen, und krönet oder brandmarket, wie ich euch angewiesen habe.

Freymund. Es soll geschehen, Philosophie. — Nun lebet wohl, ihr edelsten der Männer! — Komm, Ueberführung, laß uns unsern Auftrag ausrichten. Wohin sollen wir uns aber zuerst wenden? In die Akademie? oder in die Stoa? Laß uns mit dem Lyceum den Anfang machen. Es verschlägt nichts, wo wir beginnen: ich weiß nur zu gut, daß wir überall, wo wir hinkommen mögen, sehr wenige Kränze, aber desto häufiger das Brenneisen nöthig haben werden.

Griechische Prosaiker

in

neuen Uebersetzungen.

Herausgegeben

von

G. L. F. Tafel, Professor zu Tübingen,
C. N. Osiander und G. Schwab,
Professoren zu Stuttgart.

Achtes Bändchen.

Zweite Auflage.

Stuttgart,
Verlag der J. B. Metzler'schen Buchhandlung.
Für Oestreich in Commission von Mörschner und Jasper
in Wien.
1828.

Lucian's

Werke,

übersetzt

von

August Pauly,

Profeffor am Königlich Württembergifchen Gymnafium
zu Heilbronn.

———

Viertes Bändchen.

———

Zweite Auflage.

———

Stuttgart,

Verlag der J. B. Metzler'fchen Buchhandlung.
Für Oeftreich in Commiffion von Mörfchner und Jafper
in Wien.

1 8 2 8.

Lucian's
Werke,

übersetzt

von

August Pauly,

Professor am Königlich Württembergischen Gymnasium
zu Heilbronn.

Erste Abtheilung.

Stuttgart,

Verlag der J. B. Metzler'schen Buchhandlung.
Für Oestreich in Commission von Mörschner und Jasper
in Wien.

1828.

Die Ueberfahrt oder der Tyrann.

***

Charon. Clotho. Merkur. Cyniskus. Megapenthes. Micyllus. Einige andere Todte. Tisiphone. Rhadamanthus. Das Bette und die Lampe des Megapenthes als Zeugen.

1. Charon. Genug hievon, Clotho. Du siehst ja selbst, mein Fahrzeug ist längst bereit und zur Ueberfahrt auf's Beste zugerichtet: das Wasser ist ausgeschöpft, der Mast aufgezogen, das Segel aufgespannt, die Ruder hängen in ihren Riemen. Meinerseits also hindert Nichts, den Anker zu lichten und abzusegeln. — Aber Merkur verzieht so lange: er sollte schon längst da seyn. Mein Schiff ist, wie du siehst, noch immer leer, anstatt daß ich heute schon dreimal hätte fahren können: und nun kommt Feyerabend herbei, ohne daß wir einen einzigen Obolus eingenommen haben. Da wird mich Pluto, wie ich voraus weiß, wieder der Saumseligkeit beschuldigen, während doch ein Anderer den Aufenthalt verursacht hat. Unser vortrefflicher Seelenführer muß einmal wieder einen tüchtigen Zug aus der Lethe der Oberwelt [Wein] getrunken haben, daß er zu uns zurückzukehren vergessen hat. Wahrscheinlich borkt er sich jetzt in irgend einer Ringschule mit jungen Burschen herum, oder spielt die Cither,

oder hält rhetorische Vorträge und kramt seinen Schnick=
schnack aus. Oder halt — der Ehrenmann lauert vielleicht,
um im Vorbeigehen Etwas mitspazieren zu lassen; denn das
ist ja auch eine von seinen Fertigkeiten. In der That, er
nimmt sich große Freiheiten gegen uns heraus, ungeachtet er
zur Hälfte uns angehört.

2. **Clotho.** Wie, Charon? Kannst du denn wissen,
ob er nicht sonst eine Abhaltung hat, ob nicht Jupiter seiner
Dienste in oberweltlichen Angelegenheiten länger, als sonst
benöthigt ist? Denn der ist ja ebenfalls sein Herr.

Charon. Aber nicht um über einen gemeinschaftlichen
Diener ungebührlich lange zu verfügen. Wir haben ihn ja
auch noch nie aufgehalten, wenn er gehen mußte. Aber ich
weiß sehr gut, was die Ursache ist. Bei uns gibt es Nichts
als Asphodilen, etliche Libationen und Todtenopfer mit ein
paar magern Kuchen; alles Uebrige ist Nebel und einförmige
Finsterniß. Im Himmel dagegen ist es hell und lustig: da
gibt es Ambrosia die Fülle, und Nectar, so viel man wün=
schen mag. Kein Wunder also, wenn er seinen Aufenthalt
dort zu verlängern sucht, und von uns davon flattert, wie
Einer, der aus einem Kerker entkommt, dann aber, wann
es Zeit ist, wieder herabzukommen, sich so bedächtlich in Be=
wegung setzt, daß viel dazu gehört, bis man ihn zu Gesicht
bekommt.

3. **Clotho.** Ereifere dich nicht länger, Charon. Siehst
du, da ist er ja schon mit einer Menge Todter, die er wie
eine dicht gedrängte Ziegenheerde mit dem Stabe vor sich her
treibt. Aber was sehe ich? Einer von ihnen ist ja gebunden,
ein Anderer lacht aus vollem Halse, und ein Dritter hat ei=

uen Ranzen über den Schultern hängen, einen Knittel in
der Fauſt, ſieht grimmig drein, und treibt die Uebrigen zum
Vorwärtsgehen an. Und ſiehſt du, wie Merkur von Schweiß
trieft, wie beſtäubt er iſt, wie er keucht! — Was haſt du,
Merkur? warum ſo in der Hitze? du biſt ja ganz auſſer dir!

Merkur. Was ich habe? Dieſem verfluchten Ausreißer da mußte ich nachlaufen, und hätte darüber beinahe
verſäumt, mich heute noch zur Ueberfahrt einzufinden.

Clotho. Wer iſt er denn, und warum wollte er dir
denn durchgehen?

Merkur. Weil er lieber lebendig geblieben wäre, verſteht ſich. Er war ein König oder Fürſt, ſo viel ich aus
ſeinem Geheul und Wehklagen über das große Glück ſchließe,
aus dem er geriſſen worden ſey.

Clotho. Wie? alſo der Narr wollte entlaufen, und
meinte fortleben zu können, ungeachtet der ihm zugeſponnene
Faden zu Ende iſt?

4. Merkur. Er wollte entlaufen, ſagſt du? Glaube
mir, hätte mir der wackere Geſelle mit dem Knittel da nicht
beigeſtanden, ihn einzuholen und zu binden, er wäre jetzt
über alle Berge. Kaum hatte ich ihn von der Atropos über-
nommen, ſo fieng meine liebe Noth mit ihm an. Er wehrte
und ſträubte ſich, ſtemmte beide Füße gegen die Erde, und
war nicht von der Stelle zu bringen. Bisweilen legte er ſich
aufs Bitten, verſprach reichliche Geſchenke, und flehte kläglich, nur auf wenige Augenblicke ihn freizulaſſen. Natürli-
cherweiſe ließ ich ihn nicht los, weil er das Unmögliche verlangte. Wie wir aber an den Eingang gekommen waren,
und ich beſchäftigt war, dem Aeacus meine Todten, wie ge-

Lucian. 46 Bbchn.   2

wöhnlich, vorzuzählen, und Dieser sie mit der von deiner
Schwester erhaltenen Rechnung verglich, ersieht der vermale=
deite Schurke diese Gelegenheit, sich heimlich davon zu ma=
chen. Wie nun bei'm Zusammenrechnen Einer fehlte, runzelte
Aeacus die Stirne und ließ mich an: „Höre, Merkur, laß
dir nicht beigehen, dein Diebstalent überall in Ausübung
bringen zu wollen. Begnüge dich damit, diese Späße oben
im Himmel zu machen. Hier bei den Todten nimmt man es
genau: wir lassen uns nicht hintergehen. Du siehst, hier
in der Rechnung stehen Tausend und Vier: du bringst mir
aber Einen weniger. Du wirst nicht sagen wollen, daß Atro=
pos dir Einen unterschlagen habe.“ Dieser Vorwurf be=
schämte mich. Auf einmal fällt mir ein, was unterwegs
vorgefallen war: ich sehe mich um, und — weg ist mein Wi=
derspenstiger. Er war entsprungen, das war mir klar: ich
eilte also, so schnell ich konnte, zurück und ihm nach, und
der brave Bursche da folgte mir freiwillig. Ungeachtet wir
aber liefen wie Rennpferde, holten wir ihn doch erst bei
Tänarus ein; so wenig hätte gefehlt, daß er uns entkommen
wäre.

5. Clotho. In der That, Charon, wir beschuldigten
Merkur bereits der Nachlässigkeit.

Charon. Nun, was verziehen wir noch länger, als
ob wir nicht schon lange genug aufgehalten worden wären?

Clotho. Du hast Recht. Sie sollen einsteigen. Ich
will das Verzeichniß zur Hand nehmen, und mich damit ne=
ben die Schiffsleiter setzen, um bei jedem Einzelnen, so wie
er einsteigt, die gewöhnlichen Fragen zu stellen, Wer und wo=
her er ist, und auf welche Art er starb? — Stelle sie nach

ihren Claſſen zuſammen, Merkur. Die Neugebornen da wirf zuerſt hinein: denn was könnten Die mir antworten?

Merkur. Siehe Fährmann: hier iſt die volle Zahl, ihrer Dreihundert, ſammt den Ausgeſetzten.

Charon. Zum Henker, ein ſauberer Fang! Du bringſt uns viel unreife Waare dießmal, Merkur! *)

Merkur. Soll ich nun auch gleich die Unbeweinten einſchiffen, Clotho?

Clotho. Die Alten meinſt du? Thue es. Was ſollte ich mich lange damit abgeben, ſie nach Dingen zu fragen, woran jetzt nichts mehr liegt? Herbei alſo, ihr Alle, die ihr ſechzig Jahre und drüber habt! Was iſt das? Sie hören mich nicht; ſo ſehr haben die Jahre ihr Gehör abgeſtumpft? Man wird ſie wohl auch aufladen und in's Schiff tragen müſſen?

Merkur. Hier ſind ſie, an der Zahl dreihundert und acht und neunzig. Nicht wahr, Charon, die ſind doch wohl gehörig reif, und nicht vor der Zeit abgeleſen worden?

Charon. Nein wahrlich, ſie ſind runzlicht, wie Roſi-nen. **)

6. Clotho. Führe nun die an Wunden Geſtorbenen heran, Merkur! — Sagt an, wie und wo habt ihr das Le-ben gelaſſen? Doch ich will ſelbſt nach meinem Verzeichniß euch Alle die Muſterung paſſiren laſſen. Geſtern müſſen in Medien in einem Treffen gefallen ſeyn vier und achtzig Mann, und unter ihnen Gobares, Oxyartes Sohn.

---

*) Wörtlich: „du bringſt uns unreife Weinbeeren.“
**) Dieſe Worte erlaubte ſich der Ueberſetzer dem Charon in den Mund zu legen, während ſie in den Ausgaben weni-ger paſſend, wie es ſcheint, der Clotho zugewieſen ſind.

Merkur. Hier sind sie.

Clotho. Verliebte haben sich um's Leben gebracht sieben, darunter der Philosoph Theagenes wegen einer H . . .
aus Megara.

Merkur. Da stehen sie.

Clotho. Wo sind Die, welche einander wegen eines
Thrones umgebracht haben?

Merkur. Hier.

Clotho. Einer ward von seinem Weibe und deren
Buhlen hiehergeschickt.

Merkur. Da ist er.

Clotho. Nun bringe die von den Gerichten Verurtheilten herbei, die zu Tode Geprügelten, die Geköpften, die
Gespießten und Gekreuzigten. — Von Straßenräubern wurden ermordet sechzehn: wo sind sie, Merkur?

Merkur. Diese hier mit den Wunden sind's. Willst
du, daß ich nun auch die Weiber zusammen herführe?

Clotho. Allerdings; auch die Schiffbrüchigen nimm
zusammen, denn sie sind ja Alle zugleich und auf die gleiche
Weise gestorben: eben so die vom Fieber Hingerafften sammt
ihrem Arzte Agathokles.

7. Wo ist aber Cyniskus, der Philosoph, der sterben
mußte, weil er ein Hecate-Mahl, mehrere Reinigungseyer,
und dazu einen rohen Meerwurm auf einmal zu sich genommen hatte? *)

Cyniskus. Hier stehe ich schon lange, beste Clotho.
Was hatte ich verschuldet, daß du mich so lange auf der

_____

*) S. Todtengespr. I. und die Versteig. der philos. Orden 10.

Oberwelt ließeſt? Faſt deine ganze Spindel haſt du nur mit
meinem Faden voll geſponnen. Zwar verſuchte ich mehr
als einmal, das Geſpinnſt zu zerreißen, um hieher zu kommen; aber es hielt unbegreiflich feſt.

Clotho. Ich ließ dich oben, damit du ein Beobachter
und Arzt der menſchlichen Verkehrtheiten wäreſt. Nun aber
ſey willkommen, und ſteige ein!

Cyniskus. Nicht eher, als bis wir dieſen Gefangenen eingeſchifft haben: ich fürchte, es möchte ihm gelingen, ſich von dir loszubetteln.

8. Clotho. Wer iſt er denn?

Merkur. Der Tyrann Megapenthes, der Sohn des
Lachdas.

Clotho. Steig' ein du!

Megapenthes. Ach nein! mächtige Clotho. Laß
mich nur auf eine kleine Weile wieder zurück; ich werde
mich dir freiwillig und ungerufen wieder ſtellen.

Clotho. Was treibt dich denn, wieder umkehren zu
wollen?

Megapenthes. Erlaube mir, mein Haus vollends
auszubauen! Ich mußte es halbvollendet zurücklaſſen.

Clotho. Du biſt ein Narr. Eingeſtiegen!

Megapenthes. Ich bitte um keine lange Zeit, o
Parze! Nur einen einzigen Tag gewähre mir, oben zu bleiben, bis ich meiner Gattin wegen unſeres Geldes meinen
Willen geſagt und ihr angezeigt habe, wo mein großer Schatz
vergraben liegt.

Clotho. Du wirſt nicht entlaſſen, ſage ich dir, und
dabei bleibt es.

Megapenthes. Die ganze schwere Menge Goldes also soll verloren gehen?

Clotho. Verloren gehen? Laß dich Das nicht anfechten. Dein Vetter Megakles kommt in den Besitz desselben.

Megapenthes. Ha, welche Schmach! Mein Todfeind also, den ich aus thörichter Sorglosigkeit nicht aus dem Wege räumte?

Clotho. Derselbe: nun wird er dich um mehr als vierzig Jahre überleben, und sich deine Beischläferinnen, deine Prachtgewänder und all dein Gold zueignen.

Megapenthes. Das ist sehr ungerecht von dir, Clotho, daß du das Meinige meinem ärgsten Feinde zutheilst.

Clotho. Wie, du feiner Geselle? Haben nicht diese Dinge alle früher dem Cydimachus gehört, und hast du dich nicht dadurch in den Besitz derselben gesetzt, daß du ihn ermordetest und seine Kinder vor den Augen ihres sterbenden Vaters abschlachtetest?

Megapenthes. Aber nun waren sie einmal mein.

Clotho. Und jetzt ist die Frist deines Besitzes abgelaufen.

9. **Megapenthes.** Höre, Clotho, ich habe dir Etwas in der Stille zu sagen, das Niemand hören darf. Geht ein wenig bei Seite, ihr Andern. Wenn du mich entwischen lässest, sollst du heute noch tausend Talente gemünzten Goldes haben, hörst du?

Clotho. O Gimpel, hast du noch immer Goldmünzen und Talente im Kopfe?

Megapenthes. Wenn du willst, so werde ich noch die zwei großen Pocale hinzuthun, welche ich durch die Ermordung des Cleocritus an mich gebracht habe. Jeder derselben wiegt hundert Talente reinen Goldes.

Clotho. Schleppt ihn in's Schiff! Es scheint nicht, als ob er gutwillig gehen werde.

Megapenthes. Ich leide Gewalt, ihr seyd Zeugen! Die Mauern und das Seezeughaus bleiben nun unvollendet, die ich fertig gebracht hätte, wäre ich nur noch fünf Tage am Leben geblieben.

Clotho. Sey darüber ohne Sorgen: ein Anderer wird sie ausbauen.

Megapenthes. Aber die Forderung ist doch gewiß billig ...

Clotho. Nun welche?

Megapenthes. Mich nur so lange leben zu lassen, bis ich die Pisidier bezwungen, den Lydiern Abgaben auferlegt, mir selbst aber ein großes und prächtiges Denkmal errichtet und dasselbe mit einer Aufschrift, eine Beschreibung aller meiner großen Thaten und kriegerischen Unternehmungen enthaltend, versehen haben werde.

Clotho. Mensch, nun forderst du ja mehr als einen Tag, du forderst wenigstens zwanzig Jahre!

10. Megapenthes. Ich bin erbötig, euch Bürgen für meine schleunige Rückkunft zu stellen. Ihr sollt, wenn ihr wollt, meinen einzigen Sohn einstweilen als meinen Stellvertreter haben.

Clotho. Verruchter Schurke, deinen Sohn, wegen dessen du die Götter so oft anflehtest, daß er dich überleben möchte?

Megapenthes. Je nun, das that ich wohl früher. Allein jetzt bin ich klüger.

Clotho. Dein Sohn wird dir bald hieher folgen: der neue Herrscher wird ihn aus der Welt schicken.

11. Megapenthes. So versage mir wenigstens dieses Einzige nicht, o Parze!

Clotho. Nun was denn?

Megapenthes. Ich möchte nur sehen, wie es nach meinem Tode in meinem Hause gehen wird.

Clotho. Das will ich dir sagen. Es wird deinen Verdruß nur vermehren. Dein ehemaliger Sclave Midas heirathet deine Gemahlin, welche schon längst mit demselben im Ehebruch lebte.

Megapenthes. Wie, der verfluchte Bube, welchem ich auf ihre Bitte die Freiheit schenkte?

Clotho. Deine Tochter wird unter die Beischläferinnen des jetzigen Tyrannen gesteckt; die Standbilder und Ehrensäulen, welche dir die Stadt ehemals setzen ließ, werden unter großem Gelächter der Zuschauer sämmtlich umgeworfen werden.

Megapenthes. Sage mir aber, wird sich von meinen Freunden Keiner diesem Verfahren mit dem tiefsten Unwillen widersetzen?

Clotho. Wer war denn je dein Freund? Wie hätte es je Einer werden können? Weißt du denn nicht, daß alle Jene, die vor dir krochen, die jedes deiner Worte und jede deiner Handlungen an den Himmel erhoben, dieß Alles nur aus Furcht oder Hoffnung thaten, und, indem sie dem Augenblicke fröhnten, nur Freunde deiner Herrschaft, nicht deiner Person waren?

Megapenthes. Und gleichwohl, wie oft brachten sie an meiner Tafel Libationen für mein Wohl dar, und wünschten mir mit lauter Stimme alles Gute! Wie oft erklärte sich Jeder von ihnen zu sterben bereit, wenn er mein Leben damit erkaufen könnte! Kurz ich war ihr Ein und Alles, der Genius, bei dem sie schworen.

Clotho. Und wisse: Einer von Diesen, bei welchen du gestern speistest, ist dein Mörder; der letzte Becher, den man dir reichte, hat dich hieher befördert.

Megapenthes. Das war's also, warum er so besonders bitterlich schmeckte? Was trieb denn Jenen zu dieser That?

Clotho. Du machst zu viele Fragen; du solltest längst im Schiffe seyn.

12. **Megapenthes.** Eins ist's eigentlich, Clotho, was mich am meisten drückt, und weswegen ich so sehnlich wünsche, nur auf einige Augenblicke in's Leben zurückzukehren.

Clotho. Nun das muß was Wichtiges seyn: sag' an.

Megapenthes. Ich hatte einen Sclaven, mit Namen Carion, der, wie ich vermuthe, mit Glycerion, einem jungen Mädchen aus meinem Gehege, seit längerer Zeit Bekanntschaft hatte. Dieser hatte kaum gehört, daß ich todt sey, als er sich Abends spät in das Gemach schlich, wo man mich — ohne mir eine Wache beizugeben — hingelegt hatte. Diese Gelegenheit machte sich Carion zu Nutzen, verschloß die Thüre, und that mit Glycerion so schamlos vertraut, als ob sie ganz ohne Zeugen wären. Wie der Bursche seine Lust befriediget hatte, warf er einen Blick auf mich und indem er sagte: „Sieh', scheußlicher Kerl, das ist für die vielen Schläge, die ich unschuldig von dir erhalten habe," zupfte er mich an dem Barte, gab mir Ohrfeigen, räusperte sich dann, so breit er konnte, spuckte mir in's Gesicht und lief mit den Worten davon: „Fahre zur Hölle, Verfluchter!" Es kochte in mir; und doch, starr und abgestorben, wie ich war, konnte ich nichts machen. Aber die verfluchte Dirne, wie sie Leute kommen hörte, befeuchtete ihre Augen mit Speichel, als ob sie über meiner Leiche geweint hätte, rief mich bei Namen und entfernte sich heulend. Wenn ich diese Beiden kriegen könnte — —

13. Clotho. Laß dein Drohen. Steige ein, denn es ist Zeit, daß du vor Gericht erscheinest.

Megapenthes. Wie? vor Gericht? Wer wird es wagen, über einen Alleinherrscher zu Gerichte zu sitzen?

Clotho. Ueber den Alleinherrscher freilich Niemand, aber über den Todten, Rhadamanthus, der Gerechte, welcher, wie du nun bald sehen wirst, Jedem nach Verdienst sein Urtheil spricht. Jetzt, ohne weitere Umstände voran!

Megapenthes. O Parze! Mache mich vom Könige zum gemeinsten Manne, mache mich zum Bettler, zum Sclaven, nur laß mich wieder in's Leben zurück!

Clotho. Wo ist der mit dem Knittel? Heda, Merkur! ziehet ihn an den Füßen hinein: freiwillig geht er nicht.

Merkur. Willst du folgen, Ausreißer? Marsch! Hier, Fährmann, nehme ihn in Empfang. Aber verwahre ihn —

Charon. Hat gute Wege, er wird an den Mast ge=
bunden. —

Megapenthes. Mir gebührt der erste Sitz.

Clotho. Und warum?

Megapenthes. Zum Jupiter, weil ich Fürst war
und zehntausend Mann Leibwache hatte.

Clotho. Und Carion hätte nicht Recht gehabt, einen
so dummstolzen Gesellen, wie du bist, am Barte zu zausen?
Wart — die Lust soll dir versalzen werden, den Tyrannen
zu spielen. Gebt ihm den Knittel zu kosten!

Megapenthes. Wird Cyniskus sich unterstehen, den
Stock gegen mich aufzuheben? Weißt du nicht mehr, wie
wenig neulich fehlte, daß ich dich wegen der frechen und gro=
ben Ausfälle, die du dir gegen mich erlaubtest, an's Kreuz
nageln ließ?

Cyniskus. Dafür wirst jetzt du an den Mast gena=
gelt werden.

14. Micyllus. Sage doch, Clotho, werde ich denn
von Euch für gar Nichts gerechnet? Kommt etwa deswegen,
weil ich bettelarm bin, die Reihe des Einsteigens zuletzt an
mich?

Clotho. Wer bist du?

Micyllus. Der Schuhflicker Micyll.

Clotho. Grämst du dich denn über diesen Vorzug?
Hörtest du nicht, was mir dieser Tyrann Alles geben wollte,
wenn er nur auf eine kurze Zeit losgelassen würde? Ich
müßte mich sehr wundern, wenn nicht auch dir nicht jeder
Augenblick Verzögerung erwünscht wäre.

Micyllus. Höre, beste der Parzen! Die Gnade,
welche der Cyclop dem Ulysses versprach, daß er ihn zuletzt
auffressen wolle, *) dünkt mich eine klägliche Vergünstigung:
die Zähne sind dieselben, man werde zuerst oder zuletzt von
ihnen zerfleischt. Nun aber befinde ich mich in einem ganz
andern Falle, als die Reichen. Ihr Leben und mein Leben
stehen im geradesten Gegensatze zu einander. Wenn ein
Fürst, der auf der Welt für glücklich galt, in höchstem An=
sehen stand und allgemein gefürchtet wurde, wenn Dieser sein
vieles Gold und Silber, seine Prachtgewänder, seine Pferde,
seine kostbare Tafel, seine blühenden Knaben und reizenden
Weiber zurücklassen soll, ist es ein Wunder, wenn er jam=
mert, und von seinen Herrlichkeiten nur mit Schmerzen sich
losreißt? Seine Seele hängt an diesen Dingen, wie der
Vogel an der Leimruthe; ja es ist, als ob sie lange schon
mit ihnen verwachsen, als ob ein unzerreißliches Band
wäre, das sie fesselt. Wird nun ein Solcher mit Gewalt da=
von geführt, so wehklagt und fleht er, und zeigt sich bei'm
Anblick des Weges in die Unterwelt eben so zaghaft, als er
sonst brutal gewesen war. Immer wendet er sich um, und
möchte, was er auf der Welt zurückließ, wie unglücklich Lie=
bende den Gegenstand ihrer Sehnsucht, wenn auch nur aus
der Ferne erblicken. Gerade so machte es auch dieser Narr
da, der unterweges sogar ausreißen, und hier mit Bitten dich
erweichen wollte.

15. Ich hingegen, der ich auf Erden kein Pfand meiner
Anhänglichkeit, keine Aecker, kein eigen Haus, kein Gold,

---

*) Odyss. IX, 369.

keine Geräthschaften, keine Ehrenstelle und keine Ahnenbil-
der zurücklasse, ich war gleich reisefertig.   Auf den ersten
Wink, den mir Atropos gegeben — ich hatte gerade einen
Pantoffel in der Arbeit — warf ich mit Freuden meinen
Schusterkneif und meine Lederflecke aus den Händen, sprang
auf, barfuß wie ich war; und ohne mich nur von der Schwärze
zu reinigen, folgte ich oder lief vielmehr Allen voran mit
stets vorwärts gerichteten Blicken.   Denn hinter mir lag
Nichts mehr, was mich zurückgerufen oder mich umzusehen
gereizt hätte. Und, bei'm Jupiter, es ist wirklich ganz hübsch
bei euch.   Die allgemeine Gleichheit, die hier herrscht, und
daß Keiner vor seinem Nachbar Etwas voraus hat, däucht
mich eine gar zu schöne Sache.   Vermuthlich wird man hier
auch vor seinen Gläubigern Ruhe haben, und frei von allen
Steuern und Auflagen seyn. Und, was mir das Liebste ist,
ich werde nicht mehr des Winters frieren, nicht mehr krank
seyn, von keinem vornehmen Grobian mehr Mißhandlungen
erdulden müssen. Hier ist allenthalben Friede, und die Verhältnisse haben sich umgekehrt; wir armen Schlucker lachen,
und die Reichen jammern und heulen.

16. Clotho. Vorhin schon bemerkte ich, daß du lachtest, Micyll. Was war es denn, was dir so lustig vorkam?

Micyllus. Das will ich dir sagen, ehrwürdigste Göttin! Ich wohnte auf der Oberwelt in der Nähe dieses Tyrannen, und konnte also Alles, was bei ihm vorging, genau
beobachten. Damals glaubte ich einen Gott in ihm zu erblicken. Wenn ich ihn nun so in seinem Purpur prangen, und
umgeben sah von einer Schaar dienstfertiger Höflinge, wenn
ich sein Gold, seine mit Edelsteinen besetzten Trinkgefäße,

seine auf silbernen Fußgestellen liegenden Ruhepolster betrachtete, so pries ich ihn wahrhaft glücklich. Und vollends der
köstliche Dampf der Speisen, die für seine Tafel zubereitet
wurden, der mir gewaltig in die Nase stach — Alles dieß
ließ mich in ihm ein dreimal seliges Wesen erblicken, das an
Herrlichkeit und Größe wenigstens eine große Elle über den
Sterblichen emporragte. Und wie stolz fühlte er sich in seinem Glück, wie majestätisch war sein Gang, wie vornehm
die Haltung seines Kopfes, und sein Blick wie furchtbar für
Alle, die sich ihm nahten! Und nun, da er todt und aller
seiner Herrlichkeit entkleidet ist, muß ich lachen, so oft ich
ihn ansehe; doch noch mehr über mich selbst, daß ich einfältig genug war, ein Scheusal, wie dieses, anzustaunen, von
seinem Küchendampf auf seine Glückseligkeit zu schließen,
und wegen des Blutes lakonischer Meerschnecken ihn selig zu
preisen.

17. Als ich aber vorhin auch noch den reichen Wechsler Gniphon sah, wie er seufzte, und es bitter bereute, sein
Geld nicht genossen, sondern das ganze große Vermögen
unberührt dem lüderlichen Rhodochares, seinem nächsten
Anverwandten [und gesetzlichen Haupterben, hinterlassen zu
haben, da konnte ich nicht satt werden, ihn auszulachen,
um so mehr, da ich mich gar zu wohl erinnerte, wie blaß
und schmutzig der Mensch immer aussah, wie das beständige
Sorgen und Trachten seine Stirne gefurcht hatte, wie er
nur dann seines Reichthums froh war, wann er seine Finger
in Thätigkeit setzte, Talente und Zehntausende [von Drach-
men] zu zählen; kurz welche unsägliche Mühe er sich gab,
bei Hellern und Pfennigen ein Vermögen zusammenzukratzen,

das nun der lustige Rhodochares in Kurzem summenweise durchbringen wird. — Aber warum halten wir uns auf? Ihr Ach und Weh anzuhören wird uns auch auf der Ueberfahrt noch Spaß genug machen.

Clotho. Steig' ein, damit der Fährmann die Anker lichten kann.

18. Charon. He du, was willst du da? Das Schiff ist bereits voll. Du mußt bis Morgen warten: dann sollst du in aller Frühe übergesetzt werden.

Micyllus. Ist das auch Recht, Charon, Einen, der gestern gestorben ist, zurückzulassen? Warte, ich werde dich bei Rhadamanthus wegen gesetzwidrigen Benehmens verklagen. — O wehe, sie fahren ab, und ich muß nun ganz allein hier bleiben! Aber halt, ich schwimme ihnen nach. Ich bin ja schon einmal todt: was sollte ich mich vor dem Ertrinken fürchten? ich habe ohnehin keinen Obolus, um das Fährgeld zu bezahlen.

Clotho. Was soll das, Micyll? So warte doch! Es geht durchaus nicht an, daß du so herüber kommst.

Micyllus. Und doch komme ich vielleicht noch vor euch an's Land.

Clotho. Nein, du darfst nicht! Wir fahren dir entgegen und nehmen dich auf. — Merkur, ziehe ihn herein!

19. Charon. Wo soll er sich denn niedersetzen? Du siehst ja, daß Alles voll ist.

Merkur. Er soll dem Tyrannen auf die Schultern hocken, nicht wahr?

Clotho. Ein vortrefflicher Gedanke, Merkur. — So

kömm denn, und tritt dem Schuft auf den Nacken. — Nun fort in Gottes Namen!

Cyniskus. Höre Charon, ich will dir nur gleich die Wahrheit sagen. Ich bin nicht im Stande, dir für die Ueberfahrt einen Obolus zu bezahlen, indem ich außer dem Ränzel da und meinem Stocke lediglich Nichts besitze. Wenn du aber willst, so biete ich meine Dienste bei'm Wasserausschöpfen und Rudern an. Gieb mir nur ein brauchbares und starkes Ruder, so sollst du dich nicht über mich zu beklagen haben.

Charon. Ich bin's zufrieden: so rudre denn.

Cyniskus. Soll ich nicht auch ein Ruderliedchen singen?

Charon. O ja, wenn du eines weißt, das zum Takte paßt.

Cyniskus. Ich weiß deren mehrere. — Aber hörst du, wie Die dort durcheinander heulen? — Diese harmonische Begleitung würde unsern Gesang nur verderben.

20. Ein Reicher. Ach! meine Schätze!

Ein Zweiter. O! meine Felder!

Ein Dritter. Hu, hu, hu, das prächtige Haus, das ich zurücklassen mußte!

Ein Vierter. Ach! wie wird mein Erbe die vielen Talente verthun, die er von mir bekommt!

Ein Fünfter. O weh, o weh! meine kleinen Kinder!

Ein Sechster. Ach, Wer wird nun von dem Weinberge ernten, welchen ich im vorigen Jahre angelegt habe?

Merkur. Wie, Micyll, hast du denn allein nichts zu

jammern? Es ist nicht erlaubt, daß Einer, ohne zu weinen, herüber schiffe.

Micyllus. Laß mich; Merkur: ich wüßte wahrlich nicht, warum ich jammern sollte. Die Fahrt geht ja so herrlich von statten.

Merkur. So seufze doch wenigstens ein bischen: es ist ja nur des Brauches wegen.

Micyllus. Weil du es so haben willst. Merkur, so will ich denn auch eine Weheklage erheben. „Ach! Ach! wenn ich nur meine Lederflecke wieder hätte! O meine alten Pantoffeln! Hu, hu, hu, meine abgetragenen Schuhe! O ich Unglücklicher: so soll ich also nicht mehr vom Morgen bis in den späten Abend ungegessen bleiben, soll des Winters nicht mehr barfuß und halbnackt umherlaufen, nicht mehr frieren, daß mir die Zähne klappern! Ach! Wer wird meinen Kneif, Wer meinen Pfriem erhalten!" — Ist's recht so? — Aber siehe, wir sind schon ganz nahe am Ufer.

21. Charon. He! vorerst muß das Fährgeld bezahlt werden! — Nun ist die Reihe auch an dir: ich habe es bereits von Allen. Hörst du, Micyll, meinen Obolus!

Micyllus. Du spaßest, Charon; das hieße leeres Stroh dreschen, von Micyll einen Obolus eintreiben wollen. Kurz und gut, ich weiß nicht, ob ein Obolus rund oder viereckigt ist.

Charon. Schön! Das nenne ich einmal eine einträgliche Fahrt! Nun so steige aus, damit ich die Pferde, Ochsen, Hunde und übrigen Thiere holen kann: denn die müssen heute auch noch herüber.

Clotho. Nehme sie in Empfang, Merkur! Ich fahre auf das jenseitige Ufer zurück, um zwei Seren, Indopates und Heramithres, herüber zu bringen, die einander in Gränz= streitigkeiten umgebracht haben. —

Merkur. Vorwärts ihr Leute! oder vielmehr, folgt mir Alle der Reihe nach.

22. Micyllus. Herkules, wie finster! Nun zeige mir Einer den schönen Megyllus, oder entscheide hier, ob Symmiche oder Phryne schöner ist. Alles ist ja gleich und einfarbig, und kein Unterschied zwischen schön und häßlich. Selbst der abgeschabene grobe Kittel da, der sonst eine so er= bärmliche Figur machte, gilt jetzt so viel als jenes Königes Purpurgewand. In einer und derselben Finsterniß begraben ist Dieses so unscheinbar als Jenes. He, Cyniskus, wo bist denn du?

Cyniskus. Hier, Micyll. Gehen wir zusammen?

Micyllus. Schön, aber reiche mir die Hand. Hör' einmal — du hast doch wohl die Weihe, Cyniskus? — fin= dest du nicht, daß es hier gerade so ist wie in den Eleusi= nien?

Cyniskus. Du hast Recht: da kommt uns wirklich eine Fackelträgerin entgegen. Aber wie fürchterlich und dro= hend sie blickt: gewiß ist sie eine der Furien.

Micyllus. So scheint es, nach ihrem Aufzuge zu schließen.

23. Merkur. Hier übergebe ich dir tausend und vier Todte, Tisiphone.

Tisiphone. Rhadamanth erwartet euch schon lange. —

Rhadamanthus. Führe sie herbei, Tisiphone; und du, Merkur, nenne sie einzeln und rufe sie vor.

Cyniskus. O Rhadamanthus, bei Jupitern, deinem Vater, bitte ich dich, laß mich zuerst rufen, beginne mit mir dein Verhör!

Rhadamanthus. Warum das?

Cyniskus. Ich bin entschlossen, diesen Tyrannen vieler Uebelthaten wegen anzuklagen, die er in seinem Leben begangen und die mir wohl bekannt sind. Allein man würde meiner Aussage wenig Glauben beimessen, wenn nicht zuvor am Tage wäre, Wer ich bin, und wie ich selbst gelebt habe.

Rhadamanthus. Nun Wer bist du also?

Cyniskus. Ich heiße Cyniskus, und bin, meinen Grundsätzen nach, ein Philosoph.

Rhadamanthus. Tritt herbei; du sollst der Erste seyn, den ich richte. Merkur, lade die Ankläger des Cyniskus vor.

24. Merkur. Wofern Einer wider gegenwärtigen Cyniskus eine Klage anzubringen hat, der komme herbei.

Cyniskus. Es meldet sich Niemand.

Rhadamanthus. Ich bin damit noch nicht zufrieden: du mußt dich nun auch noch entkleiden, damit ich deine Malzeichen untersuchen kann.

Cyniskus. Wie? du meinst, ich wäre irgendwo gebrandmarkt?

Rhadamanthus. Jede Uebelthat, die ein Sterblicher in seinem Leben begangen, läßt auf seiner Seele ein gewisses, kaum merkliches, Brandmal zurück.

3 *

Cyniskus. Hier stehe ich unbekleidet: suche nun die Male, von denen du sagst.

Rhadamanthus. Du bist wahrhaftig ganz rein, außer drei oder vier verblichenen, fast unsichtbaren Flecken. Doch was ist das? Hier sehe ich Spuren und Merkzeichen von vielen ehemaligen Brandnarben: aber sie sind auf eine ganz eigene Weise ausgetilgt, oder vielmehr ausgeschabt. Wie ging das zu, Cyniskus? wie bist du erst später wieder so rein geworden?

Cyniskus. Das will ich dir sagen. Ich war anfänglich ein schlechter Mensch aus Mangel an Erziehung und Bildung: dieß trug mir solche Brandflecken in Menge ein. Sobald ich aber begonnen hatte, dem Studium der Weisheit mich hinzugeben, wusch ich allmählig alle jene Mahlzeichen von meiner Seele ab.

Rhadamanthus. In der That, da hast du ein sehr gutes und wirksames Mittel gefunden. Nun wandre nach den Inseln der Seligen, und erfreue dich des Umgangs mit den Edelsten der Menschen. Zuvor aber bringe deine Klage gegen den Tyrannen an, wovon du vorhin sprachst. — Rufe inzwischen Andere herbei, Merkur.

25. Micyllus. Mit mir wirst du bald fertig seyn, Rhadamanth; da bedarf's keines langen Untersuchens. Hier stehe ich schon lange nackt, sieh mich an.

Rhadamanthus. Wer bist du denn?

Micyllus. Der Schuhflicker Micyll.

Rhadamanthus. Schön, Micyll, auch du bist ganz rein und ungezeichnet: du kannst desselben Weges, wie Cyniskus, gehen. — Rufe nun den Tyrannen.

Merkur. Megapenthes, Lacydes Sohn, soll erscheinen. He du, wohin? Hieher! Dich meine ich, Tyrann! Tisiphone, stoße ihn mit Gewalt vorwärts, und zwing' ihn, sich zu stellen.

Rhadamanthus. Nun, Cyniskus, bringe deine Klagen nebst Beweisen gegen den hier stehenden Mann vor.

16. Cyniskus. Zwar bedürfte es keiner förmlichen Anklage, da schon seine Mahlzeichen dir im Augenblicke verrathen werden, was für einen Menschen du vor dir hast. Um ihn jedoch noch vollständiger zu entlarven, will ich dir seine Schändlichkeiten der Reihe nach offenbaren. Ich übergehe, was dieser Abscheuliche Alles während seines Privatstandes verübt hat. Aber nachdem er eine Bande der gottvergessensten Verbrecher sich zugesellt, mit einer Leibwache sich umgeben, und sich zum Zwingherrn des Freistaates aufgeworfen hatte, ließ er mehr als zehntausend Menschen ohne Urtheil und Recht umbringen, und riß ihr sämmtliches Eigenthum an sich. Sobald er sich dadurch in den Besitz eines unermeßlichen Reichthums gesetzt sah, gab es keine Art zügelloser Ausschweifung, die er sich nicht erlaubte. Mit der rohesten Grausamkeit, mit dem empörendsten Uebermuthe behandelte er die beklagenswürdigen Bürger, entehrte ihre Töchter, und schändete ihre Knaben; kurz er ließ den wilden Rausch seiner Leidenschaften auf alle Weise an seinen Unterthanen aus. Und ich glaube nicht, daß es möglich ist, ihn nach Verdienst für den wegwerfenden Hochmuth zu züchtigen, mit welchem er Jeden anfuhr, der in seine Nähe kam. Es ist weniger gefährlich, in die Sonne zu schauen, als es war, ihm mit festem Blicke in's Gesicht zu sehen. Wer wäre endlich

im Stande, die mannigfaltigen Arten von Martern zu schil=
dern, welche seine erfinderische Grausamkeit ersann, und mit
welchen er auch seine nächsten Freunde und Verwandte nicht
verschonte? Daß diese meine Angaben keine grundlosen
Verläumdungen sind, davon kannst du dich sogleich überzeu=
gen, wenn du die Schatten der von ihm Gemordeten herbei=
rufen willst. Doch da sind sie ja schon, ungerufen, wie du
siehst; sie drängen sich um ihn her und wollen ihn bei der
Kehle fassen. Siehe, Rhadamanthus, diese Alle verloren ihr
Leben durch den Bösewicht. Die Einen wurden in der Stille
aus der Welt geschafft, weil sie schöne Weiber hatten, die
Andern mußten sterben, weil sie über die Entehrung ihrer
Kinder ihren Unwillen laut werden ließen, wieder Andere,
weil sie reich waren, und endlich Viele, weil sie Männer
von Geschick, Einsicht und Rechtschaffenheit waren, die eine
solche Regierung verabscheuten.

27. **Rhadamanthus.** Was sagst du dazu, Ver=
ruchter?

Megapenthes. Die Mordthaten und Hinrichtungen
läugne ich nicht: aber alles Uebrige, daß ich Gattinnen ver=
führt, Jünglinge entehrt, Jungfrauen geschändet hätte, das
Alles hat Cyniskus über mich gelogen.

Cyniskus. Auch dafür werde ich Zeugen beibringen,
Rhadamanth.

Rhadamanthus. Welche denn?

Cyniskus. Rufe mir seine Lampe und sein Bett her=
bei, Merkur! Sie werden nicht entstehen, alle die Schand=
thaten zu bestätigen, deren Zeugen sie gewesen sind.

Merkur. Die Lampe und das Bett des Megapenthes sollen erscheinen! — Schön, sie gehorchen. Da sind sie schon.

Rhadamanthus. Sagt nun an, ihr Beiden, was ihr von diesem Megapenthes wisset. Zuerst soll das Bett sprechen.

Das Bett. Cyniskus hat in Allem die Wahrheit gesprochen. O Herr, ich schäme mich zu sagen, was dieser Mensch Alles auf mir vorgenommen hat.

Rhadamanthus. Schon deine Scham, es zu sagen, zeugt laut genug. Was hast du anzugeben, Lampe?

Die Lampe. Was am Tage vorging, weiß ich nicht, weil ich nicht dabei war. Und was er bei Nacht getrieben und — gelitten, mag ich nicht sagen. Nur so viel: ich habe unzähligemal Dinge mit angesehen, die gar nicht auszusprechen, und ärger sind als Alles, was schändlich heißt. Wie oft hörte ich auf, mein Oehl zu trinken, weil ich verlöschen wollte! Aber er nöthigte mich, seine Unthaten zu beleuchten, und entweihte meine Flamme auf alle Weise.

28. **Rhadamanthus.** Genug der Zeugnisse! Lege nun noch dein Purpurgewand ab, damit wir die Zahl deiner Brandmale sehen. — Hilf Jupiter! er ist über und über mit schwarzblauen Flecken und Narben bedeckt! Was soll nun seine Strafe seyn? Soll er in den Feuerstrom gestürzt oder dem Cerberus vorgeworfen werden?

Cyniskus. Ich dächte nicht. Wenn du es erlaubst, will ich dir eine ganz neue und für ihn angemessene Strafe vorschlagen.

Rhadamanthus. Sprich nur: du wirst mich dadurch zu sehr großem Danke verbinden.

Cyniskus. So viel ich weiß, besteht die Sitte, daß alle Gestorbenen aus dem Lethequell trinken?

Rhadamanthus. Ja: und nun?

Cyniskus. Er soll der Einzige unter Allen seyn, der nicht trinken darf.

29. Rhadamanthus. Und warum Das?

Cyniskus. Weil es ihm die härteste Strafe seyn wird, vor der steten Erinnerung an seine ehemalige Hoheit und Macht und an seine Wollüste keine Ruhe zu haben.

Rhadamanthus. Du hast Recht. So sey er denn verurtheilt, neben Tantalus gefesselt, über der Erinnerung an sein voriges Leben zu brüten!

Die gedungenen Gelehrten.

Lucian an seinen Freund Timokles.

1. Wo soll ich beginnen, mein lieber Freund, wo enden, wenn ich dir schildern will, was Diejenigen zu leiden und zu thun gezwungen sind, welche sich an die Großen und Reichen als Gesellschafter vermiethen, und als Freunde derselben erscheinen, während ihr Verhältniß vielmehr den Namen der Knechtschaft verdient? Ich kenne viele, vielleicht die meisten der Widerwärtigkeiten, in welche solche Leute gerathen, zwar keineswegs aus eigener Erfahrung — ich war noch nie in der Noth, die Probe selbst machen zu müssen, und werde

auch, wollen's die Götter, nie in diesen Fall kommen — son=
dern was ich weiß, weiß ich aus den vielfältigen Aeußerun=
gen Solcher, welche selbst in diese Lage gerathen waren. Ei=
nige von Diesen seufzten damals noch unter ihrem Joche, als
sie mir klagten, was sie ausstehen müßten. Andere aber wa=
ren ihm wie einem Gefängnisse entronnen, und gedachten
nun nicht ohne Behagen des überstandenen Ungemachs. Es
machte ihnen wirkliches Vergnügen, mir alle die Uebel vor=
zuzählen, denen sie nun entgangen waren: und sie waren mir
daher nur um so glaubwürdiger, da sie in jene Verhältnisse,
so zu sagen, durch alle Grade eingeweiht, und vor ihren Au=
gen nach und nach alle jene Schleyer gefallen waren, hinter
welchen sich die Wahrheit verbirgt. Ich hörte ihnen wirklich
mit Aufmerksamkeit und Theilnahme zu: es war mir, als
vernähme ich Schiffbrüchige, wie sie mit geschorenen Häup=
tern im Vorhofe eines Tempels stehend ihre wunderbare
Rettung erzählen, wie sie da zu sagen wissen von haushohen
Wellen, von Sturm und Ungewitter und Felsenriffen, von
dem Mast, der zertrümmert, dem Steuerruder, das entzwei=
gebrochen, der Ladung, die über Bord geworfen worden wäre,
und wie endlich die Dioskuren (denn Diese dürfen bei solchen
Scenen nicht fehlen) oder irgend ein anderer Deus ex ma=
china plötzlich auf der Segelstange sitzend oder am Steuer
stehend erschienen sey, und das Schiff auf ein sanftabhängi=
ges Ufer geleitet habe, an welchem es vollends sachte und
allmählig aus seinen Fugen gegangen, während sie selbst in
Folge der göttlichen Gnade dasselbe wohlbehalten verlassen
hätten. In diesem Tone sagen solche Leute je nach den Um=
ständen eine lange Leyer von ihren Erlittenheiten her; und

indem sie sich nicht blos als Unglückliche, sondern auch als Günstlinge einer Gottheit darstellen, beabsichtigen sie desto reichlichere Almosen.

2. Jene Erstern aber wissen auch von Stürmen zu erzählen, und von gewaltigen, ja fünf= und zehnfach aufeinander gethürmten Wogen, von solchen nämlich, die in den Häusern der Reichen über sie herein gebrochen; wie anfänglich, da sie ausliefen, die See so glatt und ruhig geschienen; welches Ungemach aber während der ganzen Fahrt auszustehen gewesen, bald Durst, bald Seekrankheit, bald alle Kräfte übersteigende Anstrengung, um das eingedrungene Wasser auszuschöpfen; und wie endlich an einer verborgenen Klippe oder an einem schroffen Fels das arme Fahrzeug in Trümmer gegangen, und die Mitleidswerthen nackt und von allem Nothwendigen entblößt kümmerlich an's Land geschwommen wären. Bei solchen Schilderungen kam es mir vor, als ob die guten Leute noch manches Andere aus Scham verschwiegen und absichtlich zu vergessen suchten. Jene Uebel nun, die sie mir wirklich nannten, und die andern, auf welche ich aus ihren Aeußerungen schließen mußte, sind, wie ich mich überzeugte, von solchen Verbindungen mit großen Häusern unzertrennlich. Und da ich seit längerer Zeit zu bemerken glaube, daß du, mein lieber Timokles, Absichten auf eine Stelle dieser Art hast, so säume ich nicht, dir Alles, was ich über diese Sache zu sagen weiß, mitzutheilen.

3. Du warst schon öfters anwesend, wenn das Gespräch auf diesen Gegenstand fiel, wo denn Einer oder der Andere aus der Gesellschaft das Loos solcher Söldlinge als ein sehr glückliches pries: außer der Ehre, die Vornehmsten der Rö=

mer zu Freunden zu haben, hatten sie das Vergnügen, unentgeldlich an kostlichen Tafeln zu speisen, prächtig zu wohnen, mit aller Bequemlichkeit und auf's genußreichste zu reisen, und in einem mit weißen Pferden bespannten Wagen
sich recht stattlich in die Brust werfen zu können, und
obendrein für diese Freundschaft und das viele genossene Gute
noch reichlich bezahlt zu werden; kurz sie wären die Glücklichen, denen, ohne daß sie zu pflügen und zu säen brauchten,
Alles im Ueberflusse wüchse. So oft du solche und ähnliche
Aeußerungen hörtest, bemerkte ich wohl, welche Begierde
nach dieser Herrlichkeit sich in deinen Mienen ausdrückte:
ich sah, wie du gleichsam schon den Mund öffnetest, um den
köstlichen Köder zu verschlingen. Um mich nun für die Zukunft außer Verantwortung zu setzen, und damit du nicht
sagen könnest, ich hätte dich zugleich mit der karischen Feige
eine so gefährliche Angel verschlingen gesehen, ohne dich zuvor gewarnt zu haben, oder ohne dir zu Hülfe gekommen zu
seyn, um dich von dem Haken zu befreien, bevor er noch
durch den Schlund gedrungen wäre; sondern ich hätte ge-
wartet, bis du an der verschluckten und fest eingehakten Angel in die Höhe gezogen und fortgeschleppt worden wärest,
und hätte dann, da es zu spät war, unnütze Thränen des Be-
dauerns vergossen: — damit du mir also keine solchen Vorwürfe zu machen habest, die allerdings gegründet wären, und
welchen ich auf keine Weise entgehen könnte, wenn ich dir
die Gefahr nicht bei Zeiten gezeigt hätte, so schenke Allem,
was ich dir nun sagen werde, ein aufmerksames Gehör: betrachte das Netz und die Reuse, die deiner wartet, mit aller
Muße von außen, und überzeuge dich nicht erst, wenn du

schon drinnen steckst, wie unmöglich es ist, wieder herauszu-
kommen: nimm die Angel selbst in die Hand, besieh dir die
scharfen und rückwärts gekrümmten Spitzen des dreifachen
Widerhakens, bring' ihn in den geöffneten Mund und prüfe
seine Wirkung; und wenn du alsdann nicht findest, daß er
mit unwiderstehlicher Gewalt dich packt und festhält, und dir
um so größere Schmerzen verursacht, je heftiger zu ziehst,
so nenne mich einen hasenherzigen Gesellen, der eben deswegen Nichts hat, weil er Nichts wagt, und falle herzhaft über
deinen Raub her, wenn du Lust hast, und schlinge wie eine
gefräßige Möve die ganze Lockspeise auf einmal hinein.

4. Zwar soll diese meine Zuschrift zunächst nur d i r
gelten, mein Freund Timokles: doch dürfte sie nicht blos
Diejenigen, welche sich die Philosophie und überhaupt die
ernstern Studien zum Lebenszweck gemacht haben, sondern
auch Grammatiker, Rhetoren und Musiker, kurz Alle berühren, welche um Sold die gebildeten Gesellschafter der Großen
zu machen Lust tragen. Da es aber in diesen Verhältnissen
Einem wie dem Andern geht, und die Erfahrungen Aller
sich hierin ganz ähnlich sind, so siehst du selbst, wie so wenig
ehrenvoll, ja wie schmählich für einen Philosophen eine Lage
seyn muß, wo der Herr, in dessen Sold er steht, ihn durch
keine würdigere Behandlung vor jenen Andern auszeichnet.
So unangenehm übrigens Manches, was sich im Verlauf
meiner Darstellung ergeben wird, Diesem oder Jenem zu hören seyn mag, so ist doch die Schuld mit allem Rechte zunächst
Denen, die das Unwürdige thun, sodann Denen, die es leiden,
beizumessen. Ich für meinen Theil bin schuldlos, es wäre
denn, daß Wahrheitsliebe und Freimüthigkeit einen Vorwurf

begründeten. Was aber das übrige Gesindel betrifft, Spaßmacher *), Schmarotzer und Schmeichler ohne alle Bildung,
kleine, niederträchtig denkende Seelen, so wäre es weder der
Mühe werth, diese von ihren Verbindungen mit großen
Häusern abbringen zu wollen, noch würden sie solchen Mah-
nungen Gehör geben. Und in der That, man kann es diesen
Creaturen auch nicht sehr verübeln, wenn sie auch bei der
übermüthigsten Behandlung, die sie erdulden, von ihren
Soldherrn gleichwohl nicht lassen wollen. Denn sie sind für
ein solches Leben wie gemacht, und verdienen es nicht besser:
zudem was gäbe es auch sonst noch, das ihre Neigung und
Thätigkeit rege machen könnte? Nähme man ihnen Dieses,
so wären sie die unbrauchbarsten, müßigsten, überflüssigsten
Geschöpfe auf der Welt. So wenig also Diesen durch eine
solche Behandlung Unrecht geschieht, eben so wenig kann jenen Herrn der Vorwurf des Uebermuths gemacht werden,
wenn sie — den Nachttopf dazu brauchen, wozu er da ist.
Denn nur um sich so mitspielen zu lassen, liefen sie ja in
diese Häuser, und darin besteht eben die Kunst, die sie treiben, Alles zu leiden und zu Allem sich herzugeben. Um so
mehr muß es unsern Unwillen erregen, Leute von Bildung
auf gleiche Weise, wie Jene, behandelt zu sehen; und es ver-
lohnt sich wohl, zu versuchen, so viel an uns ist, sie zurück-
zubringen und zur Freiheit ihnen wieder zu verhelfen.

5. Es wird, meine ich, wohlgethan seyn, vorerst die
Beweggründe, die so Manche zu der bewußten Lebensart veranlassen, zu untersuchen und darzuthun, wie sie keineswegs

---

*) Nach der Vermuthung von Jacobs: γελοιαστάς.

allzu ſtark und nöthigend ſeyn können. Auf dieſe Art würde
ihnen ſchon der erſte Vertheidigungsgrund ihrer freiwilligen
Knechtſchaft vorweg abgeſchnitten. Wirklich ſchützen die
Meiſten von ihnen ihre Armuth und die Verlegenheit vor
in der ſie waren, ſich auch nur die nothwendigſten Bedürf-
niſſe zu verſchaffen, und glauben damit ihren Schritt hinlänglich beſchönigt zu haben. Sie meinen, es wäre genug,
wenn ſie ſagten, ſie hätten nur dem ärgſten menſchlichen Uebel, der Armuth, entgehen wollen, und das wäre ihnen doch
wohl nicht zu verargen. Da ſind ſie gleich mit jenem alten
Weidſpruch des Theognis bei der Hand:

Null iſt jeglicher Mann, der ſchmachtet in Feſſeln der
Armuth. *)

und was Alles die niedrig Denkenden unter den Dichtern der
Armuth Schreckliches nachgeſagt haben. Fände ich nun, daß
ſie durch ihre eingegangenen Verbindungen ihrer Armuth in
Wahrheit abgeholfen hätten, ſo wollte ich es rückſichtlich des
Punktes, daß ſie dabei nicht eben ſehr unabhängig ſind, ſo
genau nicht nehmen. Nun aber iſt Das, was ſie erhalten
(um mich eines Gleichniſſes des großen Redners **) zu bedienen), der Nahrung ähnlich, welche die Aerzte den Kran-
ken zumeſſen, und welche ihnen weder Kräfte gibt, noch ſie
ſterben läßt: es liegt alſo wohl am Tage, daß ſie ſich auch
in dieſer Beziehung ſchlecht berathen haben, da ihr Loos in
der Hauptſache daſſelbe geblieben iſt. Sie ſind arm nach wie

---

*) Frei nach Theogn. v. 179. f.
**) Des Demoſthenes, am Schluſſe der dritten olynthiſchen
Rede, S. 35.-Ausg. v. Bekker.

vor, sind genöthigt, von Andern zu nehmen, und können Nichts zurücklegen, weil sie nie zu viel haben, sondern Alles, was sie bekommen, und wenn sie noch so oft und noch so viel bekommen, ganz und gar auf augenblickliche Bedürfnisse verwenden müssen. Wäre es also nicht weit vernünftiger, statt auf diese Weise die Armuth hinzuhalten, indem ihr blos auf Augenblicke etwas abgeholfen wird, vielmehr ein Mittel auszusinnen, ihr auf immer los zu werden? und sollte man auch meinethalben, wie Theognis will, dieses Mittel in des Meeres tiefsten Gründen aufsuchen müssen. *) Wer aber sich zum Söldlinge hergegeben hat, und sich einbildet, eben dadurch der Armuth entgangen zu seyn, während er doch eben so wenig Eigenthum hat und so dürftig ist als zuvor, wie sollte Dieser dem Vorwurfe des jämmerlichsten Selbstbetrugs entgehen?

6. Auch sind Welche, die uns versichern, sie würden sich vor der Armuth nicht gefürchtet haben, wenn sie im Stande gewesen wären, durch Arbeit, gleich andern Leuten, ihr nothdürftiges Brod zu verdienen: allein da ihnen Dieß durch Altersschwäche oder Kränklichkeit unmöglich gemacht wäre, hätten sie sich entschließen müssen, die für sie leichteste Lebensart zu ergreifen, das heißt, sich zu verdingen. Es wird sich jedoch bald zeigen, ob sie die Wahrheit sprechen, und ob sie wirklich so gar leicht zu Dem, was ihnen gegeben wird, kommen, oder ob sie nicht viele, ja vielleicht noch mehr Mühe und Beschwerlichkeit, als andere Leute, sich gefallen lassen müssen. In der That, es sieht einem frommen Wunsche gar zu ähnlich, eine allezeit parate Summe einzustreichen, ohne sich

---

*) M. sehe den Timon 26.

darum bemühen und Etwas dafür thun zu dürfen. Und
wirklich ist gerade das Gegentheil der Fall! Ich wüßte
keine Worte zu finden, die vielen Unbequemlichkeiten, die unerträglichen Plackereyen zu schildern, welchen ein solcher gelehrter Hausfreund sich zu unterziehen hat. Es gehört
wahrlich eine mehr, als gewöhnlich, dauerhafte Gesundheit
dazu, um die Tausende von alltäglich vorkommenden Be-
schwerlichkeiten auszuhalten, welche den Körper bis zur äußersten Erschöpfung abmüden und am Ende verzehren. Ich
werde unten an seinem Orte wieder auf diesen Punkt zurückkommen, wo auch von den übrigen Beschwerden dieser Lage
die Rede seyn wird. Für jetzt begnüge ich mich, gezeigt zu
haben, wie auch Diejenigen nicht die Wahrheit sagen, welche
mit diesem zweiten Grunde den Verkauf ihrer Freiheit rechtfertigen wollen.

7. Noch ist Ein Grund, nämlich der wahre und eigent-
liche, übrig, den sie freilich durchaus nicht Wort haben. Um
des Wohllebens willen, und angelockt von vielen glänzenden
Aussichten, drängen sie sich in der Vornehmen Häuser; der
Anblick so vielen Goldes und Silbers blendet sie, an jenen
Tafeln zu sitzen, in jenen Genüssen zu schwelgen, däucht ihnen das höchste Glück; die schwärmerische Hoffnung, ihren
Golddurst hier in vollen Zügen befriedigen zu können, hat
sich ihrer bemächtigt. Das ist's, was sie verführt und was
sie aus freien Männern zu Knechten macht: nicht der Mangel am wenigen Nothdürftigen, den sie vorgeben, sondern die
Sucht nach dem Ueberflüssigen und das Trachten nach einem
kostbaren Vielerlei. Dafür werden sie denn auch behandelt.

wie eine ausgelernte Buhlerin *) ihren unglücklich schmach=
tenden Liebhaber behandelt. Sie begegnet ihm mit Stolz,
und um ihn, wo möglich, immer in seiner verliebten Sclave=
rei zu erhalten, gewährt sie ihm nicht einmal die Gunstbe=
zeugung des leichtesten Kusses. Denn zu klug, um nicht zu
wissen, daß mit dem Genusse das Verliebtseyn aufhört, weiß
sie dieser Entzauberung sorgfältig zu begegnen, und ihren
Anbeter mit steter Hoffnung hinzuhalten. Um aber nicht be=
fürchten zu müssen, der Arme möchte des ewigen Hoffens
überdrüssig und von seinem Liebessehnen am Ende geheilt
werden, beglückt sie ihn zuweilen mit einem süßlächelnden
Blick und mit dem widerholten Versprechen, nun nächstens
ihn zu erhören und seine Treue auf's Köstlichste zu belohnen.
Allein mittlerweise schleicht die Zeit dahin, und die Jahre
nahen unvermerkt, wo Liebe so wenig als Gewährung von
Werth ist: und nun — mit was Anderem, als mit Hoffen
hat der Unglückliche sein ganzes Leben hingebracht?

8. Immerhin können wir das Verlangen nicht ankla=
gen, so angenehm als möglich zu leben, und sollte es auch
noch so viele Opfer kosten: und Wer wollte es dem Freunde
des Vergnügens verargen, wenn er auf alle Weise sich dasselbe
zu verschaffen sucht? Wiewohl es jedenfalls eine gemeine
und sclavische Denkungsart verriethe, um des Vergnügens
willen sogar sich selbst zu verkaufen, indem der Genuß der
Freiheit immer ein weit süßerer ist: so ließe sich doch zur
Noth auch dieser Schritt entschuldigen, im Falle der Zweck

*) Das Original spricht, more graeco, von einer männlichen
Kokette.

wirklich erreicht würde. Allein auf eine ungewisse Erwartung von Genüssen hin einer Menge von Widerwärtigkeiten
sich unterziehen, das ist unstreitig eben so thöricht als lächerlich, um so mehr, als man ja im Voraus klar genug sieht,
wie unvermeidlich die letztern sind, während das gehoffte Angenehme, von welcher Art es auch seyn mag, in so langer
Zeit noch Keinem zu Theil geworden, noch auch, wie aus
guten Gründen zu schließen ist, jemals Einem zu Theil werden wird. Wenn daher die Gefährten des Ulysses *) über
dem süßen Lotus, den sie kosteten, alles Uebrige vergaßen,
und im Augenblicke des Genusses das Wichtigere nicht ach-
teten, so wird uns das Nichtachten keineswegs befremden,
da ihre Seele ganz und gar mit dem Angenehmen der Gegenwart beschäftigt war. Würde hingegen Einer mit dem
hungrigen Magen dabei stehen und zusehen, wie der Andere
den süßen Lotus verspeist, und über der bloßen Hoffnung,
er werde wohl endlich auch einmal davon zu kosten kriegen,
alles Ehrenhafte und Rechte vergessen, — zum Herkules, ein
solcher Narr verdiente nicht sanfter als dort die Homerischen
Lotusesser zurecht gewiesen zu werden.

9. Mit dem Bisherigen werden nun so ziemlich alle die
Beweggründe dargestellt seyn, aus welchen so Manche das
Leben in großen Häusern suchen, und sich in die Hände der
Reichen, zu jeder Diesen beliebigen Behandlung, ausliefern.
Noch könnte allenfalls Derer Erwähnung geschehen, die sich
bloß von der Ehre anlocken lassen, die Hausgenossen hochade-
liger und bepurpurter Herren zu seyn; denn es gibt wirklich

_____

*) Odyss. IX, 94. ff.

deren nicht Wenige, welche hierin eine ganz besondere, über die gewöhnlichen Menschen sie hoch emporhebende, Auszeichnung erblicken: wiewohl ich für meinen Theil gestehe, daß ich nicht einmal der Hausgenosse des Kaisers selbst seyn und dafür mich ansehen lassen möchte, wenn ich außer dieser Ehre sonst keinen Vortheil davon haben sollte.

10. Wir wollen nun sehen, mein Timokles, was diese Leute sich gefallen lassen müssen, ehe sie die gewünschte Aufnahme in ein vornehmes Haus finden; sodann was sie erleben, wenn sie drinn sind; und endlich, was eine solche Laufbahn gewöhnlich für ein Ende nimmt.

Man kann in der That nicht sagen, eine solche Stelle sey in demselben Grade, in welchem sie lästig ist, auch leicht zu erhalten, und man dürfe, statt aller weitern Bemühung, nur wollen, dann werde sich alles Uebrige von selbst machen. Im Gegentheile, es kostet viel Laufens und eines unausgesetzten Aufwartens vor der Thüre. Morgens mit dem frühsten muß man aufstehen, warten, sich hin und her stoßen, ausschließen, von einem Syrischen Thürhüter anschnarren und sich „zudringlich" und „unverschämt" schelten lassen, und sich unter die Willkühr eines Afrikanischen Nomenclator's stellen, den man dafür noch bezahlen muß, daß er sich den rechten Namen vormerkt. Auch auf die Kleidung muß ein die Kräfte übersteigender Aufwand gemacht werden, um seinen Aufzug mit dem Rang Dessen, dem man den Hof macht, in einiges Verhältniß zu setzen: man muß die Farben wählen, welche der große Herr liebt, um nicht abzustechen, und ihm nicht widrig aufzufallen: man muß ihn unverdrossen allenthalben begleiten, oder vielmehr von seinen

4 *

Bedienten sich voranschieben lassen, und seine Begleitung vollzählig machen helfen. Und bei dem Allem können viele Tage nach einander vergehen, ohne daß er dich nur angesehen hat.

11. Und wenn es dir auch einmal recht gut geht, und er nimmt dich gewahr, ruft dich herbei und richtet irgend eine Frage, wie sie ihm gerade vor den Mund kommt, an dich: so bist du bestürzt, kommst in die größte Verlegenheit, der Angstschweiß bricht dir aus, es schwindelt dir vor den Augen, du zitterst gerade im wichtigsten Augenblicke, und bist das Gelächter aller Umstehenden. Zum Beispiel er fragt dich: wie hieß der König der Achäer? *) so muß er diese Frage mehreremal wiederholen, bis du endlich in der Verwirrung sagst: „Tausend hatten sie," weil du meinst, er hätte nach der Zahl ihrer Schiffe gefragt. Das nennen nun freilich die Gutdenkenden Schüchternheit, bei Herzhaften heißt es Zaghaftigkeit; aber Die dir übel wollen, sehen darin Mangel an Bildung und Lebensart. Du bist in Verzweiflung, daß der erste Anlaß, wo die Gnade des Herrn sich dir zuzuwenden schien, so mißlich ausgeschlagen, entfernst dich, und machst dir die bittersten Vorwürfe über deine thörichte Verzagtheit. Und wenn du nun

> — — — genug unruhiger Nächte durchwachet,
> Auch der blutigen Tage genug **)

geharret hast (freilich nicht um eine Helena, noch auch eines Priamus starke Feste, sondern um die gehofften fünf Obolen

---

*) Agamemnon.
**) Il. IX, 325. f.

Taggeld zu gewinnen), so nimmt sich vielleicht, wenn es gut geht, irgend ein guter Genius, unverhofft erscheinend wie ein Theatergott, deiner an, und du wirst — zu einer Prüfung zugelassen, wie weit du es in Philosophie und schönen Wissenschaften gebracht habest. So angenehm sich dabei der reiche Herr unterhalten mag, der bei dieser Gelegenheit sich loben und glücklich preisen hört, so groß ist deine Noth, da es dir ist, als ob es den Kopf gelte, und Glück oder Unglück deines ganzen Lebens auf dem Spiele stehe. Denn es muß dir dabei sehr natürlich zu Sinne kommen, daß du von keinem Andern angenommen werdest, wenn du in dieser Prüfung unbrauchbar erfunden und abgewiesen werden solltest. Eben so unvermeidlich ist, daß dich jetzt tausend der verschiedenartigsten Empfindungen zerstreuen, Neid gegen Die, welche mit dir zugleich geprüft werden (denn du mußt immer voraussetzen, daß es noch Mehrere gibt, die dasselbe Ziel haben), Unzufriedenheit mit dir selbst, indem dir Alles, was du sagst, ungenügend erscheint, Furcht und Hoffnung, womit du an den Mienen des großen Herrn hängst, und dich vernichtet fühlst, wenn ihm eine deiner Antworten mißfällt, dagegen voll Heiterkeit und froher Erwartung bist, wenn er dich mit gnädigem Lächeln anhört.

12. Zudem ist es immer mehr als wahrscheinlich, daß du viele Widersacher haben wirst, von welchen Jeder einen Andern an diesen Platz schieben möchte, und daher unvermerkt und hinterrücks dir einen Treff zu geben sucht. Und nun stelle dir die ganze unwürdige Scene vor, einen Mann mit langem Barte und grauen Haaren, wie er sich examiniren lassen muß, ob er auch was Rechtes gelernt habe, und

mit anhören muß, wie die Stimmen über seine Kenntniße noch obendrein getheilt sind! Bis man sich darüber vereinigt, ist dein bisheriger Lebenswandel der Gegenstand sehr geschäftiger Nachforschung. Man befragt deine Landsleute, deine Nachbarn; und wenn Einer derselben aus Mißgunst oder aus irgend einem unbedeutenden Anlaße übel gegen dich gestimmt, aussagt, z. B. du wärest den Eheweibern oder den schönen Knaben gefährlich, so nimmt man das für baare Münze; *) sagen aber Alle und Jede nichts als Rühmliches von dir, so ist ein so einstimmiges Zeugniß zweideutig und erregt den Verdacht der Bestechung. Du siehst also, es müssen viele glückliche Umstände zusammentreffen; es darf auch nicht Eine Beziehung gegen dich seyn, oder es kann dir unmöglich glücken.

Doch — es sey: es ging Alles nach Wunsch und über alle Erwartung glücklich: der Große hat deine Leistungen gut gefunden, und die ausgezeichnetsten seiner Freunde, auf deren Urtheil er hierin am meisten baut, haben ihn darin bestärkt: seine Gemahlin will dir wohl, der Haushofmeister und der Verwalter sind dir wenigstens nicht entgegen, kein Mensch hat an deinem Lebenswandel Etwas auszusetzen: kurz Alles ist günstig, von allen Seiten stellen sich die Auspicien vortrefflich.

13. Du hast gesiegt, glücklicher Sterblicher! Du hast den olympischen Kranz errungen, ja vielmehr es ist, als ob du Babylon erobert, und Sardis hohe Burg eingenommen

---

*) Im Original steht sprüchwörtlich: „so ist Dieß ein Zeugniß aus Jupiter's Schreibtafel," d. h. ein unumstößliches.

hätteſt! Nun iſt das Füllhorn des Glückes dein, und ſogar
die Hühner werden dir Milch geben. *) Und damit jener
Kranz nicht aus bloßem Laub beſtehe, müſſen nun zum Erſatz
für das ausgeſtandene viele Ungemach die größten Vortheile dir
erwachſen, es muß dir ein ſehr anſehnlicher Ehrenſold ausgeſetzt und in jedem Augenblicke, wo du ihn brauchſt, ohne
Schwierigkeit ausgezahlt werden; die Achtung, mit welcher
man dir begegnet, wird dich vor allen gewöhnlichen Leuten
auszeichnen; jene Plackereien, das Stehen im Koth, das Laufen,
das Harren vor der Thüre, das Durchwachen der Nächte hat
nun ein Ende; du kannſt dich nun bequem auf dein Ruhepolſter
legen, wonach du dich ſo ſehr ſehnteſt, und dich ganz allein
den Beſchäftigungen widmen, wegen deren du gleich anfangs
angenommen worden biſt, und wofür du deinen Gehalt be-
ziehſt. — Ja, mein lieber Timokles! ſo ſollte es ſeyn:
und man könnte ſich das Unglück endlich noch gefallen laſſen,
ein ſo leichtes, bequemes und obendrein noch vergoldetes
Joch zu tragen. Aber ach! daran fehlt viel, oder richtiger,
es fehlt Alles. Glaube mir, in dem Verhältniß eines gelehrten Hausfreundes gibt es tauſenderlei Dinge, die einem
freien und edeldenkenden Manne unerträglich fallen müſſen.
Doch laſſe dir eine Reihe ſolcher Situationen ſchildern, und
entſcheide dann ſelbſt, ob es ein Mann, der ſich auch nur einen geringen Grad wiſſenſchaftlicher Bildung gegeben, in einer ſolchen Lage aushalten kann.

***

*) Ein Griechiſches Sprüchwort; in unſerer Volksſprache iſt das
ähnliche: Wer Glück hat, dem kalbt ein Ochs.

14. Ich will nun gleich bei der erſten Mahlzeit anfan=
gen, zu welcher du geladen wirſt, und wo du gleichſam die
Vorweihe zu deiner neuen Beſtimmung erhalten ſollſt. Zuerſt
erſcheint bei dir ein ganz artiger Bedienter, um dich zur Ta=
fel zu laden. Dieſen Burſchen mußt du vor allen Dingen
auf deine Seite bringen; du drückſt ihm alſo, um nicht un=
manierlich zu erſcheinen, zum wenigſten fünf Drachmen [ei=
nen Conventionsthaler] in die Hand. Der Menſch ziert ſich:
„Nein, nein, bei'm Herkules, das geſchieht nicht, von dir
nehme ich Nichts!" Am Ende läßt er ſich doch bewegen,
nimmt, geht und — lacht in's Fäuſtchen. Nun haſt du ge=
nug zu thun, deine beſten Kleider hervorzuſuchen, dich zu
baden, und ſo zierlich, als du nur immer kannſt, dich her=
auszuputzen; und, weil es eben ſo wenig Lebensart verräth,
der Erſte zu erſcheinen, als es unſchicklich iſt, zuletzt zu kom=
men, ſo mußt du ängſtlich die Mittelzeit abpaſſen, um in das
Tafelzimmer einzutreten. Dort empfängt man dich mit vie=
ler Höflichkeit: ein Diener weiſt dir deinen Platz ganz in
der Nähe des Hausherrn ſelbſt an, ſo daß ſich nur zwei ſei=
ner älteſten Freunde zwiſchen ihm und dir befinden.

15. Dir iſt es, als wäreſt du in Jupiter's Pallaſt ge=
kommen: ſo ſtaunſt du Alles an, und ſo fremd und neu iſt
dir hier Alles. Während aber dieſe ungewohnten Scenen
deine Seele in beſtändiger Spannung erhalten, ſind die Au=
gen der Dienerſchaft auf dich gerichtet, und Jeder der Anwe=
ſenden beobachtet ſorgfältig dein Benehmen. Selbſt dem rei=
chen Herrn iſt es nicht gleichgültig: er hat einen ſeiner Leute
beauftragt, fleißig auf dich Acht zu geben, ob du nicht etwa
zu oft nach ſeiner Gemahlin oder nach den hübſchen aufwar=

lenden Bürschchen schielest. Die umstehenden Bedienten der
Gäste bemerken recht gut dein blödes, betretenes Wesen; sie
machen sich über die Unbehülflichkeit lustig, mit welcher du
dich bewegst; und da dir sogar das vor dir liegende Hand=
tuch etwas ganz Neues zu seyn scheint, so wird daraus der
natürliche Schluß gezogen, du habest dein Tage nie bei ei=
nem vornehmen Herrn gespeist. Was Wunder, wenn du in=
zwischen vor lauter Verlegenheit die hellen Tropfen schwitzest,
und, so durstig du bist, doch das Herz nicht hast, Wein zu
verlangen, um für keinen Trinker angesehen zu werden.
Eben so wenig wagst du es, von den vor dir stehenden, und
in geschmackvoller Ordnung aufgestellten Speisen Etwas an=
zurühren, weil du nicht weißt, mit welcher Schüssel der An=
fang gemacht werden muß. Es bleibt dir also nichts übrig,
als nach dem Nachbar zu schielen, ihm Alles nachzumachen,
und so zu lernen, wie die Theile der Mahlzeit auf einander
folgen.

16. Uebrigens wirst du durch die mannigfaltigen Ein=
drücke und Vorstellungen, welche deine Seele durchkreuzen,
in die größte Gemüthsunordnung und wirklich in eine Art
Betäubung versetzt. Bald denkst du: wie glücklich ist doch
dieser reiche Mann in Mitten seines Goldes, seines Elfen=
beins und aller dieser Herrlichkeit! Bald kommt es dir er=
bärmlich vor, wie ein Mensch wie du, der doch so gar Nichts
ist, sich einbilden kann, sein Daseyn auf der Welt heiße auch
Leben. Bisweilen aber fällt es dir doch wieder ein, dir die
beneidenswerthesten Tage zu versprechen, da du das Alles
mitgenießen und an Allem gleichen Antheil haben wirst:
denn du meinest, so wie heute, würden hinfort alle Tage

Bacchanalien gefeiert. Und nun vollends die blühenden
Jungen, die dich bedienen, und so süß dich anlächeln, welch'
eine reizende Zukunft malen sie dir! Und so schwebt dir beständig jenes Wort der Trojischen Greise bei Homer vor, die
bei'm Anblick der Helena ausriefen:

Tadelt nicht die Troër und hellumschienten Achäer,
Die um ein solches Weib so lang ausharren im Elend. *)

Eben so wenig, denkst du, war es auch dir zu verargen, um
eines solchen Götterlebens willen Vieles zu thun und zu
dulden.

Nun geht das Zutrinken an. Der Hausherr hat sich einen der größten Pokale reichen lassen, und es dem „gelehrten Herrn," **) oder wie er dich sonst betiteln mag, zugebracht. Du empfängst den Becher aus seiner Hand, weißt
aber nicht, was du dazu sagen mußt, und so hast du auf's
Neue die Meinung von dir erregt, daß du ein Mensch ohne
Lebensart seyst.

17. Gleichwohl hat dieses gnädige Zutrinken die Mißgunst einiger ältern Hausfreunde rege gemacht, welche gleich
anfangs der Platz, den man dir angewiesen, verdrossen hatte.
Man kann es nicht verwinden, daß ein Mensch, der heute erst
in's Haus kam, sogleich Männern vorgezogen werden soll, welche
schon so viele Jahre im Dienste ausgehalten hatten. Da fallen denn Aeußerungen unter ihnen, wie folgende: „das fehlte
noch zu den vielen andern Widerwärtigkeiten, daß wir solchen

---

*) Iliade III, 156 f.
**) Διδάσκαλος ist hier für die Griechischen Leser just Das,
was für einen Theil der Deutschen: „Herr Magister!"

Menschen, die kaum die Schwelle betreten, nachstehen sollten! Was ist denn an diesen Griechen, daß ihnen allein die Stadt Rom offen steht, und man ihnen vor uns Allen den Vorzug gibt? Was glauben sie denn, daß ihre armseligen Declamationen nützen können?" — „Hast du nicht gesehen," fällt ein Anderer ein, „wie er dem Becher zusprach, wie gierig er die Schüsseln zu sich zög und die Speisen verschlang? Es ist ein ungesitteter Hungerleider, dieser Bursche. Er hat sich wohl nie auch nur im Traume an Weißbrod satt gegessen, geschweige an Perlhühnern und Fasanen, wovon er uns kaum die Knochen übrig gelassen hat." — „Ihr närrischen Leute," sagt ein Dritter, „es wird nicht fünf Tage anstehen, so hört ihr ihn wohl hier in unserer Mitte eben dieselben Klagen führen. Für jetzt noch wird er wie ein Paar neue Schuhe in Acht genommen und in Ehren gehalten; laß diese einmal abgetreten und schmutzig geworden seyn, so wirft man sie in einen Winkel: *) so ging es uns, und nicht anders wird es auch ihm ergehen." In diesem Tone geht es fort: ihre Gespräche drehen sich immer nur um deine Person, und bereits denkt mehr als Einer darauf, wie er dich durch Verläumdungen zu Falle bringen wolle.

18. Du siehst also, mein Freund, es ist, als ob die ganze Mahlzeit nur deinetwegen angestellt wäre: du bist fast der einzige Gegenstand von Allem, was dabei gesprochen wird. Inzwischen hast du von einem leichten, aber dabei raschen Weine, den du nicht gewohnt bist, nach und nach Etwas zu

---

*) Das Original sagt: „man wirft sie unter das Bette, um sie von Wanzen bevölkert werden zu lassen."

viel getrunken, und fühlst dich, da ein Bedürfniß, dich zu
entfernen, sich einstellt, gar sehr unbehaglich. Allein vor den
Andern von der Tafel aufzustehen, wäre eben so unschicklich,
als es nicht gerathen ist, zu bleiben. Gleichwohl zieht sich
das Gelage in die Länge, die Gespräche werden lebhafter, ein
Schauspiel folgt auf das andere, *) — denn du sollst nun
einmal heute alle Herrlichkeit deines Gönners zu Gesichte
bekommen — dir hingegen vergeht in deinem peinlichen Zu=
stande Sehen und Hören; und während Alles einem hochge=
priesenen jungen Citherspieler zuhorcht, und du gezwungen
in den allgemeinen Beifall einstimmst, wünschest du im Stil=
len ein Erdbeben oder einen Feuerlärm herbei, nur damit das
Tafeln endlich einmal ein Ende hätte. —

19. Das wäre also die erste jener Mahlzeiten, mein lie=
ber Timokles, die man sich gewöhnlich so köstlich vorstellt.
Mir für meinen Theil ist ein derb gesalzener Thymiansalat
lieber, wovon ich in Freiheit essen kann, wann, und wie viel
ich will.

Am Morgen des folgenden Tages — denn mit einer
Schilderung der Magenbeschwerden, welche dich die Nacht
über plagten, will ich dich verschonen — habt ihr, der Herr
und du, eine Uebereinkunft zu schließen, wie viel jährlichen
Gehalt und in welchen Fristen du ausgezahlt bekommen sollst.
Er läßt dich also im Beiseyn zweier oder dreier seiner
Freunde rufen, und nachdem er dich sitzen geheißen, fängt er
ungefähr folgendermaßen an: „du hast nun selbst gesehen,

---

*) Tänzerinnen, Flötenspielerinnen, Sänger, Pantomimen u.
dergl.

wie es in meinem Hause zugeht, und wie bei uns, mit Verbannung alles eitlen Pompes, durchaus auf einem einfachen,
bürgerlichen Fuße gelebt wird. Sey hinfort überzeugt, daß
Alles zwischen uns gemeinschaftlich ist, und benehme dich dieser Ueberzeugung gemäß. Denn es wäre doch wohl lächerlich, wenn ich den Mann, dem ich mein Wesentlichstes, meine
Seele, und wahrhaftig auch meine Kinder (falls er welche
hat, die des Unterrichts bedürfen) anvertraue, nicht auch
eben so gut wie mich selbst für den Herrn aller meiner übrigen Güter halten wollte. Indessen muß doch etwas Bestimmtes zwischen uns ausgemacht werden; wiewohl ich sehe,
wie sehr Bescheidenheit und Genügsamkeit deinen Charakter
auszeichnet, und wiewohl ich recht gut weiß, daß du nicht in
Hoffnung auf Geldgewinn, sondern aus reinem Verlangen
nach meinem Wohlwollen und angezogen von der Hochachtung, die dir hier von Allen zu Theil wird, in unser Haus
gekommen bist — gleichwohl soll etwas Bestimmtes ausgemacht werden. Sage nun selbst, was du verlangst; vergiß
aber dabei nicht, mein Bester, die Geschenke in Anschlag zu
bringen, mit welchen ich das ganze Jahr hindurch an jedem
festlichen Tage, wie sich von selbst versteht, mich einstellen
werde. Ich werde es an diesem Punkte durchaus nie fehlen
lassen, wenn wir auch vor der Hand Nichts über denselben
festsetzen. Du weißt aber selbst, wie viele dieser Gelegenhei-
ten im Laufe eines Jahres eintreten. In Hinsicht auf diesen
Umstand also wirst du deine Anforderung, wie ich denke, um
so mäßiger einrichten, zumal da es euch gelehrten Herren
ohnehin wohl ansteht, über Geldrücksichten erhaben zu seyn."

20. Mit solchen Worten ungefähr wird er dich in deinen Hoffnungen gewaltig wankend machen, und dich dahin zu bringen wissen, daß du leichter zu behandeln bist. Du hattest von Talenten und Zehentausenden, von Landgütern und Dörfern geträumt: nun merkst du nachgerade, daß der Mensch ein Filz ist. Gleichwohl nimmst du seine Versprechungen mit Devotion an, und hältst das Wort: „Alles soll zwischen uns gemeinschaftlich seyn,‟ für zuverläßig und gewiß, ohne zu bedenken, daß dergleichen Zusagen

Nur die äußersten Lippen, und nicht den Gaumen dir
netzen. *)

Endlich, weil du dich zu fordern schämst, überläßest du es ihm selbst, Etwas zu bestimmen. Er erklärt, Dieß in keinem Falle thun zu wollen, fordert aber einen der anwesenden Freunde auf, in's Mittel zu treten und einen Vorschlag zu machen, nach welchem weder ihm, der noch viele andere und nöthigere Ausgaben habe, eine zu schwere Forderung auferlegt, noch dir eine zu geringe Belohnung geboten werde. Dieser Freund nun, ein alter Fuchs, von Jugend auf in den Künsten der Augendienerei geübt, nimmt das Wort und sagt: „du wirst wohl nicht läugnen wollen, mein Bester, daß kein glücklicherer Mann in ganz Rom ist, als du, dem ein Glück zufiel, das von den Vielen, die noch so eifrig darnach streben, immer noch Wenigen zu Theil werden wird, ich meine die Ehre, der Gesellschafter und Tisch = und Hausgenosse eines der ersten Römischen Großen geworden zu seyn. Wahrhaftig, das muß dir, wenn du vernünftig bist, mehr gelten, als

*) Iliade XXII, 495.

(die Talente eines Crösus und alles Gold des Midas. Ich kenne viele namhafte und angesehene Männer, welche die bloße Ehre, im Umgange deines Gönners zu leben, und als seine Freunde öffentlich zu erscheinen, gerne mit vielem Gelde erkauften. Da du nun für ein so großes Glück sogar noch bezahlt werden sollst, so finde ich in der That nicht Worte, um dir zu sagen, wie wohl dir das Schicksal gewollt hat. Wenn du also kein gemeiner Mensch, dem es nur um's Ver- praffen zu thun ist, seyn willst, so glaube ich, du begnügst dich mit — —" und da nennt er denn die erbärmlichste Kleinigkeit, zumal wenn du sie mit deinen großen Erwartun- gen vergleichst.

21. Allein, was ist zu thun? Du bist nun einmal im Garne, und kommst nicht wieder los; also mußt du zufrie- den seyn mit Dem, was dir geboten wird, und dir das Ge- biß willig in's Maul legen laffen. Und da der Zaum an- fangs nur ganz sachte angezogen wird, und noch keine schar- fen Sporen fühlbar werden, so bist du ganz gefügig und lenk- sam, bis du unvermerkt dich völlig an diesen Zwang gewöhnt hast. — Die Leute außerhalb der Schranken aber, in welche du getreten bist, beneiden dich um die Nähe des Großen, in welcher du lebst, und um das Glück, dort aus- und einzugehen, und ein Mitglied seines vertrautesten Cirkels geworden zu seyn. Du siehst zwar selbst noch nicht recht ein, warum man dich für so glücklich hält; doch freust du dich darüber, und suchst dich selbst mit der Einbildung zu hintergehen, es werde mit der Zeit schon besser kommen. Aber, Freund, von Allem, was du hoffest, geschieht gerade das Gegentheil: es geht dir,

nach dem Sprüchwort, wie dem Opfer des Mandrabulus, *) das heißt, mit jedem Tage schlechter; und mit jedem Schritte kommst du weiter zurück.

22. Allgemach dämmert die Wahrheit dir auf, und du beginnst einzusehen, daß jene schimmernden Hoffnungen nichts als goldfarbige Saifenblasen waren; und daß hingegen die wirklichen Beschwerden, die du dir aufgeladen, eben so lästig als unvermeidlich und anhaltend sind. Du wirst mich fragen, welche Beschwerden das seyen, und wirst mir gestehen, nicht zu begreifen, wie mit einem solchen Verhältnisse Mühselig=keiten und unerträgliche Lasten verbunden seyn können. Wohlan, mein Lieber, suchen wir also das Mühselige dieser Lage auf, und nicht blos Das, sondern auch das Schmähliche, Nie=derträchtige, mit Einem Wort, das Knechtische derselben — ein Punkt, bei welchem mit besonderer Aufmerksamkeit zu verweilen ist.

23. Wisse also für's Erste, daß du mit dem Eintritt in ein solches Haus, in dessen Dienstbarkeit du dich verkauft hast, aufhören mußt, dich für einen freien Mann von guter Herkunft zu halten. Alle jene Rechte, welche deine freie Geburt und das Ansehen deiner Vorältern dir geben, mußt du vor der Schwelle lassen: denn Eleutheria**) würde es verschmä=

---

*) Mandrabulus aus Samos gelobte der Juno für einen gefun= denen großen Schatz ein jährliches reiches Opfer. Im ersten Jahre brachte er ihr ein goldenes Schaf dar, im zweiten ein silbernes, im dritten ein kupfernes, im vierten und in den folgenden Nichts.

**) Die Freiheit.

hen, dich an einen Ort zu begleiten, wo eine so unwürdige
und erniedrigende Behandlung deiner wartet. Es ist nun
einmal nicht anders — und hörtest du das Wort noch so un=
gerne — du wirst ein Sclave seyn, und nicht bloß Eines
Herren, sondern vieler Herren Sclave; wirst Knechtsdienste
thun mit gekrümmtem Rücken von Morgen bis an den Abend,

— — gedungen für schmähliche Löhnung. *)

Und da du in der Knechtschaft nicht aufgewachsen bist, sondern
in deinem bereits vorgerückten Alter von ihr in die Schule
genommen wirst, so kann es nicht fehlen, dein Herr erhält
nicht einmal eine günstige Meinung von deiner Brauchbar=
keit, und wird nur einen geringen Werth auf dich legen.
Denn Was dich untüchtig macht, ist, daß dir von Zeit zu
Zeit deine freie Geburt wieder einfällt: du stellst dich dann
zuweilen ungeberdig, und eben darum fällt dir deine Sclave=
rei nur um so unerträglicher. Es wäre denn, daß du mein=
test, zur Freiheit gehöre bloß, keinen Pyrrhias oder Zopy=
rion **) zum Vater zu haben, und nicht wie ein gemeiner
Bithynischer Knecht von einem Ausrufer mit lautem Ge=
schrei ausgeboten worden zu seyn. Allein, wenn der Zahltag
da ist, und mein Freund steht in Mitten der Pyrrhiasse und
Zopyrionen, und streckt nicht anders als die übrigen Sclaven
seine Hand aus, um seinen Monatslohn in Empfang zu neh=
men: wie da, mein Lieber? Heißt das nicht etwa sich selbst

---

*) Das Original ist Parodie des Schlusses von Odyssee
XIX, 541.
**) Sclavennamen.

verkaufen? Eines Ausrufers bedurfte Der freilich nicht, welcher sich selbst ausgeboten, und so lange schon um einen Herrn geworben hat.

24. Wie? Ehrvergessener (möchte ich alsdann sagen, um so mehr, da du ein Philosoph seyn willst), wenn du an Bord eines Schiffes in Feindes Hand gerathen oder von einem Seeräuber gefangen und verkauft würdest, wie würdest du jammern und über das Unrecht klagen, das dir widerführe? Oder wenn Einer dich ergreifen, und unter dem Vorgeben, du wärest sein Sclave, von dannen führen wollte, wie würdest du in Harnisch gerathen, wie würdest du über Gewalt schreien, mit wie lauter Stimme Himmel und Erde zu Zeugen, und die Gesetze zur Rache aufrufen! Und du selbst in einem Alter, in welchem der geborne Sclave anfängt, um seine Freilassung sich zu bemühen, hast dich sammt deiner Tugendwissenschaft und Weisheit um ein Paar Obolen verhandelt? So wenig also achtest du der Lehren des herrlichen Plato, des Chrysipp und Aristoteles, die stets dem edlen Freisinn das Wort gesprochen, die Verwerflichkeit der knechtischen Denkart gezeigt haben? Du schämst dich nicht, in den Reihen der Schmeichler, Tagdiebe und Schmarozer zu erscheinen, in deinem Griechischen Philosophenmantel mitten unter dem Römer-Schwarme seltsam abzustechen, ein klägliches Latein zu radebrechen, und an lärmenden Tafeln mit einer Menge von Leuten zu speisen, die zum größten Theile hergelaufenes Gesindel und schlechte Bursche sind? Ist dir's nicht eine Last, bei solchen Gelagen den Leuten schöne Worte sagen, und über die Gebühr trinken zu müssen, des Morgens aber

in aller Früh, sobald das Zeichen *) gegeben wird, aufzu=
springen, des angenehmsten Traumes dich zu entschlagen,
und ohne dir auch nur Zeit zum Waschen zu nehmen, Treppe
auf und ab zu rennen? Sind denn die Feigbohnen so rar
geworden und der gemeine Ackerkohl, und ist das frische reine
Quellwasser ausgegangen, daß du in der Noth zu einem sol=
chen Mittel, dich fortzubringen, greifen mußtest? Oder ist
es nicht vielmehr handgreiflich, daß es dir nicht um Wasser
und Feigbohnen, sondern um köstliche Gerichte, und leckeres
Backwerk und duftende Weine zu thun ist? Da geschieht es
dir denn vollkommen recht, wenn dir der Angelhaken, wie
einem gefräßigen Hecht, den lüsternen Rachen zerrissen hat.
Dieser Leckerhaftigkeit folgt die Strafe auf dem Fuße nach:
denn nun dienst du, wie ein Affe mit einem Halsband um
den Nacken, den Leuten zum Gelächter. Du selbst zwar
meinst es gut zu haben, weil es Feigen genug zum Naschen
gibt; aber Freiheit und edles Selbstgefühl und das Anden=
ken an deine gute Herkunft und deine ehemaligen Freunde
und Verwandte ist dahin: und dieser Dinge wird hinfort
nicht mehr gedacht.

25. Uebrigens könnte man sich noch zufrieden geben,
wenn mit dieser Lage bloß die Unehre verbunden wäre, für
einen Sclaven angesehen zu werden: allein auch die D i e n s t e,
die man dir zu thun auferlegt, sind die des gemeinsten Knech=
tes. Oder sieh' einmal, ob Das, was dir zu besorgen zuge=
muthet wird, um ein Haar besser ist als die Verrichtungen

---

*) Mit einer Art thönerner Glocke, als Signal für die Do=
mestiken.

eines Dromo und Tibius? Denn die Liebe zu den Wissen=
schaften und gelehrten Kenntnissen, um deren willen der große
Herr dich in's Haus zu nehmen vorgab, macht ihm die we=
nigste Sorge. Wie kämen auch ein Esel und eine Cither zu=
sammen? So Einer wäre mir wohl auch der Mann, der sich
über dem eifrigen Studium von Homer's hoher Kunst, oder
des Demosthenes Rednerkraft, oder Plato's großartigen Ideen
abmagerte! Nimm die Gold= und Silbersucht und das ängst=
liche Sorgen um dergleichen Dinge aus seiner Seele, und
was übrig bleibt, ist Eitelkeit, Schwäche, Genußsucht, Lü=
derlichkeit, unverschämter Muthwille und gemeine Unwissen=
heit. Und zu diesem Allem braucht er dich freilich nicht.
Allein da du einen sehr ansehnlichen Philosophenbart und ein
ehrwürdiges Gesicht hast, auch deinen Griechischen Mantel in
wohlgeordneten Falten trägst, und man dich allgemein als
einen Grammatiker, Rhetoriker oder Philosophen kennt, so
däucht es ihm zweckmäßig, dich unter sein Gefolge zu stecken,
um auch einen Gelehrten zu haben. Denn so wird man ihn,
denkt er, für einen Freund Griechischer gelehrter Bildung,
und überhaupt für einen Verehrer des Wahren und Schönen
halten. Ist es also nicht, mein Freund, du habest nicht deine
hohe Wissenschaft, sondern nur deinen Bart und deinen Man=
tel vermiethet? Aus diesem Grunde darfst du dich nie von
seiner Person entfernen, um den Leuten als sein steter Be=
gleiter aufzufallen: von dem Frühesten des Morgens an mußt
du zu diesem Schaudienste dich hergeben, und darfst deinen
Posten keinen Augenblick verlassen. Bisweilen fällt es ihm
ein, dir die Hand zu reichen, und den nächsten besten Unsinn,
der ihm auf die Zunge kommt, an dich hinzuschwatzen, damit

die Vorübergehenden denken sollen, der vornehme Herr könne nicht einmal auf der Straße seine gelehrten Studien vergessen, und wisse auch die Muße des Spazierengehens zu einem löblichen Zwecke zu verwenden.

26. Und so mußt du, armer Freund, bald im Trab, bald im Schritt bergauf und bergab (denn so ist die Lage der Stadt beschaffen, wie du weißt), schwitzend und keuchend überallhin nebenher laufen: *) und während er mit dem Freunde, den er besucht, ein Langes und Breites sich unterhält, stehst du (denn ein Sitz wird dir nicht gereicht) im Vorzimmer, ziehst ein Buch heraus, und fängst vor Langerweile zu lesen an. So kann die Nacht herbeikommen, ehe du einen Bissen zu essen oder Etwas zu trinken bekommen hast: nun mußt du noch in aller Eile und ganz zur Unzeit ein Bad nehmen, um doch wenigstens noch vor Mitternacht bei der Tafel zu erscheinen. Aber nun ist es nicht mehr wie das Erstemal, wo man dich in Ehren hielt, und wo die Augen aller Anwesenden auf dich gerichtet waren: jetzt, wenn irgend ein neuer Gast kommt, so heißt es: Platz gemacht! Am Ende wirst du in den äußersten Winkel des Saales gedrängt, wo sich Jeder zu sitzen schämen würde: dort bist du ein bloßer Zuschauer, wie die Schüsseln in die Runde gehen; denn bis sie an dich kommen, enthalten sie höchstens noch ein Paar Knochen, die du benagen darfst, oder hie und da ein leeres Malvenblatt, in welches irgend ein guter Bissen gewickelt gewesen war, und welches du aus Heißhunger ableckest, während es deine Vorgänger aus Verachtung liegen

---

*) Während der reiche Herr auf dem Tragsessel sitzt.

ließen. — Aber die verächtliche Behandlung, die du hier er=
fährst, erstreckt sich auf alle Theile: nicht einmal ein ganzes
Ey läßt man dir zukommen (versteht sich; es muß ja gar
nicht seyn, daß du von Allem habest, was Gästen und Frem=
den vorgesetzt wird: Dieses zu verlangen, würde dir für eine
undankbare Anmaßung ausgelegt werden). Werden z. B.
Hühner aufgetischt, so wird das Schwerste und Fetteste dem
Herrn des Hauses vorgelegt, und du erhältst entweder das
Kleinste zur Hälfte, oder gar, um die Beleidigung noch auf=
fallender zu machen, eine zähe Holztaube. Und wenn, was
nicht selten geschieht, während der Mahlzeit ein weiterer
Gast eintritt, für den es nicht reichen würde, so nimmt ein
Diener, was dir vorgesetzt war, ohne Weiteres weg, indem
er dir in's Ohr flüstert: „du gehörst ja zum Hause‟; und
eilt damit an den Platz des Neuangekommenen. Gibt es end=
lich ein Wildferkel oder einen Hirschbraten zu vertheilen, so
mußt du an dem Vorleger einen ganz besonders guten Freund
haben, wenn du nicht, wie weiland Jupiter von Prometheus,
mit Knochen und etwas Fett darüber, abgespeist werden
sollst. Und daß nun die Schüssel vor deinem Vormann so
lange stehen bleibt, bis er sich über Genüge versehen hat,
bei dir hingegen so schnell als möglich vorbeieilt — sollte das
nicht einen Mann von guter Herkunft, und wenn er auch
nicht mehr Galle als eine Hirschkuh hätte, auf's Aeußerste
empören? Noch habe ich dir nicht gesagt, daß, während die
Uebrigen einen sehr angenehmen und alten Wein trinken, du
allein mit einem schlechten und trüben vorlieb nehmen mußt.
Du hast also immer darauf bedacht zu seyn, ein goldenes
oder silbernes Trinkgefäß zu bekommen, damit nicht die Farbe

deines Weines verrathe, was für ein gering geachteter Gast
du biſt. Doch, möchte dein Getränke auch noch ſo ſchlecht
ſeyn, wenn du wenigſtens nur nach Durſt davon bekämeſt!
So aber fordere einmal um das andere, der Bediente iſt

— — — dem nichts Vernehmenden ähnlich. *)

27. Vieles alſo, ja man kann ſagen Alles an einer
ſolchen Tafel wird für dich zur Quelle des Verdruſſes: doch
kränkender noch als alles Bisherige muß es dir ſeyn, wenn
einem verdorbenen Jungen, der zu ſchändlichen Dienſten ſich
hergibt, **) einem Tanzmeiſter oder einem lüderlichen Bürſch-
chen aus Alexandrien, der Joniſche Buhlerliedchen zu ſingen
weiß, weit mehr Ehre angethan wird, als dir. Aber wie
könnteſt du auch eine Auszeichnung verlangen, die nur Leuten zu Theil wird, welche ſo verführeriſche Talente haben
und geheime Liebesbriefchen ſo geſchickt zuzuſtecken wiſſen.***)
Du drückſt dich alſo vor Scham und Unmuth in den äußer-
ſten Winkel des Saales, ſeufzeſt über dein Mißgeſchick und
klagſt die Glücksgöttin an, daß ſie dir von der Gabe zu gefallen auch nicht das Mindeſte beſchieden. Wie gerne wollteſt du, denke ich, ſolche Liebesliedchen verfertigen, oder wenigſtens die Gabe beſitzen, die von Andern verfertigten artig abzuſingen? Denn daß nur durch ſolche Dinge Beifall
und Geltung erworben wird, iſt dir nun deutlich genug geworden. Ja, es käme dir nicht darauf an, wenn es ſeyn
müßte, ſogar die Rolle eines Zauberkünſtlers oder eines der

*) Iliade XXIII, 430.
**) Einem Cinäden.
***) „ſo verführeriſche — wiſſen.“ Wieland.

Wahrsager zu spielen, welche reiche Erbschaften, hohe Eh=
renstellen und unermeßliche Reichthümer versprechen. Denn
du siehst, wie gut es solchen Leuten in den Häusern der
Großen geht, und wie sehr sie dort in Ehren gehalten wer=
den. Allein, so gerne du auch Einer von Jenen seyn woll=
test, nur um nicht gänzlich für ein unnütz Geräthe zu passi=
ren — du hast nun einmal das Unglück, nicht einmal für
eine solche Rolle das hinlängliche Talent zu besitzen. Und
so bleibt dir nichts übrig, als in aller Demuth dich hintan=
setzen zu lassen, und dein Loos in der Stille zu beklagen.

28. Denn wenn es zum Beispiel einem der Sclaven
einfällt, dem Herrn zuzuflüstern, du wärest der Einzige gewe=
sen, der seinen Beifall über das Tanzen oder Citherspiel des
kleinen Lieblings der Frau nicht zu erkennen gab, so könnte
Das nicht gut ablaufen. Du mußt also, obwohl durstiger als
ein Frosch auf dem Trockenen, alle Uebrigen mit deinem Bei=
fallsgeschrei ausstechen, und sogar oft, wenn die Andern stille
geworden sind, eine studirte Lobrede hinten nach folgen las=
sen, wobei die Schmeicheleien nicht gespart werden dürfen. —
Da sitzest du nun, ein lächerlicher Gast, fürwahr! duftest von
Wohlgerüchen, bist mit Blumen bekränzt; aber zu essen und
zu trinken bekommst du — Nichts. Du machst eine Figur,
wie der Grabstein eines kürzlich Verstorbenen, dem das Tod=
tenmahl dargebracht wird: man besalbt ihn, man bekränzt
ihn, aber Wein und Speisen behält man für sich.

29. Ist vollends der Herr vom Hause eifersüchtig, und
hat schöne Kinder oder eine junge Frau, und du bist nur
nicht gar von allen Grazien verlassen, so ist das ein sehr
mißlicher Umstand, der den Unfrieden bald genug herbeifüh=

ren wird. Große Herren haben der Ohren und Augen gar zu
viele, und Augen, die nicht blos sehen, was wirklich ist, son=
dern, um zu zeigen, daß sie nie schlummern, noch mehr,
als das, gesehen haben wollen. Es muß dir also seyn, als
befändest du dich an der Tafel eines Persischen Großen: du
mußt mit immer niedergeschlagenen Augen dasitzen, aus Furcht,
einer der Verschnittenen möchte einen Blick erlauschen, den
du auf eine der Beischläferinnen des Herrn wärfest, und ein
Zweiter, der schon mit gespanntem Bogen in Bereitschaft
steht, möchte den frevelhaften Blick mit einem Pfeilschuß in
deinen Backen, während du trinkest, bestrafen.

30. Die Tafel wird aufgehoben, du entfernst dich, schläfst
ein wenig; aber mit dem ersten Hahnenruf wachst du wieder
auf, und nun gehen deine Klagen an: „Ach ich armer, be=
jammernswürdiger Mensch! Warum verließ ich mein frühe=
res angenehmes Leben, meine Studien, meine Muße, meine
Freunde, die goldene Freiheit, zu gehen wie und wohin ich
wollte, und zu schlafen, so lange ich Lust hatte! warum ent=
sagte ich diesem Allem, um mich selbst in diesen Abgrund zu
stürzen! Und Was ist mir dafür geworden, ihr Götter! Wo
ist denn nun mein glänzender Lohn? Konnte ich nicht Alles,
was ich hier habe, und noch weit mehr als Das, auch auf
andere Weise erwerben, und dabei meine Freiheit und Unab=
hängigkeit bewahren? Nun bin ich, wie das Sprüchwort
sagt, der Löwe am Zwirnfaden, der sich nach Belieben hin
und her ziehen lassen muß. Und was mein Ungemach vollen=
det: ich weiß mich eben so wenig in Ansehen zu setzen, als
beliebt und gefällig zu machen. Denn in den Künsten, wel=
che zu diesem Zwecke führen, bin ich ein Stümper gegen die

Leute, die sich ein besonderes Geschäft daraus machen. Mein
Aeußeres ist nicht weniger als einnehmend; ein lustiger
Geselle bei'm Trinkgelage bin ich nicht und kann es nicht
seyn; und ich merke nur gar zu wohl, wie oft mein Anblick
dem Herrn wirklichen Widerwillen erregt, zumal wenn ich
angenehmer seyn will, als mir gegeben ist. Ich gelte ihm
nun einmal für einen sauertöpfischen Menschen; und ich weiß
nimmermehr, wie ich es angehen müßte, um für ihn zu paſ-
sen. Bleibe ich ernst, wie es in meiner Art ist, so findet
man mich ungenießbar, um nicht zu sagen, abscheulich. Nehme ich hingegen eine lächelnde Miene an, und suche möglichst
gefällige Züge in mein Gesicht zu legen, so komme ich ihm so
verächtlich und widerwärtig vor, daß er mich anspeien möchte:
und mein Benehmen ist auch wirklich nicht anders, als wenn
Einer eine komische Rolle in einer tragischen Maske spielen
wollte. Und am Ende, welches andere Leben hoffe ich Thor
mir selbst zu leben, wenn ich dieses gegenwärtige an einen
Andern verkauft habe?"

31. Unter diesem Selbstgespräch vernimmst du das Zeichen zum Aufstehen, und nun geht die Reihe deiner Dienst-
verrichtungen von vorne an: du mußt wieder herumlaufen
und stehen, und darfst, wenn du in diesen Strapazen aus-
dauern willst, ja nicht vergessen, dir zuvor Hüften und Knie-
kehlen tüchtig einzuschmieren. Abends bei Tafel ist es wieder wie gestern, und dauert wieder so lange wie gestern.
Diese, von deiner frühern so sehr verschiedene, Lebensweise, der Mangel an Schlaf, das viele Schwitzen und die
tägliche Abmattung untergraben allmählig deine Gesundheit:
es bildet sich entweder eine Auszehrung, oder die Lungen-

sucht oder der Gliederschmerz, oder gar das liebe Podagra.
Doch hältst du aus, so lange du kannst; und so nöthig es
oft wäre, daß du dich zu Bette legtest, so ist dir doch nicht
einmal Dieß vergönnt. Man würde es für eine erheuchelte
Krankheit halten und meinen, du wolltest dich deinen Pflichten entziehen. Alles Das macht, daß du beständig blaß bist,
und einem Halbtodten ähnlicher, als einem Lebenden, siehst.

32. So ist das Leben in der Stadt beschaffen, mein
Freund. Von den Auftritten aber, die du zu erwarten hast,
wenn es auf die Reise geht, will ich nur einen einzigen erwähnen. Es regnet heftig; du bist der Letzte, an den die
Reihe, abzufahren, kommt — denn es ist nun schon einmal
dein Loos, überall der Letzte zu seyn — du siehst und war-
test, bis am Ende keine Gelegenheit zum Fahren mehr für
dich da ist: da packt man dich mit dem Koch oder dem Haar-
kräusler der Frau vom Hause zusammen, ohne dir auch nur
ein erträgliches Lager von Laub unterzustreuen.

33. Ich kann mich hier nicht enthalten, dir ein lächer-
liches Abenteuer zu erzählen, welches dem Stoiker Thesmopolis, wie ich aus seinem eigenen Munde habe, begegnete,
und das in der That eben so gut jedem Andern in dieser
Lage begegnen könnte. Er war als gelehrter Hausfreund bei
einer reichen Frau angestellt, die unter sehr großem Aufwand
eines der ansehnlichsten Häuser der Stadt machte. Einst
wurde auf's Land gefahren, und gleich die erste Neckerei, die
er erfuhr, war, daß sich neben ihn, den ehrwürdigen Philosophen, ein Cinäde, eine der unmännlichsten Creaturen, setzen
mußte. Dieser Cinäde galt, wie du dir vorstellen kannst,
sehr viel bei der vornehmen Frau, und führte den Namen

Chelidonion [Schwälbchen, ein Hetärenname]. Nun denke dir
den griesgramigen, graubärtigen Alten (du kennst ja den
Thesmopolis mit seinem ehrwürdigen langen Barte), was der
für eine Figur neben dem geschminkten und bemalten wei=
bischen Burschen machte, der immer den Kopf, wie eine fre=
che Dirne, hin und herwarf, und bei'm Herkules! eher einem
Geier, dem man die Barthaare um den Hals ausgerauft hat,
als einer Schwalbe ähnlich sah. Und hätte ihn Thesmopo=
lis nicht auf's Inständigste gebeten, so hätte er sich mit einer
Weiberhaube auf dem Kopfe neben unsern Philosophen auf
den Wagen gepflanzt. Den ganzen Weg über ward er ihm
mit seinem unaufhörlichen Trillern und Zwitschern beschwer=
lich, und nur mit Gewalt hatte er ihn zurückhalten können,
daß er nicht auf dem Wagen zu tanzen anfing. Allein noch
etwas weit Schlimmeres ward dem guten Alten aufgeladen.

34. Die Herrin ließ ihn zu sich rufen, und sprach zu
ihm: „lieber Thesmopolis, du könntest mich recht sehr ver=
binden — ich hätte eine große Bitte an dich — aber nicht
wahr, du schlägst mir's nicht ab, und lässest dich nicht lange
bitten?" Natürlicherweise erbietet sich Thesmopolis zu al=
len Diensten. „Nun siehst du," fährt seine Gebieterin fort,
„ich weiß, daß du ein gutgesinnter, sorgsamer und liebreicher
Mann bist. Daher bitte ich recht schön, nimm hier mein
Hündchen, die Myrrhina, zu dir in den Wagen, und gieb
mir doch ja auf sie Acht, daß es ihr an Nichts fehle. Sie
ist trächtig, das arme Geschöpf, und ihre Zeit ist ganz nahe.
Die ungehorsamen Schlingel da, die Bedienten, machen sich
ja aus mir selbst nicht viel unter Weges: wie viel weniger
werden sie sich um das arme Thierchen bekümmern? Glaube

mir also, du wirst mir keinen kleinen Gefallen thun, wenn
du das allerliebste Hündchen, das mir so sehr am Herzen
liegt, in deine Obhut nehmen willst.'' Daß sie ihre Bitten
nicht noch mit Thränen begleitete, war Alles; und so konnte
Thesmopolis nicht anders, als ihr versprechen, es zu thun.
Das war denn die lustigste Scene von der Welt, wie das
Hundegesichtchen aus seinem Mantel unter dem langen Barte
hervorguckte, während der gute Mann einmal um das andere
angepißt wurde (ein Umstand, dessen er freilich nicht erwähn=
te), und wie es nach Malthefer=Art mit seinem hellen Stimm=
chen belferte, und den Philosophen=Bart beleckte, an welchem
vielleicht hier und da noch einige Spuren von der gestrigen
Abendmahlzeit hängen geblieben waren. Sein Reisegefährte,
der Einäde, der gewöhnlich über der Tafel seine lustigen Ein=
fälle auf Kosten der Gäste preisgab, ergriff nun die nächste
Gelegenheit, seinen Witz auch an Thesmopolis auszulassen,
indem er sagte: ,,An Thesmopolis habe ich weiter Nichts
auszusetzen, als daß er uns neulich aus einem Stoiker ein
Cyniker [Hundephilosoph] geworden ist. Man sagt sogar,
die Hündin hätte in seinem Philosophen=Mantel Junge ge=
worfen.''

35. Solcher Muthwille, oder vielmehr Uebermuth wird
mit den guten Hausgelehrten getrieben, die man allmählig
daran gewöhnt hat, sich Alles gefallen zu lassen. Ich kenne
einen gewissen Rhetor, einen Mann von Geist, der einst auf=
gefordert wurde, über der Tafel eine Rede aus dem Stegreif
zu halten. Er that es; und wirklich war sein Vortrag nichts
weniger als ungeschickt, sondern im Gegentheil sehr kraftvoll
und gediegen. Als er zu Ende war, ertönte lauter Beifall,

nicht wegen der Rede selbst, sondern weil man sie, statt mit
Waffer, mit einem Eimer Wein gemessen hatte. *) Und dieses Wagestückchen mußte er, wie es heißt, um den Preis von
zweihundert Drachmen **) sich zumuthen lassen. Doch solche
Späße möchten noch immer hingehen. Aber wenn der reiche
Herr selbst ein Dichter oder Geschichtschreiber seyn will, und
seine Produkte über der Tafel herdeklamirt, dann gilt es, zu
loben, Alles herrlich zu finden, auf immer neue Wendungen
der Schmeichelei zu sinnen, und wenn man darüber bersten
möchte. Manche sind unter ihnen, die ihrer Schönheit wegen
bewundert seyn wollen; einen solchen Gecken mußt du einen
Adonis oder Hyacinth schelten, wenn er gleich eine ellenlange
Nase hätte. Denn unterließest du deine Lobsprüche, so würde
dieß als ein Beweis von Neid und gefährlichem Widerwillen
gegen deinen Herrn angesehen werden, und du hättest das
Schicksal eines Philoxenus zu gewarten. ***) Fällt es einem
Solchen ein, Philosoph oder Redner seyn zu wollen, so muß
man ihn dafür passiren lassen; und so viele Sprachschnitzer
er begehen mag, so ist doch Alles, was er spricht und schreibt,
voll Attischer Feinheit und Hymettischen Honigs, und so, wie
er, zu sprechen und zu schreiben, muß hinfort Gesetz seyn.

---

*) Die Redner sprachen gewöhnlich nach der Wasseruhr, s.
　Fischer 24. Der rohe Spaß bestand darin, daß einige
　Trinker, während der Rhetor sprach, eine Amphora Wein
　leerten. Bei dem obigen Ausdruck Eimer ist jedoch
　nicht an den großen Württemb. Eimer zu denken. Die
　Amphora war = 26 Franz. Litres = 14 Würt. Maaß.
**) Acht Louisd'or.
***) Der in die Steinbrüche zu Syrakus gesperrt wurde, weil
　er die Gedichte des Dionys nicht schön fand.

36. Gleichwohl könnte dieses Alles, wenn es nur bei den Männern statt fände, noch erträglich gefunden werden. Allein es gibt auch Frauen, die sich viel damit wissen, einen Gelehrten im Solde zu haben, und neben ihrer Sänfte hergehen zu lassen. Denn auch darin glauben sie ein Mittel, zu gefallen, gefunden zu haben, wenn es von ihnen heißt, sie wären hoch gebildet, wären Freundinnen der Philosophie und machten Gedichte, die denen der Sappho um Weniges nachstünden. Daher führen auch sie ihre Rhetoren, Grammatiker und Philosophen mit sich. Was aber das Lustigste ist, so hören sie die Vorträge ihrer Gelehrten nur am Putztische, und während sie sich die Haare flechten lassen, oder über der Tafel an: denn sonst haben sie keine Zeit. Da kann es denn oft der Fall seyn, daß, während der Philosoph in einer moralischen Abhandlung begriffen ist, eine Zofe eintritt und der Gebieterin ein Briefchen ihres Geliebten einhändigt: nun muß der Sittenlehrer stehen und warten, bis diese ihrem Buhlen eine Antwort geschrieben; und dann erst hüpft sie wieder herbei, um die Tugendpredigt vollends anzuhören.

37. Sind denn endlich nach langem Harren die Saturnalien oder großen Quinquatrien [das Minervenfest] herangerückt, und es soll dir irgend ein armseliges Oberkleid oder eine halbdurchsichtige Tunika zum Geschenke gebracht werden, so wird wegen der Kleinigkeit ein großes und gewaltiges Aufhebens gemacht. Zuerst kommt Einer, der im Vorbeigehen gehört hat, wie der Herr zu Rathe ging, was er dir geben sollte: er ist eiligst herbeigelaufen, um dir diese angenehme Nachricht zu bringen, und — sein reichliches Trinkgeld zu holen. Am Morgen des Festtages erscheinen dann wenig-

stens ihrer Dreizehen mit dem Geschenke selbst, und Jeder
derselben weiß dir gar viel zu erzählen, wie manche Worte
er deßwegen habe verlieren, wie oft den Herrn daran erin=
nern müssen; Jeder will Der gewesen seyn, dem der Auftrag
ward, ein Kleid für dich auszulesen, und der das schönste dir
ausgesucht habe.   Alle gehen also beschenkt davon, und
gleichwohl brummen sie im Abgehen, du hättest ihnen zu we=
nig gegeben.

38. Was deinen Gehalt betrifft, so wird er dir in ganz
kleinen Portionen, zu zwei oder vier Obolen, ausgezahlt,
die du aber nicht fordern darfst, indem dir Dieß als lästige
Zudringlichkeit aufgerechnet würde.   Um also doch Etwas zu
erhalten, mußt du dich zuerst bei dem Herrn selbst auf's
Schmeicheln und Bitten legen, sodann dem Haushofmeister
recht schön thun, was wieder eine ganz neue Art von Krie=
cherei erfordert. Eben so wenig darfst du irgend einen der
alten Hausfreunde und Rathgeber deines Herrn vernachläs=
sigen. Und Was du endlich auf diese Art erhältst, bist du in=
zwischen längst dem Kleidertrödler, Schuster oder dem Arzte
schuldig geworden, und so bist du um Nichts reicher, als ob
du gar Nichts bekommen hättest.

39. So wenig beneidenswerth aber diese deine Lage ist,
so ist doch immer die Mißgunst vieler Leute wider dich rege,
deren Verläumdungen nachgerade bei dem Herrn ein immer
geneigteres Ohr finden, je mehr er sieht, wie dich die unauf=
hörlichen Mühseligkeiten unbrauchbar zu machen anfangen.
Denn es kann nicht fehlen, dieser Sclavendienst reibt dich
allmählig auf, du wirst kraftlos und lahm, das Podagra be=
schleicht dich unvermerkt.   Die Blüthen und Früchte deiner

besten Jahre hat er gepflückt, deine brauchbarsten Kräfte hast du in seinem Dienste verzehrt; und da du nun, einem abgetragenen und halbzersetzten Gewande gleich, zu Nichts mehr gut bist, sieht er sich um, in welchen Schmutzwinkel er dich werfen wolle, um einen Andern, der jene Mühseligkeiten besser aushalten kann, anzunehmen. Da bedarf es denn bloß irgend einer aus der Luft gegriffenen Beschuldigung, zum Beispiel, du, alter Mann, hättest einen Knaben vom Hause verführt, oder ein Söschen der Frau um ihre Unschuld bringen wollen — Dieß ist genug, um dich bei Nacht und Nebel über Hals und Kopf zum Hause hinaus zu werfen. Da stehst du nun, rathlos und von aller menschlichen Hülfe verlassen, altersschwach und obendrein mit einem vortrefflichen Podagra belastet; all dein früheres Wissen hast du in dieser langen Zeit allgemach verlernt; du schleppst dich mit einem ungeheuern Hängebauch und einem weiten Magen, den du weder füllen, noch mit guten Worten abspeisen kannst; *) und dein Gaumen, der nach wie vor seine gewohnten Forderungen macht, ist gewaltig unzufrieden mit den Entbehrungen, die er lernen soll.

40. Einen neuen Herrn, der dich in sein Haus nehme, findest du nicht: denn du stehest bereits in den Jahren, wo man dich mit einem alten Pferde vergleichen möchte, an dem nicht einmal die Haut mehr zu gebrauchen ist. Zudem hat die Verstoßung aus jenem Hause gar sehr deinem guten Rufe geschadet; und, wie man immer gerne das Schlimmere vermuthet, so heißt es, du wärest ein Ehebrecher, ein Giftmi-

---

*) „schleppst dich — kannst" Wieland.

scher und dergl. Dein Ankläger findet allen Glauben, ehe
er noch ein Wort gesprochen hat. Du bist ja ein Grieche,
also ein Mensch ohne Charakter und zu jedem Schurken=
streiche fähig. Denn diese Meynung haben sie zu Rom nun
einmal von uns Allen gefaßt; und in der That, es ist ihnen
eben nicht so sehr zu verdenken. Wirklich glaube ich der
Ursache des übeln Rufs, in welchem wir bei ihnen stehen,
auf den Grund gekommen zu seyn. Es sind der Griechen
gar zu Viele, welche sich, weil sie nichts Tüchtiges gelernt
haben, in die Häuser der Reichen einschleichen, mit dem Vor=
geben, sie verstünden sich auf's Wahrsagen, Zaubern und
Giftmischen, und besäßen die Kunst, in geliebten Personen
Gegenliebe zu erwecken, so wie den Feinden alles Unheil
auf's Haupt zu senden. Diese Menschen nennen sich Ge=
lehrte, kleiden sich in die Tracht der Philosophen, und wissen
sich mit ihren langen Bärten ein besonderes ehrwürdiges An=
sehen zu geben. Ist es nicht Wunder, wenn nun die Römer
von allen Griechen eine gleich üble Meinung bekommen, da
sie Diejenigen, welche sie für die Weisesten und Besten unter
Allen hielten, als so schlechte Bursche kennen lernen, zumal
wenn sie die verworfene Schmeichler= und Schmarotzer=Natur
Derselben, die sich an der Tafel und bei allen andern Gele=
genheiten kund thut, und ihre sclavische, nur auf den Ge=
winn erpichte, Sinnesart beobachten?

41. Daß sie aber Diejenigen, welche sie aus ihren Häu=
sern stießen, ganz besonders hassen, und, wenn sie können,
auf alle Weise zu verderben suchen, ist wohl sehr begreiflich.
Denn sie können sich vorstellen, daß Menschen, von denen sie
so genau gekannt, so oft in ihrer ganzen Blöße gesehen wor=

den sind, alle die geheimen Schwächen ihrer Natur unter die Leute bringen werden. Das ist's, was sie ängstigt. Diese Herren gleichen insgesammt jenen prächtigen Bücherrollen, die mit goldenen Knöpfen und auf der Außenseite in der schönsten Purpurfarbe prangen; öffnet man sie aber, was findet man? des Thyestes Geschichte, wie er seine eigenen Kinder verzehrt, oder des Oedipus, wie er mit seiner Mutter Blutschande treibt, oder des Tereus, wie er zwei Schwestern auf einmal nothzüchtigt. Gerade so ist es mit diesen Großen: ihr glänzendes, goldenes und purpurnes Aeußere birgt des Abscheulichen so viel, daß man bei einem Jeden Derselben, wenn man sein Inneres aufrollen wollte, Stoff genug zu einer Euripideïschen oder Sophokleïschen Tragödie fände. Ihr eigenes Bewußtseyn sagt ihnen Dieß; daher ist Jeder, der ihr Haus verlassen hat, und nun vielleicht, weil er sie genau kennt, ihre Jämmerlichkeiten der Welt zum besten gibt, ein Gegenstand ihres Hasses und ihrer Verfolgung.

42.* Endlich will ich dir noch, mein lieber Timokles, in der Art des berühmten Lebens = Gemäldes von Cebes ein anschauliches Bild von dieser Lebensart entwerfen: ein Blick auf dasselbe wird dir sagen, ob du dich zu ihr entschließen sollst oder nicht. Zwar wünschte ich wohl, daß mir ein Apelles, Parrhasius, Aëtion oder Euphranor bei diesem Geschäfte zur Hand ginge; allein da solche wackere Meister heut zu Tage selten geworden sind, so begnüge ich mich, dir dieß Bild in seinen einfachen Umrissen zu geben.

Denke dir also einen, nicht auf ebenem Boden, sondern auf einem Hügel stehenden Tempel mit einer von hohen Säulen getragenen und von Gold schimmernden Vorhalle. Der

6 *

Zugang ist mühsam, steil und schlüpfrig, so daß Viele, die schon
oben zu seyn glaubten, im letzten Augenblicke noch ausglit=
ten und den Berg wieder herabrollten. Im Innern des Tem=
pels sitzt der Gott des Reichthums, mit Gold ganz
überdeckt, recht schön und liebreizend anzusehen. Sein Lieb=
haber, der mit Mühe endlich die Anhöhe erklommen hat, und
nun vor dem Eingange steht, hat den Blick unverwandt und
wie bezaubert auf das viele Gold gerichtet. Da faßt ihn die
Hoffnung, in Gestalt einer schönen Jungfrau in buntem
Gewande, bei der Hand, und führt ihn in's Innere, wo mit
jedem Schritte sein Erstaunen wächst. Dort nehmen ihn,
während die Hoffnung immer vor ihm hergeht, zwei andere
weibliche Wesen in Empfang, die Täuschung und die
Knechtschaft, von denen er sodann dem Genius der Mühe
übergeben wird. Dieser läßt den Armen sich tüchtig zerar=
beiten, und liefert ihn am Ende, wenn er Gesundheit und
gute Farbe verloren hat, an das Alter aus, von welchem
ihn die Verachtung in Empfang nimmt, um ihn zuletzt
zur Verzweiflung zu treiben. Die Hoffnung hat sich in=
zwischen unsichtbar gemacht, und er selbst, der arme Betro=
gene, wird, nicht durch das goldene Portal, wo er hereinge=
kommen, sondern durch ein verstecktes Hinterpförtchen hin=
ausgestoßen. Und wie er nun so draußen steht, nackt, mit ei=
nem Hängebauche, seine Blöße mit der Linken deckend, und
mit der Rechten sich wie ein Rasender an der Kehle packend,
kommt ihm die Reue weinend entgegen, um mit ihren un=
nützen Vorwürfen den Bejammernswerthen vollends zu ver=
nichten.

Nun denn, mein bester Timokles, betrachte dieses Gemälde Zug für Zug, und frage dich selbst, ob es dir wohl
anstünde, zu der vordern Thüre in die Behausung des Reichthums einzutreten, um zur Hinterthüre so schimpflich wieder
hinausgeworfen zu werden? Uebrigens — thue was du willst;
nur vergiß das weise Wort Plato's *) nicht: „die Gottheit ist ohne Schuld; diese liegt in deiner eig-
nen Wahl."

Schutzschrift
für den
Aufsatz: „die gedungenen Gelehrten."

An meinen Freund Sabinus.

1. „Was mag wohl mein lieber Freund Sabinus zu
den gedungenen Gelehrten gesagt haben?" Diese
Frage macht mir in der That seit lange her nicht wenig zu
schaffen, mein Bester! Daß sie dich hie und da lachen machten, je nun — das habe ich nie bezweifelt. Weil aber, seitdem ich jenen Aufsatz geschrieben, mit meiner Lage eine Veränderung vorgegangen ist, **) und ich mir vorstellen kann,

---

*) Im 10ten B. der Republik.
**) Er hatte, wie sich weiter unten ergibt, die Stelle eines Bu-
    reauchefs bei der Präfektur von Aegypten angenommen.
    Der Griechische Text scheint an dieser Stelle nicht gesund zu
    seyn: ich habe nach dem wahrscheinlichsten Sinn übersetzt.

wie du über diesen meinen Schritt in Vergleichung mit meinen damaligen Aeußerungen urtheilen wirst, so will ich mich
bemühen, dir zu zeigen, wie leicht das Eine mit dem Andern zu vereinbaren ist. Entweder bin ich ein gar zu schlechter Prophet, oder ich höre dich sagen: „Wie? in aller Welt!
der Mann, der Das geschrieben, der so scharf gegen jene Lebensart losgezogen, vergißt auf einmal alle seine Grundsätze,
ist wie ein umgewendeter Handschuh, und wirft sich von
freien Stücken in die offenbarste, augenscheinlichste Knechtschaft? Wie vieler Midas = und Cröfus = Schätze, wie vieler
goldströmender Pactóle *) mochte es bedurft haben, um ihn
dahin zu bringen, die ihm sonst so theuer gewesene Unabhängigkeit, in welcher er seit seinen Kinderjahren gelebt hatte,
aufzuopfern, und in einem Alter, wo er fast mit Einem Fuße
schon in Charon's Nachen steht, sich hinzuliefern, um sich an
einem goldenen Halsbande, wie die Aeffchen und Eichhörn-
chen reicher Müßiggänger, hin und her zerren zu lassen?
Welch ein Widerspruch zwischen jener Schrift und diesem
Entschlusse? Heißt das nicht sich zum Schlechtern bekehren,
und was einst gut und vernünftig gesagt war, durch die
That widerrufen?" **)

----

*) Der Pactólus,, ein Flüßchen in Lydien, aus dessen Sand
   Gold gewonnen wurde.
**) Im Texte steht noch: „eine Palinodie in's Schlimmere an-
   stimmen, aber wahrlich nicht um einer Helena, noch um
   jener Thaten bei Ilium willen" — eine, wohl ziemlich
   ungeschickt ausgedrückte, Anspielung auf Stesichorus, der
   wegen gewisser Lästerungen, die er sich in einem seiner Gedichte gegen die Helena erlaubt hatte, das Gesicht verloren,
   und weil er jene Blasphemien in einen Lobgesang um-

2. So ungefähr magst du zu dir selbst gesprochen ha=
ben; und es steht von deiner Freundschaft zu erwarten, daß
du gesonnen bist, diese deine Gedanken auch mir in Gestalt
einer zweckmäßigen Zurechtweisung beizubringen, wie sie sich
von einem braven Mann und Philosophen, wie du bist, nicht
anders vermuthen läßt. Ich will nun Dieß, an deiner Statt,
selbst thun; und wenn es mir gelingen, wenn ich deine Rolle
deiner nicht unwürdig spielen sollte, so soll Hermes Logios *)
sein Opfer haben: wo nicht, so magst du selbst das Mangel=
hafte ergänzen. — So wandle sich denn also die Scene: du
bist der Sprechende, ich der Schweigende; willig unterwerfe
ich mich Allem, was du, als mein Arzt, zu meiner Rettung
vorzunehmen für nöthig hältst; schneide, brenne, lege die
äzendsten Mittel auf meinen Schaden: ich werde stille hal=
ten. Du ergreifst also das Wort, mein lieber Sabinus, und
sprichst folgendermaßen:

3. „Es war eine Zeit, Freund Lucian, wo jene Schrift
sowohl in den zahlreichen Versammlungen, denen du dieselbe
vorlasest (wie ich von Ohrenzeugen weiß), als auch bei sol=
chen Gelehrten den verdienten Beifall fand, welche dieselbe
eines besondern und aufmerksamern Studiums würdigten. Man
lobte an ihr die unterhaltende Mannigfaltigkeit ihres In=
halts und das Wohlgewählte und Gefällige des Ausdrucks,
so wie die Sachkenntniß und Aufrichtigkeit, womit du deinen

---

stimmte, den Gebrauch seiner Augen wieder erhalten haben
soll. Also wäre der Sinn dieser Stelle: „ein Widerruf in's
Schlimmere und nicht in's Bessere, wie jener des Ste=
sichorus.‟
*) Merkur, als Gott der Beredtsamkeit.

Gegenstand behandelt hast. Für ihren wesentlichsten Vorzug
aber galt der Nutzen, den sie für jeden Leser, besonders aber
für Gelehrte haben kann, indem sie vor der Gefahr sicher
stellt, sich aus Unkunde der wahren Verhältnisse in eine scla=
bische Lage zu begeben. Allein da du nun selbst andern Sin=
nes geworden, und dem Genius der Freiheit auf immer, wie
es scheint, den Abschied gegeben hast, nach dem heillosesten
aller Sprüche dich richtend:

> Der Freie auch sey Sclave, wo Gewinn ihm winkt, *)

so hüte dich wohl, irgend Jemand, dem deine jetzige Le=
bensweise bekannt ist, deine Schrift vorzulesen: bitte viel=
mehr den unterirdischen Merkur, daß er auch Die, so sie schon
früher gehört, mit Wasser aus dem Quell der Vergessenheit
reichlich beträufeln möge; denn sonst dürfte man sagen, du
hättest ein ähnliches Schicksal wie Bellerophon **) gehabt,
und dein eigenes Verdammungsurtheil geschrieben. In der
That, ich sehe nicht, wie du dich auch nur scheinbar gegen
deine Ankläger rechtfertigen mögest, am wenigsten, wenn sie
ihre Anklage in Ironie kleiden, und deine Schrift, und den
Geist der Freiheit, den sie athmet, loben, während sie den
Verfasser im Joche der Knechtschaft, das er sich freiwillig
aufgeladen, schmachten sehen.“

4. „Man könnte ihnen so sehr Unrecht nicht geben, wenn
sie sagten, entweder sey das Buch nicht von dir, sondern
von irgend einem freisinnigen, braven Manne, und du seyest

---

*) Aus den Phönicierinnen des Euripides V. 406.
**) Der von Prötus an Jobates einen Uriasbrief trug.

nur die Krähe, die sich mit fremden Federn brüste; oder, wenn es wirklich dein Werk sey, so habest du dieselbe Erfahrung, wie einst Saläthus, gemacht. Dieser Mann hatte nämlich den Crotoniaten ein äußerst strenges Strafgesetz gegen den Ehebruch gegeben, und sich dadurch sehr großen Beifall erworben, als er kurz darauf selbst bei der Gattin seines Bruders betroffen wurde. „Da haben wir ja den klaren baaren Saläthus!" rufen deine Gegner; nur mit dem Unterschied, daß Jener um Vieles entschuldbarer ist, als du, indem er, wie er auch in seiner Vertheidigungsrede sagte, von Liebe unwiderstehlich hingerissen worden war, und, so gerne seine Crotoniaten aus Mitleiden ihn entkommen lassen wollten, dennoch freiwillig und großmüthig sich in die Flammen warf. Hingegen, was du thatest, erscheint um ein gut Theil thörichter: du hattest in jenem Aufsatze das Knechtische in der Stellung eines gelehrten Hausfreundes recht angelegentlich und nach seinen einzelnen Zügen dargethan, und hattest so scharf auf Diejenigen losgezogen, welche, wenn sie einmal in das Haus eines Reichen gerathen sind, und sich selbst zu Gefangenen gemacht haben, tausend unerträgliche Dinge sich gefallen lassen müssen. Und nun, im hohen Alter, und fast an der Schwelle des Lebens, begiebst du dich selbst in eine so unedle Dienstbarkeit; und es fehlt wenig, daß du sogar groß damit thust. Und je mehr du in deiner jetzigen Lage in die Augen fällst, desto lächerlicher sagen sie, machst du dich selbst, da der Widerspruch zwischen deiner Schrift und deiner Handlungsweise nur um so greller hervortritt."

5. „Doch wozu weitere Klagegründe wider dich aufsu-

chen? Ist doch Alles schon in jener bekannten Stelle einer vortrefflichen Tragödie enthalten:

Weg mit dem Weisen, der sich selbst nicht weise ist! *)

Uebrigens werden deine Gegner auch sonst um Vergleichungen nicht verlegen seyn, womit sie die schlimme Sache der Rolle, die du spielst, in's Licht stellen werden. Die Einen vergleichen dich mit einem tragischen Schauspieler, der auf der Bühne ein Agamemnon, Creon oder gar ein Herkules ist, sobald er aber die Maske abgelegt hat, wieder der Polus oder Aristotémus wird, der er zuvor war, ein bloßer taglöhnender Comödiant, der sich auspfeifen, und bisweilen, wenn die Zuschauer es haben wollen, noch dazu peitschen lassen muß. **) Andere werden sagen, es wäre dir gegangen, wie dem Affen der weiland hochberühmten Cleopatra. Dieser hatte, wie man erzählt, das Tanzen gelernt, und tanzte wirklich zu allgemeiner Bewunderung recht artig, mit vielem Anstande und mit richtiger Beobachtung des Charakters, indem er die Flötenmusik und den Gesang des Hymenäus mit seinen kunstvollen Bewegungen begleitete: kaum aber war er etlicher Feigen oder Mandeln, die in einiger Entfernung lagen, ansichtig geworden, gute Nacht Flöten, Takt und Tanzschritt: der Affe riß die Maske in Fetzen herunter, und fiel über die Mandeln und Feigen her."

---

*) Bruchstück des Euripides. Vergl. Cic. Briefe ad Fam. XIII, 15.
**) M. s. Fischer 33.

6. „Eben so, werden sie sagen, haft du (der doch sonst nicht etwa blos Darsteller, sondern sogar Dichter eines schönen Stücks war, und Andern so weise Lehren zu geben wußte) an einer Feige, die man dir zeigte, dich verrathen, daß du Nichts weiter als ein Affe bist, daß deine Weisheit blos auf der Zunge sitzt, und

daß du ein Andres im Herzen verbirgst, und ein Anderes
redest. *)

Und nicht mit Unrecht hieße es, all das Schöne, das du sagtest, und wofür du so gerne dich loben hörtest, hätte nur die Lippen dir genetzt, und den Gaumen dir trocken ge= laffen." **)

„So folgte dir denn die Strafe auf dem Fuße nach da= für, daß du armen Gesellen, die jenen Schritt in der Noth thaten, so übermüthig und unbarmherzig mitspieltest. Darum mußtest du bald darauf deine eigene Freiheit recht förmlich, fast wie mittelst öffentlichen Ausrufs, abschwören. Ist es doch, als ob Adrastéa damals, als du so lauten Beifall we= gen deiner Schmähungen gegen Andere erntetest, lachend hinter deinem Rücken gestanden, und, als Göttin in die Zu= kunft schauend, dich in deiner jetzigen so verwandelten Lage erblickt hätte; denn weil du, ohne dich der Unbeständigkeit der menschlichen Dinge zu erinnern, über Leute loszogest, die von mancherlei ungünstigen Umständen genöthigt worden wa= ren, zu einer solchen Dienstbarkeit sich zu bequemen, so ward es über dich verhängt, dasselbe Schicksal zu haben."

---

*) Nach Hom. Il. IX, 313.
**) Anspielung auf ebend. XXII, 495.

7. „Wenn Jemand in einer Rede darthäte, Aeschines sey, nachdem er den Timarch gewisser Schändlichkeiten wegen öffentlich angeklagt hatte, späterhin selbst über Begehung ebenderselben Verbrechen betroffen worden, wie lächerlich, meinst du, würden es die Zuhörer finden, daß eben Der, welcher den Timarch wegen seiner Jugendsünden belangte, dieselben heillosen Streiche als ein alter Mann sich zu Schulden kommen ließ? Kurz und gut, du bist gerade wie jener Apotheker, der ein Mittel wider den Husten anpries, und versicherte, es helfe augenblicklich, aber, während er so sprach, vor lauter Husten Convulsionen bekam.“

8. Dieses, mein lieber Sabinus, und noch manches Andere dieser Art könnte etwa ein Ankläger, wie du, über einen so reichhaltigen Gegenstand wider mich vorbringen. Schon sinne ich hin und her, welchen Weg ich zu meiner Vertheidigung einschlagen soll. Freilich käme ich am kürzesten weg, wenn ich, anstatt mein Unrecht zu läugnen, recht demüthig meinen Rücken der Strafe darböte, und blos zu der Alltags-Entschuldigung meine Zuflucht nehmen wollte, das Geschick, das Verhängniß, mein Stern, hätte es so gefügt; da könnte ich denn von meinen Tadlern Nachsicht erbitten, da sie ja so gut wüßten, als ich, daß wir Sterbliche keines Dinges Herren, sondern in Allem der Willkühr eines mächtigern Wesens, des Geschickes, oder wie man's heißen mag, unterworfen, also an Allem, was wir reden und thun, weil wir keinen freien Willen haben, unschuldig sind. Aber eine solche Ausrede wäre wohl zu gemein und abgedroschen; und auch du würdest, bei aller Freundschaft, es unerträglich finden,

wenn ich jene Stelle Homer's zu meiner Vertheidigung vor-
schützen wollte:

    — dem Verhängniß entrann wohl nie der Sterblichen
                          Einer; *)

oder:

_ _ _ _ _ _ _ _ _ so hat es das Schicksal,
   Als mich die Mutter gebar, in den werdenden Faden ge-
                       sponnen. **)

9. Ich verzichte also auf eine Ausrede, die man mir
doch nicht gelten ließe. Wenn ich nun aber versichern wollte,
daß es weder Geld noch irgend eine reizende Aussicht war,
wodurch ich mich anködern ließ, sondern daß lediglich die
Bewunderung des Verstandes und des edeln großsinnigen
Charakters dieses Mannes ***) den Wunsch in mir rege
machte, Antheil an der öffentlichen Thätigkeit eines solchen
Mannes zu haben; so fürchte ich, zu der bereits wider mich
angestellten Klage noch die Anschuldigung der Schmeichelei
mir zuzuziehen und als ein Mensch zu erscheinen, der, wie das
Sprüchwort sagt, einen Keil mit dem andern austreiben, d. h.
von einem geringern Vorwurf sich mittelst eines größern reinigen will, insofern die Schmeichelei unter allen Untugenden
den meisten Sclavensinn verräth, und eben darum für die
häßlichste gilt.

10. Was bliebe mir also, wenn ich weder Dieses noch
Jenes sagen will, noch übrig, als gerade heraus zu beken-

---

*) Iliade VI, 488.
**) Nach Jl. XX, 128.
***) Des, uns übrigens unbekannten, Präfekten von Aegypten.

nen, daß ich nichts Tüchtiges zu meiner Vertheidigung anzuführen wisse? Allenfalls hätte ich noch einen Nothanker
im Rückhalt; ich könnte nämlich über mein Alter, meine
Kränklichkeit, so wie über die Mittellosigkeit Klagen führen,
welche Einen, nur um ihrer los zu werden, zu dem Aeußer-
sten treiben kann. Da wäre es wohl nicht uneben, des Euripides Medéa auftreten, und mit einer kleinen Veränderung
folgende Stelle zu meinen Gunsten recitiren zu lassen:

> Ich weiß, wie Schlimmes ich zu thun entschlossen bin;
> Doch Armuth hat in mir den bessern Sinn besiegt. *)

Denn die Stelle des Theognis fällt hier Jedem auch ohne
mein Erinnern ein, wo er, um der Armuth zu entgehen, nö-
thigenfalls sogar von hohen Felsen in des Meeres tiefste
Tiefen sich zu stürzen räth.

11. Das wäre also so ziemlich Alles, was Einer in einem Falle, wie der meinige, zu seiner Vertheidigung vorbringen könnte: allein ich kann nicht bergen, daß keiner dieser
Punkte mir gut genug aussieht, um mich auf ihn verlassen
zu wollen. Du hast also nicht zu besorgen, mein Bester, daß
ich von irgend einem derselben im Ernste Gebrauch machen
werde. Ein altes Sprüchwort zu Argos sagt: „bewahre uns
der Himmel vor einem solchen Hunger, daß wir unsere Chy-
larabis **) ansäen müßten!“ Eben so bin auch ich noch
nicht so arm an tüchtigen Rechtfertigungsgründen, daß ich in
der Verzweiflung Ausflüchte, wie Jene, suchen müßte. Ich

---

*) Aus Eurip. Medea 1078, wo Zorn steht statt Armuth.
**) Ein heiliger, zu gymnastischen Uebungen, bestimmter Platz zu
Argos im Peloponnes.

gebe dir also nur das Einzige zu bedenken, daß es ein him=
melweiter Unterschied ist, ob sich Einer in das Haus irgend
eines Reichen verdingt, um Knechtsdienste zu thun, und sich
Alles gefallen zu lassen, was mein Büchlein des Nähern be=
sagt; oder ob Einer im Staatsdienste stehend an den öffent=
lichen Geschäften nach Vermögen Antheil nimmt, und dafür
vom Kaiser seinen Gehalt empfängt. Betrachte diese beiden
Verhältnisse, jedes für sich, etwas genauer, und du wirst
finden, daß sie, wie die Musiker sprechen, um zwei ganze
Octaven aus einander liegen, und daß sie sich nicht ähnlicher
sehen, als das Blei dem Silber, das Erz dem Golde, die
Anemone der Rose, und der Affe dem Menschen. Eine Un=
terordnung unter einen Höhern um einen bestimmten Sold
findet allerdings auch hier Statt, wie dort; allein das Dienst=
verhältniß selbst ist ein ganz anderes. 'Dort ist es die er=
klärteste Knechtschaft: Die, welche sich auf jene Bedingungen
eingelassen haben, unterscheiden sich nur sehr wenig von den
hausgebornen oder angekauften Sclaven; während Männern
meiner Klasse die wichtigsten Staatsangelegenheiten durch die
Hände gehen, wodurch sie in den Stand gesetzt sind, ganzen
Städten und Provinzen sich nützlich zu machen. Wie un=
billig wäre es also, bloß deßwegen, weil wir besoldet sind,
verächtlich von uns zu sprechen, und uns in die Classe jener
Erstern herabzuziehen, um die Diesen geltende Anklage auch
auf uns auszudehnen? Wollte man Das, so müßte man über=
haupt alle kaiserlichen Bedienungen verwerfen: und die Prä=
fekten ganzer Provinzen, die Oberbeamten in den Städten,
die Befehlshaber von Legionen und ganzen Armeen, würden
gleichfalls sehr übel daran gethan haben, solche Stellen an=

zunehmen, da ja mit jeder derselben ein Gehalt verbunden
ist. Man muß aber, dächte ich, nicht um Eines Punktes
willen ein Verdammungsurtheil über das Ganze aussprechen,
noch Alle, die einen bestimmten Sold empfangen, blos deßwe=
gen in Eine Reihe stellen.

12. Auch habe ich in meiner Schrift nicht gesagt, daß
überhaupt Alle, welche um Gehalt dienen, ein elendes Leben
führen; sondern ich habe blos das Loos Derjenigen als kläg=
lich dargestellt, welche in Privathäusern unter dem Titel ge=
lehrter Hausfreunde wie bloße Sclaven behandelt werden.
Der Fall hingegen, in welchem ich mich befinde, mein lieber
Freund, ist ganz und gar ein anderer. Meine häusliche
Lage ist dieselbe geblieben, welche sie früher war: als öffent=
liche Person aber stelle ich ein Glied der höchsten Behörde
von Aegypten vor: und wirklich ist kein geringer Antheil an
der Verwaltung dieser Provinz mir anvertraut. Du wirst
dich davon selbst überzeugen, wenn ich dir sage, daß meines
Amts ist, die Prozesse einzuleiten, für die ordentliche Auf=
einanderfolge der gerichtlichen Verhandlungen zu wachen, über
Alles, was verhandelt und verfügt wird, Protokolle zu besor=
gen, die gerichtlichen Reden der Sachwalter zu beaufsichtigen,
die kaiserlichen Entscheidungen und Befehle in den deutlich=
sten, getreuesten, auf's Gewissenhafteste beglaubigten Abschrif=
ten im öffentlichen Archive auf ewige Zeiten zu hinterlegen.
Der Gehalt, welchen ich nicht etwa von einem Privatmanne,
sondern aus der kaiserlichen Kasse beziehe, ist nichts weniger
als unbedeutend, sondern im Gegentheile sehr reichlich. Au=
ßerdem ist mir die Aussicht eröffnet, in der Folge, wenn Alles

geht, wie es soll, die Präfektur einer ganzen Provinz, oder
eine andere hohe kaiserliche Bedienung zu erhalten.

13. Ich will mich nun aber des mir zustehenden Rech=
tes, mit aller Freimüthigkeit mich zu vertheidigen und der
mir zur Last gelegten Beschuldigung zu begegnen, in vollem
Umfange und mehr noch, als ich wirklich nöthig hätte, bedie=
nen, und stelle also die Behauptung auf: es gibt überhaupt
keinen Menschen, der nicht in irgend einem Solde stünde.
Nicht einmal Diejenigen, welche die höchsten Stellen einneh=
men, kannst du davon ausnehmen: denn auch der Kaiser ist
nicht ohne seinen Lohn. Ohne hier der Steuern und Abga=
ben erwähnen zu wollen, die ihm jährlich von seinen Unter= -
thanen eingehen, so findet ja ein großer Herrscher seinen
schönsten Lohn in dem Lob, in dem allgemeinen Ruhm und
der unbegränzten Verehrung, welche ihm von seinen beglück=
ten Unterthanen gezollt wird; die Ehrensäulen, die Altäre,
die Tempel, welche ihm das dankbare Volk weiht, sind sie
nicht eine Belohnung für die aufmerksame Fürsorge, womit
er das allgemeine Wohl zu befördern, und das Bessere zu
verbreiten bemüht ist? Um nun Kleines mit Großem zu
vergleichen, so steige von der höchsten Spitze des Haufens bis
zu dem kleinsten seiner Bestandtheile herab, und du wirst
bei näherer Betrachtung finden, daß wir nur in Größe und
Kleinheit von den Höchsten verschieden sind, übrigens Alle,
Hohe und Niedere (Jeder in seiner Art) um Lohn dienen.

14. Hätte ich also in meiner Schrift den Satz geltend
gemacht: Niemand soll irgend ein Geschäft treiben; so könnte
man mit Recht sagen, ich wäre meinem eigenen Verbote ver=
fallen. Weil aber im ganzen Büchlein nichts dergleichen

geschrieben steht, und im Gegentheil jedes braven Mannes
Pflicht ist, thätig zu seyn; wie könnte man seine Kräfte
zweckmäßiger verwenden, als wenn man in Gemeinschaft be=
freundeter Männer für das allgemeine Beste arbeitet, und
seine Treue, seinen Eifer, seine Liebe zum anvertrauten Be=
rufe vor aller Welt bethätigt, um nicht eine träge Masse zu
seyn, die, wie Homer sagt,

— — nutzlos die Erde belastet — *)?

15. Endlich muß ich meine Tadler erinnern, vor allen
Dingen zu bedenken, daß sie es nicht mit einem Manne zu=
thun haben, der sich für einen Weisen ausgibt (ob es einen
wirklichen gibt, laß ich dahin gestellt seyn), sondern mit einem
Manne von ganz gewöhnlichem Schlage, der sich ein wenig im
Reden und Schriftstellern versucht und damit ein bescheiden
Theil von Beifall davon getragen, im Uebrigen zu der hohen
Tugendübung unserer philosophischen Koryphäen sich in sei=
nem Leben nicht emporgeschwungen hat — ein Umstand, der
mir um so weniger Kummer macht, als ich überhaupt noch
Keinen getroffen habe, der Das, was der Name Weiser
verspricht, vollständig geleistet hätte. Besonders aber sollte
es mich an dir wundern, mein Sabinus, wenn du mir we=
gen meiner jetzigen Lage Vorwürfe machen wolltest, da ich
Derselbe bin, den du vor langer Zeit auf deiner Reise nach
den westlichen Küstenländern in Gallien traffst, wo ich als
angestellter Lehrer der Rhetorik schon damals einen sehr gro=
ßen Gehalt aus öffentlichen Kassen bezog, und zu den bestbe=
soldeten Sophisten gezählt wurde.

*) Il. XVIII, 104.

Dieß ist es, mein lieber Freund, was ich dir, ungeachtet sehr gehäufter Amtsgeschäfte, zu meiner Rechtfertigung und zum Beweise schreiben wollte, wie so wenig gleichgültig es mir sey, von dir losgesprochen oder verurtheilt zu werden. Denn was die Uebrigen betrifft, und wenn sie Alle aus Einem Ton über mich loszögen, so genügte mir statt aller Antwort das alte Sprüchlein: „Was kümmert Das den Hippoklides?" *)

Ueber ein Versehen in der Begrüßung.

Eine Apologie.

1. Es ist schwer für den Sterblichen, zu verhüten, daß ihm nicht irgend ein Dämon einen Streich spiele. Aber wegen eines dummen Streiches, den Einer, von seinem Dämon geneckt, unversehens gemacht, mit guter Art sich zu entschuldigen, ist auch noch viel schwerer. Beides habe ich nun erfahren. Denn als ich neulich, um dir meine Morgenaufwartung zu machen, bei dir eintrat, und dich mit dem gewöhnlichen Gruße: χαῖρε! anreden sollte, entfuhr mir närrischem Kerl in der Zerstreuung die Abschiedsformel: ὑγίαινε! ein

---

*) Hippoklides aus Athen, einer der Freyer um die Tochter des Sicyonischen Fürsten Clisthenes, mißfiel Diesem wegen einer gewissen leichtfertigen Art von Tanz, erwiederte aber den Zuruf desselben: „Hippoklides, du hast dich um meine Tochter getanzt!" mit obigen, nachmals sprichwörtlich gewordenen, Worten.

7 *

Wort, das zwar gleichfalls von guter Vorbedeutung, allein,
in jener Morgenstunde, doch so gar nicht am rechten Orte
war! *) Kaum war daher das ὑγίαινε über meine Lippen,
so brach mir der Angstschweiß aus, ich wurde abwechselnd
roth und blaß, kurz, ich wußte mir vor Verlegenheit gar
nicht zu helfen. Die Umstehenden mochten gedacht haben, ich
wäre nicht recht bei Troste, oder fange aus Altersschwäche
zu faseln an, oder gar, der Wein von gestern spreche noch
aus mir. Nur du warest so schonend, mir auch nicht durch
das leiseste Lächeln merken zu lassen, daß dir diese Uebereilung meiner Zunge aufgefallen sey. Da wußte ich nichts
Besseres zu thun, als eine Art von Trostschrift für mich selbst
aufzusetzen, um mir das Unerträgliche des Gedankens aus
dem Sinne zu schlagen, daß ich alter Mann vor so vielen
Zeugen einen so groben Verstoß gegen die gute Sitte begangen haben soll. Einer förmlichen Apologie hingegen bedarf
es, glaube ich, in diesem Falle nicht, da es ja nur meine
Zunge gewesen, welcher ein Wunsch entschlüpfte, der (zwar

---

*) Des Morgens und bei'm Eintritt pflegten die Griechen mi
χαῖρε (eigentl. freue dich) zu grüßen, bei'm Abschied
aber, und besonders des Abends, sich ὑγίαινε (sey gesund) zuzurufen. Was übrigens unserm Schriftsteller
diese, vielleicht an den Präfekten von Aegypten selbst ge-
richtete, Schutzrede (welche für den deutschen Leser
nicht eben großes Interesse haben dürfte) abnöthigte, war
wohl der Umstand, daß die Alten, Vornehme wie das Volk,
mit ängstlichem Aberglauben auf herkömmliche Formeln hielten, und jede Verletzung derselben ihre Furcht vor bösen
Vorbedeutungen rege machte.

nicht am rechten Orte, doch gewiß) von der beſten Vorbedeutung war.

2. Bei'm Beginnen dieſes Geſchäftes glaubte ich zwar,
mich an einen ſehr ſchwierigen Gegenſtand gemacht zu haben. Allein mit jedem Schritte fand ich mehr, was ich Alles
für meine Sache ſagen konnte. Bevor ich jedoch Dieſes aus-
führe, will ich über die Ausdrücke: χαιρειν, εὐ πράττειν
und ὑγιαίνειν, das Nöthige vorausſchicken.

Das Χαῖρε iſt ſchon ein alter Gruß. Man brauchte ihn
nicht bloß des Morgens, und wenn ſich Bekannte trafen;
ſondern auch Solche, die ſich zum Erſtenmale ſahen, begrüß-
ten ſich ſo, wie in der bekannten Stelle: *)

Χαῖρ', ὦ δυνάστα τῆςδε γῆς Τιρυνθίας.

Eben ſo, wenn man nach der Mahlzeit bei'm Weine geſellige
Geſpräche begann; wie dort Ulyſſes, wo er den Vortrag,
wegen deſſen er an Achilles abgeſendet worden war, mit den
Worten anfängt:

Χαῖρ', Ἀχιλεῦ, δαιτὸς μὲν ἐΐσης οὐκ ἐπιδευεῖς. **)

Auch ſogar Abſchiednehmende gebrauchten dieſes Wort, wie
Empedokles:

Χαίρετ'· ἐγὼ δ' ὕμμιν θεὸς ἄμβροτος, οὐκ ἔτι
*θνητός — ***)

---

*) Wahrſcheinlich aus irgend einem verloren gegangenen Trauer-
   ſpiel. Wörtlich zu deutſch: „Freude (Heil) dir, o Herrſcher
   dieſes Tirynthiſchen Landes!"
**) Il. IX, 225: „Freude [Heil dir] Pelid': an des Mahles
   gemeinſamer Fülle gebricht's nicht!"
***) Empedokles bei Philoſtratus (Leb d. Apoll. I, 1.): „Freut
   euch hinfort! Ein unſterblicher Gott, kein Sterblicher länger
   Bin ich —"

Eine bestimmte Zeit, wie jetzt die Morgenstunden, war also früher diesem Zurufe nicht angewiesen: ja man bediente sich seiner sogar in den verhängnißvollsten, nichts weniger als erwünschten, Augenblicken, wie Polynices bei Euripides, als er sein Ende herrannahen fühlte:

Καὶ χαῖρετ' ἤδη γάρ με περιβάλλει σκότος. *)

Auch diente dieses Wort nicht blos zum Ausdruck wohl-wollender Gesinnung, sondern auch der Abneigung, wenn man von Einem auf immer geschieden seyn will. Mit der Redensart *μακρὰ χαῖρε* drücke ich aus, daß ich mit dem Andern hinfort Nichts zu schaffen haben wolle.

3. In ihrem eigentlichen Sinne scheint der Läufer Phi-lippides die Formel *χαῖρε* zuerst gebraucht zu haben, als er, wie man erzählt, von Marathon herbeieilend, den versammel-ten und wegen des Ausgangs der Schlacht bekümmerten Ar-chonten den Sieg mit den Worten ankündigte: *χαίρετε, νικῶμεν!* [Freut euch, wir siegen!]; worauf er augenblick-lich todt zur Erde fiel, also zugleich mit dem Freudengruße seinen Geist aushauchte. Der Erste aber, der dieses Wort dem Anfange eines Briefes vorsetzte, war der Athenische De-magog Cleon, wie er den Athenern die angenehme Nachricht von dem Sieg bei Sphacteria **) und der Gefangennehmung der Spartaner gab. Allein nach ihm kehrte Nicias in seinen Berichten aus Sicilien wieder zu der alten Sitte zurück, in Briefen sogleich mit dem Gegenstande selbst anzufangen.

---

*) Eurip. Phöniz. 1462: „O freut euch! mich umhüllt be-reits des Todes Nacht!"

**) Kleine Insel an der Messenischen Küste im Peloponnes.

4. Plato hingegen, der bewunderte Plato, der beste Ge=
setzgeber in solchen Dingen, verwirft das χαῖρε durchaus,
als unedel und niedrig, und bringt dagegen den Wunsch
εὖ πράττειν [wohl zu leben] auf, als welcher auf geistiges
und leibliches Wohlbefinden sich zugleich beziehe. Er macht
es daher in einem Briefe an den Dionysius Diesem zum Vorwurf, daß er dem Apollo, in einem Lobgedicht auf ihn, χαῖρε
zugerufen, einen Gruß, der sich nicht einmal gegen würdige
Menschen, geschweige gegen eine Gottheit mit Schicklichkeit
gebrauchen lasse.

5. Der göttliche Weise, Pythagoras (wiewohl er uns
nicht gewürdigt hat, etwas Schriftliches, das ihn selbst zum
Verfasser hätte, auf uns kommen zu lassen), bediente sich, so
viel sich aus der Sitte seiner vertrauten Schüler, eines Ocel=
lus Lucanus, Archytas und Anderer, abnehmen läßt, am An=
fange der Briefe weder des χαίρειν noch des εὖ πράττειν,
sondern wollte, daß man mit dem Worte ὑγιαίνειν [gesund
seyn] anfangen solle. Wenn daher seine Jünger einander
Briefe von einiger Wichtigkeit zu schreiben hatten, so setzten
sie stets das ὑγίαινε oben an, anzudeuten, daß der Eine
dem Andern das angemessenste Gut für Leib und Seele, ein
Gut, das alle übrigen menschlichen Güter in sich fasse, an=
wünsche. Und ihr dreifaches, verschränktes Dreieck, das
Pentagramm, *) das Erkennungszeichen der Glieder dieses

*) Die uns unter dem Namen Druidenfuß bekannte Figur:

Ordens, nennen sie ὑγεία [die Gesundheit]. Nach ihrer Ansicht ist in dem ὑγιαίνειν das εὖ πράττειν und χαίρειν zugleich enthalten, während jedes der beiden letztern das ὑγιαίνειν noch nicht in sich schließt. Auch gab es Pythago= rder, z. B. Philoláus, welche die τετρακτύς [die Vierzahl], ihren höchsten Schwur, die nach ihrer Lehre die vollkommen= ste Zahl ausmacht, *) die Grundbedingung der Gesundheit nannten.

6. Doch warum berufe ich mich auf so alte Vorgänger? Schickte ja doch sogar Epikur, ein Mann, der so große Freude an der Freude hatte, und welchem das Vergnügen über Al= les galt, den ernsthaftern seiner Briefe (deren freilich nicht viele sind) und solchen, die er an seine vertrautesten Freunde richtete, nicht das χαῖρε, sondern das ὑγίαινε voran.

Ferner wirst du in der Tragödie, so wie in der alten Comödie sehr häufige Beispiele finden, wo mit ὑγίαινε in der Anrede gegrüßt wird. Auch in der Stelle des Homer

Οὖλέ τε καὶ μέγα χαῖρε — **)

wird ganz deutlich das ὑγιαίνειν dem χαίρειν vorange= stellt. Bei Alexis findet sich:

Ὦ δέσποθ', ὑγίαινε, ὡς χρόνιος ἐλήλυθας! ***)

_____

*) Nach Seagers Vorschlag in Classical Journ. Vol. XI.
    p. 201.: ἢ τὸν — ἀποτελεῖ, καὶ ὑγείας etc.
    Vergl. Versteigerung der philos. Orden. 4.
**) Odyss. XXIV, 401: „Wohlseyn und Freude sey dir, und beständiger Segen der Götter!"
***) Aus einem unbekannten Lustspiel Desselben. Wörtlich: „O Herr, sey gesund (für: sey gegrüßt), wie spät kommst du doch!"

Bei Achäus:

Ἥκω πεπραγὼς δεινά, σὺ δ᾽ ὑγίαινέ μοι. *)

Und bei Philémon:

Ἀιτῶ δ᾽ ὑγείαν πρῶτον, εἶτ᾽ εὐπραξίαν,
Τρίτον δὲ χαίρειν, εἶτ᾽ ὀφείλειν μηδενί. **)

Und jener Skolien=Dichter, deſſen auch Plato gedenkt, was
ſagt Der? „Geſundheit iſt das Erſte, das Zweite ſchön,
das Dritte reich zu ſeyn.“ Der Freude geſchieht dort gar
keine Erwähnung. Endlich um noch jene allbekannte Stelle,
die in Jedes Munde iſt, anzuführen:

O Geſundheit, aller Göttinnen herrlichſte,
Wer mit dir verlebte
Der irdiſchen Tage Reſt! ***)

Wenn alſo die Geſundheit (Ὑγεία) die herrlichſte aller
Göttinnen iſt, ſo muß wohl auch ihre Gabe, das ὑγιαίνειν,
allen Gütern vorangeſtellt worden.

7. Noch könnte ich dir eine ganze Menge ſolcher Stel=
len aus Dichtern, Geſchichtſchreibern, Philoſophen, aufwei=
ſen, die ſämmtlich dem ὑγιαίνειν den Vorzug geben; allein
um mich nicht dem Vorwurf auszuſetzen, dieſer Zuſchrift eine
geſchwätzige und geſchmackloſe Breite gegeben, und das Uebel

*) „Hier bin ich — das Gräuliche iſt vollbracht; nun ſey ge=
grüßt mir Freund! (dafür: ſey geſund mir).“ Fragment
des Tragikers Achäus.
**) „Geſundheit vorderſamſt, dann Glück in meinem Thun,
zum britten Freude, endlich keine Schulden — wünſch'
ich mir.“ Fragment des Komikers Philemon.
***) Aus Ariphron's Hymnus auf die Göttin der Geſundheit
bei Athenäus am Schluß des 15. Buchs.

ärger gemacht zu haben, so begnüge ich mich, nur einige we=
nige Beispiele aus der alten Geschichte beizufügen, die mir
eben beifallen, und mit diesem Gegenstande in sehr naher
Verwandtschaft stehen:

8. Als Alexander der Große eben im Begriffe war, die
Schlacht bei Issus zu liefern, so trat (wie Eumenes aus
Cardia in seinem Briefe an den Antipater erzählt) Hephä=
stion zu ihm in das Zelt, und — geschah es aus Vergeßlich=
keit und in der Zerstreuung, wie bei mir, oder weil ihn
irgend eine Gottheit dazu nöthigte, genug, es ging ihm
wie mir, und er redete den König mit den Worten an:
,,Ὑγιαινε, o König, es ist Zeit, auszurücken!" Alle Um=
stehenden waren bestürzt über den seltsamen Gruß; Hephä=
stion wäre beinahe vor Scham in die Erde gesunken; da
sprach Alexander: ,,Nun gut, ich nehme es als eine glückli=
che Vorbedeutung: du versprichst uns, daß wir wohlbehalten
aus dem Treffen zurückkommen werden."

9. Dem Antiochus Soter träumte vor der Schlacht, die
er den Galatern zu liefern im Begriff war, Alexander erscheine
ihm und befehle ihm, seiner Armee das Wort ὑγιαινειν
als Feldgeschrei zu ertheilen; er that es, und unter diesem
Losungsworte erfocht er jenen so glorreichen Sieg.

10. Ptolemäus Lagi bediente sich in seinem Briefe an
Seleukus des χαῖρε und ὑγιαινε gerade in umgekehrter
Ordnung. Mit dem letztern begrüßte er ihn am Anfange
des Briefs, am Schlusse aber setzte er χαῖρε anstatt des ge=
wöhnlichen ἔῤῥωσο (25) e wohl). So berichtet uns wenig=
stens der Sammler von Ptolemäus Briefen, Dionysodor. —

11. Endlich verdient wohl auch jene Sitte des Königs Pyrrhus von Epirus angeführt zu werden, eines Mannes, der als Feldherr den nächsten Rang nach Alexander einnimmt, aber mehr als irgend Einer die Unbeständigkeit des Glückes erfahren hat. So unermüdet dieser König war, den Göttern Gebete, Opfer und Weihgeschenke darzubringen, so war das Gut, welches er sich erbat, niemals ein Sieg, oder größere Macht, oder Vermehrung seines Ruhms und seiner Reichthümer, sondern einzig und allein das ὑγιαίνειν; indem er der Meinung war, daß, so lange er nur gesund wäre, die übrigen Güter alle ihm leichtlich zufallen würden. Und ich sollte meinen, Pyrrhus hatte Recht: mangelte ihm dieses Einzige, was konnten ihm alle übrigen Herrlichkeiten nützen?

12. Allein ich höre mir entgegen halten: „Jeder Formel ist nun einmal ihre bestimmte Zeit angewiesen; du hast diese Zeit verwechselt, und somit hast du, wenn auch nicht etwas Nachtheiliges gesagt, doch wenigstens — bei'm rechten Lichte besehen — nicht minder verkehrt gehandelt, als wenn Einer den Helm um das Bein, und die Beinschienen um den Kopf binden wollte." Ganz recht, mein Lieber; wenn du mir aber nur sagen könntest, ob es überhaupt eine Zeit gibt, wo die ὑγεία nicht am rechten Orte ist. Ich dächte, man braucht das Gesundseyn eben so nothwendig des Morgens und Mittags, wie um Mitternacht, zumal ihr vielbeschäftigten Staatsbeamten, deren Kräfte so mannichfach in Anspruch genommen sind. Zudem, Wer den Andern mit χαῖρε grüßt, äußert einen bloßen Wunsch, ein bloßes Wort von guter Vorbedeutung: Wer hingegen mich „gesund seyn" heißt, legt in diesen Gruß zugleich die heilsame Erinnerung, auf Alles

zu achten, was meiner Gesundheit zuträglich ist; er wünscht also nicht bloß, sondern gibt mir auch noch eine gute Lehre.

13. Und wie? Steht nicht in den Befehlen, welche ihr vom Kaiser selbst erhaltet, jederzeit die Ermahnung oben an: Trage Sorge für dein Wohlbefinden? *) Gewiß ein sehr vernünftiger Gebrauch; denn wenn es an dieser Hauptbedingung fehlte, so wäret ihr ja zu allem Uebrigen unnütze. Und wenn ich nicht ganz unbekannt mit dem Römischen Sprachgebrauch bin, so gebt ihr ja selbst bisweilen einen freundlichen Gruß mit der Erkundigung nach des Andern Wohlseyn zurück.

14. Alles Dieses habe ich nicht deßwegen gesagt, als ob ich das χαῖρε absichtlich verdrängen und an seine Stelle das ὑγίαινε setzen wollte, sondern bloß um ein unvorsetzliches Versehen zu entschuldigen. Denn es wäre doch wohl lächerlich, das Ungewöhnliche zu suchen, und die, jeder Tageszeit eigenthümlichen, Begrüßungen mit Fleiß zu verwechseln.

15. Uebrigens gestehe ich, den Göttern zu Dank verpflichtet zu seyn, daß meiner Zunge, wenn sie nun doch einmal sich verfehlen mußte, ein Wort entschlüpfte, das von noch viel besserer Vorbedeutung als das gewöhnliche ist: und es wird nicht viel fehlen, so waren es Hygéa oder Aesculap selbst, die mir das Wörtchen ὑγίαινε eingaben, und dir somit durch meinen Mund eine lange Gesundheit verkündigten. Wenigstens könnte ich mir, ohne die Einwirkung einer Gott-

---

*) Diese (übrigens in Briefen gewöhnlich am Schlusse gesetzte) Formel hieß: Cura, ut valeas, oder: Valetudinem tuam cura diligenter.

heit anzunehmen, ein solches Begegniß nicht erklären, da ich mich doch sonst nie, in meinem ganzen langen Leben nie, in einer ähnlichen Zerstreuung befunden hätte.

16. Soll ich aber auch eine bloß menschliche Entschuldigung des Geschehenen anführen, so dürfte die Sache weniger befremdend erscheinen, wenn ich dir sage, daß vielleicht gerade das Bestreben, mich dir an jenem Morgen in einem recht vortheilhaften Lichte zu zeigen, eben weil mein Verlangen darnach zu heftig war, mich befangen machte und einen Unschick begehen ließ, der gerade das Gegentheil von dem, was ich wollte, zur Folge haben mußte. Möglich, daß man auch durch die Menge der Soldaten, welche bei solchen Aufwartungen nicht selten die Ordnung stören, und Andere bald vorwärts, bald auf die Seite drängen, verhindert wird, seine Gedanken gehörig beisammen zu behalten.

17. Am Ende weiß ich nur zu gut, daß, während die Uebrigen mein Versehen dem Unverstand, dem Mangel an Erziehung oder gar einem gewissen Aberwitze Schuld gaben, du selbst in der ganzen Sache nichts als ein Zeichen schüchterner Verschämtheit, und eines schlichten, ungekünstelten, aber freilich auch jener Gewandtheit entbehrenden Benehmens erblicktest, welche nur durch ein beständiges Sichumtreiben unter den Menschen gewonnen wird. Dieß lasse ich mir denn gerne gefallen: denn große Zuversichtlichkeit in solchen Dingen gränzt gar zu nahe an unverschämte Keckheit. Möchte ich freilich nie wieder in einen solchen Fall kommen, oder, wenn es ja seyn müßte, so möge es wenigstens immer zur guten Vorbedeutung werden.

18. Etwas Aehnliches trug sich, wie man erzählt, unter dem ersten Augustus zu. Dieser hatte, zufolge eines sehr gerechten Ausspruches, einen Mann, der eines schweren Verbrechens fälschlich angeklagt war, für unschuldig erklärt. Der Losgesprochene wollte ihm danken, und rief mit lauter Stimme: „Ich danke dir, Kaiser, daß du so übel und ungerecht gerichtet hast!" Die Begleitung des Kaisers wollte in der ersten Entrüstung über den Menschen herfallen, und würde ihn zerrissen haben, hätte der Monarch nicht mit den Worten gewehrt: „Gebt euch zufrieden! wir müssen nicht darauf sehen, was er gesagt, sondern wie er es gemeint hat." So der Kaiser. Du aber magst auf meine Gesinnung oder auf das Wort sehen, das meine Zunge sprach, jedenfalls wirst du finden, daß jene wohlmeinend, dieses von guter Vorbedeutung war.

19. Doch ich sehe, daß ich geschwätzig genug geworden bin, um mit Recht fürchten zu müssen, ich möchte gar in den Verdacht gerathen, den Fehler absichtlich gemacht zu haben, nur damit ich diese Apologie schreiben könnte. Und gleichwohl wollte ich, mein lieber Aesculap, diese Blätter müßten so sehr gefallen, daß man sie nicht sowohl für eine wirkliche Schutzrede, als für einen Aufsatz halten möchte, den ich über eine gesuchte Veranlassung in der Absicht schrieb, eine Talentprobe abzulegen.

Griechische Prosaiker

in

neuen Uebersetzungen.

Herausgegeben

von

G. L. F. Tafel, Professor zu Tübingen,
C. N. Osiander und G. Schwab,
Professoren zu Stuttgart.

Zehntes Bändchen.

Stuttgart,
Verlag der J. B. Metzler'schen Buchhandlung.
Fur Oestreich in Commission von Mörschner und Jasper
in Wien.
1827.

Lucian's

Werke,

überſetzt

von

Auguſt Pauly,

Profeſſor, Lehrer an der lateiniſchen und Real-Anſtalt
zu Biberach.

———

Fünftes Bändchen.

———

Stuttgart,

Verlag der J. B. Metzler'ſchen Buchhandlung.
Für Oeſtreich in Commiſſion von Mörſchner und Jaſper
in Wien.

1 8 2 7.

Hermotimus

oder von den

philosophischen Sekten.

———

Lycinus (Lucian). Hermotimus.

1. **Lycinus.** So viel ich aus der Hastigkeit deines Ganges und diesem Buche zu schließen vermag, eilst du zu deinem Lehrer, lieber Hermotimus. Was gieng dir denn in währendem Gehen im Kopfe herum? Du bewegtest die Lippen unter halblautem Gemurmel, und machtest sehr lebhafte Bewegungen mit den Händen; es war, als ob du bei dir selbst irgend einen Vortrag zusammenordnetest, oder über eine spitzfindige Frage, eine verfängliche Beweisführung, oder irgend eine sophistische Aufgabe studirtest. Also nicht einmal, wenn du auf der Straße bist, kannst du unthätig seyn? Immer hast du doch etwas Ernsthaftes im Werk, bist immer darauf bedacht, in deinen Studien dich zu fördern.

Hermotimus. Bei'm Jupiter, Lycinus, es ist so was. Ich wiederholte nämlich den gestrigen Vortrag unsers Meisters Satz für Satz bei mir selbst. Wahrhaftig, es sollte Niemand auch nur einen Augenblick ungenützt verstreichen lassen, wer

da weiß, wie wahr das Wort des Arztes aus Cos *) ist:
„das Leben ist kurz, die Kunst ist lang." Und doch sag=
te Hippokrates dieß nur von der Arzneikunst, welche noch
leicht genug zu erlernen ist im Vergleich mit der Philosophie,
einer Wissenschaft, in deren Besitz man sich auch in noch so
langer Zeit nicht setzen kann, wenn man nicht seinen Blick
unverrückt und mit gespanntester Aufmerksamkeit auf sie ge=
heftet hält. Und um was es sich handelt, ist in der That
keine Kleinigkeit: entweder in der großen Fluth gemeiner,
unwissender Menschen elendiglich unterzugehen, oder im Um=
gange mit der Weisheit des höchsten Glückes zu genießen.

2. Lycinus. Wahrhaftig, ein schöner, herrlicher Preis,
mein lieber Hermotimus! Und, so viel ich aus der langen
Zeit, die du schon philosophirest, und aus der anhaltenden
Mühe vermuthe, mit welcher du, wie ich sehe, dein Studium
betreibst, so kannst du von diesem Ziele so ferne nicht seyn.
Denn wenn ich mich recht erinnere, so sind es nun zwanzig
Jahre her; während welcher ich dich nie zu Gesichte bekam,
ohne daß du entweder auf dem Wege zu deinen Philosophen
gewesen wärest, oder über einem Buche gesessen, oder die
nachgeschriebenen Lehrvorträge wieder abgeschrieben hättest.
Dabei siehst du vor lauter Studiren so blaß und abgezehrt
aus, daß ich glauben muß, du gönnest dir nicht einmal die
Ruhe des Schlafs. Unter diesen Umständen sollte es doch
wohl nicht mehr lange anstehen, bis du jenes höchste Glück
erreichst — oder bist du wohl gar, ohne daß wir's merken,
schon im Besitz desselben?

----

*) Insel im icarischen Meer in der Nähe Kleinasiens.

Hermotimus. Wie follte ich's, mein befter Lycinus? ich, der nun erft anfängt, den rechten Weg, der zu demfelben führt, vor fich zu fehen? Ach mein Freund, es ift wie Hefiod fagt: *) die Tugend wohnt auf einer fernen, fteilen Höhe; der Weg zu ihr ift lange, rauh, und koftet den Wanderer des Schweißes nicht wenig.

Lycinus. Wie, Hermotimus, du hätteft alfo noch nicht genug gefchwizt und gewandert?

Hermotimus. O nein! denn wäre ich fchon auf der Höhe, nichts follte mich hindern, mein Glück in aller Fülle zu genießen. Für jezt aber fange ich erft an zu fteigen.

3. **Lycinus.** Aber derfelbe Hefiod fagt ja auch: „der Anfang ift der ganzen Arbeit Hälfte." **) Und fo werde ich wohl nicht Unrecht haben, wenn ich fage, du feyft nun fchon auf der Mitte deines Pfades.

Hermotimus. Noch lange nicht, mein Lieber! Denn da wäre fchon viel überftanden.

Lycinus. Nun fo fage: wie weit bift du denn bis jezt gekommen?

Hermotimus. Noch bin ich ganz unten am Fuße des Berges: aber ich ftrenge alle Kraft an, emporzuklimmen. Der Pfad ift fo fchlüpfrig und holpricht, und ohne eine hülfreiche Hand geht's nicht.

Lycinus. Nun, dein Meifter ift der Mann, fie dir zu bieten; er wird, wie der Homerifche Jupiter eine goldene Kette, fo feine Weisheitslehren von der längft erftiegenen

---

*) Werke und Tage v. 288 f.
**) Ebendaf. v. 40.

Höhe herablassen, und dich an denselben emporheben und zu
sich und zu der Tugend hinaufziehen.

Hermotimus. So ist es in der That, mein Freund.
Läge es übrigens blos an Jenem, so wäre ich wohl längst
schon zu den Glücklichen emporgezogen: allein an mir selbst
fehlt es noch.

4. Lycinus. Sey nur immer gutes Muthes, und
behalte stets das Ziel deiner Wanderung und das hohe Glück,
das dich oben erwartet, im Auge, zumal da der Meister dein
Streben so bereitwillig unterstützt. Hat er dir übrigens einen bestimmten Zeitpunkt genannt, an welchem du hoffen
darfst, oben zu seyn? Etwa über's Jahr, nach den Pana-
thenäen oder nach den Eleusinien?

Hermotimus. Die Zeit wäre zu kurz, mein guter
Lycinus.

Lycinus. Aber doch in der nächsten Olympiade?

Hermotimus. Auch diese Frist ist noch zu kurz, um
vollkommen in der Tugendübung, und jenes Glückes theilhaftig zu werden.

Lycinus. Doch wenigstens ganz gewiß nach zwei
Olympiaden? Denn sonst hätte man alle Ursache, euch großer
Trägheit zu beschuldigen, wenn ihr, um auf eine Höhe zu
gelangen, längere Zeit brauchtet, als man nöthig hat, um
mit aller Bequemlichkeit von den Säulen des Herkules
[Gibraltar] nach Indien dreimal hin und her zu reisen, gesetzt auch, daß man nicht den kürzesten Weg nähme, sondern
die Reise durch manche Kreuz = und Querzüge in den dazwi-
schen liegenden Ländern unterbräche. Und um wie viel höher
und steiler sollen wir uns denn eure Tugendhöhe vorstellen,

als jenes Aornos *) war, das Alexander doch nur in wenigen Tagen mit Sturm einnahm?

5. Hermotimus. Es giebt gar kein Gleichniß für
diese Sache, Lycinus: die Höhe, die ich meine, läßt sich
nicht nur so mit stürmender Hand und in wenigen Augenblicken einnehmen, und wenn zehentausend Alexanders an-
griffen. Wäre das, wie Viele gäbe es, die hinauf wollten!
Immerhin ist die Zahl derer sehr groß, die recht herzhaft
aufzusteigen beginnen, und mehr oder weniger voran kommen.
Allein wenn sie ungefähr zur Hälfte gekommen sind, und der
Beschwerden und Mühseligkeiten immer mehrere ihnen aufstoßen, dann wird die Anstrengung ihnen unerträglich; sie
verzweifeln am Gelingen, und keuchend und in Schweiß zer-
fließend kehren sie wieder um: die aber bis zum Ende aushalten, gelangen auf den Gipfel, führen von nun an auf
immer ein Leben voll unbeschreiblicher Wonne, und sehen von
ihrer Höhe auf die übrigen Sterblichen wie auf Ameisen
herab.

Lycinus. O wehe Hermotimus, zu was für winzigen
Geschöpfen machst du uns da! Nicht einmal Pygmäen sol-
len wir seyn, sondern arme Dingerchen, die auf dem bloßen
Boden herumkriechen! Aber freilich, wer einmal in Gedan-
ken so hoch steht und von der Höhe herabschaut, wie du,
dem können wir nicht anders vorkommen. Wir gemeiner
Plunder der Erdebewohner haben also hinfort nebst den
Göttern auch euch anzubeten, wenn ihr das langersehnte

---

*) S. Todtengesp. XIV, 6.

Ziel eures Strebens erreicht habt, und über den Wolken
wandelt.

Hermotimus. Der Himmel gebe, daß wir oben wä=
ren, guter Lycinus. Aber ach — es fehlt noch so viel!

6. Lycinus. Gleichwohl hast du mir noch nicht ge=
sagt wie viel: ich möchte doch eine ungefähre Zeit wissen.

Hermotimus. Ich weiß es selbst nicht genau. Doch
vermuthe ich, daß es nicht über zwanzig Jahre anstehen
wird, bis auch ich vollends den Gipfel erstiegen haben werde.

Lycinus. Herkules, eine lange Zeit!

Hermotimus. Es steht aber auch das Herrlichste am
Ziel, Lycinus.

Lycinus. Das mag wohl seyn. Aber was die zwan=
zig Jahre betrifft, wie kann denn dein Meister dir Bürge
seyn, daß du so lange leben werdest? Oder ist er etwa nicht
blos Philosoph, sondern auch Prophet und Wahrsager und
erfahren in den Künsten der Chaldäer, welche die Zukunft
auszurechnen verstehen? Denn ich kann doch nicht wohl glau=
ben, daß du auf's Ungewisse hin, ob du deine Ankunft auf
der Tugendhöhe auch erleben werdest, so viele Mühe und
Anstrengung bei Tag und bei Nacht erduldetest, da du doch
nicht wissen könntest, ob nicht, wenn du schon ganz nahe
am Gipfel bist, das Verhängniß über dich kommen, und in=
dem es dich am Beine faßt und herabzieht, deine schönen
Hoffnungen vereiteln wird.

Hermotimus. Halt ein, Lycinus, Gott verhüte es!
O wäre es mir doch vergönnt, nur einen einzigen Tag die
Seligkeit, ein Weiser zu seyn, zu genießen!

Lycinus. Wie? ein einziger Tag wäre dir Ersatz für so viele Mühen?

Hermotimus. Sogar mit einem Augenblicke wollte ich vorlieb nehmen.

7. Lycinus. Woher aber weißt du denn, daß da oben eine Seligkeit zu gewinnen ist, um welche sich's ver= lohnt, alles Mögliche zu thun und zu leiden? Du bist doch nie selbst oben gewesen.

Hermotimus. Der Meister sagt's, und ihm glaube ich. Er muß es genau wissen, da er längst schon auf dem höchsten Gipfel ist.

Lycinus. So sage mir doch, um der Götter willen, wie beschrieb er dir denn diese Seligkeit? Sind es etwa Reichthümer, oder Ehren, oder überschwängliche Sinnen= genüsse?

Hermotimus. Das sey ferne, Freund! Das Leben auf der Tugendhöhe hat mit solchen Dingen nichts zu schaffen.

Lycinus. Nun — wenn es diese nicht sind, welche an= dere Güter sagt er denn, daß man am Ziele der Prüfung davon tragen werde?

Hermotimus. Weisheit und Stärke des Gemüths, und das an sich Schöne, das Rechte, und eine sichere und klare Einsicht in die wahre Beschaffenheit aller Dinge; Reich= thümer aber und Ehren und Sinnengenüsse und Alles, was des Leibes ist, hat, wer sich zu jener Höhe gehoben, zuvor abgestreift und auf Erden gelassen, auf dieselbe Weise, wie Herkules, da er sich auf dem Oeta verbrannte, zum Gotte geworden ist: denn sobald er sich alles dessen, was von der Mutter her Menschliches ihm anhieng, entäußert hatte,

schwang sich das rein Göttliche seines Wesens, von den Flammen geläutert, zu den Göttern empor. Eben so werden die
Weisen durch die Weisheit, wie mittelst eines Reinigungs-
feuers, von allen jenen Dingen entbunden, welche Andern,
die nicht richtig zu urtheilen vermögen, bewunderns- und
wünschenswerth erscheinen. Und wenn sie auf der Höhe an-
gelangt sind, vergessen sie im Vollgenusse ihres Glückes aller Schätze und Ehren und Wollüste, und lachen der Thoren, die solchen Dingen einen Werth beilegen. *)

8. **Lycinus.** Nun beim Herkules vom Oeta, das
muß wohl ein erhabenes Glück seyn, das die Leute da oben
genießen. Aber ich möchte doch wohl wissen, guter Hermotimus, ob sie auch bisweilen, wenn sie Lust haben, ihre Höhe
wieder verlassen können, um der Dinge, die sie unten zurückgelassen, sich zu bedienen: oder müssen sie nun ein für
allemal oben bleiben, und im beständigen Umgange mit der
Tugend den Reichthum, den Ruhm und die Wollust mit
Verachtung ansehen?

Hermotimus. Nicht nur das, mein lieber Lycinus;
sondern der Glückliche, welcher in der Tugend vollkommen
geworden ist, kann nie wieder dem Zorne, der Furcht oder einer Begierde unterthan werden; noch wird je Kummer oder
irgend ein anderer Affect ihn befallen.

Lycinus. Gleichwohl, wenn ich offenherzig sagen soll,
was wahr ist — doch nein ich schweige; ich würde mich, denke
ich, versündigen, wenn ich das Thun der heiligen Weisen in
argwöhnische Untersuchung ziehen wollte.

_____

*) ταῦτ' εἶναι τι.

Hermotimus.— Durchaus nicht: rede frei, es sey was es wolle.

Lycinus. Siehst du, liebster Freund, ich wollte wohl, aber — ich habe das Herz nicht.

Hermotimus. Warum denn nicht? Muth gefaßt, mein Bester! Wir find ja unter uns.

9. Lycinus. Alles, was du mir da erzähltest, lieber Hermotimus, hörte ich mit vieler Aufmerksamkeit an, und glaubte wirklich, daß es so sey, wie du sagtest, und daß jene Leute weise und rechtschaffene Männer würden, und so weiter. Und in der That, deine Schilderung machte einen lebhaften Eindruck auf mich. So wie du aber hinzusetztest, auch den Reichthum, den Ruhm, die Wolluft verachteten sie, und wären nicht mehr im Stande, sich zu erzürnen, oder sich zu betrüben, da, lieber Freund — und das gestehe ich dir unter vier Augen — da stutzte ich, und erinnerte mich unwillkührlich an Etwas, das ich einen Gewissen neulich habe thun sehen — soll ich sagen Wen? oder thut der Name nichts zur Sache?

Hermotimus. Der Name ist nichts weniger als gleichgültig: nenne ihn immer.

Lycinus. Je nun — es war dein eigener Meister, übrigens ein Mann, der schon wegen seiner grauen Haare, und überhaupt alle Achtung verdient.

Hermotimus. Und was that er denn?

Lycinus. Du kennst ja den Fremden aus Heraklea, der schon seit geraumer Zeit seine Schule besuchte? Ich meine den Rothkopf, den Zänker.

Hermotimus. Ja wohl kenne ich ihn: Dio heißt er.

Lycinus. Dieser hatte ihm vermuthlich das Lehrgeld nicht zu rechter Zeit bezahlt. Da kriegte ihn der Meister zu paſſen, ſchlang ihm ſeinen Mantel um den Hals, und ſchleppte ihn im grimmigſten Zorne und unter lautem Geſchrei vor die Obrigkeit. Und hätten nicht einige ſeiner umſtehenden Bekannten den jungen Menſchen ihm aus den Händen geriſſen, glaube ſicherlich, der Alte wäre ihm mit den Zähnen in die Naſe gefahren; ſo wüthend war er.

10. Hermotimus. Dio iſt ein ſchlechter Menſch von jeher; vom Bezahlen will der Undankbare gar nichts wiſſen. Alle die vielen Schuldner, denen der Meiſter auf Zinſen geborgt hat, erfuhren von ihm nie eine ſolche Behandlung: das macht, ſie bezahlen ihm auch die Zinſen richtig und auf den Tag.

Lycinus. Aber, mein Beſter, geſetzt, ſie zahlten nicht, wie da? wiewohl, die Weisheit hat ihn ja ausgeläutert; es wird ihn alſo wohl nicht kümmern, da er der Dinge nicht mehr bedarf, die er auf dem Oeta zurückließ?

Hermotimus. Meinſt du denn, es ſey ihm dabei um ſich ſelbſt zu thun, wenn er ſich mit Geldſachen befaßt? Er hat noch unerzogene Kinder, für die er ſorgen muß, daß ſie in Zukunft keinen Mangel leiden.

Lycinus. Seine Schuldigkeit wäre, auch dieſe auf die Tugendhöhe zu führen, damit ſie bei Verachtung des Reichthums ſo glücklich wären, als er ſelbſt iſt.

11. Hermotimus. Ich habe jetzt keine Zeit, Lycinus, mich hierüber mit dir einzulaſſen. Ich eile jetzt in ſeinen Hörſaal: ſonſt könnte ich in Gefahr kommen, ſeinen Vortrag ganz und gar zu verſäumen.

Lycinus. Das haft du nicht zu befürchten, guter Hermotimus: für heute find Ferien angefagt; du kannft alfo das Uebrige des Weges erfparen.

Hermotimus. Wie verftehe ich das?

Lycinus. Du wirft ihn heute gar nicht zu fehen bekommen, wenn anders dem öffentlichen Anfchlag zu glauben ift, den ich vorhin über feiner Thüre fah; dort fteht nämlich mit großen Buchftaben auf einem Täfelchen gefchrieben: Heute find keine philofophifchen Unterredungen. Wie ich mir habe fagen laffen, fo fpeiste der gute Mann geftern bei dem verehrten Eukrates, welcher zur Feier des Geburtstages feiner Tochter ein großes Gaftmahl gab. Das Gefpräch kam auf philofophifche Gegenftände, an welchen er den lebhafteften Antheil nahm: befonders aber ereiferte er fich in einem Streit mit dem Peripatetiker Euthydémus über die Punkte, worin fie von den Stoikern abgehen. Das heftige Gefchrei, die Erhitzung, und die lange Dauer des Gelages, das fich tief in die Nacht hineinzog, hätten ihm, wie man erzählt, Kopffchmerz verurfacht. Ohne Zweifel trank er dabei etwas über Durft; die Gäfte werden's ihm wohl, wie es zu gefchehen pflegt, mehrmals zugebracht haben: auch aß er wohl mehr, als für feinen alten Magen gut war. Daher foll er bei feiner Nachhaufekunft ein ftarkes Erbrechen bekommen, und fich kaum noch Zeit genommen haben, alle die Stücke Fleifch, die er feinem bei der Tafel hinter ihm ftehenden Diener zugefchoben hatte, fich vorzählen zu laffen und forgfältig zu verfiegeln. Hierauf hätte er fich, mit dem Befehl, Niemand einzulaffen, zu Bette gelegt, und fchlafe bis auf diefe Stunde. Dieß erzählte in meinem Beifeyn fein

Bedienter Midas einer großen Zahl von Schülern, welche
hierauf ebenfalls Alle wieder umkehrten.

12. Hermotimus. Nun, Lycinus, wer hat denn
gewonnen, mein Meister, oder Euthydemus? Hat Midas
nicht auch davon was gesagt?

Lycinus. Anfangs sollen sich Beide so ziemlich die
Waage gehalten haben: am Ende aber gewann euer alter
Herr völlig die Oberhand, und der Sieg war entschieden auf
eurer Seite. Für den Euthydemus ist die Sache nicht un-
blutig abgelaufen: er hat ein großes Loch im Kopfe davon
getragen. Der Mensch war gar zu großmäulig und zudringlich geworden; er wollte gar nicht glauben, was man ihm
sagte, noch auch mit Ueberführungsgründen sich beikommen
lassen: da schmiß ihm dein braver Meister den großen Ne-
storshumpen, *) den er eben in der Hand hielt, an den Kopf,
und so war der Streit entschieden.

Hermotimus. O schön, schön! So muß man's den
Burschen machen, welche Weisern und Bessern nicht nachgeben wollen.

Lycinus. Sehr vernünftig gesprochen, Hermotimus!
Welcher Dämon mußte aber auch den Euthydemus plagen,
daß er den sanftmüthigen, über alle Leidenschaften erhabenen
Alten gerade in dem Augenblicke in den Harnisch jagte, wo
er einen so schweren Pokal in den Händen hielt? —

---

*) Hom. Il. XI. 636:
Mühsam hob ein Andrer den schweren Kelch von der Tafel;
War er voll: doch Nestor, der Greis, erhob unbemüht ihn.
                                                      B. o. h.

13. Doch genug hiervon: willst du nicht lieber — da du nun doch Muße hast — mir, deinem alten Freunde, erzählen, wie du es angiengst, dieses philosophische Streben in dir zu wecken, damit auch ich mich von Stunde an aufmache, euer Begleiter auf derselben Bahn zu werden? Ihr werdet doch einen guten Bekannten nicht zurückweisen?

Hermotimus. O, wenn du nur willst, lieber Lycinus, so sollst du bald sehen, welcher Unterschied zwischen dir und andern Menschenkindern seyn wird. Glaube mir, sie werden dir Alle wie Kinder vorkommen, so großartig wird deine Denkart seyn im Vergleich gegen die ihrige.

Lycinus. Ich will zufrieden seyn, wenn ich nur nach zwanzig Jahren so weit seyn werde, als du jetzt bist.

Hermotimus. Sorge nicht: ich war ungefähr in deinem Alter, als ich zu philosophiren anfieng; du bist gegenwärtig doch wohl vierzig Jahre alt?

Lycinus. Getroffen, mein Hermotimus. So gewähre mir also die gewiß nicht unbillige Bitte, und führe mich auf denselben Weg, den du selbst betreten hast. Zuvor aber sage mir noch: erlaubt ihr euern Lehrlingen, dem Meister zu widersprechen, wenn er ihnen etwas Unrichtiges zu sagen scheint? oder geht dieß bei euch nicht an?

Hermotimus. Es ist eigentlich nicht Sitte: doch mache du immer, wenn du Lust hast, zwischenein deine Fragen und bringe deine Einwürfe vor. Du wirst nur um so schnellere Fortschritte machen.

14. Lycinus. Nun das lobe ich mir, beim Hermes, deinem Namenspatron! Aber sage mir doch: giebt es nur Einen Weg zur Weisheit, den der Stoiker? Oder habe ich

die Wahrheit gehört, wenn man mir sagte, daß noch mehrere andere zu ihr führen?

Hermotimus. Allerdings es giebt viele dergleichen Führer: die Peripatetiker, die Epikuräer, diejenigen, die sich nach Plato nennen, ferner die Nachfolger des Diogenes, Antisthenes, Pythagoras und noch viele Andere.

Lycinus. In der That, du hast recht: es sind ihrer Viele. Nun, Hermotimus, lehren denn diese Alle Dasselbe, oder sind sie in ihren Meinungen verschieden?

Hermotimus. O gar sehr verschieden!

Lycinus. So kann also, sollte ich denken, nicht Alles wahr seyn, was sie lehren, weil sie sonst nicht Verschiedenes lehrten. Das Wahre aber, was sie lehren, kann bei Allen nur ein und dasselbe seyn. Nicht wahr?

Hermotimus. So ist es allerdings.

15. Lycinus. Nun sage mir, mein lieber Freund, was hat dir gleich anfangs beim Beginne deines philosophischen Studiums das große Vertrauen zu der stoischen Lehre eingeflößt, daß du an den vielen Thüren, die dir offen standen, vorbeigiengst, und nur durch jene, welche zur stoischen Schule führt, auf den einzig wahren und geraden Weg zur Tugend zu gelangen glaubtest, als ob alle übrigen bloß die Eingänge zu finstern Irrwegen ohne Ausgang wären? Auf was gründete sich damals diese deine Meinung? denn du mußt dich, wenn ich dich so frage, nicht als den Mann denken, der du jetzt bist, und der nun freilich gegenwärtig, sey es als Halbweiser, oder schon als ganz Weiser, jedenfalls ein weit richtigeres Urtheil hat, als wir Leute vom großen Haufen: sondern beantworte mir meine Frage als solcher,

welcher du damals warst, und was ich gegenwärtig noch bin, nämlich als bloßer Laie.

Hermotimus. Ich verstehe nicht recht; was du willst, Lycinus.

Lycinus. Gleichwohl ist diese Frage so undeutlich nicht, sollte ich meinen. Da der Philosophen so Viele sind, ein Plato, ein Aristoteles, ein Antisthenes, und eure eige-nen Vorfahren, ein Chrysipp und Zeno und die Uebrigen, so viel ihrer sind, welche Rücksicht hat dich bestimmt, mit Vorbeigehung alles Uebrigen gerade die Grundsätze anzuneh-men, die du angenommen hast, und in diesem Geiste zu philosophiren? Hat dich etwa der pythische Apoll (wie einst den Chärephon zu Sokrates) zu den Stoikern gewiesen, und sie für die Weisesten aller Weisen erklärt? Denn es ist so seine Weise, den Einen zu diesem, den Andern zu jenem phi-losophischen Systeme zu rathen, indem er, wie ich mir vorstelle, das für Jeden Angemessene zu beurtheilen weiß.

Hermotimus. So ist's nicht, Lycinus: ich hatte den Gott nicht darüber befragt.

Lycinus. Wie, die Sache schien dir nicht wichtig ge-nug, um den Rath des Gottes einzuholen? oder trautest du dir wohl selbst die hinlängliche Einsicht zu, um das Rechte zu erwählen?

Hermotimus. Das Letztere, ich gestehe es.

16. Lycinus. Nun so theile auch mir vor allen Dingen das Merkmal mit, an welchem ich gleich anfangs die beste und wahrste Philosophie erkennen kann, welche ich mit Uebergehung aller ubrigen zu erwählen habe.

2 *

Hermotimus. Das will ich dir sagen. Ich fand, daß die meisten Leute sich zu der stoischen Schule schlugen, und daraus schloß ich, daß sie die beste seyn müsse.

Lycinus. Und um wie viel waren es deren mehr, als solcher, die Epikuräer, Platoniker, oder Peripatetiker wurden? Ich denke doch, du wirst sie förmlich gezählt haben, wie bei einer Abstimmung?

Hermotimus. Nun das wohl eben nicht, aber so ungefähr geschätzt habe ich sie.

Lycinus. Ich sehe schon, du willst mir die Wahrheit nicht sagen. Du wirst mir doch nicht weiß machen wollen, du hättest dich in einer so wichtigen Sache nur nach einer muthmaßlichen Schätzung der Stimmenmehrheit entschieden?

Hermotimus. Das war es auch nicht allein, Lycinus. Zu meinem Entschlusse trug auch das Urtheil bei, das ich allgemein fällen hörte. Die Epikuräer wären genußsüchtige Süßlinge, die Peripatetiker geldgierig und streitsüchtig, die Platoniker eingebildete, eitle Gecken. Die Stoiker hingegen hörte ich von vielen Leuten als brave Männer rühmen, die Alles wüßten, und bei denen man es, wenn man ihren Weg einschlüge, dahin bringen könnte, allein König, allein reich, allein weise, kurz Alles in Allem zu werden.

17. Lycinus. Das sagten doch wohl nur andere Leute von ihnen? denn wenn sie von sich selbst so ruhmredig gesprochen hätten, so würdest du ihnen schwerlich geglaubt haben, nicht wahr?

Hermotimus. Gewiß nicht: Andere sagten es.

Lycinus. Aber vermuthlich nicht ihre philosophischen Gegner?

Hermotimus. O nein.

Lycinus. Also waren es bloß die Laien, welche es sagten?

Hermotimus. Ja, diese.

Lycinus. Nun siehst du, wie du wieder nicht bei der Wahrheit bleibst, sondern mich zum Besten haben willst. Glaubst du denn einen Menschen vor dir zu haben, der Schöps genug wäre, zu glauben, Hermotimus, ein verständiger Mann von vierzig Jahren, hätte dem Urtheile der Laien über Philosophie und Philosophen ein blindes Vertrauen geschenkt, und in der Würdigung*) und Wahl des bessern Theils von solchen Aeußerungen sich leiten lassen? Nein, Freund, dergleichen werde ich dir nun und nimmermehr glauben.

18. Hermotimus. Aber siehst du, Lycinus, ich habe ja nicht bloß auf das Urtheil Anderer mich verlassen, sondern zugleich auch auf mein eigenes. Ich sah sie in anständiger Tracht und mit so vieler Würde einhergehen, immer in tiefen Gedanken und festen, männlichen Blickes, die Meisten bis auf die Haut geschoren: ich sah an ihnen eben so wenig Weichlichkeit als jene widerliche Vernachlässigung des Aeußern, welche den Narren und Cyniker bezeichnet; sondern sie hielten sich hierin auf der Mittelstraße, welche ja allenthalben und allgemein für die beste gilt.

---

*) 'Αξιωσιν nach Lehmann's Vorschlag.

Lycinus. Aber, mein lieber Hermotimus, haſt du ſie
denn nicht auch Dinge thun ſehen, dergleichen ich ſo eben
als Augenzeuge von deinem Meiſter erzählte, als da ſind:
auf wucheriſche Zinſen leihen, Forderungen mit Härte ein=
treiben, bei Gelagen ſich hartnäckig zanken, und was der=
gleichen Untugenden mehr ſind, die ſie an den Tag legen?
Oder machſt du dir vielleicht wenig aus denſelben, wenn nur
das Gewand in würdige Falten fällt, der Bart eine anſehn=
liche Länge hat und das Haupthaar auf der Haut geſchoren
iſt? Nun ſo ſollen alſo hinfort, nach den Grundſätzen des
weiſen Hermotimus, Tracht, Gang und Tonſur als Richt=
ſchnur und Maaßſtab bei der Beurtheilung gelten, welches
die vorzüglichſten Männer ſeyen. Wem es an jenen drei
Stücken gebricht, und wer kein recht ernſthaftes, tiefſinniges
Geſicht zu machen weiß, fort mit dem, der taugt nichts!
Aber ich fürchte, mein Beſter, du willſt abermals deinen
Spaß mit mir treiben und mich auf die Probe ſtellen, ob
ich die Schalkheit merke.

19. Hermotimus. Warum glaubſt du das?

Lycinus. Weil eine ſolche Art zu beurtheilen, wie
dieſe, wobei bloß auf das Aeußere geſehen wird, nur bei
Bildſäulen angewendet werden kann. Und käme es wirklich
bloß auf Haltung und Anſtand und gewählten Faltenwurf
an, eure Philoſophen würden gegen die vollendet ſchönen
Gebilde eines Phidias, Alkamenes und Myron gewaltig den
Kürzern ziehen. Wäre es wirklich ſo, daß nach ſolchen
Kennzeichen geurtheilt werden müßte, wie übel wäre der
Blinde daran, wenn er einen Trieb zur Philoſophie in ſich
verſpürte! Wie könnte Dieſer, der weder Tracht noch Gang

der Philosophen, unter welchen er wählen soll, zu beobachten
im Stande ist, die bessere Schule von der minder guten un=
terscheiden?

Hermotimus. Was kümmert mich das? Sprach ich
denn zu einem Blinden, Lycinus?

Lycinus. Gleichwohl, mein Lieber, sollten so große
und allen Menschen nützliche Dinge auch ein für Alle er=
kennbares Merkmal haben. Indessen mögen, wenn du so
willst, die Blinden immer von der Philosophie ausgeschlossen
bleiben, weil sie nun einmal — blind sind: wiewohl gerade
diese am nöthigsten hätten, sich über ihr Unglück mit den
Tröstungen der Weisheit zu beruhigen. Allein sogar die Se=
henden, und wenn sie noch so scharfsichtig sind, wie können
sie aus dem äußerlichen Aufzug die Eigenschaften der Seele
erkennen?

20. Und doch handelt sich's hier nur von den Letztern.
Denn nicht wahr, nur die Bewunderung der geistigen und sitt=
lichen Vorzüge dieser Männer und das Verlangen nach glei=
cher Vervollkommnung war es, was dich zu denselben hinzog?

Hermotimus. Allerdings.

Lycinus. Wie warst du also im Stande, an jenen
bloß äußerlichen Kennzeichen den wahren Philosophen von
dem falschen zu unterscheiden? Dergleichen Eigenschaften lie=
gen doch wohl nicht so flach zu Tage, sondern treten erst
nach und nach in Reden und Handlungen und nach einem
langen Umgange aus ihrem geheimnißvollen Dunkel hervor.
Du kennst ohne Zweifel den Vorwurf, den einst Momus
dem Vulkan machte? — Nicht? So höre. Minerva, Neptun
und Vulkan, so erzählt der Mythus, stritten einst mit ein=

ander, wer von ihnen das vollkommenste Kunstwerk hervor=
bringen könnte. Da bildete Neptun einen Stier; Minerva
entwarf den sinnreichen Plan eines Wohnhauses; Vulkan
schuf einen Menschen. Wie sie nun mit ihren Kunstwerken
vor den Momus kamen, den sie zum Schiedsrichter erwählt
hatten, betrachtete er jedes derselben sehr sorgfältig. Was
er hierauf an den beiden erstern aussetzte, gehört nicht hie=
her; den Vulkan aber tadelte er, daß er der Brust seines
Menschen keine Thürchen eingesetzt hatte, die man nur öffnen
dürfte, um sogleich zu wissen, was er denkt und will, und
ob er lügt oder die Wahrheit spricht. Indem also Momus
so urtheilte, gestand er, daß auch er nicht scharfsichtig genug
sey, den Menschen zu durchschauen. Aber freilich du bist
mehr als selbst Lynceus; du siehst unmittelbar in's Herz; Al=
les ist vor deinen Blicken aufgeschlossen, so daß du nicht bloß
weißt, was Einer denkt und will, sondern auch welcher von
zweien der Bessere, welcher der Schlechtere ist.

21. Hermotimus. Du scherzest, Lycinus. Dem sey
wie ihm wolle: mein guter Genius hat mich nun einmal so
wählen lassen. Meine Wahl reut mich nicht, und das ist
mir genug.

Lycinus. Aber mir ist's nicht genug, guter Freund.
Wirst du mich denn in der Fluth gemeiner Alltagsmenschen
untergehen lassen?

Hermotimus. Du wirst doch mit nichts zufrieden
seyn, was ich dir auch sagen werde.

Lycinus. Glaube das nicht, mein Lieber; du willst
mir nur nichts sagen, das mich befriedigen könnte. Weil du
also absichtlich und aus Mißgunst hinter dem Berge hältst,

damit ich es dir in der Philofophie nicht gleich thun möchte, fo will ich verfuchen, ob ich nicht felbft im Stande bin, auf ein richtiges Urtheil zu kommen, und diefem gemäß eine fichere Wahl zu treffen. Höre alfo an, wenn dir's gefällt.

Hermotimus. Recht gerne, Lycinus. Ohne Zweifel ift es fehr hörenswerth, was du vorbringen wirft.

22. **Lycinus.** Urtheile felbft, aber lache mich nicht aus, wenn ich es etwas laienmäßig angehe, um zu meinem Ergebniffe zu gelangen: ich muß mir helfen wie ich kann, da du, der es beffer weiß, als ich, nun einmal nicht genügender dich erklären willft. Ich denke mir alfo die Tugend als eine Stadt, deren Einwohner lauter glückfelige, im höchften Grade weife, edelfinnige, gerechte, leidenfchaftlofe, kurz, von göttlicher Vollkommenheit nicht mehr weit entfernte, Menfchen find. So wird fie wenigftens, glaube ich, der Meifter fchildern, der ja dort wie zu Haufe ift. Was aber bei uns an der Tagesordnung ift, Räubereien, Gewaltthaten, Uebervortheilungen aller Art — von allem dem laffen fich jene Menfchen nichts beigehen, fondern fie Alle leben in tiefem Frieden und in Eintracht beifammen. Und wie follten fie nicht, da ja alles dasjenige, was in andern Städten Unruhe, Zwietracht und Meutereien verurfacht, aus jenem Vereine gänzlich verbannt ift? Denn ihre Blicke find nicht mehr auf Reichthümer, Wollüfte und Ehrenftellen gerichtet, die den Frieden unter ihnen ftören könnten: alle diefe Dinge haben fie als überflüffig längft aus ihrer Stadt gefchafft. Und fo führen fie ein ungetrübtes, höchft beglücktes Leben, in fchönfter Ordnung und im Genuffe der Freiheit und Gleichheit und aller übrigen Güter.

23. Hermotimus. Nun also, Lycinus, verdiente es
eine solche Stadt nicht, daß alle Menschen sich eifrigst um
das Bürgerrecht in derselben bewärben, ohne die Beschwerde
der Wanderung in Anschlag zu bringen, noch sich von der
Länge der Zeit, die sie erfordert, abschrecken zu lassen, da ih=
nen ja bei ihrer Ankunft in derselben die Aufnahme in die
Zahl der Bürger und der Genuß dieses Rechtes bevorsteht?

Lycinus. Ja, bei'm Jupiter, Hermotimus! Darnach
sollte Jeder vor Allem, und mit Hintansetzung alles Uebrigen
trachten. Und wen sein bisheriges Vaterland festhalten will,
der soll sich daran nicht kehren: wen Aeltern oder Kinder
mit Thränen bitten, da zu bleiben, der soll sich dadurch nicht
weichherzig machen lassen, sondern im Gegentheile sie auffor=
dern, mit ihm die gleiche Wanderung anzutreten; und wol=
len oder können sie nicht, so reiße er sich los von ihnen, und
schreite gerade auf jene Heimath seliger Wonne zu. Ja auch
den Mantel werfe er von sich, wenn dieser im raschen Laufe
ihn hindern sollte. Denn abgewiesen zu werden, auch wenn
er unbekleidet dort ankäme, darf Keiner befürchten.

24. Vor Jahren habe ich wirklich einmal einen alten
Mann erzählen hören, wie es sich mit dieser Stadt verhält:
er sprach mir sehr zu, ihn dahin zu begleiten, bot sich mir
zum Führer an, und versprach mir, mich als Bürger einzu=
schreiben, und zu seinem Stammes= und Zunftgenossen zu
machen, damit ich gleiches Glück mit allen Uebrigen genösse.

Aber ich folgte ihm nicht im Unverstande der Jugend; *)

―――――――――

*) Parodie von Il. V, 201.

ich mochte damals ungefähr fünf und zwanzig Jahre zählen.
Hätte ich mich doch überreden laffen! Vielleicht wäre ich jetzt
schon nahe an den Vorstädten, oder wohl gar am Thore.
Unter vielem Anderen sagte er mir, wenn ich mich recht erin=
nere, auch Folgendes von diefer Stadt: „fie wird von lauter
Eingewanderten und Fremden bewohnt; Eingeborne hat fie
nicht, wohl aber Bürger aus allen Gegenden und von aller
Art, Barbaren, Sclaven, Bucklichte, Zwerge, Bettler; *)
kurz, zum Bürgerrecht gelangt Jeder, der nur will. Denn
es ist dort gefetzlich, bei der Aufnahme nicht auf Vermögen,
Tracht, Größe, Schönheit, Herkunft und Ahnen zu fehen.
Im Gegentheile, folche Dinge gelten gar nichts bei ihnen;
fondern, um Bürger zu werden, genügt es, ein verständiger,
thätiger, beharrlicher Mann zu feyn, der Liebe zum Sitt=
lichfchönen im Herzen trägt, und fich von den Schwierigkei=
ten, die ihm auf feinem Wege aufstoßen, nicht muthlos ma=
chen läßt. Wer alfo diefe Eigenfchaften bethätigt, und rast=
los fortwandert bis zur Stadt, wird dadurch auf der Stelle
zum Bürger, und genießt, er fey wer er wolle, gleicher Ehre
und Rechte wie alle Uebrigen. Denn die Unterfchiede: vor=
nehm und gering, geadelt und gemein, Sclaven und Freige=
borne, finden dort gar nicht Statt; ja man hört diefe Worte
nicht einmal ausfprechen."

25. Hermotimus. Siehft du alfo, Lycinus, daß
meine Bemühungen auf ein fehr wefentliches und wichtiges

---

*) Anfpielung auf einige Philofophen, die in diefe Rubriken
   gehörten, z. B. Anacharfis, Epittet, Antifthenes, Crates
   u. A. Wieland.

Gut gerichtet sind, wenn ich mich bestrebe, der Bürger einer
so schönen und glücklichen Stadt zu werden?

Lycinus. Auch ich brenne von dieser Begierde, mein
guter Hermotimus, und nichts in der Welt ist, das ich mir
lieber wünschen möchte. Läge doch diese Stadt näher und
ausgebreitet vor aller Augen, glaube mir, ich hätte sie sogleich, ohne mich einen Augenblick zu besinnen, betreten, und
wäre längst schon Bürger daselbst. Allein da sie, nach deiner
und des alten Sängers Hesiod Versicherung, sehr ferne ab-
liegt, so muß man sich erst nach dem rechten Wege und nach
einem tüchtigen Führer umsehen. Meinst du nicht?

Hermotimus. Allerdings: wie könnte man anders
an's Ziel kommen?

Lycinus. Nun giebt es dir zwar, wenn es auf's
bloße Versprechen ankommt, Wegweiser im Ueberfluß, welche
Alle behaupten, die rechte Straße am besten zu kennen. So
viel ihrer sind, die ihre Dienste anbieten, Alle wollen sie eingeborne Bürger jener Stadt seyn. Allein der Weg ist nicht,
wie es seyn sollte, ein und derselbe, sondern es sind der Pfade
viele und von der verschiedensten Beschaffenheit und Richtung. Denn der Eine führt dich gegen Abend, ein Anderer
gegen Morgen, ein Dritter gegen Mitternacht, ein Vierter
gerade gegen Mittag. Einer der Wege zieht sich durch üppige Matten, angenehme Gärten und schattigtes Gehölze an
kühlenden Quellen vorbei: da wandelt sich's lustig und ohne
alles Hinderniß und Beschwerde. Ein anderer hingegen ist
rauh, steinigt, beständig der Sonne ausgesetzt, und verspricht
dem Pilger nichts denn Durst und Ermattung. Gleichwohl

behauptet man von dem einen wie von dem andern dieser, nach so ganz entgegengesetzten Richtungen führenden, Wege, daß man auf demselben die Stadt erreiche, die doch nur Eine ist.

26. Dieß ist es nun ganz allein, was mich verlegen macht. Ich mag an einen der Wege kommen, an welchen ich will, so steht ein Mann von einem Zutrauen einflößenden Aussehen am Anfange desselben, bietet mir die Hand, redet mir zu, den seinigen einzuschlagen, und versichert mich, dieser wäre einzig und allein der rechte; die übrigen Wegweiser alle führen in die Irre, und wären eben so wenig im Stande, Andere in die Stadt zu geleiten, als sie selbst je dort gewesen wären. Komme ich nun zum Nachbar, so verspricht er das Gleiche von seinem Wege, und lästert die Andern: eben so machen es der Dritte und Vierte und alle Uebrigen. Diese Menge und Verschiedenheit der Wege also, und mehr noch als dieß, die eifersüchtigen Bemühungen der Wegweiser, von denen Jeder den seinigen anpreist, machen mich so verwirrt, daß ich ganz und gar nicht weiß, wohin ich mich wenden und wem ich folgen soll, um zu jener Stadt zu gelangen.

Hermotimus. Aus dieser Verlegenheit will ich dich ziehen, lieber Lycinus: vertraue dich nur denen an, welche den Weg schon vor dir gemacht haben, so kannst du nicht irre gehen.

Lycinus. Welchen meinst du? Welchen Weg und mit welchem Führer? Abermals zeigt sich uns dieselbe Schwierigkeit, nur unter einer anderen Gestalt, indem es sich jetzt statt von den Sachen, von den Personen handelt.

Hermotimus. Wie verstehst du das?

Lycinus. Ich meine, derjenige, welcher Plato's Weg eingeschlagen hat, und mit diesem Geleitsmann fortwanderte, wird natürlich nur diesen Weg anpreisen, während ein Anderer es mit dem Wege Epicur's, ein Dritter mit einem Dritten eben so machen wird. Nicht anders geht es dir selbst: nur einer Weg ist dir der rechte. Ist es nicht so, Hermotimus?

Hermotimus. Und warum sollte es anders seyn?

Lycinus. Siehst du, also hast du mich noch nicht aus meiner Verlegenheit gezogen: denn ich weiß nun so wenig als zuvor, welchem Wanderer ich glauben soll. Jeder derselben hat es, so wie sein Führer selbst, nur mit einem einzigen Wege versucht, und diesen preist er nun als den alleinigen, der zur Stadt führe. Da kann ich nun nicht wissen, ob er die Wahrheit spricht. Daß er endlich irgend wohin kam, und eine Stadt fand, werde ich ihm vielleicht zugeben. Aber ob er die rechte gefunden, die Stadt, nach deren Bürgerrecht wir Beide uns sehnen, oder ob er nicht vielleicht, statt nach Corinth, nach Babylon gerathen ist und sich nun einbildet, zu Corinth gewesen zu seyn — das, Freund, scheint mir noch nicht so ausgemacht. Denn wer eine Stadt gesehen, hat darum noch nicht Corinth gesehen, indem Corinth nicht die einzige Stadt in der Welt ist. Meine Noth rührt aber hauptsächlich daher, weil ich weiß, daß, so wie nur Eine Stadt Corinth seyn kann, auch nur Eine Straße dahin die wahre ist, und daß alle übrigen an jeden andern Ort eher als nach Corinth führen. Denn wer ist wohl so albern, der sich einbildete, auf einem Wege, der geradezu nach

Indien oder dem Hyperborderlande *) führt, nach Corinth zu kommen?

Hermotimus. Wie sollte er auch, bei so verschiede= nen Richtungen?

27. **Lycinus.** Hieraus ergiebt sich, mein vortreffli= cher Hermotimus, wie ernstlich die Wahl des Weges und des Führers überlegt seyn will. Wir dürfen nicht so auf's Gerathewohl vorwärts gehen, wohin uns nun eben die Füße tragen; sonst könnten wir, ohne es zu merken, anstatt nach Corinth, auf der Straße nach Babylon oder Bactra wandern: und es wäre sehr übel gethan, uns dem Zufalle zu überlas= sen, in der Meinung, der nächste beste Weg, den wir ein= schlagen, werde just auch der richtige seyn. Unmöglich ist es freilich nicht, daß wir den rechten treffen, und wohl mag sich's, unter tausend Fällen, Einmal schon so glücklich gefügt haben. Allein, da die Sache so wichtig ist, so dürfen wir sie nicht wie ein Würfelspiel behandeln, und unsere Hoff= nung auf eine so gefährliche Spitze stellen. **) Wir hätten wahrhaftig keinen Grund, die Fortuna anzuklagen, wenn sie (blind, wie sie ist) bei den vielen tausend Punkten, nach welchen sich ihr Pfeil verirren konnte, nun einmal den Ein= zigen rechten nicht getroffen hätte: gieng es doch dem gro= ßen Homerischen Bogenschützen selbst nicht besser (Teucer, denke ich, war es), der, anstatt der Taube, die er treffen

---

*) D. h. nach dem Nordlande.
**) Die Urschrift fügt hinzu: „noch, wie das Sprichwort sagt, über das Aegäische und Jonische Meer in einem Schilf= korbe schiffen wollen."

sollte, nur den Faden an ihrem Fuß durchschoß. *) Im Ge=
gentheile, es ist viel vernünftiger zu erwarten, daß ein (blind=
lings abgeschossener) Pfeil an jeden andern Punkt eher, als
an den Einzigen rechten gelangen werde; daß es aber sehr
mißlich für uns wäre, wenn wir uns der Hoffnung, der Zu=
fall werde den besten Weg für uns wählen, überlassen woll=
ten, und nun, anstatt den wahren zu finden, auf einen jener
Irrwege geriethen, das ist, glaube ich, sehr einleuchtend.
Denn es ist nicht leicht, wieder umzukehren, und sich an's
Ufer zu retten, wenn man einmal das Fahrzeug losgebunden
und einem heftigen Landwinde sich überlassen hat: und es ist
alsdann unvermeidlich, daß man auf der See umhergewor=
fen, von dem beständigen Schaukeln schwindligt und seekrank,
und in tödtliche Angst versetzt wird. Daher darf man nicht
vergessen, bevor man den Hafen verläßt, auf irgend eine
hohe Warte zu steigen, und sich hübsch umzusehen, ob ein
guter Wind bläst für die, welche Corinth zusteuern wollen.
Zudem hat man sich den tüchtigsten Steuermann, den man
bekommen kann, und ein dauerhaftes Schiff auszulesen, das
Stürme und Fluthen aushalten kann.

28. Hermotimus. Das ist allerdings das Beste.
Uebrigens weiß ich gewiß, daß du, wenn du auch bei Allen
die Runde machst, keine bessern Wegweiser, keine bessern
Steuerleute finden wirst, als die Stoiker. Diesen mußt du
folgen, in die Fußstapfen eines Chrysippus und Zeno mußt
du treten, wenn du in das rechte Corinth kommen willst.
Anders wird's nicht gehen.

*) Il. XXIII, 866.

Lycinus. Ah, mein lieber Hermotimus, du machst es also auch, wie die Uebrigen? Daſſelbe würde mir ein Nachwandler Plato's, oder Epikur's oder irgend eines andern großen Weiſen ſagen: Jeder würde mich verſichern, ich könne mit Niemand Anderem, als mit ihm, nach Corinth gelangen. Alſo bliebe mir nichts übrig, als entweder Allen zu glauben, oder dem Einen wie dem Anderen zu mißtrauen. So lächerlich das Erſtere wäre, ſo räthlich iſt das Letztere, bis wir den Mann gefunden haben, der uns das Wahre verſpricht.

29. Doch denke dir den Fall, ich wählte in meiner jetzigen Lage, wo ich noch nicht weiß, welchem von Allen ich zu glauben habe, euern Weg aus Zutrauen zu dir, weil du mein Freund biſt, wiewohl du blos den ſtoiſchen Weg kennſt und noch keinen andern betreten haſt; und nun käme es irgend einer Gottheit ein, den Plato, Pythagoras, Ariſtoteles und die übrigen Meiſter in's Leben zurückzurufen, und ſie kämen Alle auf mich zu, belangten mich wegen verächtlicher Behandlung, ſtellten ein ordentliches, peinliches Verhör mit mir an, und ſprächen: „Was kam dir zu Sinne, Lycinus, oder von wem haſt du dich bereden laſſen, Leute von geſtern her, einen Chryſippus und Zeno uns viel ältern Meiſtern vorzuziehen, ohne auch nur ein Wort mit uns gewechſelt und unſere Lehren im mindeſten geprüft zu haben?" Wenn ſie ſo ſprächen, was könnte ich ihnen antworten? Würde ich damit ausreichen, wenn ich ſagte: „Ich folgte meinem Freunde Hermotimus?" Iſt mir doch, als ob ich ſie erwiedern hörte: „Wir wiſſen von keinem Hermotimus: wir kennen den Menſchen ſo wenig, als er uns kennt; du

hätteſt nicht aus blindem Vertrauen auf einen Mann, de
nur Einen Weg der Philoſophie, uns vielleicht nicht einma
dieſen genau kennt, uns Alle ohne gehörige Unterſuchun
verurtheilen und verwerfen ſollen. Die Geſetze verbieten e
jeglichem Richter, nur Eine Partei anzuhören, und die an
dere nicht zum Worte kommen zu laſſen; beide Theile müſſen
gleich gehört werden; denn nur durch das Gegeneinanderhal
ten der beiderſeitigen Ausſagen läßt ſich dem Wahren ode
Falſchen auf die Spur kommen. Unterläßt ein Richter die
zu thun, ſo geſtattet das Geſetz die Berufung auf ein ande=
res Gericht." Dieſes und Aehnliches würde ich ohne Zwei
fel von ihnen zu hören bekommen.

30. Und vielleicht rückt mir der Eine oder der Under
von ihnen noch beſonders mit Gewiſſensfragen zu Leibe, wie
zum Beiſpiel: „Sage mir doch einmal, Lycinus, wenn ein
Mohr, der in ſeinem Leben nie ſeine Heimath verlaſſen, mit=
bin niemals Menſchen unſerer Art zu Geſichte bekommer
hat, in einer Geſellſchaft anderer Mohren mit aller Zuver
ſichtlichkeit behauptete, es gebe auf der ganzen weiten Wel
nichts als ſchwarze Menſchen, und was man von weißen un
braunen Arten ſage, wären lauter Lügen — würden ſein
Landsleute ihm Glauben ſchenken? Oder wenn Einer de
ältern Mohren ihm in's Wort fiele, und ſagte: „He, kecke
Burſche, woher weißt du das? Du biſt ja in deinem Lebe
nie außer Landes geweſen; wie willſt du denn wiſſen, wi
es in andern Gegenden ausſieht?" Müßte ich nicht ſagen,
der Alte hätte Recht? Oder was könnte ich ſonſt antworten,
Hermotimus?

Hermotimus. Nichts anderes: die Zurechtweisung wäre sehr verdient.

Lycinus. So weit wären wir also Eins. Ob aber auch das Folgende dir gleich sehr, wie mir, einleuchten wird —?

Hermotimus. Was wäre das?

31. Lycinus. Gesetzt nun, jener Philosoph führe fort, und sagte: „Nehmen wir nun den ganz ähnlichen Fall an, Lycinus: Einer, der außer seiner Stoa nichts kennt, wie hier dein guter Freund Hermotimus, und sein Tage nie eine Wanderung nach Plato's, Epicur's, oder irgend eines Andern Gebiet unternommen hat, ein solcher sagte also, das Schöne sey nur in der Stoa zu finden, nur was sie sage, sey wahr, alle übrigen Philosophen gehören zum gemeinen Haufen — würdest du nicht mit allem Rechte die Dreistigkeit eines Menschen tadeln, der noch keinen Fuß aus seinem Mohrenlande gesetzt hat, und gleichwohl über Alles, was außerhalb desselben ist, so kühnlich absprechen wollte?" Was soll ich da antworten? Ich könnte ihm zwar mit allem Grunde entgegen halten, daß aus dem Eifer, mit welchem ich mir die Lehrsätze der Stoiker, die ich nun einmal zu meiner Philosophie machen will, aneigne, nicht gefolgert werden könne, daß ich darum mit den Lehren der Uebrigen gänzlich unbekannt seyn müsse. Denn der Meister trägt uns mitunter auch die letztern vor, indem er jedesmal seine Widerlegung hinzufügt.

32. Dieß könnte ich zwar sagen; aber glaubst du, daß sich ein Pythagoras, Plato und Epikur damit zufrieden geben werden? Oder werden sie nicht vielmehr laut auflachen

3 *.

und fragen: Wie in aller Welt kommt dein Freund Hermotimus dazu, sich einzubilden, alles dasjenige, was ihm unsere Gegner für unsere Lehre ausgeben, gehöre uns wirklich
an, während sie doch dieselbe entweder nicht kennen, oder
absichtlich entstellen? Wenn ein Athlete, um, bevor der
Kampf angeht, seine Muskeln zu üben, gegen einen eingebildeten Gegner mit Fersen und Fäusten gewaltige Luftstreiche
macht, wird ihn darum dein Hermotimus, wenn er als Kampfrichter zu entscheiden hat, sogleich für einen unüberwindlichen Sieger erklären? Oder wird er nicht diese Luftstreiche
für eine leichte und ungefährliche Spielerei ansehen, und ihm
den Sieg erst dann zuerkennen, wann er seinen Gegner zu
Boden gerungen, und dieser selbst sich für überwunden bekannt hat? Hermotimus soll sich also von den Spiegelfech-
tereien seiner Lehrer gegen uns Abwesende ja nicht verleiten
lassen, zu glauben, sie hätten uns wirklich überwunden, und
unsere Philosophie stehe auf so schwachen Füßen, daß es ein
Leichtes wäre, sie umzuwerfen! Diese Leute gehen mit dem,
was sie unsere Lehren nennen, um, wie die Kinder mit den
leichten Häuschen, die sie aufbauen, um sie im nächsten Augenblicke wieder einzureißen. Sie gleichen ganz den Anfängern im Pfeilschießen, welche ein Heubündelchen auf eine
Stange stecken, und aus einer sehr mäßigen Entfernung nach
diesem Ziele schießen. Treffen sie's glücklich, und fährt der
Pfeil mitten durch das Büschelchen hindurch, so erheben sie
ein Geschrei, als ob Wunder was Großes geschehen wäre.
Aber Persische und Scythische Bogenschützen machen es nicht
so: diese schießen für's Erste meistens vom Pferde herab,
wenn es in vollem Laufe ist; sodann verlangen sie gewöhnlich

ein Ziel, das in Bewegung ist, nicht aber feststeht und den Pfeil erwartet, sondern sich ihm auf's schnellste zu entziehen sucht. Daher schießen sie meist wilde Thiere; Viele treffen sogar die Vögel im Fluge. Wollen sie aber bisweilen an einem feststehenden Ziele die Schnellkraft ihres Bogens versuchen, so zielen sie auf eine hölzerne Scheibe, die vielen Widerstand leistet, oder auf einen mit einer noch frischen Rindshaut überzogenen Schild, und dürfen sich, wenn sie diese durchschießen können, darauf verlassen, daß ihre Geschosse auch durch eine Waffenrüstung dringen werden. Sage also deinem Hermotimus in unserem Namen, daß seine Meister bloß Heubüschel aufgesteckt hätten, nach welchen sie schößen, und daß die bewaffneten Männer, welche sie erlegt zu haben sich rühmten, bloße Schattenbilder von uns gewesen wären, welche sie selbst an die Wand gemahlt hätten. Wenn sie mit diesen fertig geworden, meinten sie, es auch mit uns geworden zu seyn. Aber es ist kein Einziger unter uns, der ihnen nicht zurufen könnte, was einst Achill von Hector und seinen Troern sagte:

— — nicht seh'n sie von meinem Helme die Stirne
Nah herstrahlen mit Glanz; drum trotzen sie — — *)

So, mein Freund, würden sie sprechen, sowohl Alle insgesammt, als auch jeder Einzelne für sich.

33. Noch könnte allenfalls Plato ein Geschichtchen aus Sicilien, wo er sehr bekannt war, hinzufügen. Der Syracusische Fürst Gelon hatte nämlich das Unglück, aus dem Munde zu riechen, ohne es zu wissen, weil kein Mensch den

---

*) Hom. Il. XVI, 70.

Muth hatte, es ihm zu sagen, bis endlich eine Ausländerin
in einer vertraulichen Stunde es wagte, ihn auf seinen Feh=
ler aufmerksam zu machen. Bei der nächsten Gelegenheit
überhäufte er seine Gemahlin mit Vorwürfen, daß sie, die
doch längst um die Sache gewußt haben müsse, ihm kein Wort
davon gesagt hätte. Diese bat ihn aber dringend, ihr deß=
halb nicht zu zürnen: denn da sie keinem andern Manne je
zu nahe gekommen, so wäre sie der Meinung gewesen, alle
Männer müßten so riechen. „Da also dein Hermotimus" —
dürfte Plato hinzusetzen — „es von jeher bloß mit Stoikern
zu thun hatte, so kann er natürlich nicht wissen, wie anderer
Leute Mundwerk beschaffen ist." Aehnliches und vielleicht
noch mehr als dieß würde mir auch Chrysipp zu sagen haben,
wenn ich ihn ohne Prüfung verschmähte, und auf Plato's
Seite mich schlüge, in blindem Vertrauen auf die Worte ei=
nes Menschen, der einzig und allein nur mit Plato Bekannt=
schaft gemacht hatte. Um also meine Meinung kurz zu sa=
gen, so behaupte ich: so lange es nicht ausgemacht ist, welche
philosophische Schule die wahre sey, soll man sich zu keiner
von allen halten; denn Einer ausschließend anzuhängen, wäre
eine Beleidigung der übrigen.

34. Hermotimus. Um Gottes willen, Lycinus, las=
sen wir doch den Plato, Aristoteles, Epikur und ihres Glei=
chen in Ruhe: es ist meine Sache nicht, mit diesen mich in
einen Kampf einzulassen. Wir Beide, du und ich, wollen nur
so unter uns die Frage erörtern, ob die Philosophie das ist,
wofür ich sie halte. Was brauchen wir zu dieser Untersu=
chung die Mohren aus Aethiopien, und Gelon's Weib aus
Syracus herbeizuziehen?

Lycinus. Die können auf der Stelle wieder gehen, wenn du ſie überflüſſig findeſt. Aber beginne: ich bin auf etwas Außerordentliches geſpannt.

Hermotimus. Ich halte es für ſehr möglich, Lycinus, daß Einer, der bloß den ſtoiſchen Lehrbegriff tüchtig erlernt hat, mittelſt deſſelben die Wahrheit finden könne, auch wenn er ſich nicht mit andern Syſtemen Punkt für Punkt bekannt gemacht hat. Denke dir einmal, es ſagte dir Einer weiter nichts, als zweimal zwei mache viere: hätteſt du nöthig, bei allen Rechenmeiſtern herumzugehen und dich zu erkundigen, ob nicht etwa Einer unter ihnen iſt, der ſagt, es mache fünf oder ſieben? oder würdeſt du dich nicht vielmehr im erſten Augenblicke ſchon überzeugen, daß der Mann Recht hat?

Lycinus. Verſteht ſich.

Hermotimus. Wie kannſt du es alſo für unmöglich halten, daß Einer, der nun einmal an die Stoiker gerathen, um von ihnen die Wahrheit zu hören, ſich von ihnen überzeugen laſſe, ohne hinfort anderer Philoſophen zu bedürfen, da er recht gut weiß, daß zweimal zwei nicht fünf machen kann, und wenn es zehntauſend Platone und Pythagoraſſe behaupteten?

35. Lycinus. Das paßt nicht hieher, lieber Hermotimus. Du vergleichſt ausgemachte Dinge mit ſolchen, die im Streite liegen, von denen ſie doch himmelweit verſchieden ſind. Oder haſt du jemals einen Menſchen geſehen, der im Ernſte behauptet hätte, zweimal zwei mache ſieben oder eilf?

Hermotimus. Nein: wer das behauptete, müßte nicht bei Troſte ſeyn.

Lycinus. Hingegen — und nun beschwöre ich dich bei den Gratien, sage mir die Wahrheit — hast du jemals einen Stoiker und einen Epikuräer beisammen getroffen, die sich nicht über die letzten Ursachen und Endzwecke der Dinge gezankt hätten?

Hermotimus. Niemals, ich gestehe es.

Lycinus. Nun siehst du, guter Freund, wie du mich, deinen alten Cameraden, mit Trugschlüssen zu hintergehen suchst? Wir untersuchen, welche philosophische Schule auf dem wahren Wege sey; da nimmst du das Ergebniß vorweg, und räumst den gesuchten Vorzug den Stoikern ein, weil sie es seyen, die zweimal zwei für viere gäben: und doch ist eben dieß nichts weniger als ausgemacht. Denn die Epikuräer und Platoniker sagen, sie wären's, die so rechneten, ihr hingegen brächtet fünf und sieben heraus. Oder ist es nicht dasselbe, wenn ihr behauptet, das Sittlichschöne sey das einzige Gut, während die Epikuräer nur das Angenehme dafür gelten lassen? oder wenn ihr sagt, Alles, was ist, sey körperlich, wogegen Plato auch etwas Unkörperliches an den Dingen annimmt? Aber, wie gesagt, du hast etwas zu anmaßlich, eben das, was noch in Frage steht, als ausgemacht angenommen, und deinen Stoikern etwas als unbestrittenen Besitz zugesprochen, woran die Uebrigen nicht minder lebhafte Ansprüche machen. Das ist's, was mir eine besonders vorsichtige Untersuchung zu erfordern scheint. Zeigte sich's, daß der Satz: zweimal zwei macht vier, ganz allein den Stoikern angehört, so müßten freilich die Andern schweigen; allein, so lange man eben über diesen Punkt sich streitet, haben wir entweder allen Parteien Gehör zu geben,

oder uns den Vorwurf machen zu laſſen, als hätten wir nach
Gunſt entſchieden.

36. **Hermotimus.** Wie mir ſcheint, Lycinus, ſo haſt
du nicht recht verſtanten, was ich ſagen wollte.

Lycinus. So erkläre dich deutlicher, wenn das nicht
der Sinn deiner Worte war.

Hermotimus. Du ſollſt gleich ſehen, was ich meine.
Denke dir, es wären ihrer zwei in den Tempel des Aeſculap
oder des Bacchus gegangen, und gleich darauf wäre eine
Schaale aus dem Tempelſchatze vermißt worden. Man wird
alſo bei den beiden Männern nachſuchen müſſen, um zu ſehen, welcher von ihnen die Schaale zu ſich geſteckt habe?

Lycinus. Verſteht ſich.

Hermotimus. Alſo Einer von Beiden muß ſie haben?

Lycinus. Nicht anders, weil ſie auf einmal verſchwun-
den iſt.

Hermotimus. Wenn man ſie nun gleich bei dem Erſten findet, ſo wird man den Zweiten nicht mehr aufſuchen,
weil er ſie unmöglich haben kann?

Lycinus. Das iſt klar.

Hermotimus. Und findet man ſie bei dem Erſten
nicht, ſo hat ſie der Zweite, und es bedarf eben ſo wenig einer Nachſuchung: nicht wahr?

Lycinus. So iſt's.

Hermotimus. Wenn wir alſo die Schaale bei den
Stoikern gefunden, ſo werden wir nicht noch bei Andern ſuchen wollen, da wir ja nun haben, was wir ſo lange ſuch-
ten: oder wozu ſollten wir uns noch fernere Mühe geben?

37. Lycinus. Das hätte man allerdings nicht nöthig, wenn man sie wirklich gefunden hätte, oder gewiß wüßte, daß die, welche man gefunden, eben jene vermißte ist, oder wenn überhaupt das Tempelkleinod als solches kenntlich wäre. Allein, mein lieber Freund, für's Erste sind es nicht bloß ihrer zwei, die in den Tempel gegangen waren, so daß also nothwendig der Eine von Beiden das Gestohlene bei sich haben müßte, sondern es sind ihrer gar Viele. Für's Zweite ist noch gar nicht ausgemacht, was eigentlich das Vermißte ist, ob eine Schaale, ein Pokal, oder eine Krone: Jeder der Priester nennt etwas Anderes; und nicht einmal in der Angabe des Metalls stimmen sie mit einander überein. Der Eine behauptet, das Vermißte wäre von Erz, ein Anderer, es wäre von Silber, ein Dritter, von Gold, ein Vierter, von Zinn gewesen. Es bleibt also nichts übrig, als Alle, die im Tempel waren, zu durchsuchen: und wenn man auch sogleich bei dem Ersten eine goldene Schaale fände, so müßten nichts desto weniger auch noch alle Uebrigen ausgezogen werden.

Hermotimus. Warum das?

Lycinus. Weil man nicht weiß, ob das Vermißte wirklich eine Schaale ist. Und wenn auch Alle hierin übereinstimmten, so würden doch vielleicht nicht Alle darüber Eins seyn, daß es eine goldene sey. Doch gesetzt, es wäre Thatsache, daß man eine goldene Schaale vermißte, und man hätte wirklich gleich bei dem Ersten eine solche gefunden, so wäre man einer Durchsuchung aller Uebrigen doch noch nicht überhoben. Denn man sieht es der gefundenen nicht sogleich an, ob sie dieselbe ist, die dem Gotte angehört: es giebt ja der goldenen Schaalen noch mehrere.

Hermotimus. Das ist freilich wahr.

38. Lycinus. Man wird also genöthigt seyn, Alle
der Reihe nach zu durchsuchen, und was man bei sämmtlichen
gefunden, zusammenzubringen, und alsdann durch Vergleichung dasjenige Stück auszumitteln, welches für das Kleinod
eines Gottes gehalten zu werden verdient. Denn die Schwierigkeit der Untersuchung wird dadurch hauptsächlich vermehrt,
daß Keiner der Ausgezogenen ist, bei dem man nicht Etwas
fände: bei dem Einen einen Pokal, bei dem Andern eine
Krone, bei dem Dritten eine Schaale, und zwar bei Diesem
von Erz, bei Jenem von Gold, bei einem Andern von Silber. Welches nun von diesen Dingen in den Tempelschatz
gehört, ist noch nicht ausgemacht. Und so ist man nothwendig
ungewiß darüber, wer das Heiligthum geplündert, weil sogar
in dem Falle, daß Alle das Nämliche bei sich hätten, die Frage
gleich unentschieden bliebe, da ja diese Gegenstände auch Privat-
eigenthum seyn könnten. Die Ursache dieser Ungewißheit liegt
bloß in dem Umstande, daß die vermißte Schaale (vorausge-
setzt, daß es wirklich eine Schaale war) keine Aufschrift hat.
Denn wäre sie mit dem Namen des Gottes oder auch nur
des Stifters versehen, so brauchten wir, sobald wir die Aufschrift gefunden hätten, weder uns, noch den Uebrigen mit
weiterer Nachsuchung Mühe zu machen. — Ohne Zweifel
hast du schon öfters Kampfspiele mit angesehen, mein Hermotimus?

Hermotimus. O ja, Lycinus, oft schon und an vielen Orten.

Lycinus. Hast du auch wohl einmal in der Nähe der
Kampfrichter gesessen?

Hermotimus. Auch das; erst neulich bei den olympischen Spielen saß ich links neben den Hellanodiken. *) Der Eleer Evandridas hatte mir einen Platz unter seinen Landsleuten verschafft, weil ich gar sehr wünschte, Alles, was bei den Hellanodiken vorgeht, einmal recht in der Nähe beobachten zu können.

Lycinus. Weißt du nun auch, wie sie die Paare, die mit einander zu ringen oder zu fechten haben, durch's Loos ausmachen?

Hermotimus. Allerdings weiß ich es.

Lycinus. Nun — so wirst du es besser zu sagen wissen, als ich, da du so nahe zugesehen hast.

39. Hermotimus. In alten Zeiten, als Herkules noch Kampfrichter war, waren Lorbeerblätter —

Lycinus. Lassen wir die alten Zeiten, guter Hermotimus: erzähle mir nur, was du mit eigenen Augen gesehen.

Hermotimus. Vor den Kampfrichtern steht eine silberne Urne aus dem Jupitertempel. In dieselbe werden kleine Loose, ungefähr von der Größe einer Bohne, geworfen, welche paarweise bezeichnet sind, das erste Paar mit A, das zweite mit B, und so fort, nach der Anzahl der Athleten, die sich gemeldet haben. Einer derselben tritt nun herzu, verrichtet ein Gebet zu Jupitern, greift in die Urne, und zieht ein Loos; nach ihm ein Anderer und so weiter. Ein Büttel steht dabei, und verhindert Jeden, den Buchstaben des gezogenen Looses zu lesen. Wenn nun Alle gezogen ha-

---

*) Hellenenrichter, d. h. Kampfrichter.

ben, so geht der Alytarch [Oberbüttel] oder einer von den
Kampfrichtern selbst (denn so genau weiß ich es nicht mehr)
im Kreise der Athleten herum, besichtigt ihre Loose, und
stellt sodann je die zwei, welche gleiche Buchstaben gezogen
haben, als Ring= oder Fechterpaare zusammen. So wird ver=
fahren, wenn die Zahl der Kämpfer eine gerade ist, wie
achte, zehen, zwölfe: sind sie ungerad, so wird auch ein un=
gerades Loos mit einem Buchstaben, der nur Einmal vor=
kommt, in die Urne geworfen. Wer nun dieses zieht, darf
abwarten, bis die Andern gekämpft haben, weil er kein Ge=
genloos hat; und man hält dieß für kein kleines Glück eines
Athleten, wenn es ihn trifft, bei noch ganz frischen Kräften
mit erschöpften Gegnern zusammen zu kommen.

40. Lycinus. Halt — das ist's eben, was ich wollte.
Also gesetzt, es seyen ihrer Neune; sie haben Alle gezogen,
und halten ihr Loos in den Händen. Du gehst (ich will dich
einmal aus einem bloßen Zuschauer zum Hellanodiken machen)
von Einem zum Andern, besiehst die Buchstaben, und nicht
früher, denke ich, kannst du wissen, wer der glückliche Unge=
gerade ist, als bis du bei Allen herumgekommen bist, und sie
in Paare gestellt hast.

Hermotimus. Wie so, Lycinus?

Lycinus. Ich meine, es ist nicht wohl denkbar, daß
sich der Buchstab, welcher den Ungeraden bezeichnet, gleich
zuerst darbiete: und wenn sich's auch zufällig so fügte, so
könntest du doch noch nicht wissen, ob er's wirklich ist. Denn
man erfährt nicht voraus, daß das J, oder K, oder M den
Ungeraden anzeige: sondern wenn du den Buchstaben A ge=
troffen, suchst du den, der das zweite A hat; und sobald er

gefunden ist, stellst du die Beiden zusammen: eben so machst du es mit B, und so fort, bis dir endlich der übrig bleibt, welcher den einzelnen Buchstaben gezogen hat.

41. Hermotimus. Wenn du aber auf diesen gleich das erste- oder zweitemal träfest, was würdest du da thun?

Lycinus. Lieber Freund, es handelt sich nicht darum, was ich thun würde: sondern du bist jetzt der Hellanodike; von dir möchte ich wissen, ob du in diesem Falle gleich sagen würdest: dieß ist der Ungerade; oder ob du es nicht gleichwohl für nöthig fändest, auch noch bei den Uebrigen herumzugehen, um zu sehen, ob sich sein Buchstab nicht noch einmal findet, was du ja doch nicht wissen kannst, bevor du alle andern Loose besichtigt hast?

Hermotimus. Doch wohl, Freund Lycinus; denn wenn es ihrer Neune sind, und ich treffe das E gleich bei dem Ersten und Zweiten an, so weiß ich, daß der, der es gezogen hat, der Ungerade ist.

Lycinus. Wie wäre das möglich, Hermotimus?

Hermotimus. Siehst du, zwei haben A, zwei B, zwei C, zwei D gezogen: diese vier Buchstaben braucht man also, um die vier Paare zu bezeichnen: folglich ist klar, daß der nächste Buchstabe E nur Einmal vorhanden seyn kann, und daß also, wer diesen gezogen hat, der Ungerade seyn muß.

Lycinus. Ich weiß nicht, Hermotimus, soll ich mich damit begnügen, deinen Scharfsinn zu bewundern, oder darf ich offenherzig sagen, was ich dir zu entgegnen habe?

Hermotimus. Sprich immerhin: übrigens kann ich

mir wahrhaftig nicht vorstellen, was sich mit Grund gegen meine Darstellung der Sache einwenden ließe.

42. Lycinus. Du setztest voraus, daß die Loose immer nach der Ordnung der Buchstaben im Alphabet bezeichnet werden, das erste Paar mit A, das zweite mit B, u. s. w., bis am Ende die Zahl der Athleten mit einem einzelnen Buchstaben schließt. Ich gebe zu, daß in Olympia dieses Verfahren beobachtet wird. Wie aber, wenn wir fünf Buchstaben außer ihrer Ordnung nehmen, etwa P, S, Z, K, T, und die vier erstern je auf zwei von acht Loosen schreiben, so daß also T allein für den Neunten übrig bleibt, um ihn als den Ungeraden zu bezeichnen: was wirst du nun thun, wenn dir dieses T zuerst begegnete? Wie kannst du wissen, daß sein Besitzer der Ungerade ist, wenn du nicht zuvor bei allen Uebrigen nachgesehen und dich überzeugt hast, daß sich kein zweites T findet? Denn in diesem Falle kannst du nicht, wie du vorhin zu thun meintest, aus der Ordnung der Buchstaben auf den Ungeraden schließen.

Hermotimus. Allerdings eine schwierige Frage.

43. Lycinus. Die Sache läßt sich auch noch auf eine andere Weise darstellen. Bezeichnen wir einmal die Loose, statt mit Buchstaben, mit Figuren, wie sie die Aegyptier sehr häufig als Schrift gebrauchen, z. B. Menschen mit Hunde- oder Löwenköpfen — doch nein, diese Fratzen sind uns zu fremdartig; also wählen wir natürliche Figuren, und zeichnen, so sorgfältig und kenntlich als wir es vermögen, auf jedes der beiden ersten Loose einen Menschen, auf das zweite Paar ein Pferd, auf das dritte einen Hahn, auf das vierte einen Hund; das neunte Loos aber soll einen Löwen zum

Zeichen haben. Wenn du also gleich zu Anfang dem Loose
mit dem Löwen begegnest, wie kannst du behaupten, bereits
das Loos des Ungeraden entdeckt zu haben, ehe du auch die
der Andern besehen hast, ob nicht sonst noch ein Löwe gezogen worden ist?

Hermotimus. Ich weiß wirklich hierauf nicht zu
antworten, Lycinus.

44. Lycinus. Das glaube ich dir. Es wird sich nichts
auch nur Scheinbares dagegen sagen lassen. Wir mögen also
den, der die heilige Schaale hat, oder den Ungeraden, oder
auch den besten Wegweiser in jene schöne Stadt, zu finden
wünschen: jedenfalls sind wir genöthigt, die Runde bei Allen zu machen, zu durchsuchen, zu prüfen, zu besichtigen, zu
vergleichen. Und auch so noch wird es Mühe genug kosten,
hinter die Wahrheit zu kommen. Wenn ich also auf einen
Rathgeber bei der Wahl der philosophischen Schule, mit welcher ich es zu halten hätte, mich sollte verlassen können, so
müßte es nur ein Mann seyn, der die Behauptungen und
Lehrsätze sämmtlicher Philosophen genau kennte. Jeder Andere könnte mir nicht genügen: ich könnte mich auf das Urtheil eines Mannes nicht verlassen, der auch nur mit einer
einzigen Schule nicht bekannt wäre; denn wie leicht könnte
gerade diese die beste von allen seyn? Wenn man uns einen
schönen Menschen vorstellte und versicherte, dieser wäre der
Schönste unter allen Sterblichen, würden wir wohl dieser Versicherung glauben, so lange wir nicht wüßten, ob der, welcher so spräche, alle Menschen gesehen hat? Schön mag der
uns Vorgestellte immerhin seyn: ob der Schönste, könnte nur
der wissen, welcher Alle sammt und sonders mit ihm verglichen

hätte. Wir wollten aber nicht bloß einen ſchönen, ſondern
den ſchönſten aller Menſchen ſehen; und ſo lange wir dieſen
nicht ausfindig machen, haben wir nichts ausgerichtet. Denn
es darf uns nicht bloß an der nächſten beſten ſchönen Geſtalt
genügen, die uns aufſtößt, ſondern wir haben die vollkom-
menſte Schönheit aufzuſuchen; und dieſe kann nothwendig
nur Eine ſeyn.

45. Hermotimus. Sehr wahr.

Lycinus. Nun alſo, lieber Hermotimus, kannſt du
mir Einen nennen, der alle Wege in der Philoſophie verſucht
hat, und recht vertraut iſt mit der Lehre des Pythagoras,
des Plato, des Ariſtoteles, des Chryſipp, des Epikur und aller Uebrigen, und der am Ende aus allen dieſen Wegen denjenigen ſich auserleſen, der ſich ihm als der wahre und einzig zur Glückſeligkeit führende erprobt hatte? Sobald wir
dieſen Mann gefunden haben, brauchen wir uns keinen Augenblick länger zu bemühen.

Hermotimus. Es wird eben nicht leicht ſeyn, einen
ſolchen ausfindig zu machen.

46. Lycinus. Was thun wir alſo, Freund? Aufge-
ben, dächt' ich, ſollten wir unſer Beginnen darum noch nicht,
wenn wir auch vor der Hand nicht ſo glücklich ſind, einen
Führer dieſer Art zu beſitzen. Das Beſte und Sicherſte iſt
doch wohl: Jeder von uns macht ſich ſelbſt an das Geſchäft,
geht von Schule zu Schule, und erkundigt ſich und prüft
recht genau, was in jeder derſelben gelehrt wird.

Hermotimus. So ergiebt ſich's freilich aus dem
Bisherigen: allein wenn uns nur nicht im Wege ſtände, was
du vorhin ſelbſt angeführt haſt, daß es nicht leicht iſt, nach-

dem man einmal mit ausgespannten Segeln dem Winde sich überlassen, wieder zurückzusteuern. Denn wie sollte Einer die verschiedenen Wege alle begehen können, wenn er, wie du selbst gestehst, gleich auf dem ersten festgehalten wird?

Lycinus. Ich will es dir sagen: wir müssen's machen, wie Theseus, und mittelst des Fadens der Ariadne uns in jedes dieser Labyrinthe wagen, um uns an demselben ohne Mühe wieder herauswinden zu können.

Hermotimus. Wer wäre aber diese Ariadne, und woher bekämen wir den Faden?

Lycinus. Sey unbesorgt, mein Freund; ich glaube schon Etwas gefunden zu haben, an das wir uns halten können.

Hermotimus. Und das wäre?

Lycinus. Es ist nicht mein, sondern das Eigenthum eines alten weisen Dichters, *) und heißt: „Sey nüchtern und hartgläubig!" Denn wer nicht sogleich Alles für baare Münze annimmt, was man ihm vorsagt, sondern wie der besonnene Richter verfährt, der auch die Uebrigen in ihrer Ordnung zum Worte kommen läßt, dem sollte es wohl nicht schwer werden, aus jenen Labyrinthen sich herauszuarbeiten.

Hermotimus. Wahrhaftig, du hast Recht: so wollen wir es machen.

47. Lycinus. Nun, es sey. Allein zu welchem (der verschiedenen Meister) wollen wir uns denn zuerst begeben? Oder ist dieß etwa gleichgültig? Wenn wir also den Anfang mit dem ersten Besten, allenfalls mit Pythagoras machen,

---

*) Des Komikers Epicharmus.

wie viele Zeit, glaubft du, hätten wir nöthig, um den gan=
zen Pythagoras von außen und innen kennen zu lernen?
Vergiß mir aber ja nicht, jene fünf Jahre des Schweigens in
Anschlag zu bringen. Diese also mitgerechnet, werden, denke
ich, etwa dreißig Jahre erforderlich seyn. Oder däucht dich
das zu viel, so setzen wir, als das Wenigste, zwanzig.

Hermotimus. Gut, also zwanzig.

Lycinus. Dem Nächsten nach diesem, dem Plato, müffen
weitere zwanzig Jahre eingeräumt werden, und weniger dür=
fen es auch bei Aristoteles nicht seyn.

Hermotimus. Allerdings.

Lycinus. Wie viel dem Chrysipp gebühren, brauche
ich dich nicht erst zu fragen: ich weiß ja aus deinem eigenen
Munde, daß vierzig Jahre für diesen kaum hinreichen.

Hermotimus. So ist es.

Lycinus. Wiederum zwanzig dem Epikur, und eben=
soviel jedem der Uebrigen. Daß ich damit nicht zu viel an=
setze, wirst du sehr begreiflich finden, wenn du dich erinnerst,
wie viele achzigjährige Stoiker, Epikuräer und Platoniker es
giebt, welche gestehen, daß sie noch nicht so weit seyen, um
eine vollständige Kenntniß des ganzen Lehrgebäudes ihrer
Schule zu besitzen. Und wenn es auch diese nicht sagten,
glaube mir, die Meisten selbst, ein Chrysipp, Aristoteles, Pla=
to, würden es Wort haben. Hat nicht schon Socrates, ge=
wiß ein eben so großer Weiser als Jene, laut genug und öf=
fentlich bekannt, er wisse nicht nur nicht Alles, sondern er
wisse gar Nichts, außer dieß allein, daß er Nichts wisse?
Rechnen wir nun Alles zusammen — zwanzig Jahre für den
Pythagoras, ebensoviel für den Plato und Jeden der folgen=

4 *

den; und nehmen wir auch nur zehn philosophische Schulen
an, so macht es zusammen eine Summe von —

Hermotimus. Mehr als zweihundert Jahren, lieber
Lycinus!

Lycinus. Wenn du willst, so wollen wir ein Vier-
theil abbrechen, so daß es an hundertfünfzig genug sey, oder
streichen wir meinetwegen die ganze Hälfte.

48. Hermotimus. Das magst du: jedenfalls sehe
ich, daß unter Tausenden vielleicht Einer den Weg durch alle
Schulen machen wird, und wenn er gleich nach seiner Geburt
anfienge.

Lycinus. Was beginnen wir jetzt, guter Hermotimus,
da die Sachen so stehen? Sollen wir wieder umstoßen, was
wir bereits anerkannt haben, den Satz nämlich, daß man
nicht im Stande ist, aus vielen Dingen das Beste zu wählen, wenn man nicht zuvor alle geprüft hat, und daß, wer
ohne diese Prüfung wählen wollte, nur ein Prophet seyn
müßte, wenn sich ihm das Wahre ungesucht darbieten sollte —? Haben wir uns nicht schon darüber vereinigt?

Hermotimus. O ja!

Lycinus. Es wäre also unumgänglich nöthig, daß wir
wenigstens ein Jahrhundert lebten, wenn wir, nach sorgfälti-
ger Prüfung aller Philosophieen, mit Sicherheit die Wahl
der besten treffen und durch dieselbe das höchste Glück finden
wollten. Ehe wir aber das thun können, tappen wir im Finstern, stoßen überall an, und halten aus Unkunde der Wahrheit das Erste Beste, was uns in die Hände kommt, für das
gesuchte Gut. Und wenn uns auch ein glücklicher Zufall auf
das Wahre stoßen ließe, so könnten wir ja doch nicht mit

Beſtimmtheit wiſſen, ob es wirklich das iſt, was wir ſuchen. Denn es ſind der Dinge gar ſo viele, die ſich einander gleich ſehen, und von denen jedes das Wahre ſeyn will.

49. **Hermotimus.** Ich weiß nicht, Lycinus, wie es kommt, daß zwar Alles, was du ſagſt, mir ganz vernünftig zu ſeyn ſcheint, daß ich aber gleichwohl (um die Wahrheit zu geſtehen) mit dieſen deinen unnöthigen und weitläuftigen Grübeleien nichts weniger als zufrieden bin. Faſt ſollte ich denken, ich ſey heute nicht zur guten Stunde aus dem Hauſe gegangen, um dir zu begegnen; denn ſchon war ich ſo nahe dem Ziele meiner Wünſche; und nun haſt du mich in Hoff= nungsloſigkeit zurückgeworfen, indem du mir die Unmöglich= keit, die Wahrheit zu finden, zeigteſt, zu deren Auffuchung ſo viele Jahre erforderlich ſeyn ſollen.

Lycinus. Nicht mir, guter Hermotimus, ſondern viel= mehr deinem Vater Menekrates und deiner Mutter (wie ſie hieß, weiß ich nicht), oder vielmehr der menſchlichen Natur haſt du Vorwürfe zu machen, daß dir nicht das lange Leben eines Tithónus angeboren worden, und daß die Lebensdauer eines Sterblichen — wenn's auf's höchſte kommt — auf hundert Jahre beſchränkt iſt. Ich that weiter nichts, als daß ich, gemeinſchaftlich mit dir ſuchend, auf ein ſehr natür= liches Ergebniß kam.

50. **Hermotimus.** Nein; du biſt von jeher ein Spötter geweſen, und ich weiß nicht, was dir die Philoſo= phie und die Philoſophen zu Leide gethan haben, daß ſie die beſtändige Zielſcheibe deiner Witzeleien ſind.

Lycinus. Freilich müßt ihr Weltweiſen, du und dein Meiſter, beſſer als ich zu ſagen wiſſen, was die Wahrheit

ist; ich weiß nur so viel, daß man sie nicht gerne hört, und
dafür der Lüge in hundert Fällen den Vorzug giebt. Die
letztere hat freilich ein viel gefälligeres Aeußere, und wird
deßwegen überall lieber gesehen. Die Wahrheit aber, die
sich keiner Unlauterkeit bewußt ist, spricht offen und frei mit
den Menschen, und darum ist man ihr so gram. Siehst du
nun, wie du jetzt aus demselben Grunde mir grollst, weil
ich dir zur Entdeckung der Wahrheit verholfen und an den
Tag gelegt habe, daß der Gegenstand unseres beiderseitigen
Strebens nicht so ganz leicht zu erreichen ist. Es ist gerade,
als ob du in eine Bildsäule, die du für einen Menschen
hieltest, verliebt wärest, und ich in dem Augenblicke, wo du
hofftest, dem geliebten Gegenstande dich zu nähern, dir wohl=
meinend sagte, daß dein Sehnen eitel und deine Schöne von
Erz oder Marmor sey, und du wolltest mich deßwegen für
übelgesinnt halten, weil ich dich einer thörichten Selbsttäu=
schung und einer abentheuerlichen Hoffnung entriß', die ewig
nicht in Erfüllung gehen konnte.

51. Hermotimus: Du willst also ohne Zweifel da=
mit sagen, wir sollen uns der Philosophie gänzlich enthalten,
und uns wie Alltagsmenschen träger Gedankenlosigkeit hin=
geben.

Lycinus. Wo und wann habe ich das gesagt? Du
hast mich gewiß nie behaupten hören, daß man gar nicht
philosophiren solle, sondern das sagte ich, weil es Pflicht ist,
das Studium der Weisheit zu betreiben, und der Wege so
viele sind, von welchen jeder angeblich zur Weisheit und Tu=
gend führt, der wahre Weg aber unbekannt ist, so muß man
um so vorsichtiger in der Auswahl seyn. Und da die Au=

zahl, unter welcher man zu wählen hat, so groß ist, so sahen wir, daß es unmöglich ist, das Beste herauszufinden, wenn man nicht Alles der Reihe nach sorgfältig prüft. Da zeigte sich's aber, daß diese Prüfung sehr weitläuftig werden würde. Und nun muß ich dich abermals fragen: was ist deine Meinung? Wirst du dem ersten Führer, der dir aufstößt, anhängen und dir seine Philosophie aneignen? Wirst du also die gute Beute des Nächsten Besten seyn wollen?

52. **Hermotimus.** Welche Antwort könnte dich befriedigen, einen Menschen, der behauptet, daß Niemand im Stande sey, diese Prüfung selbst anzustellen, wenn er nicht so alt werde wie der Vogel Phönix, um von einer Schule zur andern gehen zu können, und sie von Grund aus kennen zu lernen; und der weder auf das Zeugniß solcher, welche die Probe schon gemacht haben, noch auf den Beifall der Mehrheit einiges Gewicht legen will?

Lycinus. Welche machen diese Mehrheit aus? und wer sind die, welche die Probe schon mit allen gemacht haben? Giebt es einen solchen, so verlange ich keine weitern, es soll mir an diesem einzigen genügen. Nennst du mir aber Leute, welche diese Einsicht nicht haben, so wird auch eine noch so große Anzahl derselben mich nicht bewegen, ihnen zu glauben, da sie ja entweder keine oder nur Eine Schule kennen, und gleichwohl über alle aburtheilen wollen.

Hermotimus. Nun ich sehe schon, du hast allein das Wahre gesehen, und alle übrigen Philosophen sind sammt und sonders unwissende, beschränkte Köpfe.

Lycinus. Du thust mir sehr Unrecht, mein Freund, wenn du glaubst, daß ich mich über alle Uebrigen stellen, oder mich überhaupt nur denen beizählen wolle, die Etwas wissen. Hast du denn schon vergessen, wie ich ausdrücklich sagte, daß ich mir nicht anmaße, der Wahrheit näher als Andere auf der Spur zu seyn, und offen gestand, daß ich sie noch eben so wenig als Andere kenne?

53. Hermotimus. Immerhin mag deine Behauptung, daß man ohne vorgängige genaue Bekanntschaft mit den Lehren jeglicher Schule die rechte unmöglich herausfinden könne, sehr gegründet seyn. Allein, daß man der Prüfung jeder einzelnen so viele Jahre einräumen müsse, das, Freund, ist eine lächerliche Voraussetzung. Als ob es nicht möglich wäre, auch in sehr kurzer Zeit sich eine ganz genügende Einsicht in alle Systeme zu verschaffen! Ich für meinen Theil halte dergleichen für nichts weniger als schwer und weitläuftig. Man erzählt ja von einem großen Künstler — Phidias, glaub' ich, war es — der aus einer einzigen Löwenklaue, die man ihm zeigte, im Stande war, genau die Größe des ganzen Löwen zu errathen. Eben so würdest du, wenn man dir bloß eine Hand wiese, den übrigen Körper aber verdeckte, doch wohl sogleich wissen, daß der verhüllte Körper ein menschlicher ist, wiewohl du von demselben bloß jene Hand sähest. Nun aber können die Hauptsätze, auf welche jedes der verschiedenen Systeme hinausläuft, in wenigen Stunden begriffen werden; jedes weitere langwierige und ängstliche Grübeln über dieselben ist äußerst überflüssig; und so genügt es, den Werth des Ganzen aus jenen Hauptpunkten zu beurtheilen, und sich darnach in der Wahl des Besten zu richten.

54. Lycinus. Ey, Freund Hermotimus, das nenne ich nun doch einmal einen haltbaren Satz: aus einigen Theilen soll man das Ganze erkennen! Ich habe immer das Gegentheil sagen hören, wer das Ganze kennt, kenne auch die Theile, nicht aber umgekehrt. Sage mir also doch, im Fall dein Phidias in seinem Leben keinen Löwen gesehen hätte, wie könnte er wissen, daß die Klaue, die er sieht, einem Löwen angehört? Wiederum, wenn Einer nicht wüßte, wie ein Mensch aussieht, wie könnte er beim Anblick einer bloßen Hand sagen, daß es die Hand eines Menschen sey? — Du weißt mir nichts zu antworten? Nun so will ich es für dich thun. Allein ich kann nicht helfen, dein Phidias wird sammt seinem Löwen unverrichteter Sache wieder abziehen müssen: denn glaube mir, bester Junge, du hast mit diesem Beispiele nichts gesagt, was hieher gehörte. Siehe selbst, wie verschieden dieser Fall von dem unsrigen ist. In den beiden von dir angeführten Beispielen war das Schließen von dem Theile auf das Ganze bloß dadurch möglich, daß den Schließenden das Ganze, der Löwe und der Mensch, schon bekannt war. In einer Philosophie aber, z. B. in der Stoischen, wie kannst du aus einem einzelnen Theile auch alle übrigen richtig erkennen, oder sie für schön erklären, da du ja das Ganze noch nicht kennst, von welchem jenes bloß ein Theil ist?

55. Was aber deine so eben gemachte Behauptung betrifft, daß es ein Leichtes sey, die Hauptsätze jeder einzelnen Philosophie in wenigen Stunden sich vortragen zu lassen, so gebe ich gerne zu, daß es wenig Zeit und Mühe kostet, zu lernen, was jede Schule für Grundursachen und Endzwecke.

der Dinge annehme, was jede von der Natur der Götter
und dem Wesen der Seele lehre, welche Philosophen bloß
körperliche Stoffe anerkennen, welche dagegen auch das Da=
seyn unkörperlicher Dinge behaupten, welche das Vergnügen,
und welche das Sittlichschöne für das höchste Gut erklären
und so weiter. Allein zur Gewißheit zu kommen, welche
von diesen allen die Wahrheit lehrt, ist gewiß nicht das Ge=
schäft eines halben Tages, sondern gar vieler Tage. Oder
was wäre es, was diese Leute plagt, daß sie sich abmühen,
tausende von Büchern zu schreiben, vermuthlich bloß um An=
dere von der Wahrheit jener wenigen Sätze zu überzeugen,
welche dir so leicht zu begreifen und auswendig zu lernen
schienen? Weil du nun also doch einmal den langwierigen
Weg, Alles mit eigenen Augen zu prüfen und hernach erst
zu wählen, verwirfst, so sehe ich für dich kein anderes Mit=
tel, um die beste Wahl zu treffen, als dich der Hülfe eines
Wahrsagers zu bedienen. Dieser Weg ist dann gewiß be=
quem und kurz genug: du lässest dir den Hauptinhalt jegli=
cher Philosophie in der Kürze vortragen, lässest sodann einen
Wahrsager rufen, der dir für jedes System ein Opferthier
abschlachten muß: und so erspart dir der Gott eine Menge
von Geschäften, indem er dich in der Leber der Thiere se=
hen läßt, welches System du zu wählen hast.

56. Oder wenn du willst, so kann ich dir ein anderes,
noch bequemeres, Verfahren anrathen, wobei du weder Thiere
abzuschlachten und irgend einem Gotte zu opfern; noch auch
die kostspielige Mühwaltung eines Priesters zu bezahlen
brauchst. Wirf Loose mit den Anfangsbuchstaben der einzel=
nen Philosophen in eine Urne; sodann laß Niemand als ein

unfchuldiges Kind herzutreten, und das erfte Loos, das ihm
in die Hand kommt, herausziehen: und diefes Loos wird dir
den Philofophen, gleichviel welchen, bezeichnen, der hinfort
dein Führer feyn foll.

57. Hermotimus. Freund Lycinus, laß diefe un=
würdigen Späße; antworte lieber einmal auch mir auf eine
Frage: haft du wohl fchon in eigener Perfon Wein gekauft?

Lycinus. O ja, fchon mehrmals.

Hermotimus. Giengft du damals in allen Schenken
der Stadt herum, um zu koften, zu muftern, zu vergleichen?

Lycinus. Nichts weniger.

Hermotimus. Alfo begnügteft du dich, den erften
guten Wein, den du fandeft, und der dir feines Preifes wür=
dig fchien, zu kaufen?

Lycinus. Verfteht fich.

Hermotimus. Und aus dem ganz Wenigen, was du
kofteteft, konnteft du die Befchaffenheit des ganzen übrigen
Weines beurtheilen?

Lycinus. Allerdings konnte ich's.

Hermotimus. Hingegen wenn du bei den Weinhänd=
lern herumgiengeft und fagteft: ich will eine Flafche Wein
kaufen, alfo feyd fo gut, ihr Leute, und gebt mir ein Jeder
ein Faß auszutrinken, damit ich wiffen kann, welcher von
euch den beften hat, und damit ich von diefem nehme —
wenn du fo fpracheft, würde man dich nicht auslachen, oder
dir gar, wenn du auf der tollen Forderung beftändeft, ein
kaltes Bad auf den Kopf geben?

Lycinus. Ohne Zweifel, und mit Recht, dünkt mich.

Hermotimus. Nicht anders verhält es sich mit der Philosophie. Wozu brauchten wir das ganze Faß zu leeren, da ja eine kleine Probe schon hinreicht, um zu wissen, was an dem Ganzen ist?

58. Lycinus. Seht doch, wie glatt und schlüpfrig mein Hermotimus ist! Du gleitest mir ja aus den Händen wie ein Aal! Nur gut für mich, daß du wieder in dieselbe Reuse fließt, welcher du zu entrinnen glaubtest.

Hermotimus. Wie soll ich das verstehen?

Lycinus. Du hast ja Etwas, worüber die ganze Welt im Streite liegt, weil es ein unbekanntes Etwas ist, näm-lich die wahre Philosophie, mit einer ganz verschiedenen Sache, welche ihre Beschaffenheit sogleich selbst ankündigt, und von Jedermann gekannt ist, nämlich dem Weine vergli-chen. Ich wüßte in der That nicht zu sagen, welche Aehn-lichkeit du überhaupt zwischen der Philosophie und dem Weine finden könntest: es müßte denn nur die einzige seyn, daß die Philosophen ihre Weisheit um Geld verkaufen, wie die Wein-schenken ihr Getränke, und daß sie mit Mischen, Fälschen und Schlechtmessen großentheils eben so gut umgehen kön-nen, wie diese. Betrachten wir einmal dein Gleichniß ein Bischen genauer! Wenn du sagst, der Wein aus demselben Fasse sey durchaus einer und derselbe, so läßt sich dagegen nicht das Mindeste einwenden; und eben so wenig wider-spreche ich, was du daraus folgerst, daß man nur zu kosten brauche, um sogleich zu wissen, wie das ganze Faß beschaffen ist. Nun aber wollen wir sehen, wie dieß auf die Philoso-phie paßt. Tragen auch etwa die Philosophen, z. B. dein Lehrer, alle Tage nur immer dasselbe vor, oder sprechen sie

nicht heute über dieſen, morgen über jenen Satz? Unſtreitig
das Letztere, da ja der abzuhandelnden Materien ſo viele ſind.
Und gewiß hätteſt du nicht ſchon ganze zwanzig Jahre bei
deinem Meiſter ausgeharrt, und, ein zweiter Ulyſſes, in den
Labyrinthen dieſer Philoſophie dich umgetrieben, wenn der
Mann ſtets nur das Nämliche ſagte, und es alſo hinlänglich
wäre, daſſelbe einmal gehört zu haben.

59. Hermotimus. Da haſt du Recht.

Lycinus. Eben ſo wenig konnteſt du alſo gleich das
Erſtemal, da du ſeine Philoſophie koſteteſt, eine richtige Vor-
ſtellung von dem Ganzen derſelben erhalten. Während der
Wein, der aus Einem Faſſe fließt, ſtets derſelbe iſt, waren
die Vorträge deines Lehrers immer wieder andere und neue.
Alſo, mein Freund, wirſt du entweder das ganze Faß leeren
müſſen, oder das, was du bis jetzt getrunken, wirkt weiter
nichts als einen eiteln Schwindel. Denn es will mich be-
dünken, daß die Gottheit den ächten philoſophiſchen Schatz
ganz auf dem Boden und unter der Hefe verſteckt hat. Somit haſt du nur die Wahl, entweder dieſes Faß bis auf die
Neige auszuſchöpfen, oder ewig auf den nektariſchen Trank
zu verzichten, nach welchem du doch ſchon ſo lange dürſteſt.
Du hingegen meinſt, wenn du auch nur einen ſchwachen Zug
gethan hätteſt, alsbald der vollkommene Weiſe zu ſeyn, der
Prieſterin zu Delphi gleich, die durch einen Trank aus der
heiligen Quelle, augenblicklich gottbegeiſtert und in den
Stand geſetzt werden ſoll, den Fragenden Orakel zu ertheilen. Aber, wie es ſcheint, verhält es ſich nicht ſo. Sagteſt
du doch ſelbſt, du fangeſt erſt an, da du ja ſchon das haſte
Faß ausgetrunken haſt.

60. Ich will dir ein anderes Gleichniß geben, das sich vielleicht besser auf die Philosophie anwenden läßt. Das Faß und den Verkäufer wollen wir beibehalten, aber in dem Fasse sollen sich statt Wein allerhand Sämereien und Hülsenfrüchte befinden, oben Waizen, hernach Bohnen, dann Gerste, unter dieser Linsen, hierauf Kichererbsen und noch mehrere dergleichen Gattungen. Nun wolltest du solche Früchte kaufen, und der Verkäufer nähme oben eine Hand voll Waizen weg und reichte sie dir als Probe dar: könntest du durch den Anblick dieses Waizens dich versichern, daß die Erbsen rein, die Linsen weich zu kochen, die Bohnen nicht ausgefressen sind?

Hermotimus. Wie könnte ich das wissen?

Lycinus. Eben so wenig könntest du aus den ersten Paar Sätzen, die du von einem Philosophen hörtest, sogleich abnehmen, welchen Werth seine ganze Philosophie hat. Sie ist nicht Eine Masse wie der Wein, dem du sie vergleichen wolltest; und das Ganze ist nicht immer dem ersten Schlucke gleich. Weil sie daher etwas ganz Anderes ist, so bedarf sie desto sorgfältigerer Prüfung. Kauft man eine Flasche schlechten Wein, so besteht der ganze Schaden in ein Paar Obolen: aber unterzugehen in der Fluth gemeiner Alltagsmenschen, das ist, wie du ja selbst gleich anfangs sagtest, kein kleines Unglück. Ueberdieß würde ja derjenige, welcher ein ganzes Faß austrinken wollte, um hernach ein Nösel zu kaufen, durch diese starke Probe den Weinhändler sehr zu Schaden bringen. Bei der Philosophie ist dergleichen nicht zu befürchten: du magst trinken, so viel du willst, das Faß wird nicht leerer, der Weinschenk nicht ärmer. Im Gegentheile, je mehr ausgeschöpft wird, desto mehr fließt zu; und wie das Danaïdenfaß, goß man auch noch so viel in dasselbe, immer leer blieb, so wird dieses, des Ausschöpfens ungeachtet, nur immer voller.

61. Ich will dir dieses Kosten der Philosophie noch an einem zweiten Gleichniß versinnlichen: nur glaube ja nicht, daß ich die Philosophie lästern wolle, wenn ich sie mit irgend einem sehr schädlichen Gifte, etwa mit Schierling oder Wolfs= milch u. s. w. vergleiche. So gewiß es ist, daß diese Gifte tödt= lich sind, so stirbt man doch nicht davon, wenn man nur so viel, als auf die äußerste Spitze des Nagels geht, davon kostet, und sie nicht in nöthiger Quantität, auf die rechte Art bereitet, und in der gehörigen Verbindung zu sich nimmt. Du hingegen meintest, das kleinste Theilchen dürfe nur ge= nommen werden, um die Wirkung des Ganzen zu erfahren.

62. Hermotimus. Mag dem immerhin so seyn: aber was folgt daraus? Muß man also nothwendig hundert Jahre alt werden, und während dieser ganzen Zeit mit den mühseligsten und weitläuftigsten Studien sich placken, oder soll man gänzlich auf die Philosophie verzichten?

Lycinus. Ich dächte, das Letztere, Hermotimus: und wir müssen uns darüber zu trösten wissen, wenn anders wahr ist, was du gleich anfangs sagtest, daß das Leben kurz, die Kunst lang sey. Ich kann gar nicht begreifen, wie du auf einmal darüber so ungehalten seyn kannst, daß es dir versagt ist, in Einem Tage, noch vor Sonnenuntergang, ein Chrysipp, Plato oder Pythagoras zu werden.

Hermotimus. Du willst mich nur in die Enge trei= ben und fangen, Lycinus. Warum so unfreundlich gegen mich? Womit habe ich dich beleidigt? Geschieht es etwa aus Neid, weil ich schon einige Fortschritte in den Wissen= schaften gemacht habe, während du, alter Geselle, dich ver= säumt hast?

Lycinus. Weißt du, was du zu thun hast? Betrachte mich als einen Narren, an dessen Gefasel man sich nicht zu kehren hat. Verfolge den Weg, auf dem du dich nun ein= mal befindest, und führe das Vorhaben aus, welches dir gleich anfangs das Beste geschienen.

Hermotimus. Aber du bist ja gewaltthätig genug, mir gar keine Wahl erlauben zu wollen, ehe ich alle geprüft habe.

Lycinus. Sey überzeugt, daß ich nimmermehr anders sprechen werde. Wenn du mich übrigens gewaltthätig nennst, so beschuldigst du den Unschuldigen; *) da im Gegentheile, indem du mich in Anklagestand versetzest, ich es bin, dem Gewalt geschieht. Um mich davon zu befreien, muß eine triftige Gegenrede mir zu Hülfe kommen, und dann sieh zu, ob diese nicht noch viel gewaltthätigere Dinge dir zu hören geben wird, als die bisherigen waren. Aber freilich — du wirst auch hier wieder nicht den Gründen, sondern mir den Vorwurf gewaltsamer Nöthigung machen.

Hermotimus. Nun, was soll ich denn für weitere Gegenreden vernehmen? Es sollte mich doch wundern, wenn sich über die ganze Sache noch etwas sagen ließe?

63. Lycinus. Es ist, meine ich, um das Beste zu erwählen, nicht genug, daß wir Alles mit eigenen Augen se=

---

*) Hom. Il. IX, 654.

hen und unterfuchen, sondern es gehört noch etwas dazu, was eben das Wichtigste ist.

Hermotimus. Und das wäre?

Lycinus. Höre also, mein wunderliches Freundchen: man muß ausgerüstet seyn mit dem Vermögen, richtig zu prüfen und zu urtheilen, mit Scharffinn, geübter Denkkraft und unbestechlicher Wahrheitsliebe — lauter nothwendige Eigenschaften für denjenigen, der über Dinge von solcher Wichtigkeit urtheilen soll. Ohne dieselben ist alles Betrachten und Unterfuchen vergeblich. Und dabei versteht es sich von selbst, daß eine lange Zeit zu diesem Geschäfte erforderlich ist; man muß das Ganze, aus welchem man wählen soll, vor sich haben und übersehen, muß sodann das Einzelne mehrmals genau betrachten, und mit seiner Entschließung recht bedächtig an sich halten; man darf sich weder durch das Alter eines Lehrers, noch durch sein ehrwürdiges Aussehen, noch auch durch den Ruf seiner Weisheit imponiren laffen, sondern hat sich ganz nach dem Beispiele der Areopagiten zu richten, welche ihre Gerichtsfitzungen bei Nacht und Dunkel halten, um genöthigt zu seyn, nicht auf die Redenden, sondern auf das, was sie sagen, zu sehen. Auf diese Weise ist erst eine sichere Wahl der rechten Art zu philosophiren möglich.

Hermotimus Aber auf dieser Welt nimmermehr: denn wenn man es so machen wollte, so würde keines Menschen Leben zureichen, um zu Allen zu gehen, einen Jeden genau zu betrachten, und wenn man Jeden betrachtet hat, sie Alle gegen einander zu beurtheilen, und wenn man sie beurtheilt hat, Einen zu wählen, und wenn man gewählt

hat, endlich zu philosophiren. Das, sagst du ja, wäre das
einzige Mittel, um das Wahre zu finden; anders gehe es
nicht.

64. Lycinus. Und gleichwohl — fast nehme ich An=
stand, es zu sagen, guter Hermotimus — gleichwohl reichen
wir auch damit noch nicht aus: ich fürchte sogar, wir haben
uns selbst betrogen; wir glaubten, Etwas gefunden zu haben,
worauf wir fußen könnten, und haben — Nichts gefunden. *)
Es wird uns wohl ergangen seyn, wie den Fischern: sie wer=
fen ihr Netz einmal um das andere aus; auf einmal verspü=
ren sie, daß es schwer geworden ist; sie ziehen in Hoffnung,
eine Menge Fische gefangen zu haben, und wenn es endlich
zu Tage kommt, was erscheint? — ein Stein, oder ein alter
mit Sand angefüllter Topf. Freund, ich besorge, auch wir
haben etwas Dergleichen herausgezogen.

Hermotimus. Ich verstehe wahrhaftig nicht, was
du mit deinem Netze meinst: nur das merke ich, daß du
mich darin fangen willst.

Lycinus. Nun, versuche zu entschlüpfen. Du bist ja
ein vortrefflicher Schwimmer, will's Gott. Höre also. Wenn
wir auch bei Allen herumgekommen, und sie probirt, und in
so weit also das Geschäft beendigt haben, so ist, glaube ich,
doch noch nichts weniger als ausgemacht, ob Einer von Allen
wirklich das Gesuchte hat, oder ob Alle gleich wenig davon
wissen.

Hermotimus. Wie? was sagst du? Keiner von Al=
len hätte es?

_____

*) „Wir glaubten — gefunden.“ Wieland.

Lycinus. Ich sagte nur: es ist nicht ausgemacht. Oder hältst du es denn für unmöglich, daß sie sich Alle täuschten, und daß noch Keiner von ihnen das Wahre ausfindig gemacht hätte, das ja etwas ganz Anderes seyn könnte, als wofür es von ihnen gehalten wird?

65. Hermotimus. Wie wäre das möglich?

Lycinus. Ich will es dir auf diese Art versinnlichen: das gesuchte Wahre soll eine Zahl seyn, etwa die Zahl zwanzig; es nehme also Jemand zwanzig Bohnen in die Hand, verschließe sie, und frage zehn Andre nach einander, wie viele Bohnen er in der Hand habe: da werden sie denn verschiedentlich rathen, Einer sieben, ein Anderer fünf, ein Dritter dreißig, ein Vierter und Fünfter zehen und fünfzehen, kurz Jeder eine andere Zahl: und möglich ist es immer, daß Einer zufällig die richtige trifft; meinst du nicht?

Hermotimus. Allerdings.

Lycinus. Aber eben so möglich ist es auch, daß alle Zehen auf falsche Zahlen rathen, und auch kein Einziger sagt, zwanzig Bohnen habe der Mann in der Hand. Nicht wahr?

Hermotimus. O ja gewiß.

Lycinus. Eben so rathen auch die Philosophen hin und her, worin wohl jene wahre Glückseligkeit bestehen möge; der Eine setzt sie in das Vergnügen, der Andere in das Sittlichschöne, wieder ein Anderer in etwas ganz Anderes. Es läßt sich sehr wohl denken, daß Eines von diesen wirklich das höchste Gut ist: es ist aber auch nicht unwahrscheinlich, daß dieses Gut irgendwo ist, wo noch Keiner gesucht hat. Es scheint mir also fast, wir machen's verkehrt; wir eilen

5 *

dem Ziele zu, ehe wir noch den rechten Anfang gefunden haben. Vor allen Dingen, dächte ich, muß man darüber im
Reinen seyn, ob das Wahre wirklich bekannt ist, und ob es
sich überhaupt bei einem der Philosophen findet: hernach erst
kann gesucht werden, welcher von diesen unser Vertrauen,
als Inhaber des Wahren, verdient.

Hermotimus. Das heißt doch wohl so viel als:
wenn wir auch alle Schulen durchwandert haben, würden
wir am Ende doch nie dahin kommen, das Wahre zu finden;
nicht wahr?

Lycinus. Ich verweise dich an deine eigene Vernunft,
mein Freund: ich zweifle nicht, sie wird dir antworten, daß
auf diesem Wege das Wahre nie wird gefunden werden können, so lange ungewiß bleibt, ob es sich auch wirklich unter
den Systemen dieser Männer findet.

66. Hermotimus. Da haben wir's: also ohne Aussicht es je zu finden, und verzichtend auf das Studium der
Weisheit, sollen wir hinfort das Leben gemeiner Menschen
führen. Das folgt ja klar aus deiner Behauptung: es ist
gar nicht möglich zu philosophiren, die Weisheit ist ein für
ein Menschenkind schlechthin unerreichbares Gut. Du verlangst, derjenige, welcher sich der Philosophie widmen will,
soll sich erst die beste unter den Philosophien wählen. Die
Wahl derselben aber, sagst du, kann so lange nicht zuverläßig
seyn, als man nicht, durch sämmtliche Schulen wandernd, die
wahrste sich ausgelesen. Hernach berechnest du die Zahl der
Jahre, die auf jede derselben zu verwenden sey, und bringst
eine so übermäßige Summe heraus, daß dieses Geschäft mehrere Menschenalter dauern müßte, und das Ziel jenseits der

Gränzen des längsten Menschenlebens läge. Am Ende aber behauptest du gar, das Ziel selbst liege noch nicht außer allem Zweifel, indem es nicht entschieden sey, ob die Philosophen wirklich selbst schon das Wahre gefunden hätten oder nicht.

Lycinus. Könntest du denn, mein lieber Hermotimus, einen Eid darauf schwören, daß sie es wirklich gefunden haben?

Hermotimus. Ich möchte mir's zwar nicht getrauen —

Lycinus. Und doch — wie so manches Andere habe ich absichtlich, ohne es zu berühren, dir nachgesehen, was noch einer langen Untersuchung bedurft hätte!

67. Hermotimus. Nun was denn?

Lycinus. Hast du noch nie gehört, daß unter den Leuten, die sich Stoiker, oder Epikuräer, oder Platoniker nennen, Manche sind, die eine minder vollständige Kenntniß ihres Systems haben, wiewohl übrigens ihr ganzes Wesen vollkommenes Vertrauen einflößt?

Hermotimus. Das ist allerdings wahr.

Lycinus. Glaubst du also nicht, daß es ein sehr schwieriges Geschäft ist, diejenigen, welche ihre Lehre gründlich kennen, von denen zu unterscheiden, welche bloß vorgeben, sie zu kennen?

Hermotimus. Ich gebe es vollkommen zu.

Lycinus. Unfehlbar also mußt du, wenn du den ächtesten Stoiker kennen lernen willst, die Hörsäle, wo nicht Aller, doch wenigstens der Meisten von ihnen besuchen und sie prüfen, ehe du den Besten zu deinem Meister erwählen

kannst; zuvor aber ist nöthig, daß du dich in Beurtheilung
solcher Dinge geübt und dir eine gewisse Sicherheit erworben
habest, um nicht aus Unkunde den Schlechten für den Bessern
anzusehen. Du siehst selbst, wie viel auch d i e s e s Geschäft
Zeit erfordert, welche ich vorhin absichtlich nicht in Anschlag
brachte, weil ich fürchtete, dich nur noch unwilliger zu ma=
chen. Und gleichwohl ist unter den unausgemachten Dingen,
über welche man vor allen Dingen in's Reine kommen muß,
dieses unstreitig das wichtigste und unentbehrlichste; auf die=
sem Verfahren allein kann mit einigem Grunde deine Hoff=
nung, die Wahrheit zu finden, beruhen, und es kann dir
auf keine Weise gelingen, wenn du nicht das Vermögen be=
sitzest, richtig zu urtheilen und das Wahre vom Falschen zu
unterscheiden, und wenn du nicht gleichsam den sichern Blick
eines Münzwardeins hast, der auf's genauste zu sagen weiß,
was von ächtem Schrot und Korn, und was nachgemachte
Waare ist. Hast du dir dieses Vermögen und diese Fertigkeit
erworben, dann erst schreite zur Prüfung der Lehren selbst:
wo nicht, so sey gewiß, daß dich nichts vor der Schmach
sichern wird, von einem Jeden an der Nase herumgeführt,
oder wie eine hungrige Ziege mittelst eines vorgehaltenen
Büschels Laub nach Belieben nachgezogen zu werden. Du
wirst alsdann seyn, wie Wasser, das man auf den Tisch ge=
gossen, und nun mit dem Finger ziehen kann, wohin man
will: oder wie ein Schilfrohr am Gestade eines Sees, das
jeder Windstoß beugt und der leiseste Lufthauch hin und her
wiegt.

68. Wärest du aber so glücklich, mein Freund, einen
Meister zu finden, der die Kunst verstände, das Gewisse und

Ungewiſſe genau zu unterſcheiden, und das Wahre mit un=
umſtößlicher Gewißheit darzuthun, und er wollte dieſe Kunſt
auch dir mittheilen, dann wäreſt du freilich aller weitern
Sorgen und Mühen überhoben: alsbald würde das Beſte
deinen Augen erſcheinen; jegliche Lehre, auf den Probierſtein
deiner Kunſt gebracht, wurde ſogleich als die wahre oder als
falſch ſich ergeben; du könnteſt nun mit voller Sicherheit ent=
ſcheiden und wählen, könnteſt nun ganz dem Weisheitsſtudium
dich hingeben, und hinfort, im Beſitze und Genuſſe der heiß=
erſehnten Glückſeligkeit, des Inbegriffes aller Güter dich er=
freuen.

Hermotimus. O ſchön, Lycinus! Nun ſprichſt du
doch einmal tröſtliche Worte, die mir eine herrliche Ausſicht
eröffnen. Wir wollen nicht ſäumen, einen ſolchen Mann uns
zu ſuchen, der uns Unterſcheidungsgabe, Beurtheilungskraft,
und, was das Wichtigſte iſt, jene Unfehlbarkeit, von der du
ſprachſt, beibringen ſoll. O wie wird ſich dann alles Uebrige
ſo leicht ergeben, wie ſo ſchnell und ungehindert werden wir
an unſer Ziel gelangen! Ich weiß es dir jetzt ſchon recht
vielen Dank, daß du dieſen ſo kurzen, und dabei beſten Weg
ausfindig gemacht haſt.

Lycinus. Guter Hermotimus, du darfſt mir jetzt
noch nicht danken: denn noch habe ich Nichts gefunden, und
dir Nichts gezeigt, was deinem erſehnten Ziele dich näher
brächte. Im Gegentheile, wir ſind nunmehr weiter davon,
als jemals, und haben, wie man zu ſagen pflegt, viel gear=
beitet, aber nichts gethan. *)

_____

*) „Und haben — nichts gethan.“ Wieland.

Hermotimus. Wie meinst du das? Ich fürchte abermals etwas Trostloses zu vernehmen.

69. **Lycinus.** Ich meine, wenn wir auch einen Mann
fänden, der die Kunst zu besitzen vorgäbe, das Wahre mit
Unfehlbarkeit zu erkennen, und dieselbe auch Andern mitzutheilen, so könnten wir uns ihm doch nicht so unbesehen an-
vertrauen, sondern müßten einen Zweiten aufsuchen, der zu
beurtheilen verstände, ob der Erstere die Wahrheit spräche.
Und wenn wir nun so glücklich wären, auch dieses Zweiten
habhaft zu werden, so fragte sich's erst noch, ob derselbe im
Stand ist, ein richtiges Urtheil über jenen Erstern zu fällen,
oder nicht. Wir hätten also zur Beurtheilung des Zweiten
einen Dritten nöthig; denn wie sollten wir selbst zu beurtheilen vermögen, wer das Wahre am richtigsten zu erkennen
wisse? Du siehst, dieses Verfahren führt in's Unendliche;
denn bei welchem sollen wir stehen bleiben, an welchen uns
halten, da ja die Beweise für die Wahrheit selbst, so viele
ihrer erfunden werden, wie du siehst, so sehr bestritten werden, und so gar nicht auf haltbarem Grunde beruhen? Denn
die meisten derselben gehen, indem sie uns zur Ueberzeugung
nöthigen wollen, von Voraussetzungen aus, die nichts weniger als erwiesen sind. Andere bringen sogar mit dem Au-
genscheinlichsten das Ungewisseste in Verbindung, auch wenn
Beides in gar keiner Gemeinschaft steht, und geben sie
gleichwohl für Beweise aus, wie z. B. der, welcher mit dem
Daseyn der Altäre das Daseyn der Götter beweisen wollte. *)
Also, mein Hermotimus, drehen wir uns beständig im Kreise

*) S. den tragödisirenden Jupiter 51.

herum: der Himmel mag wiſſen, wie es zugeht: aber wir
ſind noch eben ſo rathlos, wie wir gleich Anfangs waren.

70. Hermotimus. Ach, Lycinus, wie grauſam ſpielſt
du mir mit! Den Schatz, den ich zu finden glaubte, haſt
du mir in Kohlen verwandelt! Und die vielen Jahre, und
alle die Mühen eines langwierigen Studiums ſollen unwie=
derbringlich verloren ſeyn?

Lycinus. Du wirſt dich vielleicht darüber weniger grä=
men, lieber Freund, wenn ich dir ſage, daß du nicht der Ein=
zige biſt, der dieſſeits des gehofften ſchönen Zieles bleiben
muß, ſondern daß die Philoſophen Alle — damit ich's kurz
ſage — ſich um des Eſels-Schatten zanken. Denn welcher
von dieſen Allen wäre im Stande geweſen, die ganze lange
Wanderung zu machen, von welcher wir ſprachen, und die du
ja ſelbſt für eine Unmöglichkeit erklärt haſt? Wenn du dich
alſo über dieſe Entdeckung grämen wollteſt, ſo kämeſt du mir
vor wie ein Menſch, der unter bittern Thränen das Schick=
ſal anklagte, das ihm nicht vergönnte, in den Himmel zu
ſteigen, oder bei Sicilien in die Tiefen des Meeres ſich zu
verſenken, um in Creta wieder aufzutauchen, oder auch von
Griechenland nach Indien in Einem Tage durch die Lüfte zu
fliegen. Der Grund, warum ſich ein ſolcher Menſch grämte,
wäre wohl kein anderer, als weil es ihm einmal von dieſer
Herrlichkeit träumte, oder weil er wachend ſich dieſelbe aus=
gemahlt hatte, ohne vorher zu bedenken, ob, was er ſich wün=
ſche, auch für die menſchliche Natur erreichbar ſey. So hat
denn auch dich, lieber Freund, die Vernunft aus dem Schlafe,
in welchem du ſo viel und ſo wunderſam träumteſt, gerüt=
telt; und nun zürnſt du ihr, indem du, noch verfangen in den

angenehmen Bildern, die du gefchaut, nur mit Mühe die
Augen öffnest und den Schlaf von dir scheuchest. Gerade so
geht es den Leuten, die sich wachend in einen glückseligen
Zustand hineinträumen: wenn sie nun so recht mitten drin
sind, ihren Reichthum sich auszumahlen, und wie sie Schätze
aus der Erde heben, Völker beherrschen und in allen den
Herrlichkeiten schwelgen, welche der freigebige Genius der
Wünsche (der uns nie widerspricht, und wenn auch Einer
Flügel haben, so groß wie der Koloß zu Rhodus seyn, oder
Berge von lauter Gold finden wollte) in Fülle herbeizau=
bert — wenn nun, während sie über solchen Bildern brüten,
der Bediente kommt und fragt, womit er Brod=kaufen, oder
was er dem Hausherrn, der nun schon einmal über das an=
dere die Miethe gefordert hätte, antworten soll, so werden
sie erboßt über den lästigen Frager, als ob er ihnen alle jene
Herrlichkeiten wirklich gestohlen hätte, und es fehlt wenig,
daß sie dem armen Jungen nicht mit dem Zähnen in's Ge=
sicht fahren.

71. Laß dir aber nicht beigehen, mein Bester, deinen
Unmuth an mir auszulassen, wenn ich, da du mit Schatz=
graben, Fliegen und andern dergleichen ausschweifenden Ein=
bildungen und eiteln Erwartungen umgiengest, als dein
Freund nicht zugeben wollte, daß du dein Leben in einem,
zwar angenehmen, Traume, aber doch nur in einem Traume
zubringest, sondern dich aufstehen hieß, und dir rieth, mit
nothwendigen Dingen dich abzugeben, wobei du hinfort nicht
in Versuchung kämest, den Kreis des gesunden Menschenver=
standes zu verlassen. Denn die Dinge, welche dich bis jetzt
beschäftigten, sind um nichts besser, als die Centauren, Chi=

mären, Gorgonen und andere dergleichen Traumgebilde, welche Dichter und Künstler mit ungebundener Freiheit erschaf-
fen, und welche in der Wirklichkeit nie vorhanden waren,
noch je vorhanden seyn können. Gleichwohl glaubt der große
Haufe daran, und wird, wenn dergleichen Phantasieen seinen
Augen oder Ohren dargeboten werden, ganz bezaubert, eben
weil sie wunderbar und abentheuerlich sind.

72. So war es also auch irgend ein Mythendichter, von
welchem du vernahmst, daß es ein weibliches Wesen von
überirdischer, ja die Reize der Gratien selbst und der himmlischen Venus übertreffenden Schönheit gebe; und ohne zu
untersuchen, ob der Mann die Wahrheit spricht, und ob
wirklich eine solche Sterbliche auf der Welt ist, verliebst du
dich augenblicklich in dieselbe, wie einst Medéa von Liebe zu
Jason entbrannte, als sie ihn nur erst im Traume gesehen.
Was aber dich und alle die, welche von gleicher Liebe zu
diesem Phantasiegebilde ergriffen sind, am meisten verführte,
war, wie ich vermuthe, die Folgerichtigkeit, mit welcher der
Mann, nachdem ihr einmal in seine Glaubwürdigkeit volles
Vertrauen gesetzt hattet, das Bild jener Schönheit euch weiter ausmalte. Dieses Folgerichtige hattet ihr allein im Auge;
und da ihr euch gleich anfangs ihm gefangen gegeben, führte
er euch — vorgeblich auf dem nächsten Wege zu eurer Geliebten, in der That aber — an der Nase herum. So ergab sich sehr leicht alles Weitere: Keinem von euch fiel es
ein, an den Eingang zurückzukehren und nachzuforschen, ob
dieser auch der rechte Weg, oder ob er nicht etwa auf einen
falschen gerathen sey: sondern Jeder wandelte getreulich in
den Fußstapfen der Vorangehenden, wie Schafe ihrem Hirten

folgen, anstatt daß ihr gleich beim Eingange reiflich hättet
überlegen sollen, ob es auch wohlgethan sey, hineinzugehen.

73. Um aber noch deutlicher einzusehen, was ich sagen
will, so betrachte die Sache unter diesem Bilde. Du hörst
von irgend einem jener Alles wagenden Poeten, es hätte
einmal einen dreiköpfigen und sechsarmigen Menschen gegeben; du glaubst ihm das ohne Umstände, und ohne über die
Möglichkeit der Sache nachzudenken, auf sein Wort; und so
wird der Mann keinen Anstand nehmen, alles Weitere mit
größter Consequenz hinzuzufügen, als da sind: sechs Augen,
sechs Ohren, drei Stimmen, die das Ungethüm auf einmal
von sich geben konnte, drei Mäuler, womit es aß, dreißig
Finger statt zehen wie andre Menschenkinder; und, wenn es
zum Streiten kam, so faßten die drei linken Hände drei
Schilde von verschiedener Form, die drei rechten führten eine
Streitart, eine Lanze und ein Schwert. Und wer sollte das
nicht glauben wollen? Es folgt ja ganz natürlich aus der
anfänglichen Behauptung, bei welcher man sich freilich hätte
bedenken sollen, ob sie dem Dichter zuzugeben ist oder nicht.
Denn hast du einmal diese eingeräumt, so mußt du dir alles
Weitere gefallen lassen, was unaufhaltsam aus dem ersten
Satze fließt; und es ist nun nicht mehr thunlich, diesen weitern Schilderungen des Dichters deinen Glauben zu versa-
gen, da er sie so folgerichtig aus dem, was du ihm gleich anfangs zugestanden, herzuleiten weiß. Ihr befindet euch gerade in demselben Fall. Entflammt von Liebe und Verlangen, unterließet ihr gleich beim Eingange zu untersuchen,
welche Bewandtniß es mit der Sache hat; und nun zieht
euch die Folgerichtigkeit immer weiter mit sich fort, und läßt

euch keine Zeit mehr, darüber nachzudenken, ob das, was sich aus den Vordersätzen zwar consequent ergiebt, nicht demungeachtet falsch sey. Wer dir sagt, zweimal fünf mache sieben, der wird, wenn du ihm, ohne selbst nachzurechnen, glaubst, dich auch dahin bringen, zu glauben, viermal fünf sey vierzehn, und was ihm sonst noch beliebt. Dasselbe Verfahren ist es, welches auch die so hoch bewunderte Geometrie beobachtet. Diese verlangt gleichfalls von den Anfängern die Zustimmung für etliche absurde und unhaltbare Heischesätze, z. B. Punkte seyen untheilbare Dinge, eine Linie hätte keine Breite, und was dergleichen mehr sind; auf einem so morschen Fundamente errichtet sie nun ein Gebäude, das nicht dauerhafter seyn kann, als seine Grundlage ist; und gleichwohl rühmt sich diese Wissenschaft, die von so grundlosen Begriffen ausgeht, eines unwidersprechlichen Beweisverfahrens.

74. Auf dieselbe Weise, nachdem ihr jeder Schule ihre Principien zugegeben habt, glaubt ihr nun alle die Sätze, die der Reihe nach folgen, und habt kein anderes Kennzeichen ihrer Wahrheit, als eben jene Folgerichtigkeit, die doch auf lauter Trug führt. Nicht Wenige unter euch gehen über dem langen Hoffen aus der Welt, bevor sie noch zur rechten Einsicht gekommen sind, und dem ganzen Trugspiel auf den Grund gesehen haben. Andere merken zwar nachgerade, daß man sie hintergangen hat; aber sie merken es zu spät, wenn sie schon sehr in Jahren vorgerückt sind und sich nun nicht mehr entschließen können, wieder umzukehren, aus Schaam, in einem solchen Alter gestehen zu müssen, daß sie sich, ohne es zu wissen, zu Kinderspiel hergegeben haben.

Diese bleiben also, aus einem falschen Ehrgefühl, im alten
Geleise, preisen ihre Sachen an, und suchen möglichst Viele
für das Gleiche zu gewinnen, um nicht allein die Betrogenen
zu seyn, sondern sich mit der Menge derjenigen trösten zu
können, denen es ebenfalls nicht besser, als ihnen selbst, er-
geht. Zugleich wissen sie nur gar zu gut, daß es, sobald sie
die Wahrheit sagten, um die Glorie geschehen wäre, in welcher sie bis jetzt, erhaben über gewöhnliche Sterbliche, wandeln. Sie hüten sich also wohl, zu gestehen, von welcher
Höhe sie heruntergefallen, wohl wissend, daß man sie sonst
für nichts Anderes halten würde, als was andere Menschen
auch sind. Nicht leicht wirst du Einen treffen, der edeln
Muth genug hat, zu bekennen, daß sie hintergangen worden,
und der so ehrlich ist, Andere vor dem gleichen Irrthum zu
warnen. Bist du aber so glücklich, einen solchen Mann zu
finden, so nenne ihn unbedenklich einen edeln rechtschaffenen
Wahrheitsfreund, und gieb ihm, wenn du magst, den Titel
Philosoph; denn ein solcher Mann ist es allein, welchem ich
diese Würde gönne. Alle Uebrigen dieses Namens glauben
entweder das Wahre zu wissen, und wissen es nicht, oder sie
wissen, daß sie nichts wissen, wollen es aber aus feiger
Schaam und Eitelkeit nicht Wort haben.

75. Doch, mein Freund, lassen wir nun um der Minerva willen alles Bisherige auf sich beruhen: vergessen wir
es, als nicht gesprochen, und stellen wir uns vor, deine stoische Philosophie sey die einzig wahre, und jede andere außer
ihr sey gar keine Philosophie; nun wollen wir sehen, ob das
Ziel, das sie aussteckt, ein möglicherweise erreichbares ist,
oder ob nicht Alle, die darnach streben, vergeblich sich abmü-

hen. Ich höre glänzende Verſprechungen von einem wunderbaren Glück, deſſen diejenigen genießen, welche den Gipfel
erreicht haben: nur dieſe ſind, ſagt man, im Beſitze des In-
begriffs aller wahren Güter. Nun fragt ſich, lieber Freund:
haſt du jemals (du mußt das doch wohl am beſten wiſſen)
einen ſolchen Stoiker, der den Gipfel des Stoicismus er-
ſchwungen, kennen gelernt, einen Mann alſo, der ſich nie betrüben, und nie von Sinnlichkeit hingeriſſen werden kann,
und über Neid, Zorn, Geldliebe erhaben, und ſo vollkommen
ſelig iſt, wie das Muſterbild ſeyn muß, deſſen Leben als die
Norm eines in Tugendübung hingebrachten Lebens gelten
ſoll? Fehlte ihm auch nur das Mindeſte zu dieſer Vollkommenheit, ſo wäre er bei allen übrigen hohen Vorzügen doch
mangelhaft; denn wenn er nicht vollkommen iſt, ſo iſt er
auch nicht ſelig.

Hermotimus. Ich geſtehe es, einen ſolchen Stoiker
fand ich noch nicht.

76. Lycinus. Schön, guter Hermotimus, daß du das
ſo ehrlich bekenneſt. In welcher Ausſicht alſo betreibſt du
dieſes Studium, wenn du ſieheſt, daß weder dein Lehrer,
noch der Lehrer deines Lehrers, noch deſſen Vorgänger, noch,
wenn du auch bis in's zehente Glied hinaufſteigen wollteſt,
irgend einer dieſer Schule ein ganz vollkommener Wiſer und
dadurch glückſelig geworden iſt? Denn du würdeſt wohl ſehr
unrecht haben, wenn du ſagen wollteſt, daß es dir genüge,
auch nur in die Nähe jener göttlichen Seligkeit zu kommen:
glaube mir, dieß würde dir ſo viel als nichts helfen. Man
iſt außerhalb der Schwelle und im Freien, man mag nun
nahe vor der Thüre oder weit von ihr weg ſtehen, nur viel-

leicht mit dem Unterschied, daß man im erstern Falle mit um
so größrem Verdrusse in der Nähe sieht, was man entbehren
muß. Also bloß deswegen, um dem Glücke wenigstens nahe
zu kommen (und ich will annehmen, du werdest es wirklich),
arbeitest du mit einer Anstrengung, die dich verzehren muß?
Bedenkest du nicht, welch ein großer Theil deiner Lebenszeit
nun schon zerronnen ist, während freudeleeres *) Arbeiten, Sor=
gen und Wachen dich niederdrückte? Und nun willst du, wie
du sagst, zum mindesten weitere zwanzig Jahre dich placken,
um als achtzigjähriger Greis (und wer verbürgt dir dieses
hohe Alter?) unter denen zu seyn, welche jenes hohe Glück
— noch nicht gefunden haben? Oder glaubst du etwa der
Einzige zu seyn, dem es beschieden ist, an ein Ziel zu gelan=
gen, welchem v o r d i r schon so viele vortreffliche, und wahr=
lich noch viel behendere Läufer, als du bist, nachjagten und
es gleichwohl nicht erreichten? —

77. Doch es sey, wenn du so willst; ergreife das hohe
Gut, und habe es inne ganz und gar; so sehe ich doch für's
Erste nicht, was es für ein Gut seyn soll, das für solche
Opfer ein angemessener Ersatz seyn könnte; und zweitens:
wie lange meinst du denn, daß du dieses Glückes genießen
werdest, wenn du erst als Greis, der für jeglichen Genuß
längst abgestumpft ist, und schon, wie man zu sagen pflegt,
einen Fuß im Sarge hat, seiner theilhaftig werden sollst?
Es müßte denn nur seyn, daß du dich auf ein anderes Leben
vorüben wolltest, um, wenn du nun wüßtest, wie man leben
soll, in diesem zweiten Leben es um so besser zu haben; was

---

*) ἀηδία nach Pierson's Vorschlag.

gerade so viel wäre, als wenn Einer die weitläuftigsten Vor-
bereitungen und Zurüstungen machte, um auch einmal etwas
besser zu speisen, aber während derselben Hungers stürbe?

78. Und endlich scheinst du mir gänzlich vergessen zu
haben, daß die Tugend bloß im Thun, in einer rechtschaffenen, weisen, männlichen Handlungsweise besteht; ihr aber
(und wenn ich sage ihr, so meine ich) eure philosophischen
Häupter) laßt es euch nicht kümmern, nach jener thätigen
Tugend zu trachten, sondern studirt über erbärmlichen Wort-
klaubereien, künstlichen Schlüssen und unauflöslichen Proble-
men, und bringt mit dergleichen Dingen den größten Theil
eures Lebens hin. Wer hierin sich als Meister zeigt, der
feyert in euern Augen die schönsten Triumphe. Das ist es
denn auch, denke ich, was ihr an eurem alten Lehrmeister
so sehr bewundert, daß er es nämlich so gut versteht, Alle,
die sich mit ihm einlassen, durch schlaue Fragen, Spitzfindig-
keiten und verfängliche Kniffe in Verlegenheit zu setzen und
in die Enge zu treiben. Und so macht ihr euch, unbeküm-
mert um die Frucht (ich meine die Veredlung der Handlungsweise) nur mit der Rinde des Baumes zu schaffen, und be-
gnügt euch, in euren Zusammenkünften seine Blätter abzu-
schütteln. Sage selbst, lieber Hermotimus, sind es nicht
bloß solche Dinge, womit ihr euch vom frühen Morgen bis
an den Abend beschäftiget?

Hermotimus. Ich kann es nicht läugnen.

Lycinus. Hätte man da so unrecht, wenn man sagte,
daß ihr nach dem Schatten jaget, ohne den Körper zu fassen,
oder nach der alten abgestreiften Haut der Schlange greifet,

und ſie ſelbſt darüber entſchlüpfen laſſet? Verfahret ihr
nicht gerade, wie wenn ein Menſch mit einer eiſernen Keule
Waſſer in einem Mörſer zerſtampfen wollte, Wunder mei=
nend, was für ein nothwendiges und nützliches Geſchäft er
betriebe, ohne zu wiſſen, daß, wenn er ſich auch die Arme
aus dem Leibe ſtampfte, Waſſer doch ewig nur Waſſer blei=
ben wird?

79. Und nun erlaube mir nur noch die Frage: wün=
ſcheſt du, abgeſehen von der Wiſſenſchaft, deinem Meiſter
auch in andern Dingen ähnlich, und eben ſo jähzornig, eben
ſo filzig, ſtreitſüchtig und dem Sinnengenuſſe ergeben zu wer=
den, als er ſelbſt iſt, wiewohl man ihn im Publikum nicht
dafür hält? — Du ſchweigſt? *). So will ich dir, wenn
du es hören magſt, lieber Freund, erzählen, wie ſich unlängſt
ein ſehr betagter Mann, deſſen philoſophiſche Vorträge einen
ſehr ſtarken Zulauf von jungen Leuten haben, über die Phi=
loſophie geäußert hat. Er hatte eben einen ſeiner Schüler
um die Bezahlung angefordert und ſich dabei ſehr erhitzt, in=
dem er ſagte, der Termin wäre längſt verfloſſen, indem das
Lehrgeld ſchon vor ſechzehn Tagen als am letzten des vorigen
Monats hätte berichtigt werden ſollen; ſo wäre es zwiſchen
ihnen ausgemacht geweſen, und dergl.

80. Ein Oheim des jungen Menſchen, ein ſchlichter, in
eure Weisheit freilich nicht eingeweihter Landmann, war Zeu=
ge dieſes leidenſchaftlichen Ausbruches; er nahm das Wort
und ſagte: „So höre doch einmal auf, wunderlicher Mann,

*) Ti σιγᾷς nach Grävius.

über erlittenen Schaden zu fchreien, wenn wir dich für die
Worte, die wir dir abgekauft, noch nicht bezahlt haben. Denn
was du an uns verkauft haft, ift ja noch immer dein, und
deine Gelehrfamkeit ift dadurch um nichts geringer geworden.
In der Hauptfache aber, um deren willen ich dir den jungen
Menfchen übergeben habe, ift derfelbe durch dich um kein
Haar beffer geworden. Meinem Nachbar Echekrates hat er
feine Tochter entführt und um ihre Unfchuld gebracht; und
hätte ich nicht dem armen Schlucker von Vater feine Klage
mit einem Talente *) abgekauft, der Burfche hätte einen
fchweren Prozeß an den Hals bekommen. Noch ganz neuer=
lich gab er feiner Mutter Ohrfeigen, als fie ihn ertappte,
wie er eben einen tüchtigen Krug Wein wegfchleppen wollte,
wahrfcheinlich um ihn als feinen Beitrag zu einem Trinkge=
gelage zu liefern. Und was fein hißiges Temperament, fein
unverfchämtes, freches und lügenhaftes Wefen betrifft, fo ift
es jetzt wahrlich noch um ein gut Theil fchlimmer mit ihm,
als im vorigen Jahre. Es wäre mir lieber, du brächteft ihm
beffere Sitten bei, als daß er jenes närrifche Zeug bei dir
lernt, wovon er uns, die wir von dergleichen Dingen nichts
wiffen wollen, tagtäglich über Tifch den Kopf vollfchwatzt,
z. B. wie einmal ein Krokodil ein Kind geraubt und ver=
fprochen hätte, es zurückzugeben, wenn der Vater — was
weiß ich was antworten würde; oder, warum es bei Tag
nicht Nacht feyn könne und dergl. Bisweilen macht er, der
Kukuk weiß, was für ein Kunftftück, wodurch er uns weiß

*) 1733 Thlr.

machen will, wir hätten Hörner auf dem Kopfe. Er hat
nichts davon, als daß wir ihn auslachen, besonders wenn er
sich die Ohren zuhält und mit sich selbst spricht, und mit
Hexis und Schesis und Katalepsis und Phantasie
und andern dergleichen wunderlichen Namen um sich wirft. Wir
haben ihn auch schon sagen gehört, der liebe Gott sey nicht
im Himmel, sondern verbreite sich durch Alles, durch Holz,
Steine, Thiere, ja durch die gemeinsten Dinge. Und als ihn
einmal seine Mutter fragte, zu was denn diese Possen gut
wären, so hat er ihr in's Gesicht gelacht und gesagt: „Habe
ich nur erst diese Possen recht im Kopfe, so will ich den se=
hen, der mir wehren will, allein reich, allein König zu seyn,
und alle andern Menschenkinder als Sclaven und erbärmliche
Wichte, gegen mich gehalten, zu betrachten!"

81. So sprach der Landmann; nun höre aber auch,
was ihm der Alte für eine schwache Antwort gab: „Glaubst
du denn nicht, sagte er, daß der Bursche, wenn er nicht zu
mir gebracht worden wäre, noch viel schlechtere Streiche ge=
macht hätte, Streiche, die ihn vielleicht an den Galgen ge=
bracht hätten? So aber hat ihm die Philosophie einen
wohlthätigen Zügel angelegt; die Scheu vor ihr macht, daß
er sich mäßigt und euch wenigstens erträglich ist. Das Ge=
fühl, welche Schande es wäre, des philosophischen Aufzugs
und Titels unwürdig zu erscheinen, begleitet ihn überall hin
und hält ihn in der Zucht. Mit allem Rechte kann ich also,
wo nicht für das, worin ich ihn wirklich besserte, so doch we=
nigstens für das meine Bezahlung von euch verlangen, was
er aus Achtung vor der Philosophie Böses nicht begangen

hat. Sagen ja doch auch die Kinderwärterinnen, daß es gut
sey, wenn die ganz kleinen Knaben schon in die Schule gehen; denn wenn sie auch noch nichts Gutes lernen können,
so können sie doch wenigstens nichts Böses thun, so lange sie
dort aufgehoben seyen. Ich glaube übrigens auch in allen
übrigen Beziehungen meine Schuldigkeit gethan zu haben,
und du kannst mit irgend einem Sachverständigen morgen in
meine Schule kommen: da sollst du sehen, wie der junge
Mensch schon Fragen macht, und Antworten giebt, und was
er Alles gelernt und wie viele Bücher er schon gelesen hat,
von den Axiomen, den Syllogismen, der Katalepsis, den
Pflichten, und verschiedenen andern Gegenständen. Wenn er
seine Mutter geschlagen und Mädchen verführt hat, was geht
das mich an? Hat man mich denn zu seinem Hofmeister bestellt?"

82. So äußerte sich der alte Meister über die Philosophie. Vielleicht daß du derselben Meinung bist, Hermotimus, und sagst, es sey schon genug, wenn wir nur Philosophie treiben, um nichts Schlimmeres zu treiben. Aber,
Freund, haben wir uns nicht anfangs ganz andere Hoffnungen von ihr gemacht? war es uns nicht darum zu thun, als
würdigere und erhabenere Wesen unter den übrigen Sterblichen zu wandeln? — Wie? auch hierauf erhalte ich keine
Antwort?

Hermotimus. O Lycinus, was soll ich dir sagen?
Ich möchte weinen, so tief fühle ich mich von der Wahrheit
alles dessen, was du sagtest, getroffen. Ach! ich Armer, wie
viele schöne Zeit habe ich verloren, wie vieles Geld hingege-

ben, um mir Sorgen und Mühe damit zu erkaufen! Nun
ist mir, als ob ich aus einem Rausche erwachte; ich sehe, an
was ich Thörichter meine Liebe verschwendete, und welche
Leiden mir diese Liebe schuf!

83. Lycinus. Wozu nun diese Klagen, mein Guter?
denke doch an den guten Rath, den Aesop in einer seiner
Fabeln giebt. „Einst saß,‟ so erzählt er, „ein Mensch am
Gestade des Meeres, und zählte die Wellen, die sich an den
Felsen brachen; da begegnete es ihm, daß er im Zählen irre
ward, und dieß verdroß ihn sehr. Allein ein Fuchs, der dabei stand, sprach zu ihm: Seltsamer Mensch, was grämst du
dich wegen der Wellen, die schon vorüber sind? Achte ihrer
nicht, und fange von neuem an!‟ Mache du es eben so,
mein Freund: entschließe dich, den Rest deiner Tage als ein
gemeinnütziges Glied der bürgerlichen Gesellschaft zu verleben, und entschlage dich deiner bisherigen abentheuerlichen
und windigen Hoffnungen. Und wenn du vernünftig bist, so
hältst du es für keine Schande, in deinen Jahren noch auf
andere Gedanken zu kommen und den bessern Weg einzuschlagen.

84. Glaube übrigens nicht, lieber Freund, daß es mit
diesem Allem bloß auf die Stoa abgesehen sey, und daß ich
aus einem gegen die Stoiker insbesondere gefaßten persönli-
chen Hasse so gesprochen habe. Nein, was ich hier sagte, gilt
von Allen insgemein. Ich würde nicht anders zu dir gesprochen haben, wenn du der Schule Plato's oder des Aristoteles zugethan gewesen wärest, und die übrigen alle so ein-
seitig und ohne Untersuchung verworfen hättest. Weil du

nun aber einmal der Stoa den Vorzug gegeben hatteſt, ſo
war auch meine Rede zunächſt gegen dieſe gerichtet, wiewohl
ich, wie geſagt, nichts Beſonderes gegen ſie habe.

85. Hermotimus. Nun gut, mein Lycinus! ich gehe,
um vor allen Dingen meinem Aeußern ein anderes Anſehen
zu geben. Du ſollſt mich nun nicht länger mit einem langen
und ſtruppichten Barte, wie dieſer iſt, einhergehen und die
Lebensart eines Büßers führen ſehen; frei und behaglich ſoll
hinfort mein ganzes Thun und Treiben ſeyn. Ja ich habe
gute Luſt, auch einen rothen Rock anzuziehen, damit alle
Welt ſehe, daß ich mit jenen Narrheiten nun nichts mehr
zu ſchaffen habe. O könnte ich doch Alles ſammt und ſonders wieder von mir geben, was jene Leute mir beigebracht
haben! Glaube mir, ich beſinne mich keinen Augenblick, einen
tüchtigen Nießwurztrank zu mir zu nehmen, *) um mein
Gehirn von allen ſolchen Albernheiten zu reinigen. Dir aber,
theurer Lycinus, kann ich nicht genug Dank ſagen, daß du
mir, da ich von der trüben Fluth eines reißenden Stromes
ohne Widerſtand mich fortreißen ließ, als ein hülfreicher Genius, dergleichen ſonſt nur auf der tragiſchen Bühne erſcheint,
unerwartet zur Seite ſtandſt, und mich aus den Wogen zogſt.
Auch werde ich wohl recht daran thun, wenn ich mir das
Haupthaar abſcheeren laſſe, wie diejenigen, welche aus einem
Schiffbruche ihr Leben davon gebracht haben: und heute
noch will ich ein feierliches Dankopfer dafür darbringen, daß

---

*) Nach dem Texte: „gerade zu dem entgegengeſetzten Zwecke
von dem des Chryſipp,‘‘ der ſich durch Nießwurz für ſeine
ſtoiſchen Meditationen geſtärkt haben ſoll.

ich den dichten Nebel, der vor meinen Augen lag, so gänzlich
verjagt habe. Sollte ich aber in Zukunft einen Philosophen
zufällig auf der Straße gewahr werden, so will ich ihm, wie
einem tollen Hunde, schon von weitem aus dem Wege gehen.

Herodot und Aëtion.

1. Was gäbe ich nicht, wenn ich im Stande wäre, den
Herodot, nicht in allen seinen Eigenschaften, denn dieß
wäre mehr, als ich auch nur wünschen dürfte, sondern nur
in irgend einer von allen gleich zu werden, wie z. B. in
der Schönheit des Ausdrucks, in dem harmonischen Tone des
Ganzen, in dem natürlichen und eigenthümlichen Reize seiner jonischen Mundart, in der Fülle seines reichbegabten
Geistes, und wie [die vielen Vorzüge sonst noch heißen,
welche dieser einzige Schriftsteller in sich vereinigt! Da
ich aber die Hoffnung aufgeben muß, einen derselben durch
Nachahmung zu erreichen, so bleibt mir und Andern meines
Gleichen nichts übrig, als ihn wenigstens in der Art und
Weise zum Muster zu nehmen, wie er es angieng, um
sich und sein Werk in der kürzesten Zeit allen Griechen bekannt zu machen. Gleich nach der Ueberfahrt aus seiner
Heimath Karien nach Griechenland dachte er auf ein Mittel, mit dem wenigsten Aufwande von Zeit und Mühe die
Augen der Griechen auf sich und seine Geschichtbücher zu
ziehen und sich einen berühmten Namen zu machen. Selbst
von Stadt zu Stadt zu reisen, und sein Werk jetzt den

Athenern, dann den Corinthern, hierauf den Argivern und Lacedämoniern besonders vorzulesen, däuchte ihm ein zu beschwerlicher, langer und zeitraubender Weg, um zu seinem Ziele zu gelangen. Er wollte das Geschäft, den Griechen sich bekannt zu machen, mit Einemmale abthun, und seinen Ruhm sich nicht so allmählig und theilweise sammeln; daher trachtete er nach einer Gelegenheit, die Griechen irgendwo in Masse beisammen zu treffen. Eben standen die großen Olympien bevor, und Herodot sah sogleich, daß dieß der günstigste Zeitpunkt für ihn seyn würde, den er sich nur wünschen könnte. Er wartete also, bis die Versammlung sehr zahlreich und die vornehmsten und gebildetsten Griechen von allen Seiten herbeigekommen waren: alsdann bestieg er die Stufen auf der Rückseite des Jupitertempels, nicht als Zuschauer, sondern um selbst als olympischer Kämpfer vor dem Volke aufzutreten, und declamirte nun seine Geschichte, wodurch er die Zuhörer so sehr bezauberte, daß sein Werk, das gerade aus neun Büchern besteht, den Namen der Musen erhielt.

2. Nun war sein Name allgemeiner bekannt, als selbst die Namen der olympischen Sieger; und wer ihn nicht selbst in Olympia vernommen hatte, der erfuhr von den dorther Zurückkommenden das Lob Herodot's; und wo er sich hinfort nur sehen ließ, da ward mit Fingern auf ihn gewiesen, und Jeder zeigte ihn seinem Nachbar mit den Worten: „Das ist der berühmte Herodot, der in jonischer Mundart die Persischen Kriege beschrieben und unsere Triumphe verewigt hat!" Welch herrliche Frucht trug ihm also dieses

hiſtoriſche Werk, da er an Einem Tage den allgemeinen und einſtimmigen Beifall des verſammelten Griechenvolks davon trug, und ſein Ruhm nicht nur von Einem Herolde, ſondern in jeder der Städte, aus welchen die Anweſenden herbeige= kommen waren, verkündigt wurde!

3. In Betracht, wie kurz dieſer Weg ſey, öffentlich be= kannt zu werden, hielten ſpäter auch Hippias (der ja aus jener Gegend gebürtig war), Prodikus aus Ceos, Anarime= nes aus Chios, Polus aus Agrigent, und noch viele andere Sophiſten jedesmal ihre Vorträge an die Verſammlung zu Olympia, und machten ſich dadurch in ſehr kurzer Zeit einen Namen.

4. Doch wozu erwähne ich jener Sophiſten, Geſchicht= ſchreiber und Redner aus alten Zeiten, da ja noch ganz neuerlich der Maler Aëtion eines ſeiner Gemälde, vorſtel= lend die Vermählung Alexander's mit Roxanen, nach Olym= pia brachte und öffentlich ausſtellte, welches ſo großen Bei= fall fand, daß Proxenidas, einer der damaligen Hellanodiken, aus Wohlgefallen an dem vortrefflichen Künſtler, ihn zu ſei= nem Eidam erwählte.

5. Was war denn aber ſo Wunderbares an dem Ge= mälde, höre ich fragen, daß ein Hellanodike deßwegen einem Ausländer, welcher Aëtion war, ſeine Tochter zum Weibe geben mochte? Das Gemälde befindet ſich in Italien, wo ich es ſelbſt ſah: ich kann alſo mit Zuverläßigkeit davon ſprechen. Es ſtellt ein außerordentlich ſchönes Gemach mit einem Brautbette vor. Roxane, eine unbeſchreiblich reizende Ge= ſtalt, ſitzt, jungfräulich züchtig zur Erde blickend, vor dem

ihr gegenüber stehenden Alexander. Das Paar ist von lä=
chelnden Liebesgöttern umgeben: einer derselben steht hinter
ihr, zieht ihr den Brautschleier vom Kopfe und zeigt sie dem
Bräutigam; ein zweiter ist sehr dienstfertig beschäftigt, ihr
die Sandalen von den Füßen zu nehmen, damit sie sich nie=
derlegen könne. Ein Dritter hat Alexandern beim Mantel
gefaßt, und zieht ihn aus allen Kräften zu Roranen hin.
Er selbst, der König, reicht der Jungfrau einen Kranz dar.
Als Bräutigamsführer steht Hephästion neben ihm, mit einer
brennenden Fackel in der Hand, und auf einen gar zarten,
blühenden Jüngling gelehnt, den Hymenäus, wie ich ver=
muthe; denn der Name steht nicht dabei. Auf einer andern
Seite des Bildes spielen Amoren mit Alexanders Waffen;
zwei derselben tragen seine Lanze, und geberden sich dabei
wie Zimmerleute, wenn sie einen schweren Balken auf den
Schultern haben: ein andres Paar zieht einen Dritten, der
den König selbst vorstellt, wie auf einem Wagen, auf seinem
Schilde heran, den sie an den Handhaben gefaßt halten.
Noch ein Anderer ist in den rückwärts liegenden Panzer ge=
krochen, wo er zu lauern scheint, um das letztere Paar,
wenn es in seine Nähe käme, zu erschrecken.

6. Uebrigens ist dieses Beiwerk nichts weniger als blo=
ßes müßiges Spiel des Künstlers: Aëtion wollte damit
Alexander's Liebe zu kriegerischen Thaten andeuten, die ihn
über der schönen Roxane der Waffen nicht vergessen ließ. —
Und wirklich zeigte sich's, daß dieses Gemälde recht eigent=
lich hochzeitlicher Natur war, da es auch seinem Künstler
eine Braut, die Tochter des Proxenidas, zuführte. Die

Hochzeit, die er mit derselben feierte, war das Seitenstück
zu der des Alexander, wobei dieser König, so zu sagen,
Brautführer war, und ihm zum Lohne für seine gemalte
Braut zu einer wirklichen verhalf.

7. Doch um wieder auf Herodot zurückzukommen, so
hielt er also die olympische Volksversammlung für die schick-
lichste Gelegenheit, sich den Griechen als den Geschichtschreiber ihrer glorreichen Thaten darzustellen, und die Bewunderung von ihnen zu ernten, die er verdiente. Nun bitte ich
euch bei dem Genius der Freundschaft, mir die wahnsinnige
Anmaßung nicht zuzutrauen, meine Sächelchen dem Werke
eines solchen Mannes an die Seite stellen zu wollen. Herodot's Manen mögen mich davor in Gnaden bewahren! Nur
darin glaubte ich eine Aehnlichkeit mit ihm zu finden, daß
ich bei meiner Ankunft in Macedonien eine gleiche Ueberlegung bei mir anstellte, wie ich es anzugehen hätte, um, was
ich so sehr wünschte, überall bekannt zu werden, und meine
schriftstellerischen Versuche möglichst vielen Bewohnern dieses
Landes zur nähern Kenntniß zu bringen. Selbst umherzu-
reisen, und eine Stadt um die andere zu besuchen, schien
mir, zumal in jetziger Jahrszeit, nicht wohl thunlich. Am
besten dachte ich also meine Absicht zu erreichen, wenn ich
diese eure Zusammenkunft abwartete, um mit einer öffentlichen Vorlesung meiner Schriften vor euch aufzutreten.

8. Nun ist dieser Tag gekommen; die ausgezeichnetsten
Männer jeder Stadt, die Vortrefflichsten der ganzen Macedonischen Nation sehe ich um mich her versammelt. Eine glänzende Hauptstadt [Thessalonik] hat uns in ihre Mitte aufgenom-

men, wo wir uns nicht wie zu Pisa in einem engen Raume zwischen Buden und Gezelten und in einem erstickenden Gewühle hin und her drängen. Die Versammlung besteht nicht aus einem zusammengelaufenen Pöbel, der viel lieber Athleten begafft, und dort den Herodot höchstens im Vorbeigehen angehört haben mag, sondern aus den gebildetsten und angesehensten Pflegern der schönen Wissenschaften. Daß also dieser Schauplatz, auf welchem ich auftrete, jenem zu Olympia nachstehen möchte, ist meine geringste Sorge. *) Allein wenn ich mich freilich mit jenen Helden, die dort literarische Triumphe feierten, zusammenhalten wollte, so müßtet ihr mein Unterfangen sehr anmaßlich und verwegen finden. Daher bitte ich euch, den Gedanken an jene großen Meister ferne zu halten, und mich nur nach mir selbst zu beurtheilen: vielleicht daß ich dann euch wenigstens nicht strafwürdig erscheine, wenn ich es wagte, einen so glänzenden Schauplatz zu betreten; und ich würde mich glücklich genug schätzen, wenn mir auch nur das gelänge.

Zeuxis und Antiochus.

1. Als ich unlängst nach einer Vorlesung, die ich in eurer Mitte gehalten, nach Hause gieng, kamen Viele meiner Zuhörer auf mich zu, reichten mir die Hand, und — ich

---

*) Ich schlage vor: $\Delta \acute{\varepsilon}o\varsigma$ $o\breve{v}v$ $\mu\iota\varkappa\rho\grave{o}v$ $\mathring{\eta}\delta\eta$.

nehme keinen Anstand, dieß meinen neuen Freunden zu ge=
stehen — sie bezeugten mir ihre Bewunderung auf eine un=
zweideutige Weise. Sie begleiteten mich sogar eine ziemliche
Strecke, und überhäuften mich von allen Seiten mit solchen
Lobeserhebungen, daß ich ganz schamroth ward und besorgen
mußte, nur gar zu weit unter der Würdigkeit eines solchen
Beifalls geblieben zu seyn. Uebrigens liefen diese Aeußerun=
gen sammt und sonders auf das Einzige hinaus, der Inhalt
meiner Schriften wäre so neu und ungewöhnlich. Ausrufun=
gen, wie folgende, ließen sich, je nach den Eindrücken, die
das Gehörte hervorgebracht hatte, in Menge vernehmen:
„Wie so neu war Alles! — Himmel, welche überraschende
Gedanken! — In der That, ein glückliches, erfindungsrei=
ches Talent! Kann man originellere Einfälle haben?" u. s. w.
Daß es ihnen damit nicht Ernst gewesen seyn soll, kann ich
nicht glauben; denn was für einen Beweggrund konnten sie
haben, einem Ausländer, der ihnen sonst sehr gleichgültig
seyn mußte, leere Schmeicheleien zu sagen?

2. Gleichwohl — ich bekenne es offen — verdroß es
mich etwas, auf diese Art mich gelobt zu sehen, und kaum be=
fand ich mich allein, so dachte ich: „Also das ist das Einzige,
was an meinen Schriften gefällt, daß sie nicht ganz gewöhn=
lichen Inhalts sind, und daß sie sich nicht auf Gemeinplätzen
umtreiben? Von Schönheit des Ausdrucks und einer nach
den alten Mustern gebildeten Schreibart, von Feinheit, Witz,
attischer Grazie, Harmonie, und einer über das Ganze der
Composition verbreiteten Kunst, von allen diesen Vorzügen
wäre weit und breit nichts in meinen Aufsätzen anzutreffen?

So scheint es fast; denn wie hätten sie sonst so gänzlich davon geschwiegen, und ihren Beifall bloß der überraschenden Neuheit der Gegenstände geschenkt?" Ich war anfänglich, wie ich sie so aufspringen und in lauten Beifall ausbrechen sah, eitel genug, zu glauben, daß zwar auch diese Neuheit Antheil an einem solchen Eindruck gehabt habe, indem Homer sehr Recht hat, wenn er sagt:

> Denn es ehrt den Gesang das lauteste Lob der Menschen,
> Welcher den Hörenden rings der neueste immer ertönet. *)

Allein daß diese Wirkung so weit gehen würde, daß man das ganze Verdienst meiner Schriften bloß in ihre Neuheit setzte, ließ ich mir nimmer einfallen, weil ich mir einbildete, das Neue des Inhalts werde bloß als eine Zugabe den Reiz der Composition vermehrt, und dadurch den Beifall erhöht haben; der wirkliche Gegenstand der Lobeserhebungen meiner Zuhörer hingegen wären jene so eben nahmhaft gemachten Vorzüge. Diese Einbildung machte mich stolz, und ich war nahe daran, mich überreden zu lassen, in ganz Griechenland gebe es nicht meines Gleichen. Allein es ergieng mir, wie man im Sprichwort sagt: mein Schatz wurde mir zu Kohlen; und ich sehe, daß der Beifall, mit welchem man mich beehrte, fast um nichts besser als derjenige ist, der einem geschickten Taschenspieler zu Theil wird.

3. Laßt mich euch jetzt eine Geschichte von einem Maler erzählen. Zeuxis, der erste Meister seiner Kunst, pflegte sich mit den alltäglichen Gegenständen der Malerei, als da sind

---

*) Odyss. I, 351 f. Voß.

Götter, Helden, Schlachten und dergl., gar nicht oder nur sehr
selten zu beschäftigen, und war stets bemüht, neue Formen
zu seinen Darstellungen zu wählen. Und wenn er denn ei=
nen auffallenden Gegenstand erdacht hatte, der noch von kei=
nem Andern bearbeitet worden war, so verwandte er auf
seine Ausführung den höchsten Fleiß und alle Kunst, die
ihm zu Gebote stand. Unter andern Wagestücken dieser Art
unternahm er auch die Darstellung einer Centaurin, wie sie
eben ein Paar noch ganz kleiner Zwillings=Centaurchen säugt.
Eine äußerst sorgfältig gearbeitete und treue Copie dieses Ge=
mäldes befindet sich gegenwärtig zu Athen; das Original
wollte, wie man erzählt, der Römische Feldherr Sylla nebst
andern Kunstwerken nach Italien transportiren lassen; allein
das Schiff verunglückte, wenn ich nicht irre, bei dem Vor=
gebirge Malea, und so gieng mit den übrigen Gegenständen
auch jenes Gemälde zu Grunde. Nur erst vor Kurzem habe
ich in der Wohnung eines Malers zu Athen das Gemälde
vom Gemälde gesehen, und will euch also, so gut ich es ver=
mag, mit Worten eine Beschreibung davon geben. Zwar
bin ich nicht im Stande, mich als Kenner darüber zu erklä=
ren; doch wird, hoffe ich, die noch ganz frische Erinnerung
und der außerordentlich lebhafte Eindruck, den das bewun=
dernswürdige Kunstwerk in mir zurückließ, meiner Schilde=
rung zu hinlänglicher Deutlichkeit verhelfen.

· 4. Auf einem reichen grünen Rasen liegt die Centaurin
mit dem ganzen Pferdeleibe auf die Erde gelagert, die Hinter=
füße rückwärts ausgestreckt; der obere weibliche Theil hinge=
gen ist sanft gehoben, und stützt sich auf den einen Ellenbogen.

Die Vorderfüße sind nicht, wie bei einem auf der Seite lie=
genden Pferdekörper, gestreckt; sondern der eine ist in knieen=
der Stellung mit einwärts gebogenem Hufe; der andere ist auf
die Erde gestemmt, gerade wie bei einem Pferde, das im Be=
griffe ist, vom Boden aufzuspringen. Von den beiden Jun=
gen hält sie das Eine in den Armen empor und reicht ihm
die menschliche Brust: das Andere liegt unter ihr und saugt
wie ein Füllen. Ueber ihr steht auf einer Anhöhe ein Cen=
taur, wie es scheint, der Gatte dieser säugenden Mutter,
und schaut lachend auf sie herab. Er ist übrigens nicht ganz,
sondern bloß bis in die Mitte des Pferdeleibes sichtbar. Mit
einem jungen Löwen, den er mit dem rechten Arm empor=
hebt, scheint er seine Kleinen zum Scherze erschrecken zu
wollen.

5. Die übrigen Vorzüge dieses Gemäldes, so weit sie
sich den Blicken des Laien nicht eben handgreiflich darstellen,
und auf welchen gleichwohl der ganze Effekt eines Kunst=
werks beruht, als das Richtige und Gelungene der Umrisse,
die Feinheit in Verschmelzung der Farben, das Wahre und
Angemessene in der Art, wie sie aufgetragen sind, die schick=
liche Vertheilung von Licht und Schatten, das genaue Ver=
hältniß der Theile zu einander und die ganze Harmonie des
Ganzen — Alles das überlasse ich den Jüngern der Kunst
zu bewundern, deren Sache es ist, auf dergleichen Vollkom=
menheiten sich zu verstehen. Was mir an dieser Arbeit des
Zeuris ganz besonders am verdienstlichsten erschien, ist das,
daß er auf einem und demselben Bilde die Größe seines Ta=
lentes in den verschiedenartigsten Aufgaben erprob hat. Dem

Centauren gab er den Ausdruck furchtbarer Wildheit, aufsträubendes Haar, eine struppichte Oberfläche nicht bloß der Hälfte, an welcher er Pferd, sondern auch, wo er Mensch ist, gewaltige, derbe Schultern, und einen Blick, der, wiewohl er lacht, doch ganz die rohe, thierische und unbändige Natur dieses Ungethüms verräth.

6. Die Centaurin hingegen gleicht unterhalb einer ausgezeichnet schönen Stutte von jener wilden Art der Thessalischen, die noch ungebändigt sind und keinen Reiter getragen haben; die obere Hälfte ist die eizes überaus reizend geformten weiblichen Körpers, mit Ausnahme der Ohren, welche etwas satyrartiges haben. Besonders meisterhaft aber ist die Verbindung der beiden Leiber mit einander, der sanfte und allmählige Uebergang der Pferdenatur in die zarte weibliche, das unmerkliche Verfließen der einen in die andere, wobei das Auge das Aufhören des thierischen und den Anfang des menschlichen Theiles nicht im mindesten gewahr wird. Die Zwillinge haben bei aller Zartheit ihres Alters *) gleichwohl schon etwas Wildes und Furchtbares; und ein besonders bewundernswürdiger Zug scheint mir die kindische Neugier zu seyn, womit sie nach dem jungen Löwen aufschauen, während sie sich zugleich saugend, aber mit einer gewissen Aengstlichkeit, an die Mutter schmiegen.

7. Dieses Bild nun stellte Zeuxis öffentlich auf, und versprach sich von der kunstvollen Ausführung desselben eine große Wirkung auf die Beschauer. Auch erhob sich wirklich

*) Ἐν τῷ νηπίῳ nach Gronov.

(sobald es enthüllt war) ein allgemeines Beifallgeschrei, wie das bei dem ersten Anblick eines so köstlichen Werkes nicht anders seyn konnte. Allein was die Leute alle am meisten bewunderten, war (wie neulich bei meinen Zuhörern) das Neue des Gedankens, und der Einfall, einen Gegenstand zu bearbeiten, an welchen zuvor Niemand gedacht hatte. Wie also Zeuxis sah, daß diese Neuheit die Zuschauer so ganz beschäftigte, daß sie für die Kunst und außerordentliche Sorgfalt in der Ausführung aller Theile gar kein Auge hatten, so rief er einem seiner Schüler zu: „Hülle das Gemälde nur wieder ein, Mikkion, und laß es nach Hause tragen. Diese Menschen loben sich nur den rohen Stoff, das Gemeinste an unserer Kunst: an das aber, was sie bewundern müßten, wenn sie Kunstsinn hätten, kehren sie sich nicht viel: die überraschende Neuheit des Einfalls gilt ihnen weit mehr als aller Kunstwerth der Arbeit." So äußerte sich Zeuxis, wohl etwas zu gereizt, wie mich däucht.

8. Etwas Aehnliches begab sich in der Schlacht, welche Antiochus, mit dem Beinamen der Erretter [König von Syrien], den Galatern lieferte. Wenn es euch nicht unangenehm ist, erzähle ich euch das Geschichtchen. Dieser Fürst kannte seine Feinde als sehr gute Soldaten, und wußte auch, daß sie ihm an Zahl überlegen waren. Sie hatten eine sehr starke, zusammengedrängte Phalanx gegen ihn aufgestellt, von vier und zwanzig Gliedern schweren Fußvolks in der Tiefe, die vordersten Gliedern alle mit ehernen Panzern bewaffnet, jeden der beiden Flügel von zehntausend Reitern unterstützt; aus der Mitte sollten (im Augenblicke des Angriffs)

7 *

achtzig vierspännige Sichelwagen und noch einmal so viel zweispännige Streitwagen hervorbrechen. Beim Anblicke dieser, wie er glaubte, unüberwindlichen Streitkräfte verlor Antiochus allen Muth und alle Hoffnung. Er hatte nur sehr kurze Zeit gehabt, sich auf diesen Feldzug zu rüsten, und war also mit einer, solchen Feinden durchaus nicht gewachsenen, Macht ausgezogen. Der größte Theil seines kleinen Heeres bestand noch überdieß zu einem großen Theile aus Peltasten oder leichten Truppen: Gymneten *) allein waren es über die Hälfte. Schon war er entschlossen, eine Unterhandlung zu versuchen, und dachte darauf, wie die Feindseligkeiten mit guter Art beigelegt werden möchten.

9. Allein Theodotas aus Rhodus, ein Mann voll Muth und Einsicht in Anordnung der Schlachten, der sich im Gefolge des Königs befand, sprach diesem zu, den Muth nicht sinken zu lassen. Antiochus hatte sechzehn Elephanten bei sich. Diese rieth ihm Theodotas anfänglich so viel als möglich verborgen zu halten, damit sie nicht über die Linien hervorragten: sobald aber der Augenblick des Angriffs gekommen und das Zeichen gegeben wäre, die feindliche Reiterei angesprengt käme, und die Galater aus dem Innern ihrer geöffneten Phalanx die Wagen hervorbrechen ließen, dann sollten je vier Elephanten der Reiterei auf beiden Flügeln, die acht übrigen hingegen den Sichel= und Streitwagen entgegengetrieben werden. Und so geschah es auch.

10. Weder die Galater noch ihre Pferde hatten je zu=

---

*) Truppen ohne Vertheidigungswaffen.

vor einen Elephanten gesehen: daher brachte sie dieser un=
erwartete Anblick so sehr außer Fassung, daß sie schon in
der Ferne, sobald sie nur das Brummen der Thiere vernah=
men, und die weißen, aus der schwarzen Körpermasse desto
glänzender hervorragenden Zähne derselben und die emporge=
streckten Rüssel sahen, welche sie zu umschlingen drohten, noch
ehe sie ihnen auf Schußweite entgegenkamen, umwandten und
in größter Verwirrung die Flucht ergriffen. Das Fußvolk
rannte im Gewühl in seine eigenen Lanzen, oder ward von
den auf sie einsprengenden Reitern zu Boden geworfen und
zertreten. Die Streitwagen kehrten gleichfalls um und fuh=
ren blutvergießend durch ihre eigenen Leute; und, mit Homer
zu reden,

————— —— ——— ✓ — —— — —— unter die Räder
    Stürzten die Männer in Staub, und zertrümmerte Wagen
                    erkrachten. *)

Denn die Pferde, sobald sie einmal durch die Furcht vor den
Elephanten scheu gemacht waren, ließen sich nicht mehr hal=
ten, warfen die Wagenlenker ab,

    Rasselten, leer die Geschirre, dahin — **)

und zerschnitten und zersetzten ihre eigenen Leute, die, wie in
einem solchen Tumulte nicht anders möglich war, in Menge
zu Boden gestürzt waren. Hintennach kamen nun noch die Ele=
phanten, und zertraten viele Feinde, oder ergriffen sie mit
dem Rüssel und schleuderten sie in die Luft, oder durchbohr=

—————————————————————————

*) Il. XVI, 379.
**) Il. XI, 160.

ten sie mit ihren Zähnen. Kurz, diese Elephanten waren
es, deren gewaltiger Andrang dem Antiochus den vollständig=
sten Sieg verschaffte.

11. Was von den Galatern in diesem furchtbaren Blut=
bad nicht gefallen war, wurde gefangen genommen, mit Aus=
nahme einer ganz geringen Anzahl, welche sich in die Ge=
birge flüchtete. Die Macedonier, welche Antiochus bei sich
hatte, stimmten den Siegeshymnus an, und kamen dann von
allen Seiten herbei, um dem Könige Kränze darzubringen,
und ihn als glorreichen Sieger zu begrüßen. Allein mit
thränenden Augen erwiederte ihnen Antiochus: „Schämen
wir uns, Cameraden, daß wir unsere Errettung diesen sech=
zehen Bestien verdanken! Denn hätte nicht die Neuheit ih=
res Anblicks unsern Feinden Schrecken eingejagt, was hätten
wir gegen diese ausgerichtet?" Und auf das Sieges=
denkmahl ließ er nichts als das Bild eines Elephanten ein=
graben.

12. Nun habe ich wohl darauf zu denken, wie ich es
angehe, daß ich mich nicht in einem ähnlichen Falle, wie An=
tiochus, befinde, und daß nicht, während alles Uebrige des
Triumphes unwürdig erschiene, bloß gewisse Elephanten, ei=
nige wunderliche Formen und noch nie gesehene Fratzen Al=
les wären, was man von meinen Sachen beifallswerth fände.
Denn bis jetzt sehe ich, daß das, worauf ich am meisten ge=
rechnet hatte, am wenigsten berücksichtigt worden ist. Daß
es eine Centaurin war, welche Zeuxis malte, das setzte die
Köpfe in freudiges Erstaunen. Denn das kam ihnen — mit
Recht freilich — neu und wunderbar vor. Wie nun? Sollte

Zeuris wirklich auf die ganze übrige Arbeit vergebliche Mühe verwendet haben? Gewiß nicht. Ihr seyd Eingeweihte; der Kunst, und mustert mit Kennerblick alle Einzelnheiten, möchte sonach nur Alles, was ich euch zeigen will, der Ausstellung vor solchen Beschauern würdig seyn!

Harmonides.

1. Der Flötenspieler Harmonides fragte einst seinen Lehrer Timotheus, auf welche Art er durch seine Kunst sich einen berühmten Namen verschaffen könne? „Wie muß ich es angehen, lieber Meister, sagte er, um von allen Griechen gekannt zu werden? Du hattest die Güte für mich, in Allem, was zur Kunst gehört, mich zu unterrichten; du hast mir gezeigt, was zur reinen Stimmung des Instruments erforderlich ist, wie man das Mundstück anblasen muß, um sanfte und melodische Töne zu erhalten, hast mir Geschicklichkeit im Ansetzen der Finger, Festigkeit im Takt, richtige Harmonie meines Spieles mit dem Chor beigebracht, und mir gesagt, wie der Charakter jeder Tonart, das Begeisterte in der Phrygischen, das Bacchischwilde in der Lydischen, das Ernstfeierliche der Dorischen, das Leichte und Gefällige der Jonischen, zu beobachten und auszudrücken ist. Das Alles verdanke ich deiner Unterweisung. Die Hauptsache aber, um deren willen ich diese Kunst erlernt habe, wie soll mir diese

zu Theil werden? ich meine Ruhm und Ansehen bei Tausen=
den, ein gepriesener Name beim Volke, so daß, wo ich mich
nur sehen lasse, plötzlich Aller Blicke auf mich gerichtet sind,
und Einer dem Andern mich mit dem Finger weist und
spricht: Siehe, das ist der berühmte Harmonides,
der große Flötenspieler! Wie du, mein Timotheus,
das Erstemal deine Heimath, Böotien, verlassen hattest und
[zu Athen] im Trauerspiele die Pandionide die Flöte
bliesest, und im rasenden Ajax, wozu dein Namensbru=
der die Musik gesetzt hatte, den Preis davon trugest, da war
kein Mensch in Athen, der den Namen Timotheus aus The=
ben nicht vernommen hätte: und noch jetzt, wo du auch er=
scheinst, kommen die Menschen herbei und drängen sich um
dich her, wie die Vögel um die Nachteule. Das ist's, war=
um auch ich ein Flötenspieler werden wollte, und warum ich
so viele Mühe auf diese Kunst verwendete. Die bloße Ge=
schicklichkeit im Flötenblasen, ohne die Gelegenheit, mir da=
durch einen Namen zu erwerben, würde mir sehr gleichgültig
seyn, und wenn ich es in meiner Verborgenheit zur hohen
Kunst eines Marsyas und Olympus bringen könnte. Denn
so wäre mein Flötenspiel um nichts besser als eine stille
Musik, wie man sagt. Lehre mich also auch das noch, gu=
ter Meister, wie ich meine Kunst geltend machen könne; und du
wirst mich zu gedoppeltem Danke verbinden, für die Kunst
selbst, und, was mir das Höchste gilt, für den Ruhm, den
sie mir erwerben kann."

2. Hierauf versetzte Timotheus: „In der That, mein
lieber Harmonides, dieser Ruhm, nach welchem du verlangst,

diefe Auszeichnung, dieses allgemeine Bekanntwerden deines
Namens, ist ein würdiges Ziel deines Strebens. Uebrigens,
wenn du vor dem Volke da und dort auftreten und dich hören lassen wolltest, so wäre dieß ein gar zu langer Weg, um
zum Zwecke zu kommen, und es wäre auf diese Art nicht
einmal möglich, daß dich alle Leute kennen lernten; wo ist
aber ein Theater oder ein Cirkus, in welchem du vor dem
gesammten Griechenvolke spielen könntest? Ich will dir einen bessern Rath geben, wie du deines Wunsches theilhaftig
und allgemein berühmt werden kannst. Flöte immerhin auch
bisweilen in den Theatern, aber kümmere dich nicht viel um
die Menge. Der kürzeste und bequemste Weg zum Ruhme
ist dieser: wähle dir unter allen Griechen die Gebildetsten,
das kleine Häufchen derer aus, die, an der Spitze der Uebrigen, in unbestrittenem Ansehen stehen, und deren Urtheil, es
sey lobend oder tadelnd, unbedingten Glauben findet; vor
solchen Männern laß deine Flöte hören, und wenn dich diese
loben, so sey überzeugt, daß du in Kurzem keinem Griechen
mehr unbekannt seyn wirst. Wie das zugehen soll? Siehst
du, wenn Männer, die Jedermann kennt und bewundert, dich
als einen vortrefflichen Künstler kennen lernen, was brauchst
du dich noch um die Menge zu kümmern, die ja doch nur
den Urtheilsfähigen nachspricht? Dieser große Haufe, der
größtentheils aus gemeinen Handarbeitern besteht, weiß das
Bessere und Schlechtere nicht zu unterscheiden. Wenn sie
nun hören, daß jene Vornehmern Einen loben, so trauen sie
ihnen zu, daß sie es nicht ohne ihre guten Gründe thun,
und loben also mit. So ist es bei Preiskämpfen aller Art;

die Menge weiß bloß zu klatschen oder zu pfeifen, der Ur=
theilenden sind etwa sechs oder sieben." Allein Harmonides
sollte es nicht erleben, diesen Rath zur Ausführung bringen
zu können. Als er eben, bei seinem ersten öffentlichen Auf=
treten als Preisbewerber, im Flötenspielen begriffen war, und
aus übertriebener Begierde nach Beifall seiner Lunge zu viel
zumuthete, verhauchte er seinen letzten Lebensathem recht ei=
gentlich in seine Flöte, und starb, noch ohne den Siegerkranz
gewonnen zu haber, auf der Buhne, die er an diesen Diony=
sien zum ersten und letztenmale betreten hatte.

3. Dieser gute Rath des Timotheus nun paßte, dünkt
mich, nicht bloß für den Harmonides, oder überhaupt nur
für die Flötenspieler, sondern es haben ihn alle Diejenigen
sich gesagt seyn zu lassen, welche durch irgend eine öffentliche
Probe ihres Talentes Beifall und Ruhm bei der Menge sich
erwerben wollen. Da ich nun dasselbe Verlangen trug und
darauf dachte, wie ich mich in der kürzesten Zeit allgemein
bekannt machen möchte, so entschloß ich mich, jenem Rathe
zufolge, nach dem ausgezeichnetsten Manne dieser Stadt mich
umzusehen, dessen Urtheil in einem so allgemeinen Ansehen
stände, daß es mir statt aller andern genügen könnte. Als
dieser Mann mußtest mit allem Rechte du mir erscheinen,
der einsichtsvollste Kenner jegliches Guten und Schönen, des=
sen Aussprüche in Sachen des Geschmacks allgemein als
Norm und Richtschnur gelten. Lege ich, so dachte ich, dir
meine Schriften vor, und findest du sie — was der Himmel
geben wolle — b ifallswürdig, o so bin ich am Ziel meiner
Wünsche, so habe ich mit einer einzigen Stimme alle Uebri=

gen für mich gewonnen. Wie könnte ich auch, ohne die Ge=
sundheit meines Kopfes verdächtig zu machen, irgend einen
Andern als dich mir erwählen? Dem Anscheine nach setze
ich zwar das Schicksal meiner Werke, wenn ich einen Einzi=
gen darüber richten lasse, auf ein gefährliches Spiel; in der
That aber ist es hier, als ob ich sie dem Publikum selbst
vorlegte. Denn deine Ueberlegenheit über jeden Einzelnen,
so wie über Alle insgesammt, ist erwiesen genug: und wenn
die Könige zu Lacedämon jeder zwei Stimmen abgeben durfte,
während die Uebrigen jeder nur Eine hatte, so vereinigst
auch du zugleich die Stimmen der Ephoren und der Aelte=
sten in dir, und lenkst überhaupt die Meinung über Dinge
aus dem Gebiete der Wissenschaft und Kunst mit überwie=
gendem Ansehen. Ich fühle, was ich wage, und würde da=
vor erzittern, machte mir nicht der Gedanke Muth, daß du
jederzeit auch den weißen Stein der Minerva *) führst und ihn
hülfreich einzulegen pflegst. Zudem dürfte ich ja dir selbst so
fremd nicht seyn, da ich aus einer Stadt gebürtig bin, welche
schon mehr als einmal, theils einzeln für sich, theils zugleich
mit der ganzen Provinz, Beweise deiner Huld erfahren hat.
Wenn also auch diesmal, bei meinem öffentlichen Auftreten,
die Stimmen ungünstig fallen und nur in der Minderzahl
für mich seyn sollten, o so lege du jenen weißen Stein ein,
und ersetze wohlwollend das Fehlende, und zeige auch hier
wieder, wie die Mängel und Gebrechen zu heilen, deine ei=
genste Sache sey!

*) S. Fischer, 21.

4. Wenn auch früher schon mehrfacher Beifall mir zu Theil wurde, wenn mein Name auch nicht eben unbekannt ist, und meine Aufsätze von denen, welche sie gehört haben, gerühmt werden, so darf mir daran nicht mehr genügen: das Alles sind nichtige Träume und eitle leere Worte. Jetzt erst muß sich's zeigen, was an mir ist: jetzt muß über den Werth meiner Arbeiten entschieden werden! Kein schwankendes, zweifelhaftes Urtheil wird hinfort über dieselben bestehen: je nachdem du dich einmal erklärt haben wirst, werde ich entweder für vortrefflich in meinem Fache gelten müssen, oder — doch ferne seyen schlimme Worte, da ich einem so schweren, entscheidenden Kampfe entgegen gehe! Laßt mich, ihr Götter, mit Ehren bestehen, und sichert mir auch dießmal den Beifall, den ich schon anderwärts erworben, damit ich fortan desto zuversichtlicher vor der Welt auftreten möge! Denn wer einmal in den großen Olympien gesiegt hat, dem wird hinfort vor jeglichem Schauplatz minder bange seyn.

Der Scythe
oder
der Fremdling.

1. Anacharsis war nicht der Erste, der aus Verlangen nach Griechischer Bildung aus Scythien nach Athen kam, sondern vor ihm schon hatte das gleiche Streben den Tora-

ris, einen sehr verständigen, wißbegierigen und von Liebe zum Schönen und zu den edelsten Geistesbeschäftigungen erfüllten Mann, eben dahin geführt. Dieser Toraris war aber nicht, wie Anacharsis, von königlichem Geblüte, oder auch nur aus einem der edeln scythischen Geschlechter, sondern nichts weiter als ein gemeiner Scythe, dergleichen sie dort einen Achtfüßler heißen, das ist ein Herr von einem Wagen und zwei Ochsen. Er kehrte nicht wieder nach Scythien zurück, sondern starb zu Athen, und es stand nicht lange an, so erklärten ihn die Athener zu einem Halbgotte; und noch jetzt werden ihm unter dem Namen des fremden Heilkünst= lers zuweilen Opfer dargebracht. Die Veranlassung zu dieser Benennung und zu seiner Aufnahme unter die Heroen und Söhne des Aesculap zu erzählen, dürfte um so weniger unangemessen seyn, als sich daraus ergeben wird, daß nicht allein in Scythien die Sitte herrscht, Verstorbenen die Unsterblich= keit zu ertheilen, und sie zu Zamolxis *) abzuschicken, son= dern daß man auch in Athen im Stande ist, einen Scythen mitten in Griechenland zum Gotte zu machen.

2. Während der großen Pest [im zweiten Jahre des Peloponnesischen Krieges] war es einst der Gattin des Areo= pagiten Architeles, Dimänete, als erschiene ihr dieser Scythe und befehle ihr, den Athenern zu sagen, sie sollten die engen Gassen der Stadt reichlich mit Wein besprengen. Die Athe= ner ermangelten nicht, zu gehorchen; und da das Verlangte

---

*) Ein vergötterter, ehemaliger Gesetzgeber der Scythen; man sehe das Nähere bei Herodot IV, 94.

sehr fleißig geschah, so hörte die Seuche wirklich auf um sich zu greifen, sey es nun, daß die Verdünstung des Weines schädliche Ausdünstungen vertrieb, oder daß der halbgöttliche Toraris in seiner ärztlichen Weisheit aus irgend einem andern Grunde dieses Mittel verordnete. Zum Danke für diese glückliche Entfernung des Uebels wird ihm noch heutiges Tages ein weißes Roß auf dem Grabmal geopfert, aus welchem er, nach der Erzählung der Dimänete, hervorgestiegen war, um ihr jenen Befehl zu ertheilen. Wirklich fand man, daß Toraris dort begraben lag, was man aus der, freilich nicht mehr ganz leserlichen, Aufschrift, hauptsächlich aber aus dem Bilde eines Scythen schloß, welches auf dem Denkstein ausgehauen war, und in der Linken einen gespannten Bogen, in der rechten etwas, das wie ein Buch aussah, hielt. Noch gegenwärtig ist von diesem Bilde mehr als die Hälfte nebst dem noch unversehrten Bogen und dem Buche zu sehen; den übrigen Theil des Steines mit dem Gesichte hat die Zeit zerstört. Dieses Denkmal befindet sich unweit des Doppelthors, links am Wege nach der Akademie: es besteht aus einem sehr mäßigen Grabhügel und einer, gegenwärtig am Boden liegenden, Denksäule, welche jedoch immer mit Blumenkränzen behangen ist, und schon einigen Leuten vom Fieber geholfen haben soll, was um so weniger bezweifelt werden darf, als ja der Mann einmal die ganze Stadt kurirte.

3. Was ich aber eigentlich von ihm erzählen wollte, ist eine Geschichte aus seinen Lebzeiten. Anacharsis befand sich, nachdem er sich ausgeschifft hatte, und nun vom Piräeus nach der Stadt gieng, in nicht geringer Verlegenheit, wie er, ein

schüchterner Fremdling und noch dazu ein Nichtgrieche, sich in
dieser großen Stadt benehmen sollte. Dazu kam noch, daß
er wohl merkte, wie er wegen seiner sonderbaren Tracht das
Gelächter Aller, die ihn sahen, rege machte; keinen Menschen
aber fand er, der seine Sprache verstanden hätte; und so begann
er schon, die lange Reise zu bereuen und sich zu entschließen,
Athen kaum ein wenig zu betrachten, dann sogleich wieder
umzukehren, sich einzuschiffen und nach dem Bosporus zurückzusteuern, von wo er nur noch einen kurzen Weg in das
Scythenland zu machen hatte. In solchen Gedanken war
Anacharsis bereits bis in den Ceramikus gekommen, als ihm
auf einmal, wie ein guter Genius, unser Toxaris begegnete.
Diesen hatte zuerst die vaterländische Tracht des Anacharsis
aufmerksam gemacht, worauf es ihm nicht schwer fallen konnte,
das Gesicht des Fremden selbst wieder zu erkennen, da er ihn
als einen der vornehmsten und angesehensten Scythen gekannt
hatte. Wie hätte hingegen Anacharsis, da er einen Mann
in Griechischer Kleidung, ohne Bart, ohne Gürtel und Säbel, mit dem ansprechenden Wesen eines gebornen Atheners,
auf sich zukommen sah, in diesem Manne einen Landsmann
vermuthen sollen? So sehr hatte sich Toxaris mit der Zeit in
einen Griechen umgewandelt.

4. Als ihn aber Toxaris Scythisch anredete, und fragte:
„Bist du nicht der Sohn des Daucetas, Anacharsis?" Da
weinte dieser vor Freude, daß er doch nun Einen gefunden,
mit dem er sprechen konnte, und der sogar wußte, welchen
Rang er in seiner Heimath einnähme. Seine erste Frage

war also: „Du bist mir fremd: woher kennst du mich
denn?"

Toxaris. Weil ich ebenfalls aus dem Scythenlande
bin; Toxaris ist mein Name: da ich aber von keinem der
ausgezeichneten Geschlechter stamme, so kann ich dir auch nicht
wohl bekannt seyn.

Anacharsis. Wie? Du wärest also der Toxaris, von
dem ich hörte, er habe aus Verlangen, Griechenland zu sehen, Weib und Kinder in Scythien zurückgelassen, und sich
nach Athen begeben, wo er sich bis jetzt, geehrt von den vornehmsten Bürgern, aufhalte?

Toxaris. Derselbe bin ich, wenn anders auch von mir
noch die Rede unter euch ist.

Anacharsis. Wisse also, daß du an mir einen Schüler, und, was die Liebe, Griechenland zu sehen, die auch dich
ergriffen, betrifft, einen Nebenbuhler bekommen hast. Aus
keiner andern Ursache habe ich eine Reise unternommen, die
mich endlich nach tausend Unfällen unter den mancherlei Völkern, durch welche ich ziehen mußte, hieher geführt hat; und
dennoch, hätte ich nicht glücklicherweise dich getroffen, so
war ich schon entschlossen, noch vor Sonnenuntergang mich
wieder einzuschiffen: so sehr hat mich all das Neue und Un-
gewohnte um mich her außer Fassung gebracht. Nun aber,
mein lieber Toxaris, ich bitte dich bei den großen Göttern
unserer Heimath, dem Acinaces [Säbel] und dem Zamolxis,
nimm dich meiner an, sey mein Führer, zeige mir alles
Schöne und Merkwürdige Athen's und des übrigen Grie-
chenlandes, lehre mich ihre weisesten Gesetze, ihre verdienst-

vollsten Männer, ihre Sitten, Versammlungen, ihre Lebens=
weise, Verfassung, kurz Alles das kennen, weswegen du, und
ich nach dir, einen so weiten Weg hieher gekommen sind.
Laß mich nicht wieder zurückkehren, ohne mit diesem Allem
bekannt geworden zu seyn.

5. Toraris. Nun das war wohl eben kein Beweis
einer sehr warmen Liebe, daß du, kaum an die Pforte ge=
kommen, schon wieder umkehren wolltest. Aber sey guten
Muthes! Du wirst sobald nicht wieder nach Hause verlan=
gen: diese Stadt wird dich zu fesseln wissen; sie hat des An=
ziehenden und Bezaubernden für den Fremden gar zu viel,
so daß du, mächtig von ihr festgehalten, bald nicht mehr an
Weib und Kinder (falls du schon welche hast) wirst denken
wollen. Ich will dir nun einen Rath geben, wie du in mög=
lichst kurzer Zeit die ganze Stadt Athen, ja ganz Griechen=
land und alles Vortreffliche, was die Griechen haben, kennen
lernen kannst. Es lebt hier ein Mann von Geist und selte=
nen Einsichten, der zwar ein eingeborner Athener, aber durch
seine vielen Reisen nach Asien und Aegypten allenthalben mit
den ausgezeichnetsten Männern bekannt geworden ist. Du
wirst an ihm einen Mann in sehr mäßigen Glücksumständen,
schon ziemlich bejahrt und eben so bürgerlich gekleidet finden,
wie du mich hier siehst. Allein seiner Weisheit und seiner
übrigen vortrefflichen Eigenschaften wegen steht er hier in so
hoher und allgemeiner Achtung, daß man sich entschlossen hat,
ihn zum Gesetzgeber zu wählen, und das öffentliche, so wie
das Privatleben nach seinen Vorschriften einzurichten. Hast
du erst diesen Mann dir zum Freunde gemacht, hast du

alle seine Vorzüge recht kennen gelernt, so darfst du dich
überzeugt halten, du habest in ihm das ganze Griechenland
und seyest mit der Summe alles dessen bekannt geworden,
was dieses Volk Vortreffliches hat. Ich wüßte dir also keinen bessern Dienst zu erweisen, als wenn ich dich in seinen
Umgang brächte.

6. **Anacharsis.** So zögern wir keinen Augenblick.
Führe mich zu ihm, bester Toxaris! — Nur fürchte ich, der
Mann möchte nicht leicht zugänglich seyn, oder deiner Em-
pfehlung meiner Person vielleicht wenig Folge geben —

Toxaris. Behüte der Himmel: im Gegentheile, ich
glaube, ihm die größte Freude zu machen, wenn ich ihm Gelegenheit verschaffe, einem Fremden gefällig seyn zu können.
Komm' immer mit mir — du sollst dich bald genug von seiner Achtung gegen Fremde, von seinem humanen, biedern
Charakter überzeugen. — Aber was sehe ich? Ein guter
Genius führt ihn uns selbst entgegen! Siehst du, der Mann
dort ist's, der so ganz mit sich selbst beschäftigt und in tiefes
Nachdenken versunken auf uns zu geht. — „Ah, Solon,
siehe, hier bringe ich dir ein großes Geschenk, einen Fremden, der eines Freundes bedarf.

7. Er ist ein Scythe aus einem unserer edelsten Geschlechter, und gleichwohl hat er sein Vaterland mit allen
den Vortheilen, die er dort besitzt, verlassen, um hier in
unsrem Umgange zu leben, und Alles, was Griechenland
Vortreffliches hat, kennen zu lernen. Da fiel mir ein rechr
kurzer und bequemer Weg für ihn ein, diesen Zweck zu erreichen, so wie den ausgezeichnetsten Männern dieser Nation

sich bekannt zu machen: und dieser Weg ist kein anderer, als
ihn zu dir zu führen. Und wenn ich anders den Solon ken=
ne, so thust du, was wir wünschen, nimmst dich dieses Fremd=
lings an, und machest aus ihm einen ächten Bürger Grie=
chenlands. Du aber, mein Freund Anacharsis, wie ich dir
vorhin schon sagte, hast nun Alles gesehen, da du den Solon
gesehen hast: in ihm ist Athen, in ihm ganz Griechenland
vereinigt. Du bist nun kein Fremdling mehr; allgemein
kennt, allgemein liebt man dich: so groß ist das Gewicht die=
ses ehrwürdigen Alten. In seinem Umgange wirst du dein
Scythien schnell vergessen: denn du hast in diesem Muster=
bild ächten Griechenthums, diesem Manne, in welchem atti=
sche Weisheit und Bildung so rein sich ausprägt, den Lohn
deiner Wanderung und das Ziel deines liebenden Verlangens
gefunden. Erkenne also daraus, wie hochbeglückt du bist,
daß du mit Solon zusammen seyn, und ihn zum Freunde ha=
ben sollst."

8. Es würde mich zu weit führen, wenn ich erzählen
wollte, was Solon hierauf erwiederte, und mit welcher
Freude er das Geschenk des Toxaris annahm. Kurz, sie
Beide lebten von Stunde an in beständigem Umgange; So=
lon bildete und unterrichtete den jungen Scythen in allem
Schönen und Guten, verschaffte ihm die allgemeine Liebe,
machte ihn mit allen Vorzügen Griechenlands bekannt, und
sorgte auf alle Weise dafür, ihm seinen Aufenthalt in diesem
Lande so angenehm als möglich zu machen; Anacharsis aber,
von der Weisheit seines väterlichen Freundes zur Bewunde=
rung hingerissen, kam ihm mit Willen auch nicht einen

8 *

Schritt von der Seite. Und, wie ihm Toraxis versprochen
hatte, durch den einzigen Solon lernte er in ganz kurzer Zeit
Alles kennen, und wurde durch ihn Allen bekannt, von Allen geehrt. Denn es war nichts Geringes, von Solon gelobt zu werden: die Leute folgten ihm auch hierin, als einem Gesetzgeber und liebten Alle, die seinen Beifall hatten,
in der zuversichtlichen Meinung, daß es nur vorzügliche
Männer seyn können. Zuletzt — wenn wir dem Theoremus
glauben dürfen, der Dieses erzählt — ward Anacharsis unter
die Bürger aufgenommen, und sogar — das einzige Beispiel
von einem Barbaren — in die Geheimlehre zu Eleusis eingeweiht. Und nie hätte er wohl seine Heimath Scythien
wieder aufgesucht, wenn Solon nicht gestorben wäre.

9. Damit aber diese Erzählung nicht so kahl dastehe,
so lasset mich zum Beschlusse noch mit Wenigem der Absicht
erwähnen, warum ich diese beiden Scythen und den alten
Solon aus Athen hieher nach Macedonien gebracht habe.
Ich glaube nämlich, in einem ganz ähnlichen Falle, wie einst
Anacharsis, mich zu befinden; nur mögen die Grazien verhüten, daß ihr mir diese Vergleichung meiner Wenigkeit mit
einem Königssohne übel deutet. Anacharsis war nun einmal
ein Barbar, und man wird nicht behaupten wollen, daß wir
Syrer noch unter den Scythen stehen. Uebrigens ist es
durchaus nicht seine königliche Abkunft, sondern die Aehnlichkeit meiner jetzigen Lage mit der seinigen, als er nach Athen
kam, was mich zu dieser Vergleichung veranlaßt. Bei meinem ersten Eintritte in diese eure Stadt wirkte der Anblick
ihrer Größe, ihrer geschmackvollen Pracht, ihrer Volksmenge,

ihres Glanzes und Reichthums, mit außerordentlicher Stärke auf mich. Lange überließ ich mich sprachlosem Erstaunen, und konnte mich eben so wenig in alle diese Wunder finden, als einst jener Jüngling von dem armen Ithaca, als er in den Palast des Menelaus trat. *) Und wie natürlich war diese Stimmung, da ich zum Erstenmale eine Stadt sah von dieser Höhe des Wohlstandes, die, wie jener Dichter sagt:

Mit Gütern reich begabt in voller Blüthe prangt?

10. Endlich fieng ich an, zu überlegen, was für mich zu thun sey. Längst schon hatte ich mich entschlossen, auch bei euch mit der Vorlesung einer Reihe meiner Aufsätze aufzutreten: denn wo anders sollte ich mich hören lassen, wenn ich eine solche Hauptstadt stillschweigend übergienge? Mein Erstes war also (um die Wahrheit zu gestehen), daß ich mich erkundigte, wer die Männer wären, deren Stimme am meisten Gewicht hätte, und denen man sich zu nähern, unter deren Protection sich zu begeben hätte, um durch ihre Unterstützung den allgemeinen Beifall sich zu sichern. Da war es denn nicht nur Einer, wie dort der Barbare Toxaris, sondern Viele, ja Alle waren es, die mir einstimmig, fast Alle mit denselben Worten die Antwort gaben: „Wir haben zwar viele vortreffliche und einsichtsvolle Männer in unserer Stadt, lieber Fremdling, dergleichen du nicht leicht an einem andern Orte so Viele beisammen antreffen dürftest: besonders aber sind in unserer Mitte zwei ganz ausgezeichnete Männer,

_____

*) Hom. Odyss. IV, 74. ff.

die, so wie sie durch Geburt und hohen Rang weit über alle
Uebrigen hervorragen, an Geistesbildung und Beredsamkeit
mit allem Rechte jenen zehn großen Attikern *) an die Seite
gesetzt werden. Das ganze Volk ist ihnen zugethan, ja sie
sind seine Lieblinge. Was sie nur wollen, geschieht, weil sie
nichts wollen, als was zum Besten der Stadt dient. Von
ihrer Humanität aber, ihrer liebreichen Gefälligkeit gegen
Fremde, ihrer achtunggebietenden Größe, an welche auch der
Neid sich nicht wagt, ihrer Würde bei der herablassendsten
Leutseligkeit, ihrer Bereitwilligkeit, Jedermann Zutritt bei
ihnen zu gestatten — von Allem dem wirst du dich bald genug durch eigene Erfahrung überzeugen, um selbst ihr Lobredner auch gegen Andere seyn zu können.

11. Und, was deine Bewunderung vermehren wird, sie
sind Beide aus einem und demselben Hause: es ist der Vater
und der Sohn. Unter dem Erstern denke dir einen Solon,
einen Perikles, einen Aristides. Und wenn dich des Sohnes
hohe, männlich schöne Gestalt schon auf den ersten Blick an-
ziehen wird, so wird, wenn du ihn wirst reden hören, die
Grazie, die auf des Jünglings Lippen wohnt, dich fesseln
und unwiderstehlich hinreißen. So oft er auftritt, um vor
dem Volke zu reden, hört ihm die Menge mit Begierde und
Staunen zu; denn unsere Bürger sind nicht minder in ihn,
als einst die Athener in ihren Alcibiades, verliebt, nur mit

*) Die zehen Redner des Alexandrinischen Canon sind: An-
tiphon, Andocides, Lysias, Isocrates, Isäus, Demosthenes, Aeschines, Hyperides, Lycurg, Dinarch.

dem Unterschiede, daß Letztere ihre Liebe nur zu bald be=
reuen mußten, während unsere Stadt diesen jungen Mann
nicht bloß liebt, sondern auch jetzt schon aufrichtig verehrt.
Mit Einem Worte, er ist unser Stolz, unser schönstes
Kleinod! Bist du nun so glücklich, daß dir bei ihm und sei=
nem Vater eine gute Aufnahme und ihr Wohlwollen zu
Theil wird, so hast du schon die ganze Stadt für dich ge=
wonnen; ein kleines Zeichen des Beifalls dieser Beiden —
und dein Glück ist entschieden! —" So sprachen — Jupi=
ter weiß es, wenn ich's betheuern soll — so sprachen sie
Alle. Und nun, da ich mich selbst überzeugt, dünkt mich, sie
seyen noch weit unter der Wirklichkeit geblieben.   Darum
„nicht müßig gesessen, nicht gesäumt!" wie der Ceïsche Dich=
ter *) sagt; frisch! jegliches Segel in Bewegung gesetzt, und
Alles gethan, um solcher Männer Freundschaft zu gewinnen!
Denn ist mir diese geworden, so ist mein Himmel heiter,
meine Fahrt glücklich, die See spiegelglatt und der Hafen
nicht ferne.

_____

*) Bacchylides.